As novas aventuras de Sherlock Holmes

As novas aventuras de SHERLOCK HOLMES

VOLUME 2

EDIÇÃO E INTRODUÇÃO
Otto Penzler

TRADUÇÃO
Regina Lyra
Maria Luiza Borges

EDITORA
NOVA
FRONTEIRA

Título original: *The Big Book of Sherlock Holmes: Stories*

Editora Nova Fronteira Participações S.A.
Rua Candelária, 60 — 7º andar — Centro — 20091-020
Rio de Janeiro — RJ — Brasil
Tel.: (21) 3882-8200 — Fax: (21) 3882-8212/8313

Imagem de capa
John O'Connor, *Ludgate, evening*. Óleo sobre tela, 1887

CIP-Brasil. Catalogação na fonte
Sindicato Nacional dos Editores de Livros, RJ

N824 v. 2

As novas aventuras de Sherlock Holmes, volume 2 / organização Otto Penzler ; tradução Regina Lyra , Maria Luiza Borges. - 1. ed. - Rio de Janeiro : Nova Fronteira, 2018.
592p. ; 23cm

Tradução de: The Big Book of Sherlock Holmes : Stories
ISBN 9788520942581

1. Ficção americana. I. Penzler, Otto. II. Lyra, Regina. III. Borges, Maria Luiza.

18-47634 CDD: 813
CDU: 821.111(73)-3

SUMÁRIO

VOCÊ ACHA ISSO ENGRAÇADO?

Escrever um pastiche de um detetive famoso, que seja convincente no estilo e contenha um mistério desconcertante, é extremamente difícil. Escrever uma paródia é algo bem mais fácil — já que o foco pode ser dirigido para um único elemento da personagem em vez de abarcar uma gama de características. Mas, escrever um texto que seja efetivamente engraçado deve ser a façanha literária mais difícil. Infelizmente, como o leitor vai ver, nem todos os autores desta seção estavam à altura do desafio, mas foram incluídos aqui porque várias dessas narrativas têm importância histórica. Por sorte, a pior das paródias é generosamente curta.

VITORIANOS CONTEMPORÂNEOS

Hoje em dia, muitos dos mais bem-sucedidos escritores de história de mistério, que, em sua maioria, possuem a própria série de detetives, se afastaram, em algum momento, da sua obra de maior sucesso para escrever uma nova aventura de Sherlock Holmes. O lado bom disso é que eles deram conta da tarefa com mais brilhantismo do que se poderia esperar.

AS PEGADAS DE UM ESCRITOR GIGANTESCO

Não foram apenas escritores atuais que dedicaram sua criatividade à produção de histórias de Sherlock Holmes. Muitos autores clássicos de outras épocas também aceitaram o desafio de acrescentar uma aventura à lista de casos do maior de todos os detetives.

VOCÊ ACHA ISSO ENGRAÇADO?

A aventura da segunda bolsa

ROBERT BARR
(escrevendo como Luke Sharp)

Nascido na Escócia, Robert Barr (1850-1912) mudou-se com a família para o Canadá aos quatro anos de idade. Como professor e, mais tarde, diretor da Central School of Windsor, em Ontário, escreveu contos que enviou para o *Detroit Free Press.* Aos 26 anos, decidiu dedicar todo seu tempo a escrever e se mudou para Detroit a fim de se tornar um escritor de peso no jornal citado, chegando, depois, a ocupar o posto de editor.

Suas colaborações para o periódico foram publicadas sob o pseudônimo Luke Sharp, um nome curioso, mas não inventado por Barr. Quando estudava no Canadá, ele com frequência passava por um local cuja placa anunciava "Luke Sharpe, agente funerário", e não conseguiu resistir ao apelo memorável do nome.

A paródia de estreia de Barr sobre Sherlock Holmes, "Histórias que deram errado: as aventuras de Sherlaw Kombs", publicada em maio de 1892, costuma ser considerada a primeira paródia de Holmes (é antiga, sim, mas não é a primeira) e consta em diversas antologias, inclusive neste livro. No entanto, a história a seguir, publicada mais de uma década depois e bem mais obscura, é uma caricatura ainda mais engraçada do grande detetive.

"A aventura da segunda bolsa" teve sua primeira publicação no exemplar de dezembro de 1904 da *Idler Magazine*. A primeira aparição em formato de livro foi como um livreto popular com tiragem limitada a duzentos exemplares: *The Adventure of the Second Swag* (London, Ferret Fantasy, 1990).

A AVENTURA DA SEGUNDA BOLSA

Robert Barr

Era a véspera de Natal de 1904. O lugar, uma antiga e erma casa senhorial, construída no século anterior, nos idos de 1896. Situava-se na parte mais alta de um vale profundo, acolchoado por samambaias que chegavam à cintura de qualquer indivíduo que passasse por ali e vigiado por árvores muito antigas, resquícios de uma floresta primitiva. Da mansão, não era possível ver qualquer outra habitação humana. O caminho que dali descia e se conectava com a estrada real e seu castelo era tão sinuoso e íngreme que, mais de uma vez, o soturno baronete a quem a residência pertencia danificara seu carro na tentativa de lidar com as curvas perigosas. A situação de isolamento e a arquitetura sinistra da veneranda moradia talvez causassem no observador mais desatento a impressão de ser aquela a construção ideal para se cometerem atos espúrios, não fosse a presença de uma iluminação brilhante provida pela eletricidade, embora o silêncio fosse enfatizado, e não perturbado, pelo ruído monótono e regular de um acumulador hidráulico bombeando o fluido sutil para um dínamo situado em um armazém a leste da propriedade.

A noite caía lúgubre e prematura após um dia de chuva, mas era esse cenário sombrio que fazia com que as janelas de vidro feericamente brilhantes se destacassem como a capa cintilante de um suplemento natalino. Tal era a aparência exibida por "Undershaw", assim chamado o lar de sir Arthur Conan Doyle, situado na campestre Hindhead, a cerca de sessenta ou setenta quilômetros de Londres. Acaso causaria espanto que, em local tão distante da civilização, a lei pudesse ser desafiada e que o único policial solitário a perambular nas cercanias estremecesse ao passar pelos sinistros portões da casa?

Em um vasto aposento dessa mansão, mobiliado com uma elegância esplendorosa, algo inesperado em uma região tão alheia às influências humanizadoras, sentavam-se dois homens. Um deles, de estatura gigantesca, tinha uma testa ampla e um queixo primorosamente barbeado que davam à sua aparência uma profunda determinação, acentuada por um pesado bigode negro que cobria seu lábio superior. Sua postura ereta e confiante lembrava a de um Dragão da infantaria britânica. Na verdade, ele fizera parte de mais de uma acirrada batalha e era membro de diversos clubes militares; ficava, no entanto, evidente que seus ancestrais não raro usavam clavas e haviam lhe legado o físico de um Hércules. Não era preciso lançar o olhar para o exemplar natalino da *Strand,* que o homem tinha em mãos, nem ler o nome ali impresso em letras garrafais para que se soubesse estar cara a cara com sir Arthur Conan Doyle.

Seu convidado, um sujeito mais velho, embora no ápice da vida, em cuja barba já se viam alguns fios brancos, exibia uma aparência menos belicosa que o renomado romancista, pertencendo, como era óbvio, ao segmento civil e não ao militar da sociedade. Esbanjava a sensação de prosperidade, afabilidade e conciliação, e é a esses dois tipos tão fortemente contrastantes que a Inglaterra deve sua grandeza. O leitor do suplemento natalino talvez se decepcione ao descobrir, como supõe, que se trata apenas de dois velhos amigos conversando amistosamente em uma mansão campestre após o jantar. Não há sinais, para sua visão cética, da presença de qualquer elemento de tragédia em tal situação. Os homens aparentam estar à vontade e serem respeitáveis o bastante. É verdade que há uísque e soda à mão, e que a caixa de charutos se encontra aberta, mas existem possibilidades latentes de paixão até nas naturezas mais plácidas, reveladas tão somente a escritores de ficção em nossa imprensa mequetrefe. Deixe, portanto, que o leitor aguarde até ver os dois homens passarem por uma prova de fogo sob enorme tentação e, então, dizer se até mesmo a probidade de sir George Newnes sobreviveu intacta à provação.

— Trouxe a bolsa, sir George? — indaga o romancista com um toque de ansiedade na voz.

— Sim — responde o grande editor. — Contudo, antes de procedermos à contagem, não seria recomendável dar ordens para que não sejamos perturbados?

— Tem toda razão — concorda Doyle, apertando um botão elétrico.

Quando o criado surgiu, ele disse:

— Não estou em casa para ninguém. Não importa quem apareça nem a desculpa que ofereça, não permita que nenhuma pessoa se aproxime desta sala.

Após a saída do criado, Doyle tomou a precaução extra de ajustar um dos enormes ferrolhos que ornamentavam a porta maciça guarnecida de maçanetas de ferro. Sir George retirou do bolso traseiro da casaca duas bolsas de lona, e, abrindo-as, despejou o rico ouro vermelho sobre a mesa lustrosa.

— Acredito que vá encontrar o valor apropriado — disse. — Seis mil libras ao todo.

O escritor arrastou sua pesada cadeira para mais perto da mesa, começando a contar as moedas, duas a duas, removendo cada par da pilha com os polegares estendidos, como se estivesse habituado a lidar com grandes tesouros. Durante um tempo, reinou o silêncio absoluto, quebrado apenas pelo tilintar do metal. De repente, porém, uma voz esganiçada vinda do lado de fora penetrou até mesmo o carvalho robusto da porta enorme. A exclamação estridente deu a impressão de reacender uma lembrança na mente de sir George Newnes. Nervoso, ele apertou os braços da cadeira, sentando-se retesado com o susto e murmurando:

— Seria ele, entre tantos indivíduos, justamente agora?

Doyle ergueu os olhos com uma expressão aborrecida no rosto, murmurando, a fim de manter a memória fresca:

— Cento e dez, cento e dez, cento e dez.

— Não está em casa? — gritou a voz estridente. — Balela! Todos estão em casa na véspera de Natal.

— O senhor, aparentemente, não está — ouviu-se o criado responder.

— Eu? Ora, não tenho casa, apenas alguns cômodos na Baker Street. Preciso falar imediatamente com seu patrão.

— Ele saiu com o automóvel há meia hora para comparecer a um baile do condado, que está acontecendo agora no hotel Royal Huts, a dez quilômetros daqui — disse o criado, com aquela loquaz maestria da ficção que inconscientemente ocorre aos membros, ainda que encarregados de funções modestas, de uma casa dedicada à produção de arte criativa.

— Balela — repetiu a voz estridente. — É verdade que há rastros de um automóvel na terra diante da porta. Porém, se reparar nas marcas dos pneus, verá que o carro estava chegando, e não partindo. O veículo foi à estação antes da última chuva para buscar um visitante e, desde sua chegada, não choveu mais. Aquela roupa de guerra no corredor, salpicada de lama, sem dúvida era a proteção usada pelo visitante. O brasão que se vê ali, de uma tesoura sobre um livro aberto em cima de um prelo, indica que o usuário é, em primeiro lugar, um editor, em segundo, um editor de livros e, terceiro, um impressor. O único baronete da Inglaterra cuja ocupação corresponde a essa peça de heráldica é sir George Newnes.

— O senhor se esquece de sir Alfred Harmsworth — retorquiu o criado, que segurava um exemplar do jornal *Answers*.

Se o insistente visitante ficou ou não desconcertado por essa réplica imprevista, suas maneiras não demonstraram qualquer traço de constrangimento, e ele prosseguiu, inabalável.

— Como a última chuva começou às dez para as seis da noite, sir George deve ter chegado à estação Haslemere no trem das 18h19 de Waterloo. Jantou e, neste instante, está sentado confortavelmente com sir Arthur Conan Doyle, decerto no salão da frente, que percebo estar com a luz acesa. Agora, faça a gentileza de levar a eles meu cartão...

— Estou dizendo — persistiu o criado, perplexo — que o patrão saiu de automóvel para o baile do condado no hotel...

— Sim, eu sei, eu sei. Lá também está a sua roupa de guerra, recém-tingida de cinza, cujo brasão é uma máquina de escrever sobre um automóvel em alta velocidade.

— Minha nossa! — exclamou sir George, os olhos reluzindo com o brilho do desejo profano. — Isso te dá bastante material para um conto em nosso número de janeiro, Doyle. O que me diz?

Uma ruga profunda maculou a maciez da testa do romancista.

— Digo — respondeu gravemente Doyle — que esse homem tem me enviado cartas ameaçadoras. Já estou farto de suas ameaças.

— Então, aferrolhe os outros trincos da porta — aconselhou Newnes, com um suspiro de decepção, recostando-se na cadeira.

— Você acha que sou homem de me esconder quando o inimigo aparece? — perguntou o dono da casa com veemência, botando-se de pé. — Não, farei o contrário. Isso será resolvido na entrada.

— Melhor seria recebê-lo na sala de estar, que está mais quente — sugeriu sir George, com um sorriso, diplomaticamente desejoso de acalmar a situação.

O romancista, sem retorquir, abriu um exemplar da edição vespertina do *Westminster Gazette* e cobriu a pilha de ouro, dirigiu-se em largas passadas até a porta, escancarou-a e disse, com frieza:

— Faça o cavalheiro entrar, por favor.

Dessa forma, um homem alto, confiante e calmo, com o rosto barbeado, olhar de águia e nariz inquisitivo adentrou o cômodo.

Embora a visita fosse um verdadeiro embaraço naquele momento específico, a cortesia natural do romancista o impedia de dar vazão ao ressentimento, o que o levou a apresentar o convidado indesejável ao seu amigo como se ambos fossem igualmente bem-vindos.

— Sr. Sherlock Holmes, permita-me apresentar-lhe sir George...

— Isso é desnecessário — rebateu o recém-chegado, na voz firme de um tenor exasperado —, pois é possível deduzir de imediato que um indivíduo que usa um colete verde só pode ser um liberal com opiniões férreas sobre governo autônomo ou o editor de várias publicações que trazem capas em tom esmeralda. A gravata com trevos, além do colete, indica que o cavalheiro diante de mim é ambas as coisas, motivo pelo qual não tenho dúvidas de que é sir George Newnes. Como anda a tiragem de suas publicações, sir George?

— Subindo em velocidade estonteante — respondeu o editor.

— Fico feliz — admitiu o intruso, com afabilidade —, e posso lhe garantir que a temperatura lá fora está caindo em velocidade estonteante.

O grande detetive espalmou as mãos diante da incandescente lareira elétrica e as esfregou uma na outra.

— Posso ver através do jornal vespertino a soma de seis mil libras em ouro.

Doyle interrompeu o intruso com certa impaciência.

— Você não viu através do jornal, mas no jornal. Deus sabe que isso foi mencionado em vários lugares.

— Como eu estava prestes a observar — prosseguiu Sherlock Holmes, imperturbável —, fico pasmo que um homem cujo tempo é tão valioso possa perdê-lo contando dinheiro. Sem dúvida, o senhor está ciente de que um soberano de ouro pesa 7,99 gramas. Logo, se estivesse em seu lugar, mandaria buscar a balança da cozinha, poria nela o metal e chegaria ao total com um lápis de chumbo. O senhor trouxe o ouro em duas bolsas de lona, não foi, sir George?

— Em nome de tudo que é mais sagrado, como sabe? — indagou o atônito editor.

Sherlock Holmes, com indiferença e um sorriso superior, indicou com a mão as duas bolsas que continuavam sobre a mesa lustrosa.

— Ah, estou farto desse tipo de coisa — falou Doyle, exausto, sentando-se na primeira cadeira que encontrou. — Não consegue ser honesto nem mesmo na véspera de Natal? Sabe muito bem que os oráculos da Antiguidade não se portavam mal uns com os outros.

— Verdade — concordou Sherlock Holmes. — O fato é que segui sir George Newnes até o banco Capital & Counties essa tarde, onde ele solicitou seis mil libras em ouro. No entanto, quando lhe informaram que essa quantia pesaria 44 quilos, e que não faria diferença se o valor lhe fosse dado em barras em vez de moedas, sua decisão foi optar por duas pequenas sacolas de ouro e o restante em cédulas do Banco da Inglaterra. Viemos de Londres no mesmo trem, mas ele estava no automóvel antes mesmo que eu pudesse me apresentar, obrigando-me a fazer o caminho a pé. Atrasei-me mais ainda ao pegar a curva errada no topo da estrada e me descobrir naquele local encantador nas cercanias onde um marinheiro foi morto por rufiões cerca de um século atrás.

Ouviu-se um quê de alerta na voz de Doyle quando ele indagou:

— E esse incidente não lhe ensinou nada? Não o fez perceber estar em um local perigoso?

— Correndo o risco de esbarrar em dois rufiões? — emendou Holmes, erguendo de leve as sobrancelhas, enquanto mantinha o mesmo sorriso doce nos lábios finos. — Não, a lembrança do incidente até me encorajou. O homem assassinado estava com dinheiro. Eu não tinha um centavo comigo, embora acalentasse a esperança de arrebatar uns tantos.

— Acaso nos faria a gentileza de esclarecer, sem mais delongas, o que o traz aqui tão tarde da noite?

Sherlock Holmes deixou escapar um suspiro e balançou devagar a cabeça com pesar.

— Depois de tudo que lhe ensinei, Doyle, será que não consegue deduzir uma coisa tão simples? Por que estou aqui? Porque sir George cometeu um equívoco quanto a essas sacolas. Teve plena razão em trazer uma delas a "Undershaw", mas deveria ter deixado a outra no número 221B da Baker Street. Chamo essa pequena jornada de "A aventura da segunda bolsa". Eis aqui a segunda bolsa, sobre a mesa. A primeira você recebeu faz muito tempo, e tudo que me coube foram algumas palavras melosas de elogio às histórias que escreveu. Ora, infelizmente é acertado dizer que palavras melosas não enchem a barriga, e, neste caso, nem mesmo impedem a ira. No que tange à segunda bolsa, estou aqui para exigir a metade de seu conteúdo.

— Não sou tão obtuso quanto a deduções, como, pelo visto, imagina — disse Doyle, aparentemente espicaçado pela ligeira referência do outro às suas capacidades. — Ficou evidente para mim, no momento em que chegou, qual era sua pretensão. Deduzi, ainda, que, tendo visto sir George sacar o ouro no banco, o seguiria até a estação de Waterloo.

— Correto.

— Quando ele comprou a passagem para Haslemere, o senhor fez o mesmo.

— Sim.

— Chegando a Haslemere, enviou um telegrama ao seu amigo, o dr. Watson, informando-o de seu paradeiro.

— Errado. Corri atrás do automóvel.

— Decerto enviou um telegrama de algum lugar para alguém ou ao menos pôs um bilhete em uma caixa de correio. Existem indícios, que não carecem ser mencionados agora, que apontam sem sombra de dúvida para tal conclusão.

O infeliz, derrotado pela própria autocomplacência, abriu seu sorriso superior, sem perceber o olhar ávido com que Doyle aguardava a resposta dele.

— O senhor está completamente enganado. Não enviei telegrama algum nem enderecei qualquer mensagem desde que saí de Londres.

— Ah! — exclamou Doyle. — Vejo agora onde me equivoquei. Você apenas indagou como chegar à minha casa.

— Não foi preciso. Segui as luzes traseiras do automóvel durante parte da subida e, quando o carro desapareceu, virei à direita, em vez de virar à esquerda, já que não havia ninguém na rua em uma noite como a de hoje a quem pudesse pedir informações para achar o caminho.

— Minhas deduções, então, estão equivocadas — observou Doyle com a voz rouca, em tom que provocou calafrios nas costas do convidado bem-vindo, mas não proveram qualquer pista do próprio destino ao atrevido visitante indesejado.

— É óbvio que sim — concordou Holmes, com segurança exasperadora.

— Estarei também errado ao deduzir que não comeu nada desde que saiu de Londres?

— Não. Nesse ponto, tem toda razão.

— Então, por gentileza, aperte esse botão elétrico.

Holmes atendeu ao pedido com disposição. Contudo, embora o trio tenha esperado alguns minutos em silêncio, não houve resposta.

— Deduzo daí — disse Doyle — que os criados já se recolheram. Depois de providenciar para que todas as suas necessidades de comida e ouro sejam atendidas, eu o levarei de volta em meu carro. A menos que prefira passar a noite aqui.

— É muita gentileza sua — atalhou Sherlock Holmes.

— De forma alguma — emendou o autor. — Por favor, pegue aquela cadeira e a traga para junto da mesa, para que possamos dividir o conteúdo da segunda bolsa.

A cadeira indicada era diferente de todas as outras. Tinha o encosto reto e seus braços de carvalho eram cobertos por duas placas, aparentemente de alpaca. Quando a pegou pelos braços para puxá-la, Holmes soltou um suspiro entrecortado, caindo estatelado no chão, o corpo tomado por tremores. Sir George Newnes pôs-se de pé num salto com um grito de alarme. Sir Arthur Conan Doyle permaneceu sentado, com um sorriso seráfico de infinita satisfação brincando nos lábios.

— Ele desmaiou? — perguntou sir George.

— Não. Foi apenas eletrocutado. Um artefato simples que o xerife de Nova York me ensinou da última vez em que estive lá.

— Deus do céu! Podemos ressuscitá-lo?

— Meu caro Newnes — respondeu Doyle, com a expressão de alguém que acabou de tirar um grande peso dos ombros —, um homem pode cair dentro da fenda ao pé da catarata de Reichenbach e sobreviver para registrar suas aventuras depois. Porém, quando dois mil volts passam pelo arcabouço humano, o dono do arcabouço em questão está morto.

— Você não está dizendo que acabou de assassiná-lo, está? — perguntou sir George em um sussurro apavorado.

— Ora, o termo que você usou é duro, embora bastante acurado para definir a situação. Para falar com toda a honestidade, sir George, não acho que possamos ser acusados de nada além de homicídio involuntário. Veja bem, essa é uma pequena invenção para receber ladrões. Toda noite, antes de irem dormir, os criados ligam a corrente elétrica dessa cadeira. Foi por isso que pedi a Holmes para apertar o botão. Costumo pôr uma mesinha ao lado dela, com uma garrafa de vinho, uma de uísque e outra de soda, além de alguns charutos. Assim, se um ladrão entrar, ele sem dúvida se sentará nesta cadeira a fim de se entreter. Como vê, essa peça de mobília é um método eficaz para a redução de crimes. O número de criminosos que já despachei para a cova provará que o fim de Holmes não foi premeditado. Esse incidente, estritamente falando, não é assassinato, mas homicídio involuntário. Não devemos pegar mais de 14 anos cada um, e é provável que a sentença será reduzida para sete devido ao fato de termos cometido um ato em benefício público.

— Cada um! — exclamou sir George. — O que eu tive a ver com isso?

— Tudo, meu caro, tudo. Enquanto o tolo tagarelava, vi em seus olhos o brilho da cobiça das altas tiragens. De fato, acho que chegou até a mencionar o número de janeiro. Isso o transforma em cúmplice. Só precisei dar cabo do pobre infeliz.

Sir George afundou na cadeira, sufocado de terror. Editores são seres humanos que quase nunca cometem crimes; autores, por outro lado, são calejados, pois costumam cometer uma transgressão toda vez que publicam um livro. Doyle riu, despreocupado.

— Estou habituado a esse tipo de coisa — falou. — Lembre-se de como eu matava em *A Companhia Branca*. Agora, se me ajudar a nos livrarmos do corpo, tudo há de dar certo. Veja bem, descobrimos através deste equivocado simplório que ninguém faz ideia de onde ele está. É comum o detetive sumir durante várias semanas, motivo pelo qual, na verdade, corremos pouco perigo de sermos presos. Você pode me dar uma mãozinha?

— Acho que não me resta outra opção — disse o homem, corroído pela própria consciência.

Na mesma hora, Doyle deixou de lado a lassidão causada pela chegada de Sherlock Holmes e passou a agir com a energia que lhe era característica. Indo até o armazém fora da casa, trouxe até a porta da frente o automóvel, e, então, levantando o corpo do chão e sendo seguido por seu convidado trêmulo, saiu e atirou o cadáver no compartimento de carga traseiro. Em seguida, jogou dentro do veículo uma pá e uma picareta, cobrindo tudo com uma lona. Acendendo os faróis, instruiu o convidado a entrar no carro, a fim de começarem a malfadada jornada. Pegou a estrada que passava pelo local onde o marinheiro fora morto e desceu o morro íngreme em uma velocidade temerosa até Londres.

— Por que escolheu este caminho? — indagou sir George. — Não seria aconselhável optar por se embrenhar no campo?

Doyle soltou uma sonora gargalhada.

— Você não tem uma casa em Wimbledon Common? Por que não enterrá-lo em seu jardim?

— Ora essa! — exclamou o homem, horrorizado. — Como é capaz de propor algo assim? Por falar em jardins, por que não o enterrou no seu, o que seria muito mais seguro que dirigir nessa velocidade?

— Não tenha medo — disse Doyle, em um tom tranquilizador. — Encontraremos para ele um sepulcro conveniente sem remexer em nossos jardins. Estaremos no centro de Londres em duas horas.

Sir George olhou, aterrorizado, para o diabólico motorista. O homem sem dúvida estava louco. Encaminhava-se logo para Londres, de todos os lugares! Com certeza aquele era o local na terra que mais deveriam evitar.

— Pare o carro e me deixe descer — exigiu. — Vou acordar o juiz mais próximo e confessar o crime.

— Não fará nada disso — respondeu Doyle. — Será que não vê que pessoa alguma há de desconfiar que dois criminosos escolheriam Londres quando tinham todo o campo ao seu dispor? Não leu minhas histórias? No instante em que um homem comete um crime, ele tenta se afastar de Londres o máximo possível. Todo policial sabe disso. Portanto, segundo a Scotland Yard, dois indivíduos chegando a Londres são apenas inocentes desconhecidos.

— Por outro lado, podemos ser presos por excesso de velocidade. E não se esqueça do fardo terrível que estamos levando.

— Estaremos seguros nas estradas do interior, e reduzirei a velocidade quando chegarmos aos subúrbios.

Eram quase três horas da manhã quando um enorme automóvel saiu de Trafalgar Square e seguiu pela Strand. O lado norte da Strand encontrava-se em obras, como era usual, e o carro, sendo guiado com habilidade, desviou das pilhas de placas de calçamento, dos enormes baldes escuros contendo piche e dos detritos compatíveis com uma repavimentação. Do outro lado da Southampton Street, exatamente no local tão bem ilustrado por George C. Haite na capa da *Strand Magazine*, sir Arthur Conan Doyle desligou o motor. A rua estava deserta. Atirando a picareta e a pá na escavação, ordenou ao companheiro que escolhesse a arma de sua predileção. Sir George optou pela picareta, e Doyle, com vigor, empunhou a pá. Em quase menos tempo que o necessário para contar, um buraco bastante vasto fora escavado e nele foi colocado o corpo do popular detetive. No momento em que a última pá de terra cobriu o túmulo, a voz severa de um policial quebrou o silêncio, levando sir George a deixar cair a picareta das mãos sem forças.

— O que os dois estão fazendo aí?

— Está tudo bem, seu guarda — respondeu Doyle, desenvolto como alguém que previra toda e qualquer emergência. — Meu amigo aqui é supervisor da Strand. Quando a rua está em obras, a responsabilidade é dele, e ele tem a maior tiragem na... Isto é, ela passa por obras com mais frequência que qualquer outra rua do mundo. Não podemos inspecionar o trabalho quando há tráfego; assim, precisamos fazer isso à noite. Sou o secretário dele; faço as anotações, veja bem.

— Ah, compreendo — respondeu o guarda. — Muito bem, cavalheiros, bom dia aos dois e feliz Natal.

— Igualmente, seu guarda. Porém, precisamos de uma mãozinha, pode ser?

O agente da lei ajudou cada um dos homens a sair do buraco para o nível da rua.

Enquanto se afastava do malfadado local, Doyle comentou:

— E é dessa forma que nos livramos do pobre Holmes no lugar mais movimentado da terra, onde ninguém jamais haverá de pensar em procurá-lo, e o enterramos sem sequer um presente de Natal como lembrança. Nós o sepultamos para sempre na Strand.

Pura sorte de novo

STANLEY RUBINSTEIN

Como advogado de renome, especializado em questões literárias e editoriais, Stanley Jack Rubinstein (1890-1975) foi presidente da editora Burke e indivíduo essencial na criação da Andre Deutsch, uma respeitada casa editorial inglesa.

Historiador bastante conhecido, sua obra mais famosa é *Historians of London*, de 1968, cujo subtítulo é "Um relato de vários levantamentos, histórias, perambulações, mapas e inscrições feitos na cidade e seus arredores, e dos dedicados londrinos responsáveis por tais", cobrindo o período até 1900. Sua outra contribuição de peso para a história da cidade é o escrito histórico *The Street Trader's Lot London: 1851. Being an Account of Lives, Miseries, Joys & Chequered Activities of the London Street Sellers as Recorded by Henry Mayhew*, de 1947, ilustrada com 25 desenhos contemporâneos que retratam vários comerciantes cujos pequenos estandes em ruas movimentadas vendiam de tudo, desde ostras a textos sacros hindus e ninhos de passarinho.

A comprovação de que a presente paródia não foi a única incursão de Chapman no mundo da literatura de mistério é seu romance *Merry Murder*, de 1949, que tem como protagonistas o inspetor Rogers e Thomas Willmott.

"Pura sorte de novo" foi originalmente publicado no exemplar de abril de 1923 da *Detective Magazine.*

PURA SORTE DE NOVO

Stanley Rubinstein

Devido à oposição empedernida de minha esposa a Sheerluck Combs, fazia algum tempo que eu não o via, e confesso que foi com certa apreensão que mais uma vez bati à famosa porta em Baker Street.

— Entre! — gritou a voz de meu reverenciado mestre. E, antes mesmo que eu pudesse girar a maçaneta: — Bem-vindo de volta, pródigo Whatson!

— Ora essa! Como soube que era eu? — exclamei, estupefato, esquecendo as boas maneiras ante a admiração por meu amigo.

Combs contemplou uma nuvem de fumaça subir até a chaminé.

— Muito simples. Sua loção capilar, meu caro, o precedeu. Desde nosso último encontro, escrevi uma pequena monografia sobre o odor e o sabor peculiares de mais de 150 variedades de loção capilar. Posso identificar sua marca preferida a um quilômetro de distância.

Comecei a despejar termos elogiosos sobre meu ilustre amigo, que, fiquei encantado em saber, não perdera nenhum de seus poderes de percepção, mas Combs me calou com um gesto imperativo.

— Basta — disse. — Pai, filho... Isto é, Whatson, não consigo mentir nem para você. Na verdade, estava de pé junto à janela quando o vi subindo a rua.

A simplicidade com que ele me contou a verdade, mesmo correndo o risco de perder o fio da meada, era maravilhosa. Encarei-o com um respeito que beirava a adoração.

— Vim a negócios — esclareci.

— Sei disso — disse Combs.

— Como? — perguntei, atônito.

— Você acabou de me dizer — respondeu. — É uma questão importante — acrescentou.

— Maravilha! — Não consegui deixar de bradar. — Como sabe?

A resposta de Combs foi brilhantemente característica de seu formidável raciocínio.

— Em geral, quando um homem vaidoso como você sai sem gravata, isso demonstra pressa; pressa em um sujeito com sua conhecida preguiça demonstra excitação; excitação em alguém de seu temperamento demonstra importância. Uma dedução simples, meu caro Whatson. Você deveria voltar ao estudo da matemática elementar, ele refresca o cérebro. Estou inclinado a crer que perdeu alguma coisa — disse.

Fiquei demasiado surpreso para falar durante um instante.

— E como, pode me dizer, você adivinhou a razão que me trouxe aqui hoje? — perguntei, afinal.

Combs demonstrou surpresa durante uma fração de segundo.

— Quando um cavalheiro educado funga em vez de assoar o nariz, trata-se de um forte sinal de que ele perdeu o lenço.

A percepção do homem e seu conhecimento de vida eram de fato notáveis.

— Eu poderia lhe dizer mais a seu próprio respeito — falou.

— Faça isso — insisti, sempre ansioso por obter comprovação dos métodos de meu amigo.

— Desde quando você passou a fazer a barba com um barbeador de lâminas?

Era verdade. Minha esposa me dera um de presente em nosso aniversário de casamento e, há alguns meses, me convencera de usá-lo.

— Não sei explicar como foi capaz de chegar a tal conclusão.

— Meu caro Whatson, nos velhos tempos de sua solteirice, você costumava se cortar com uma regularidade infalível toda vez que se barbeava. Agora, porém, nem o queixo nem as bochechas mostram qualquer sinal daquelas cicatrizes que sempre me pareceram ferimentos honrosos causados em suas batalhas diárias com a navalha. Seu rosto bem barbeado é sinal suficiente de que você não parou de fazer a barba, e sua mão está, no mínimo, menos firme que costumava ser. Para falar a verdade, se não temesse magoá-lo, diria que começou a beber.

Cobri o rosto afogueado com as mãos.

— Juro que não foi por culpa minha — gemi.

— Suas desculpas podem esperar — retrucou Combs, com frieza. — Deixe-me ouvir o que o trouxe até aqui. Relate os fatos de forma mais resumida possível. Não disponho de muito tempo. O caso da pianola perdida do rei do açúcar me tomou mais tempo que me apraz admitir, e estou atrasado com relação a dois ou três outros casos importantes.

Uma sombra sinistra perpassou o olhar dele e, não fosse pelo movimento irregular das pontas dos dedos se tocando, poder-se-ia supor que estivesse morto.

Pigarreei e dei início ao relato.

— Depois do jantar de ontem à noite, subi para meu escritório e tranquei a porta.

— Ah! — exclamou Combs. — Estava com medo de alguma coisa. Do quê? O que foi? Você está corando, homem! Qual é o problema?

— Bem, veja… — gaguejei.

— Não estou vendo nada — disse Combs, impaciente. — Sou um detetive. *O* detetive! — acrescentou. — Não um simples espiritualista.

— Devo confessar que minha esposa se tornou vegetariana e…

— E que, como o jantar que ela preparou não se provou satisfatório, você se refugiou no escritório para suprir tal deficiência consumindo os sanduíches que levara para lá, sabiamente, durante o dia. Estou certo?

— Sim. Como sempre — respondi. — E, para variar, desta vez quase posso acompanhar seu raciocínio. Depois de consumir os sanduíches e... e o conteúdo de meu cantil de prata, destranquei a escrivaninha com a intenção de fazer o que tantas vezes pensara em fazer, mas jamais tivera tempo até então.

— Prossiga — insistiu Combs. — Estou interessado.

— Pretendia examinar minhas anotações nos casos em que o acompanhei, e apresentar outra seleção ao nosso público ansioso e sempre disposto a ler sobre os crimes.

Combs franziu as sobrancelhas.

— Sob os mesmos termos de antes, presumo — indagou de forma casual —, trinta por cento dos direitos para você e... bem, o restante para mim?

— Decerto que sim — confirmei, tentando manter a voz calma —, mas não será possível.

— E por que não? — indagou Combs de repente.

— Porque os papéis foram roubados — respondi.

— Pelos poderes divinos! — gritou ele, levantando-se de um salto da cadeira, os braços estendidos enquanto investia em minha direção.

De fato acreditei que o derradeiro momento tinha chegado. No entanto, interpretei cruelmente a ação de meu amigo, pois ele apenas pegou o violoncelo pendurado na parede acima de minha cabeça e começou a ziguezaguear pela sala, acelerando e serrando. Para cima e para baixo, de um lado para o outro, a música extravagante que extraía do notável instrumento, presente do rajá do xampu, a quem Combs certa vez prestara um pequeno serviço, ecoava pelo cômodo. De início, ele produziu uma melodia frenética nas cordas, mas, conforme ficava mais cansado, a violência musical foi reduzindo até que, em meio a uma lacrimonsa canção de ninar,

Crombs atirou o instrumento valioso, o presente do... — ah, já mencionei esse fato — na lata de lixo. Em seguida, atirou a si próprio, uma massa trêmula, na poltrona.

Mal lhe sobravam forças para soluçar, mas foi exatamente isso que ele fez, soluços como eu jamais ouvira antes, salvo uma única vez, ocasião em que, disfarçados de sultanas, entramos no harém do sultão de Badladd para resgatar de suas garras uma dama de linhagem real.

Por fim, Combs superou a comoção.

— Whatson — disse —, posso, com o tempo, aprender a esquecer, mas jamais a perdoar. Confiei em você, em você, meu Boswell. Ainda assim, de nada me servem as lágrimas. Fui fraco. Serei forte. Quero ouvir os detalhes. Pode ainda haver tempo para resgatar os papéis.

E ele voltou a ser o detetive, preparado para ouvir com aquela atenção passiva que dedicava aos casos mais impessoais.

— Tendo trancado a porta de meu escritório — prossegui —, peguei todas as anotações, examinei-as com cuidado e as arrumei em duas pilhas sobre a mesa. Na pilha da esquerda, estavam aquelas em que nossos esforços foram... menos exitosos que poderiam ter sido. Você se lembra, por exemplo, daquele desaparecimento misterioso da senhora dos sete queixos?

— Encontrei a senhora, mas jamais recuperei seus queixos — comentou Combs. — Lembro muito bem! O proprietário do circo se recusou a recebê-la de volta sem eles! Continue!

— E na pilha da direita — falei —, coloquei todos os dados de uma dúzia de casos que achei que pudessem ser apresentados com segurança ao público.

— E então?

— Peguei dois envelopes grandes, um dos quais enderecei a você e o outro aos editores. Botei ambos sobre a mesa, com o destinatário para baixo.

— Sou todo ouvidos — disse Combs.

— Misturei os dois como se fossem peças de dominó. Veja bem, não tinha certeza se deveria enviar os papéis diretamente aos editores ou a você, para que os examinasse e, se necessário, os revisasse. Sei, é claro, que se não estivesse ocupado, você os enviaria de novo a mim, mas temi que, na correria dos negócios, eles acabassem lhe passando despercebidos.

— Você estava certo — concordou Combs. — Era bem provável que isso acontecesse.

— Assim, optei por esse método para escolher o que fazer. Estava prestes a desvirar o envelope que determinaria o destino dos papéis quando, por acaso, olhei para o relógio sobre a lareira.

— E que horas eram? Isso é importante.

— Eram 22h23 — respondi. — Eu era, como você sabe, um abstêmio, mas uma longa dieta vegetariana reduziu minha energia. Para resumir, peguei meu chapéu, meu sobretudo e meu guarda-chuva e dei uma corridinha até a esquina, ao *pub* Duke of Edimburgh para… reabastecer meu cantil.

— Ah! — exclamou Combs, e um longo suspiro escapou de seus lábios. — Trancou a porta ao sair?

— A porta da frente, sim. A do escritório, não — respondi. — Porém, juro que não me ausentei por dez minutos sequer, porque, como bem sabe, eles nos põem para fora… quer dizer, eles fecham as portas às 10h30, e voltei direto para casa. E como não há ruas para atravessar nem meios-fios em que tropeçar… — acrescentei sem necessidade.

— Encontrou a porta da frente aberta ao retornar?

— Não. Aparentemente estava tudo como eu deixara. Entrei com minha chave e subi para o escritório. *Os papéis e os envelopes tinham sumido!*

— Valham-me os céus! — exclamou Combs, e enormes gotas de suor brotaram em sua testa. — Você entregou uma arma bastante poderosa nas mãos de meus inimigos!

— Ah, sei disso! — concordei —, mas não tripudie.

— Venha — comandou Combs, pondo-se de pé —, não há tempo a perder. Trata-se, é claro, do trabalho de uma gangue de oposição. Há tempos estou de olho neles. São um bando de inescrupulosos e nada os deterá. Voltemos à cena da tragédia.

Para Combs, pensar equivalia a agir, e em menos tempo que me é necessário para escrever a respeito, estávamos na rua e havíamos chamado um automóvel.

— Para onde? — perguntou o motorista.

Disse a ele o endereço.

— Não tenho combustível suficiente — disse ele, preparando-se para seguir em frente.

— Isso é mentira, George Blarnie, e você sabe disso — afirmou Combs, com calma.

— Ei, quem está me chamando de mentiroso? Pelas barbas do profeta, se não é o sr. Sheerluck Combs! Entre, excelência! Peço desculpas por não ter reconhecido o senhor antes.

Enquanto o veículo seguia em disparada, Combs permaneceu acomodado em seu canto, a testa franzida em profunda reflexão.

— Tem alguma teoria? — indaguei.

— Ainda não — respondeu Combs. — É um crime capital elaborar teorias antes de conhecer todos os fatos. Além disso, é perda de tempo. Você entrou em contato com a Scotland Yard? — perguntou.

— Como pode me perguntar uma coisa dessas? — falei. — Um movimento desses de minha parte sugeriria uma falta de confiança em seus poderes.

— Não estava pensando no departamento de investigação, mas no de objetos perdidos — prosseguiu Combs, casualmente. — No entanto, cá estamos. Tem algum trocado, meu caro Whatson? Deixei a carteira em casa.

Paguei o motorita, que agradeceu levando a mão ao boné e me dando uma piscadela.

— O senhor bem que tentou acabar com minhas vilanias — disse ele —, mas não adiantou. Esta forma de roubo à luz do dia é permitida, por isso não tem como me pegar. *Bom dia*, sr. Combs! — E lá se foi ele.

— Um grande patife, esse aí — explicou Combs. — Um dos maiores especialistas em arrombamento de casas de campo do país. Ele foi, você deve se lembrar, o principal vilão no estranho caso do fogão do caixeiro-viajante.

— Lembro muito bem — respondi.

Minha casa é do tipo comum, geminada e de três andares. Onze degraus levam à porta dos fundos, no porão, que se abre para uma área estreita, pela qual também se tem acesso ao depósito de carvão, situado sob a calçada. Não existe saída que dê direto na rua pelos fundos, e as janelas traseiras têm vista para o canal Regents, apartado do muro da casa apenas por uma trilha estreita.

Quando subi os quatro degraus de pedra que levam à porta da frente e enfiei a chave na fechadura, o temor me assaltou pela primeira vez, pois Combs não colocava os pés na casa desde que minha esposa descobrira seu papel na captura dos envolvidos no assalto a um banco em Sião. Como consequência desse assalto, um primo de segundo grau de sua cunhada ainda não retornara à Inglaterra.

Ficou óbvio que Combs nutria os mesmos temores, pois, quando abri a porta, ouvi dele:

— Sou o encanador.

Minha esposa cruzava o corredor no momento em que entramos na casa.

— O encanador, meu bem — expliquei. — Ele veio... falar comigo sobre um problema nas vias respiratórias.

Dito isso, levei o estranho direto para meu escritório, que fica no segundo andar e na parte da frente da casa.

Devo confessar que esperava que Combs elogiasse meu improviso brilhante. Porém, tão logo fechei a porta, ele esbravejou:

— Tolo, idiota, mentecapto! Vim aqui para consertar uma coisa, não ser consertado. Talvez seja necessário fazer um exame detalhado tanto do interior quanto do exterior do prédio. Acaso seus pacientes têm o hábito de andar pela casa de gatinhas?

E, dirigindo-se até a porta, trancou-a.

— Agora — comandou —, daremos início à investigação. Vou começar inquirindo seus empregados.

— Ora! Não temos empregados. Todos foram embora para fabricar munição e agora não querem mais saber de trabalho doméstico.

Combs franziu o cenho.

— Odeio ter de suspeitar de sua esposa logo no início do processo, mas essa declaração me deixa sem alternativas — disse Combs.

— Posso responder por ela — falei. — Passou a noite no cinema. Nada sabe sobre isso e, para falar a verdade, não deverá saber. Lembre-se de que, se ela sequer desconfiar de que você é você, em dois minutos há de voltar para a casa da mãe.

— E não propõe que a informemos sobre minha identidade?

— Ainda não, meu amigo — respondi.

Combs deu de ombros.

— *Comme vous voulez* — disse ele, com um sotaque impecável. — Vocês, homens casados, são dignos de admiração.

Então, se colocando de joelhos, tirou do bolso a fita métrica e uma grande lente de aumento quadrada.

— A *mise-em-scène* não foi tocada desde ontem à noite — falei. — Aí está a escrivaninha, e aquela é a mesa — expliquei, apontando para o mobiliário mencionado.

— É o que estava imaginando! — interveio Combs, falando consigo mesmo e interrompendo, por um instante, seu percurso de gatinhas, a fim de desenhar um grande ponto de interrogação no caderno de notas. — Ah! — exclamou de repente, os olhos quase grudados ao carpete. — Lama fresca.

— Não sei como pode isso ter vindo parar aqui! — exclamei, culpado. — Tirei as botas antes do jantar ontem à noite e não retornei a este cômodo até depois da refeição.

— Você pode ter trazido a lama quando voltou do Duke of Edinburgh — disse Combs, com um olhar penetrante.

Baixei a cabeça em silêncio.

Concluídas as investigações, Combs desabou em uma poltrona e, acendendo o cachimbo, foi logo envolvido por uma cortina de fumaça.

Então, ele deu um salto súbito, atravessou o cômodo até o telefone e fez um ruído como o de uma campainha.

— Vá dizer à sua esposa que uma amiga cujo nome você não conseguiu registrar ligou e quer vê-la agora mesmo sobre um assunto urgente e particular.

Atendi ao pedido e encontrei minha esposa, para quem repeti a mensagem.

— Ela já foi? — indagou Combs, ansioso, quando voltei. — Quero inspecionar a casa.

— Infelizmente, não — respondi. — Ela me perguntou como iria saber para onde ir se não entendi o nome da pessoa que ligou.

— Arre! — sibilou Combs. — Você sempre estraga tudo! Preciso dar início ao meu plano habitual de inspeção. Se esbarrar em sua esposa, vou repetir a absurda ladainha de que sou o encanador e acrescentar que você me chamou para ver as vias respiratórias da casa, que parecem estar com vazamento. Não se esqueça de me apoiar em qualquer pergunta que ela lhe faça.

E antes que eu tivesse tempo para anuir, Combs já se retirara do aposento.

Peguei um livro e tentei ler, mas a mente insistia em voltar ao meu trágico descuido de permitir que os documentos preciosos de meu amigo fossem roubados. Amaldiçoei o dia em que nasci, o dia em que fui apresentado a Combs, o dia em que minha esposa se tornou vegetariana e, pois o fato se dera no mesmo dia, o dia em que provei bebida alcoólica pela primeira vez.

Acredito que tenha adormecido, pois acordei e vi Combs de pé ao meu lado. De imediato, concluí que ele nada descobrira em sua ronda.

— Eu diria, em vista da poeira, que nenhuma das janelas ou a porta dos fundos foi aberta no último ano — disse ele, desanimado.

— Foi por volta dessa época que os criados partiram — admiti.

Combs, de pé à minha frente, estava perdido em reflexões, o queixo enfiado no peito.

— Não serei vencido! — exclamou, de repente. — Seria muita falta de sorte se, depois de anos de sucesso encontrando soluções para terceiros, eu venha a fracassar no caso mais importante e complicado com o qual jamais lidei, sobretudo quando este me afeta pessoalmente.

Nesse momento, minha esposa bateu à porta.

— O carteiro acabou de deixar um cartão para você — informou ela.

— Merceeiros e açougueiros eu até entendo — disse Combs —, mas não vejo vantagem em ter um relacionamento amistoso com o carteiro.

— Passe por baixo da porta, por favor — pedi. E me abaixei para pegar um cartão-postal endereçado a mim, o qual li em voz alta para Combs. Nele estava escrito:

Os srs. Emess e Script oferecem seus cumprimentos ao sr. Whatson e desejam informá-lo que um envelope vazio e sem selo, endereçado com sua caligrafia, foi recolhido por um de seus funcionários esta manhã e a referente postagem devidamente paga. Os signatários agradecerão se o sr. Whatson lhes remeter a quantia de três pences para cobrir tal despesa ou, caso o sr. Whatson assim deseje, concordam em debitá-la de sua conta.

— Você acha que o cartão é verdadeiro? — indaguei, entregando-o a Combs, que o pegou e estudou com atenção através da lente.

— Sem dúvida — respondeu ele.

— Então, qual seria sua conclusão? — perguntei.

Combs levou um minuto para responder:

— Imagino que o ladrão quis se livrar da parte sem valor de seu butim na primeira oportunidade que encontrou e, como não sabia o que fazer com o envelope, atravessou a rua e o jogou na caixa de correio.

— Parece admissível — concordei.

Combs me lançou um olhar zangado.

— Se conhece um detetive melhor que eu, recomendo que o procure — falou. — Contudo, você sabe que eu sei que sabe que isso é impossível, pois melhor detetive não existe.

Comecei a me desculpar, mas Combs me calou com outro de seus gestos imperativos e se pôs de pé.

— Já passa do meio-dia — disse ele. — Você virou à direita ou à esquerda para chegar ao Duke of Edinburgh? Gostaria de medir a distância — acrescentou.

Dei a ele as informações necessárias e me arrisquei a acrescentar um alerta quanto a certas bebidas vendidas naquele estabelecimento, bebidas que a experiência me ensinou a evitar.

— Muito obrigado — disse Combs. — Vá à minha casa às sete da noite. Espero ter solucionado o caso.

Dito isso, Combs se foi.

Sentei-me e tentei pensar. Eu tinha todos os fatos, mas não conseguia extrair sentido deles, enquanto Combs, com as mesmas informações, iria, não me restava dúvida, recuperar os papéis perdidos.

Cerca de vinte minutos depois, desisti de queimar os miolos e, enfiando o revólver no bolso e dizendo à minha esposa que talvez não voltasse para casa naquela noite, fui atender um paciente, moribundo já fazia três dias, que talvez estivesse se sentindo negligenciado.

Descobri, satisfeito, que ele não piorara durante minha ausência, mas, devido à sua insistência para que eu ouvisse a leitura de seu testamento, bem como testemunhasse a assinatura do documento, já eram quase 19h15, e não 19 horas em ponto, quando bati à porta de Combs.

Uma dama jovem e vestida no rigor da moda, cuja fisionomia me pareceu estranhamente familiar, estava sentada na poltrona de Combs, fumando um cachimbo. Eu estava prestes a apresentar uma desculpa quando um repentino erguer de sobrancelha me levou a reconhecer seu semblante.

— Boa noite, srta. Combs! — saudei. — Imagino que seu irmão ainda não tenha chegado em casa. Posso esperar por ele aqui?

— Meu nome é Kammerad — informou a dama. — Por *Herr* Combs, estou a *esperrar*.

Concluí pelo sotaque que a mulher fosse da Alemanha, nação da qual nunca gostei. Resolvi que o melhor a fazer era *esperrar* — isto é, esperar — meu amigo na rua.

Já ia descendo a escada quando uma voz vinda de cima me chamou:

— *Herr* Vatson! *Herr* Vatson!

Tornei a entrar.

— Pois não? — disse, irritado.

— Não reconhece a mim? — indagou a dama, com um sorriso que se pretendia sedutor.

— Não tive o prazer — respondi, secamente.

— Pois deveria — disse Combs com a voz habitual, pois a dama era ele, afinal.

Expressei minha admiração e não consegui evitar refletir, como tantas vezes fizera no passado, a respeito da genialidade de meu amigo. Ele não apenas era um mestre na arte da maquiagem, mas também capaz de assumir o personagem interpretado com tamanho sucesso que até mesmo eu, que o conhecia talvez melhor que qualquer outra alma viva, me vi incapaz de perceber seu disfarce. O público amante de cinema perdeu uma joia rara quando Combs decidiu que não seria ator.

Combs estalou a língua.

— Fico feliz em perceber que não deixei todos os meus velhos poderes no passado — disse ele.

— Encontrou os papéis? — indaguei, ansioso.

— Não — respondeu —, mas você há de ficar satisfeito de saber que sua esposa não os pegou.

— Como sabe disso? — perguntei, atônito.

— Eu a visitei disfarçado esta tarde — explicou Combs — e, dizendo que havia sido enviada por uma agência de empregos, me candidatei ao cargo de cozinheira e arrumadeira. Felizmente, ela partilha de seu desafeto por alemães e se recusou a me empregar.

Suponho que demonstrei de forma bem clara minha decepção ante seu fracasso na recuperação dos papéis.

— Anime-se — disse Combs, embora o tom com que falou nada tivesse de animador. — Estou aguardando os papéis aqui a qualquer momento.

Confesso que, a essa altura, achei que tais palavras não tinham outro objetivo senão combater meu desânimo.

— Como, quando e onde? — gritei, excitado.

— Ah-ha! — respondeu Combs, de forma misteriosa.

Naquele instante, ouviu-se uma batida na porta da frente.

— Uma visita na hora do jantar! — exclamou Combs, surpreso. — Deve ser algo importante.

— Você acabou de me dizer que está esperando os papéis!

— Ora, que tolice a minha! Claro que sim — admitiu ele. — Acabei me esquecendo disso por um instante.

A batida se repetiu na porta do cômodo.

— Entre! — comandou Combs.

Um carteiro abriu a porta e indagou:

— O sr. Combs está?

— Sim — respondeu o próprio.

— Peço desculpas, senhorita, mas é o sr. Combs que procuro.

— Tudo bem, senhor carteiro — disse ele, rindo enquanto tirava a peruca.

— Ah, peço desculpas — disse o carteiro. — Não o reconheci nessas roupas. Um *shilling*, por favor — acrescentou, estendendo um gordo envelope.

— Nunca distribuo esmolas na porta — disse Combs, dispensando a encomenda.

— É uma recusa formal? — indagou o homem.

— O que é que você tem aí? — retorquiu Combs.

— Ora, veja o senhor mesmo! Uma carta selada à mão. O senhor não estava em casa nas outras duas vezes em que estive aqui hoje. Assim, não pude fazer a entrega — respondeu o carteiro, o verniz de educação se dissolvendo ante a excitação.

Combs pegou a encomenda e, ao vê-la, uma expressão de espanto se instalou em seu rosto.

— Vale o risco — murmurou, entregando ao carteiro um *shilling*.

Abrindo o envelope, examinou rapidamente o conteúdo.

— Ah! — exclamou com um suspiro de alívio, jogando o envelope para mim. — Aí estão seus valiosos papéis. Lembre-se de tomar mais cuidado com eles no futuro.

Era verdade. Não faltava nem mesmo uma página, e o envelope era idêntico ao que eu mesmo endereçara a Combs na noite anterior.

Caí de joelhos aos pés dele e beijei suas mãos em gratidão.

— Como conseguiu? — perguntei, com voz entrecortada. Combs, porém, ignorou a pergunta com um aceno de mão.

— Deixe-me sozinho agora. Estou muito cansado e acho que vou me deitar. Apareça amanhã de manhã e terei uma explica... e explicarei tudo a você — disse, com um bocejo.

Enfiei o precioso envelope no forro de meu colete, em segurança, e com redobrados agradecimentos, fui para casa dormir pela primeira vez em duas noites.

Na manhã seguinte, encontrei Combs tomando café vestido com um robe de diversas cores e aparência peculiar. Tinha olheiras profundas, que me sugeriam, como médico, uma noite insone, sem dúvida passada refletindo sobre a complexidade de algum caso recente.

— Você quer saber como encontrei os papéis — disse ele. — Vou lhe contar. Passei a noite inteira pensando nisso. Foi, na verdade, muito simples, desde que me convenci de que ninguém poderia ter entrado na casa durante sua ausência. Você se lembrará de que confirmou minhas suspeitas de que nenhuma das janelas, bem como a porta dos fundos, fora aberta nos últimos meses. E, é claro, qualquer pessoa que pulasse da janela de seu escritório inevitavelmente quebraria o pescoço ao cair. Não havia ninguém lá ontem pela manhã, pois verifiquei, e soube através de perguntas no distrito policial que nenhum indivíduo foi removido de lá durante a noite.

"Estabelecidos esses fatos, me convenci de que nenhum assalto fora cometido, e como você não tem criados e eu mesmo concluí que sua esposa era inocente, fui levado a crer que *você mesmo tirou os papéis do escritório*."

— Eu? — gritei, esquecendo de novo os modos, tamanha a agitação.

— Você. Está claro para mim que, antes de sair do cômodo para ir ao Duke of Edinburgh, você enfiou os papéis em um dos envelopes, pensou em guardá-los por medida de segurança, mas se deu conta de que não teria tempo para guardá-los e trancar a escrivaninha. Portanto, saiu porta afora com os envelopes em uma das mãos, embora eu não saiba ao certo em qual.

"Ao trancar a porta da frente, você se viu na entrada com os envelopes na mão e, subconscientemente, supôs que estava ali para postá-los, motivo pelo qual atravessou a rua e os colocou na caixa de correio. Então, quando se viu mais uma vez na entrada de casa e procurou a chave no bolso, encontrou seu cantil e, nessa agitação, esqueceu tudo a respeito da ida até a caixa de correio e correu para o Duke of Edinburgh.

"Para ser honesto e, dessa forma, impedi-lo de ficar com a ideia de que solucionei o problema apenas por dedução e sem a ajuda de pistas, devo mencionar que a lama no carpete me fez refletir. Não há lama entre sua casa e o Duke of Edinburgh, e você se lembrava de *ter voltado direto para casa*. Não houve menção, contudo, a ter *ido direto ao Duke of Edinburgh*. Quando vi o estado da rua entre sua casa e a caixa de correio, percebi estar na pista certa. E a carta dos editores me deu uma ajuda adicional.

"Acho que isso é tudo. Devo dizer que precisei ir ao correio local e indagar o horário da entrega seguinte, o que não levou mais de cinco minutos, ou assim seria, se não tivesse sido obrigado a esperar cinquenta minutos para que respondessem à minha pergunta."

— Combs — falei, entusiasmado, segurando as mãos dele entre as minhas —, você é realmente maravilhoso! Como posso demonstrar minha gratidão?

— Deixando-me sozinho, meu caro — respondeu Combs. — Estou esperando uma senhora... hã, uma cliente importante... a qualquer momento, e o caso dela é confidencial demais até mesmo para seus ouvidos.

Enquanto descia a escada, ouvi Combs afinando seu amado violoncelo, um presente... sim...

Um enigma pragmático

JOHN KENDRICK BANGS

(escrevendo como dr. A. Conan Watson)

Das muitas boas ideias do grande humorista americano John Kendricks Bangs (1862-1922), nenhuma igualou sua noção de "romances condensados". Kendricks publicou *Potted Fiction*, em 1908, com o subtítulo: *Being a series of extracts from the world's best-sellers put up in thin slices for hurried consumers.*

No prefácio do livro, ele observa que "esta biblioteca de best-sellers condensados se destina a satisfazer as necessidades daqueles que têm tantos problemas pessoais que não lhes sobra tempo livre para dedicar às dificuldades e tribulações dos heróis e heroínas do momento. O propósito da United States Literary Canning Company, da Pensilvânia, é apresentar, em pequenos pacotes dos quais esta obra é uma amostra, os mais comentados produtos literários de nossos melhores, se não mais famosos, autores".

E assim nasceu a *Reader's Digest*. Bem, não exatamente, mas a caricatura produzida por Bangs é apenas um pouco diferente daquele empreendimento editorial muito bem-sucedido. O conceito era com certeza popular, como ilustram os testemunhos a seguir:

Do prefeito de Squantumville, S.D.: "A partir do uso de seis latas de sua *Potted Fiction*, nosso conselho municipal fechou a biblioteca Carnegie por ter se tornado supérflua." E de uma vítima da insônia por vinte anos: "Suas cápsulas literárias acabaram de surgir e já são uma epifania. Tomei duas antes de me deitar ontem à noite e, desde então, não acordei. Muito obrigado".

"Um enigma pragmático" foi publicado pela primeira vez na seção de entretenimento da edição de 19 de abril de 1908 do jornal *The New York Herald* e pela primeira vez em formato de livro como *Potted Fiction* (Nova York, Doubleday, Page & Co., 1908).

UM ENIGMA PRAGMÁTICO

John Kendrick Bangs

Era uma manhã chuvosa de novembro. Holmes e eu tínhamos acabado de chegar a Boston, onde ele faria uma palestra naquela noite sobre "a relação das guimbas de charutos com o crime", no Browning Club de Back Bay, e ele se divertia com alguns joguinhos de dedução às minhas custas.

—Você é médico por profissão, com uma leve queda pela literatura — observou o detetive, enrolando com os dedos uma bolinha para seu cachimbo de ópio e colocando-a no fornilho. — Acabou de fazer uma longa jornada marítima, arrematada por uma viagem de cinco horas de trem, passando por Nova York, New Haven e Hartford. Teve a roupa escovada por um camareiro negro e o recompensou com uma moeda de seis pences que tirou do bolso direito do colete antes de descer do trem. Veio da estação em um cabriolé, acompanhado de um inglês famoso e de ótima aparência; almoçou feijão e pão preto, precedidos por um martíni. Agora está se perguntando qual dos jornais bostonianos paga mais por notícias.

— Formidável! Formidável! — exclamei. — Como sabe de tudo isso? — perguntei, pois cada fato era verídico.

— O que se percebe mais rápido é aquilo que se vê mais claramente, meu caro Watson — respondeu Holmes, com um gesto depreciativo. — Para começo de conversa, sei que é médico porque sou seu paciente há anos. Que você tem uma queda pela literatura fica evidente pelo fato de que as unhas dos dedos de sua mão direita são curtíssimas devido ao persistente martelar no teclado de uma máquina de escrever, artefato que carrega para toda parte e que me mantém acordado à noite, seja quando estamos em um hotel ou viajando em um vagão-leito. Se isso não bastasse para prová-lo, posso comprovar o fato chamando sua atenção para outro fato, o de que lhe pago um salário para escrever sobre mim e posso mostrar os recibos assinados, se necessário.

— Incrível — falei —, mas como sabe que fiz uma longa viagem, em parte de navio e em parte de trem na estrada que acabou de citar?

— Nada mais simples — retrucou ele, entediado. — Cruzei o oceano com você. Quanto ao trem, a fuligem que restou em suas orelhas e que mancha seu nariz é idêntica à que decora meus próprios traços. Tendo obtido a minha no dito percurso, deduzo que você obteve a sua nele também. Em relação ao camareiro negro, nesses trens trabalham apenas camareiros negros, pois neles os efeitos da poeira e da fuligem ficam menos visíveis que em camareiros brancos. Que ele escovou sua roupa fica demonstrado pelos riscos cinzentos em seu colete branco, onde a escova deixou rastros. Sobre o bolso do colete, vejo a marca de um polegar, indicando que você mexeu aí em busca de uma moeda que lá estava, uma moeda de seis pences.

— Você é um assombro — murmurei. — E o cabriolé?

— O topo de seu chapéu de pele de castor está fora do lugar no ponto em que você esbarrou no puxador da cortina quando entrou no cabriolé — disse Holmes. — O inglês famoso e bem-apessoado que o acompanhou é bastante óbvio. Sou eu, motivo pelo qual tenho absoluta certeza de minha dedução.

— E o almoço, Holmes, e o almoço? O feijão e o martíni?

— Pode negá-los? — indagou ele.

— Não, não posso — respondi, pois, para falar a verdade, tudo estava absolutamente correto. — Porém, como, como, meu caro amigo, pode ter deduzido a presença do feijão? É isso que me intriga.

Holmes riu.

— Você não é observador, meu caro Watson. Como deixar de reparar nisso quando fui eu quem pagou a conta?

Como prova, ele me entregou o recibo, onde se achavam listados os itens consumidos.

— Ah! — exclamei — Mas como sabe que estou me perguntando qual dos jornais bostonianos pagam mais pelas notícias?

— Isso é apenas uma adivinhação, meu caro Watson. Não sabia disso com certeza, mas conheço você.

E era esse o homem sobre quem o povo dizia estar perdendo seus poderes!

Neste momento, ouviu-se uma fraca batida à porta.

— Um futuro cliente — disse Holmes. — A timidez da batida mostra que não se trata de um repórter. Se fosse a camareira, sabendo da existência de cavalheiros no cômodo, teria entrado sem bater. É um homem distinto, que quer manter sua visita a nós em segredo, pois, do contrário, teria se feito anunciar pelo telefone da recepção. Um professor de Harvard, creio eu, pois nenhum outro tipo de criatura viva em Boston admitiria a existência de algo que desconhecesse, logo nenhum outro tipo de bostoniano buscaria minha ajuda. Entre!

A porta se abriu e um cavalheiro idoso de aparência bastante distinta segurando uma pasta e um guarda-chuva surgiu.

— Bom dia, professor — saudou Holmes, pondo-se de pé e estendendo a mão direita de maneira cordial, enquanto pegava o chapéu da visita com a esquerda. — Como estavam as coisas em Cambridge esta manhã?

— Fantástico! Fantástico! — exclamou, eufórico, o cavalheiro, de certa forma violando meus direitos autorais, já que tirava as palavras de minha boca. — Como sabe que sou professor de Harvard?

— Pela marca da matrícula em seu indicador direito — respondeu Holmes —, bem como pela forma que carrega seu guarda-chuva, não como uma bengala, mas como uma vara, como se estivesse pronto para apontar algo em um quadro diante de um grupo de jogadores de futebol que cursa quatro anos em uma instituição de ensino. Ademais, seu endereço está colado no chapéu, que acabei de receber do senhor e pousar na mesa. Veio aqui me pedir ajuda, e seu problema é puramente intelectual, não espiritual. Não cometeu crime ou foi vítima de um. Posso dizer isso apenas observando seus olhos, que estão vermelhos, não por causa de choro, mas de tanto ler e escrever. Seus dutos lacrimais não são usados há anos. Calculo, portanto, que o senhor escreveu um livro e, após publicá-lo, descobriu que não sabe o significado dele. Como os críticos de todo o país estão começando a lhe pedir para explicá-lo, sua posição é das mais constrangedoras. Resta-lhe ficar calado, um enorme esforço para um professor universitário, sobretudo de Harvard, ou admitir que não é capaz de explicá-lo, uma alternativa tenebrosa. Na pasta que traz consigo, está o manuscrito original do livro, que pretende deixar comigo a fim de que eu o leia e, se possível, detecte a essência e lhe diga qual ela é, libertando-o assim de seu dilema.

— O senhor é um homem maravilhoso, sr. Holmes — disse o visitante —, mas se me permite...

— Um instante, por favor — pediu o detetive, observando o interlocutor mais de perto. — Deduzamos agora, se possível, quem é o senhor. Primeiro, suponhamos que seja o autor de um livro publicado há pouco tempo que ninguém consegue compreender. Que livro seria esse? Não pode ser *Seis meses*, de Helinor Quinn, visto que o senhor é um cavalheiro, e nenhum cavalheiro escreveria um livro de tal natureza. Ademais, todos sabem o significado daquela obra. O livro que buscamos não pode ser compreendido sem a ajuda de um mestre como eu. Quem escreveria algo assim? Podemos admitir com tranquilidade que os únicos livros que ninguém consegue entender hoje em dia são escritos por um tal de James, Henry James. Até aí não há problema algum. Contudo, o senhor não é Henry James, pois ele se encontra no momento em Londres traduzindo suas obras para o esperanto. Ora, um homem não pode estar em Londres e em Boston ao mesmo tempo. Qual é a conclusão inevitável? O senhor deve ser outro James!

A mão do visitante tremeu de leve à medida que os formidáveis poderes dedutivos do grande detetive se evidenciavam.

— Mas é maravilhoso! — balbuciou ele.

— Agora, que James poderia ser o senhor, já que não é Henry? — prosseguiu Holmes —, e que livro pode ter escrito que impõe um desafio tão grande à interpretação da mente comum até agora alimentada pela produção clássica de Hall Caine, Laura Jean Libbey e Gertrude Atherton? Uma pesquisa dos seis livros mais vendidos fracassa em nos dar resposta. Assim, a obra é de não ficção. Não me lembro de vê-la sobre a mesa da sala de leitura no andar de baixo, então é improvável que seja de cunho estatístico. O livro não me foi oferecido no barbeiro enquanto cortavam meu cabelo e faziam minha barba, de onde deduzo que não seja humorístico. Dessa forma, é provável que se trate de um volume sobre história ou filosofia. Ora, as pessoas se encontram por demais ocupadas se inteirando dos relevantes fatos históricos em andamento que chegam de Washington todos os dias em forma de notícias jornalísticas. Assim, elas não têm tempo para se dedicar à história que foi feita no passado, motivo pelo qual não parece provável que o senhor tenha se dado ao trabalho de publicar um livro com tal tema. O que, então, somos levados a concluir? Para mim fica claro que o senhor é um homem chamado James que escreveu um livro sobre filosofia que ninguém compreende, com exceção de si próprio, e mesmo o senhor...

— Não diga mais nada! — gritou o visitante, se pondo de pé e andando, espantado, pelo cômodo. — O senhor é a criatura mais incrivelmente assustadora em que já pus os olhos!

— Resumindo — disse Holmes, apontando o dedo de maneira severa para o outro —, o senhor é o homem que escreveu aquela tolice frívola chamada *Pragmatismo*!

Fez-se um silêncio momentâneo e, depois, o professor falou:

— Não consigo entender.

— O quê? O pragmatismo? — indagou Holmes, estalando a língua.

— Não. O senhor — respondeu ele com frieza na voz.

— Ora, é bastante simples — disse Holmes. — O *maître* no restaurante me disse quem o senhor era durante o almoço. Além disso, seu nome está gravado em sua pasta. Como sua identidade poderia me escapar?

— Ainda assim — prosseguiu o homem, com uma expressão intrigada —, já que lhe foi possível deduzir meu nome, minha vocação e tudo o mais, o que poderia ter lhe dado a ideia de que eu mesmo não sabia o que queria dizer quando escrevi meu livro? Poderia me explicar, por gentileza?

— Essa, meu caro professor, é a mais simples de minhas deduções — disse Holmes. — Eu li seu livro.

Nesse ponto, o cavalheiro voltou a desabar na cadeira e fechou os olhos, enquanto eu, percebendo estar prestes a testemunhar uma aventura memorável, me retirei para uma escrivaninha junto à janela a fim de registrar em estenografia o que Holmes dissera. O professor, por sua vez, andava para lá e para cá no aposento.

— Bom — disse ele —, mesmo que o tenha lido, o que isso prova?

— Vou lhe dizer — respondeu Holmes, entrando em um de seus transes. — Eu o li primeiro como um homem deve ler um livro, da primeira à última página. Quando terminei, não consegui detectar seu teor de forma alguma. Uma segunda leitura no mesmo estilo me deixou ainda mais pasmo que antes, motivo pelo qual resolvi lê-lo de trás para a frente. Invertido, ele ficava um pouco mais claro, mas ainda não tinha me convencido. Por isso, tentei lê-lo de ponta-cabeça, pulando páginas alternadas enquanto lia para a frente e lendo as páginas omitidas na volta. O único resultado foi uma imensa dor de cabeça. Contudo, estava decidido, determinado a detectar o significado da obra, nem que isso me custasse a vida. Removendo as capas do livro, cortei as páginas em pedaços, cada um do tamanho de uma carta de baralho, colei-os em quatro baralhos, embaralhei-os três vezes, voltei a cortá-lo duas vezes mais, distribuí a três amigos imaginários sentados à volta de uma mesa redonda e comecei um jogo de dominós também imaginário. No fim, pus os quatro baralhos um sobre o outro, embaralhei-os mais duas vezes e me sentei para ler as páginas da sequência resultante. Ainda assim, o significado do pragmatismo me escapava.

Fez-se uma pausa longa, interrompida apenas pela respiração pesada do professor.

— Prossiga — disse ele, com a voz rouca.

— Bem — disse Holmes —, como último recurso, enviei o livro a um jovem amigo que tem uma gráfica e lhe pedi que compusesse caracteres tipográficos, que depois atirei para cima, recolhendo-os em um barril. Em seguida, extraindo de forma aleatória letra por letra, arrumei-as na ordem da extração. Desse resultado fiz copiões e, acredite ou não, professor, quando me pus a ler suas palavras de novo, a coisa significou menos ainda que antes. De tudo isso, deduzi que o senhor não sabia o que era o pragmatismo, pois, se soubesse, provavelmente teria nos contado, não?

Aguardei a resposta, olhando pela janela, pois a demolição de um homem não é algo agradável de se assistir, ainda que envolva um triunfo para um de nossos mais respeitados e frutíferos heróis. É estranho dizer que a resposta não veio e, ao me virar para descobrir o motivo, observei, atônito, que Holmes e eu estávamos sozinhos, e, o que era pior, o visitante desaparecera junto com nossas malas, bem como com meu sobretudo.

Holmes, abrindo os olhos no mesmo instante, entendeu a situação tão rápido quanto eu e se dirigiu ao telefone, mas quando já ia pegá-lo, o aparelho tocou por conta própria.

— Alô? — atendeu Holmes, impaciente.

— É o sr. Holmes? — indagou alguém.

— Sim — respondeu o detetive com irritação. — Fale logo e desligue. Quero chamar a polícia. Fui roubado.

— Sim, eu sei — disse a voz. — Sou o ladrão, sr. Holmes. Queria lhe pedir para não se preocupar. Suas coisas serão devolvidas tão logo as tenhamos fotografado para ilustrar um artigo no *Boston Gazoozle* desta noite. Ele estará nas bancas daqui a uma hora, mais ou menos. Acho melhor lê-lo; é uma pérola; e lhe agradeço muito pelo material.

— Ora, me passaram a perna! — exclamou Holmes, deixando cair o fone dos dedos dormentes. — Temo, meu caro Watson, que, falando na língua deste abominável país, fui engambelado!

Duas horas depois, as ruas de Boston ecoavam os gritos de jornaleiros vendendo exemplares vespertinos extras do *Evening Gazoozle* contendo um artigo bastante ofensivo com a seguinte manchete:

DETETIVES DETECTAM?

UM REPÓRTER DO GAZOOLZLE DISFARÇADO DE PROFESSOR DE HARVARD VISITA SHERLOCK HOLMES E VAI EMBORA COM DUAS MALETAS CHEIAS DE PERTENCES PESSOAIS DO DETETIVE, ENQUANTO O HERÓI DO DR. WATSON RELATA O QUE DESCONHECE SOBRE PRAGMATISMO.

Herlock Shomes de novo em ação

ANÔNIMO

Algumas paródias são melhores que outras. Em geral, somos capazes de distinguir uma boa de uma ruim. No entanto, na série de seis episódios "Herlock Shomes de novo em ação" é quase impossível ter certeza absoluta se todo o humor é intencional ou se as inconsistências são apenas fruto de desleixo, e não tentativas deliberadas de fazer humor.

Fica claro que o autor anônimo termina de propósito um capítulo com o aviso: "Na próxima semana: um conjunto novo de personagens e mais um episódio emocionante", e inicia o capítulo seguinte com o aviso: "Personagens: os mesmos da semana passada."

Da mesma forma, podemos imaginar ter sido perspicaz da parte dele incluir o dr. Hotsam no elenco de personagens apenas para que o assistente de Shomes aparecesse na narrativa como dr. Plotsam, dr. Fltotsam e dr. Hotsam em ocasiões variadas. Estou menos convicto de que um dos personagens, Harold Fitz Gibbons, que jamais aparece na história, tenha sido uma omissão deliberada.

Como acontece com muitas paródias de Sherlock Holmes, esta é uma história deveras tola — e, ainda por cima, incompreensível. É válido perguntar por que republicá-la. Não se trata de pergunta injusta. Esta é a história rara de uma publicação obscura, razão pela qual é possível que seja sua única oportunidade de lê-la. Só você poderá decidir se isso é bom ou ruim.

"Herlock Shomes de novo em ação" foi publicada pela primeira vez em seis números do jornal *The Wipers Times* (Londres, Herbert Jenkins, 12 de fevereiro-1º de maio de 1916); sua primeira publicação em formato de livro se deu em *The Wipers Times*, editado por F.J. Roberts e J.H. Pearson (Londres, Herbert Jenkins, 1918).

HERLOCK SHOMES DE NOVO EM AÇÃO

Anônimo

Personagens:

Bill Banks — um cadáver.

Lizzie Jones — uma pessoa de caráter questionável, moradora de Hooge.

Harold Fitz Gibbons — castelão do White Chateau (apaixonado por Honoria).

Intha Pink — um sapador (apaixonado por si mesmo).

Honoria Clarenceaux — a heroína (apaixonada por Pink).

Herlock Shomes.

Dr. Hotsam, membro do corpo médico do Exército Britânico.

Capítulo 1
Caído na sarjeta

O vento uivava em volta dos torreões de Cloth Hall, e a lua brilhava sobre a carruagem que conduzia a elite da velha cidade para as festividades organizadas a fim de celebrar o 73º Mandato de Jacques Hallaert, o venerando prefeito de Typers. A mesma lua brilhava sobre a resistente figura de Intha Pink, o sapador. Ele suspirou ao caminhar pela cena feericamente iluminada da festa, pensando em dias passados e em tudo que havia perdido. Conforme seguia adiante, calçando botas de borracha que lhe chegavam à coxa, ruminava em voz alta:

— Maldição! Eles me dão um maldito prego, um maldito martelo e me mandam construir um maldito abrigo.

Nesse momento, Intha caiu em uma cratera aberta por uma bomba e prosseguiu em suas ruminações:

(Continua no próximo capítulo.)

Capítulo 2
Shomes e seus métodos

Personagens — os mesmos da semana passada.

Sinopse: Intha Pink, um sapador, enquanto passava pelo Cloth Hall, em Typers, cenário de um jantar para comemorar o 73º ano de mandato do prefeito da cidade, cai em uma cratera aberta por uma bomba. Ali o deixamos.

Deixamos a cargo da imaginação de nosso gentil leitor a natureza das ruminações de Intha na cratera, enquanto nos voltamos para uma série de acontecimentos trágicos que ocorriam na Denin Road. Tendo em vista ser uma noite festiva na cidade, a rua fervilhava com uma multidão alegre que se acotovelava para abrir espaço e passar, ansiosa para provar as delícias que o local tinha a oferecer. Havia, porém, em meio àquela disparatada turba, duas pessoas destinadas a desemprenhar papéis cruciais no mais profundo e lúgubre mistério que o senil e trôpego chefe de polícia de Typers já encontrara. Uma dessas pessoas era Honoria, a encantadora ainda que anêmica filha do comerciante de crustáceos Hooge, e a outra era... Shomes!

Naquela noite, o comerciante de crustáceos, descobrindo que lhe faltava vinagre, mandara sua encantadora filha a Typers para providenciar a compra do produto. Tudo correu bem com a moça até ela chegar a Culvert, onde se deparou com o corpo sem vida de Bill Banks, contemplando placidamente o céu. A cena a fez soltar três berros de gelar o sangue e cair nas águas escuras e silentes do Bellerwarde Bec — as águas continuaram a correr —, contudo, tal fato não haveria de passar despercebido. Shomes se encontrava por perto e, manipulando seu pulverizador vermorel com a mão direita, despejou três doses rápidas no antebraço, enquanto usava a esquerda para continuar a afinar o violino. O dr. Plotsam, que caminhava à sombra dele, ouvindo os gemidos perturbadores do instrumento, correu para alcançar Shomes, exclamando:

— O que houve, Shomes?

Com aquele grandiloquente gesto que lhe dera fama, o detetive respondeu:

— Você conhece meus métodos, Flotsam!

E caiu no córrego também. As águas do Bec continuaram a correr.

(Continua no próximo capítulo.)

P.S. Na semana que vem: um novo leque de personagens e mais um excitante fascículo.

Capítulo 3
O mistério do portão fechado

Personagens — os mesmos da semana passada.

Sinopse: Intha Pink, um sapador, ao passar pelo Cloth Hall, em Typers, cenário de um jantar em comemoração ao 73º ano de mandato do prefeito da cidade, cai em uma cratera, onde é deixado a ruminar. Nesse ínterim, enquanto uma multidão alegre abre caminho pela Denin Road em direção a Typers, Honoria, a encantadora ainda que anêmica filha do comerciante de crustáceos Hooge, ao passar por Culvert, esbarra no corpo sem vida de Bill Banks e, por causa disso, cai no Bellewarde Bec, cujas águas continuam a correr. Tal incidente é percebido por Shomes e pelo dr. Flotsam, que estavam no local no mesmo momento. Ambos, então, se jogam no Bec, cujas águas continuam a correr.

Voltemos agora a nosso amigo Intha Pink, que, tendo se entregado a solilóquios durante exatos 13 minutos sem nem sequer uma pausa para respirar ou repetir algo, decide sair da cratera na qual tão inadvertidamente caíra. Encontrava-se no processo de içar a si mesmo quando as badaladas cristalinas do relógio da torre da Catedral se fizeram ouvir, anunciando a hora mágica da meia-noite.

— Arre! — exclamou Pink ao mais puro estilo sapador. — Prometi me encontrar com Lizzie à meia-noite e 15 em Fell Hire Corner. Preciso me apressar ou ela ficará contrariada.

Com isso, passou a mão no martelo e no prego, alçou-se da cratera e se pôs a caminhar a passo acelerado em direção à esquina da praça, onde, depois de ter as botas engraxadas e parte da lama escovada da roupa por Bertie, o engraxate vesgo, seguiu apressado pela rua que levava ao portão de Denin.

Não progredira muito e ainda precisou reduzir o passo por conta do volume da multidão alegre que avançava na direção oposta em grandes grupos, todos determinados a passar uma animada noite em Cloth Hall. A missão de Pink, no entanto, não era festiva, e seu humor também não; um plano intrincado tomava forma na mente fértil do sapador, um no qual, podemos nos permitir sussurrar, a linda Lizzie teria papel decisivo.

Ao alcançar o Trueside Corner, o sapador entrou em uma lojinha, cujo proprietário era Sandy Sam, suposto espião e vendedor de sacos de areia.

— Boa noite, Sam — saudou Pink.

— É você, Intha? — falou o velho. — O que há de novo?

— Algazarra e confusão — respondeu o outro. — Mas estou com pressa. Quero um bom saco de areia.

Depois de analisar a mercadoria e aprová-la, Intha pagou a conta com um cheque sem fundos e, enfiando o martelo e o prego no saco de areia, pendurou o dito-cujo no ombro e pegou a estrada. Tamanha era sua pressa que, embora em geral fosse bom observador, não reparou na figura sombria do velho Sam seguindo seus passos. A cerca de cinquenta metros do portão de Denin, o suposto espião tirou seu sinalizador S.O.S. do bolso, desembrulhou-o e deu um tiro no ar, gerando quase na mesma hora a resposta de três uivos lastimáveis oriundos da direção da trincheira do guardião do portão, onde Tim Squealer, o filho adotivo do vendedor de sacos de areia, residia. Intha, ainda concentrado em sua tarefa noturna, correu até alcançar o portão, onde tropeçou em um arame escondido e caiu. No mesmo instante, ouviu-se um ruído suave, sibilante, cujo volume aumentou e se transformou em um barulhão! O sapador fora vítima de uma armadilha! O portão de Denin se fechara!

(Continua no próximo capítulo.)

Na semana que vem: um leque completamente novo de personagens e mais um fascículo empolgante.

Capítulo 4

Personagens — os mesmos da semana passada.

Voltemos a nosso amigo Shomes, que, por algum tempo, esfriou seu ardor no Bec, período durante o qual conseguira travar conhecimento de Honoria, sua encantadora companheira de infortúnio. Prometendo amor eterno e jurando salvá-la, ele a ergue em um dos ombros, enquanto o outro continua sustentando o pulverizador vermorel, e dá início ao itinerário que o levará ao armazém circular dos srs. Crump, Hole & companhia, adjacente à fazenda de Hordon Goose. Com o corpo curvado sob o peso de sua preciosa carga, a mente de Shomes começa a vagar, assim como seus pés, e ele tropeça em uma tábua solta. Buzzing Bill, o simpático açougueiro de Bellewarde, testemunhando o desastre e sendo muito solícito quanto à segurança de seus fregueses, grita a plenos pulmões:

— Que se danem as tábuas de madeira!

Enquanto isso, Intha Pink, após escapar do desastre que se abatera sobre ele no portão de Denin, reaparece em segurança, portando seu saco de areia, martelo e prego, decidido a alcançar o arriscado local onde Lizzie o aguarda.

— Como está indo a noite? — Esta é a delicada observação que ele faz a Vera, uma das moças do "Cinema", que, de maneira rastejante, hesitante e furtiva, driblou a vigilância do gerente e saiu para tomar um pouco de ar.

— Que susto me deu, Intha! — exclamou a moça. — Você marcou encontro com *aquela* mulher de novo?

— Ah, Vera, a que ponto chegará com seu ciúme? — retrucou Intha em tom de censura.

Nesse momento, um tiro distante surge sem aviso.

— Pobre Vera — diz Intha, quando sai de gatinhas da vala e mais uma vez se apossa do martelo e do prego —, ela nunca teria sido feliz, de qualquer maneira.

Enquanto essa cena tocante tinha lugar, Chumley Marchbanks, o ricaço boa-vida da Bond Street, tendo atravessado a Grafton Street para fazer uma visita ao novo cabaré "des Ramparts", que adquirira fama recente e de forma inadvertida graças à iluminação inadequada, pegou o ônibus amarelo no Fell Hire Corner e se viu em Bellewarde. Tudo poderia ter corrido bem para ele se não tivesse esbarrado em Crook, o larápio de Cambridge, que, após lhe esvaziar os bolsos, atirou-o no Bec, cujas águas continuam a correr.

(Continua no próximo capítulo.)

Na semana que vem: um leque completamente novo de personagens e mais um fascículo eletrizante.

Capítulo 5

Personagens — os mesmos de antes.

Flocos de neve caem pesadamente em volta da fazenda de Hordon Goose, onde deixamos Herlock com a encantadora Honoria. Breezy Bill, o simpático açougueiro de Bellewarde, acaba de ser atingido no pescoço por um projétil enquanto o ruído da descarga de uma motocicleta se faz ouvir.

— Será que é Intha? — grita Honoria, enquanto Shomes continua a afinar o violino.

— Não — rosna ele. Um mensageiro motorizado surge na esquina. — Enfim, notícias de meu Esquadrão na Baker Street.

Rapidamente abrindo a mensagem e lendo seu conteúdo, o verdadeiro Shomes se revela em toda força e método. Pegando o pulverizador vermorel, despeja uma enorme dose no antebraço. Justamente então, a voz do fiel Hotsam é ouvida:

— Onde você está, Shomes?

— Aqui — respondeu o grande detetive, na mesma hora descarregando o revólver na figura que se aproximava.

— Graças a Deus o encontrei, afinal. Você quase me acertou desta vez — disse Hotsam com admiração.

— Tudo bem, terei mais sorte na próxima — sussurrou Shomes para Honoria. E falou em voz alta: — Mãos à obra, pois há encrenca à vista! Ainda bem que fiz aquele curso de dois dias na escola técnica. Agora, estarei à altura de todos os subterfúgios deles.

Tirando do bolso uma lanterna, o homem leu a malfadada mensagem:

*A divisão sairá amanhã ao raiar do dia AAA. Você deve reunir todos os personagens à meia-noite e quinze do lado de fora do Cloth Hall, em Typers, P 13 D 1-1 a tempo de pegar o metrô para *-------- às vinte AAA. Ao chegar, roube todos os mantimentos que encontrar e prossiga com a série AAA — Editor. (*Censurado — ED)*

— Finalmente! — gritou o grande detetive.

— Finalmente! — gritaram os outros, enquanto se ocupavam em recolher a parafernália habitual do grande homem.

— Hotsam — chamou Shomes —, mande o ordenança alertar todos os personagens agora mesmo. Depois, encontre-me no portão.

Com essas palavras, ele desapareceu nas sombras da cratera. Tendo sido feitos todos os arranjos, Hotsam e Honoria continuaram seu caminho pela Denin Road, chegando em Typers a tempo de encontrar Intha Pink antes que ele partisse para seu trabalho noturno. Após lhe colocarem rapidamente a par dos acontecimentos, dirigiram-se a um bar nas imediações para esperar a fatídica zero hora.

(Mais um longo e excitante capítulo na próxima semana.)

Capítulo 6
Caído na sarjeta

Personagens — os mesmos da semana passada.

Tendo chegado a sua nova esfera de ação, Shomes e companhia aceleraram novamente. Intha Pink pegou o martelo e o prego e caiu do ônibus próximo à Hyde Park Corner. Nesse ínterim, Hotsam desapareceu na escuridão, para uma missão misteriosa, levando consigo a encantadora Honoria. Lizzie, quando percebeu que sua figura sólida sumira de vista, gritou:

— Não me deixe, Herbert!

Contudo, recebeu apenas uma imprecação como resposta. Desesperada, a mulher se atirou na frente de um projétil que passava zumbindo e sumiu de nossa história. Intha se esgueirou rapidamente na direção de seu objetivo e, bem próximo de realizar seu intento, foi atingido pela saraivada de uma metralhadora. Totalmente perfurado, ele ainda assim sorriu, feliz, e murmurou:

— Pelo menos, é uma arma inglesa.

Aqui o deixamos e nos voltamos para uma série de acontecimentos relevantes nas margens do Douve. Hotsam, ainda arrastando atrás de si Honoria e transpirando bastante, conseguira alcançar o corpo sem vida de Bill Banks, quando uma granada foi detonada no meio deles.

— Fomos descobertos — sibilou ele, rapidamente agarrando Honoria e tomando seu rumo. Mas não foi longe. Ai! Escorregou e, com seu fardo, caiu nas águas turvas logo abaixo, que continuaram a correr. Shomes, surgindo na cena algumas horas depois, logo se pôs a procurar pistas. Tendo encontrado algumas, o grande detetive começou a trabalhar, mas já era tarde, sentia sono e tinha deixado seu vaporizador vermorel no ônibus.

E assim se encerra essa notável história de persistência e sagacidade. O grande inimigo do crime não passa agora de um nome, mas seus métodos precisam continuar a ser uma das maravilhas da história criminal de nossa nação.

Fim

[P.S. Caso haja algum personagem que não tenha sido incluído nesse capítulo, o leitor deve entender que todos encontraram a morte no ataque de fogo líquido. — O autor]

O assassinato da Reigate Road

ANTHONY ARMSTRONG

(escrevendo como A. Bonan Oil)

George Anthony Armstrong Willis (1897-1976) foi um prolífico autor britânico (embora tenha nascido no Canadá) de romances históricos e criminais, contos humorísticos e peças, bem como roteiros de rádio e cinema em vários gêneros diferentes. Em 1924, começou a escrever textos de humor para a *Punch*, e a usar o pseudônimo Anthony Armstrong. Produziu inúmeros romances policiais, contos e peças de humor, alguns dos quais foram adaptados para o rádio das décadas de 1930 até 1960. Seus artigos e contos apareceram nas revistas *The New Yorker*, *County Fair*, *The Strand Magazine*, *Gaiety* e nos jornais *The Dayly Mail* e *The Evening News*.

Entre a dúzia de romances de mistério de sua autoria consta *The Strange Case of Mr. Pelham*, de 1957, que inspirou o filme *O homem que não era*, de 1970, estrelado por Roger Moore, e cinco romances sobre Jimmie Rezaire, um bandido durão de Londres que se torna detetive particular com uma noção de ética um tanto subdesenvolvida.

Armstrong talvez seja mais conhecido por *Ten-Minute Alibi*, peça de mistério muito bem-sucedida sobre um assassinato aparentemente perfeito, escrita em parceria com Herbert Shaw, que estreou na Broadway em 17 de outubro de 1933. Armstrong a transformou em romance, publicado no ano seguinte, e um filme de orçamento limitado e pouco apreciado foi lançado em 1935.

"O assassinato da Reigate Road" foi publicado pela primeira vez em Londres no exemplar de dezembro de 1926 da *Gaiety;* sua primeira publicação em formato de livro se deu em *How to Do It*, de Anthony Armstrong (Londres, Methuen, 1928).

O ASSASSINATO DA REIGATE ROAD

Anthony Armstrong

Não peço desculpas por apresentar ao público o texto a seguir, pela simples razão de que os incidentes narrados encerram a única ocasião em que meu famoso amigo Holmlock Shears incorreu em erro ao trabalhar em um caso.

Lembro-me de que estávamos sentados em nossa sala na Baker Street em uma tarde chuvosa, ocupados como de hábito — eu, com um lápis, tentando escrever algumas memórias, e Shears tocando o violino por trás de uma impenetrável nuvem de fumaça azulada —, quando uma senhora foi trazida ao aposento.

Era alta e de altura mediana, tinha escuros cabelos claros, uma única boca e dois olhos. Usava capa de chuva, pó facial e um olhar preocupado, tendo se dirigido diretamente a mim assim que passou pela porta.

Eu me esquivei — não sem dificuldade, por causa de meu ferimento da batalha de Maiwand — e, de uma posição protegida, perguntei-lhe o que queria.

— Um homicídio foi cometido — disse ela, quase sem fôlego. — Onde está o sr. Holmlock Shears? Não o vejo.

Apontei em silêncio para a fumaça azulada, da qual saíam os acordes da "Lieder", de Mendelssohn. Cada acorde, é claro, estava disfarçado, de modo a impedir que Mendelssohn reconhecesse a própria obra.

— Ele está ali — respondi, orgulhoso.

— Falará comigo?

Atravessei o aposento e bati na beirada da nuvem de fumaça.

— Uma dama quer vê-lo, Shears.

A "Lieder", de Mendelssohn — ou o que restava dela —, transformou-se de repente em "I Don't Love Nobody", tocada com as costas do arco e uma abotoadura; três cordas se arrebentaram; a barragem de fumaça se dissipou e Holmlock Shears se revelou diante de nossos olhos.

É totalmente desnecessário para mim descrever, seja de que forma for, meu tão conhecido amigo; sua altura avantajada, sua esbelteza, seus dedos longos e olhar penetrante. Não preciso cansar o leitor ao mencionar seu nariz aquilino que o fazia parecer tão alerta e dispensarei qualquer referência ao queixo e às mãos, manchadas por produtos químicos e pela nicotina e marcadas por picadas da seringa hipodérmica. Não é necessário descrevê-lo, mas agora já o fiz.

— Você é casada — falou meu colega de repente, observando a mão esquerda da mulher. — E usou pó facial esta tarde.

— Como conseguiu concluir tais coisas? — indagou a mulher, atônita, recuando espantada ante essas observações repentinas. Embora eu já tivesse tido ampla comprovação prévia dos poderes sobre-humanos de observação e dedução de Shears, ainda assim fiquei pasmo.

— O que, afinal, a senhora quer comigo? — prosseguiu ele. — Terá que ser breve, pois só me permitem usar duas páginas desta publicação.

— Houve um homicídio em minha casa, na zona sul de Londres. Não é nada sério, apenas meu marido, mas eu gostaria, apenas por uma questão de interesse, que o senhor entendesse...

— Um minuto. Suponho que a Scotland Yard esteja lá e não tenha pista alguma, encontrando-se totalmente atordoada, certo?

— Ah, sim, passamos por todos os procedimentos de sempre no início e agora eles se foram. No entanto, a charada se complica ainda mais, pois não apenas não conseguimos encontrar o criminoso, como também nem sequer temos pista do cadáver. Lamento incomodá-lo com tamanha trivialidade.

— Para uma grande mente, nada é pequeno. Irei até lá agora mesmo — disse ele, os olhos registrando-a rapidamente. — Está chovendo — falou baixinho, como se essa fosse a observação mais banal do mundo.

— Formidável! — exclamei, enquanto nossa visita encarava Shears espantada, incidente irrelevante este que apenas incluí para mostrar o poder analítico anormal dominado pelo grande detetive. Em uma fração de segundo, ele deduzira o clima a partir da capa encharcada e do guarda-chuva úmido da moça, enquanto gente comum teria apenas olhado pela janela.

Meia hora depois, estávamos na casa onde o covarde crime fora cometido. Shears enfrentava a tarefa estupenda de não apenas descobrir o assassino, mas também de descobrir o cadáver. Contudo, Holmlock se ocupou de ambas imediatamente. Examinou com uma lente de bolso a rua lá fora, o interior da casa, a aspidistra na sala de estar e todos que por acaso passavam perto dele — eu mesmo fui incluído na lista duas vezes —, falando o tempo todo sobre violinos Cremona e soltando gritinhos de encorajamento a si próprio.

Esbarrando em um montículo de pó cinzento no corredor, examinou-o com muita atenção.

— Existem 114 tipos diferentes de cinzas de charuto e cigarro, meu caro Watnot — disse. — Escrevi uma monografia sobre o tema. Estas cinzas são as cinzas de um charuto Trichinopoly... Não, não sei. — Ele interrompeu seu discurso bruscamente. — Não é nada disso, afinal. Nem sei o que é. Por que não podem fumar sempre charutos Trichinopoly? — falou, com petulância. — Sempre fizeram isso até agora e, cá entre nós, são as únicas cinzas que de fato conheço.

A despeito desse sério tropeço, porém, tamanha era a incrível sagacidade do detetive que, em dez minutos, já tinha formulado uma teoria a respeito do crime. Chamando nossa anfitriã à sala, começou:

— Este é um crime muito simples. O homicídio foi cometido por três homens; um com estrabismo para a direita, outro com estrabismo para a esquerda e um terceiro sem estrabismo. Um dos três fumava um Trichin... ou melhor, apenas fumava. Pouco antes comprara algo por um *shilling*, 11 *pence* e três *farthings*. O trio estava de bicicleta e levou o corpo embora na direção da Reigate Road.

— Céus, Shears, isso é formidável! — exclamei.

— De forma alguma, meu caro Watnot; é elementar. Por favor, me passe a seringa hipodérmica.

— Mas você me deixa espantado. O quê...

— Intrinsecamente, um simples caso de mera dedução com um ou dois pontos instrutivos. Dessa forma raciocinei: nossa anfitriã aqui nos diz que houve um assassinato. Logo, um assassinato foi cometido. Não há corpo. Logo, ele foi levado embora. Até então, tudo bem. Mas por quem e como? Pelos assassinos, que eram três e levaram o cadáver em suas bicicletas; sim, porque há rastros de três bicicletas na Reigate Road lá fora, e, além disso — disse ele, enfatizando as palavras com o indicador —, além disso, todos estão exatamente paralelos, de uma forma que só poderiam ter sido feitos por homens levando um corpo rígido estendido entre os guidões. Já mandei meu bando de moleques da Baker Street seguir os rastros e dizer aos homens por telefone que estão sendo procurados. Esse pequeno subterfúgio os trará de volta e, em meia hora, podemos esperar tê-los atrás das grades.

— Incrível! — murmurei de forma débil. — Mas e o estrabismo...

— Elementar, Watnot, elementar. Os dois homens, de modo a carregar um corpo entre eles, precisavam ter um estrabismo oposto a fim de serem capazes de fazê-lo. Se não o tivessem, a esta altura já o teriam. Quanto ao artigo adquirido por um *shilling*, 11 *pence* e três *farthings*, simplesmente indica o achado das cinzas do charuto. O charuto que o homem fumava só poderia lhe ter sido dado em lugar do troco...

Shears parou de falar quando uma voz se fez ouvir lá fora, e nossa anfitriã correu até a porta.

Shears pôs-se de pé em um salto.

— O que foi? — perguntou.

— Graças a Deus, o mistério está resolvido — gritou a dama em triunfo. — É meu marido, são e salvo. Ele não foi assassinado, afinal. Estava apenas dando uma volta em seu triciclo!

Shears acendeu o cachimbo, perplexo e furioso, e desapareceu dentro de uma nuvem de fumaça azulada, levando o violino, seu último arco e a seringa hipodérmica com ele.

A beldade resgatada

WILLIAM B. KAHN

William B. Kahn aparentemente fez uma única contribuição para a literatura de Sherlock Holmes, que foi publicada em 1905 na *Smart Set Magazine*, uma revista literária fundada em 1900 e editada em seus anos mais bem-sucedidos por H.L. Mencken e George Jean Nathan. Eles encomendavam obras de vários dos melhores escritores da época, inclusive F. Scott Fitzgerald, Dashiel Hammett, Dorothy Parker e James Joyce.

A paródia era bem-vinda em suas páginas, e como os personagens e as histórias de Sherlock Holmes estavam no auge da popularidade, estes constituíam alvos óbvios. Como esta foi a primeira e única paródia produzida por Kahn, não causaria surpresa o fato de ter sido publicada com o título "Mais aventuras de Oilock Combs: A beldade resgatada", e uma das primeiras a registrar quantas histórias do detetive giram em torno de problemas maritais.

Nada foi possível descobrir sobre o autor, embora tenha existido um William Bonn Kahn (1882-1971), que escreveu *The Avoidance of War, a Suggestion Offered by William B. Kahn, Written for the Society for Peace* em 1914. Existe a possibilidade de que se trate da mesma pessoa, embora pareça improvável que isso possa interessar a alguém.

"A beldade resgatada" foi publicado pela primeira vez no exemplar de outubro de 1905 do *Smart Set Magazine*. Posteriormente, foi publicado em um livreto popular limitado a 222 exemplares e intitulado *An Adventure of Oilock Combs* (São Francisco, Beaune Press, 1964).

A BELDADE RESGATADA

William B. Kahn

Certa noite, quando eu voltava de um caso de indigestão aguda — foi logo após meu divórcio e me vi obrigado a retornar à prática de minha profissão a fim de me sustentar —, quis o destino que meu caminho passasse pela Fakir Street. Quando cheguei à casa na qual Combs e eu havíamos passado tantas horas juntos, onde compus inúmeras de suas aventuras, uma saudade irresistível me assaltou e me impeliu a mais uma vez subir e segurar a mão de meu amigo, pois, verdade seja dita, havíamos tido uma rusga. Eu definitivamente não gostara da forma como ele produzira provas para minha esposa quando ela quis a separação, e tomei a liberdade de revelar a ele esse meu desagrado, ao que meu amigo apenas me respondeu:

— Meu caro, esse é meu trabalho, não é mesmo?

Embora eu soubesse que ele não estava agindo de maneira adequada, fui obrigado a me acalmar. No entanto, o incidente causou um pequeno afastamento entre nós, afastamento que decidi dar por encerrado naquela noite.

Quando entrei na sala, vi Combs agitado, tomando um copo de água com gás. Desde que eu conseguira livrá-lo do vício de morfina, ele procurava outro estimulante, e enfim o encontrara. Dei um suspiro ao vê-lo ocupado daquela maneira.

— Boa noite, Combs — falei, estendendo a mão.

— Como vai, Spotson? — disse ele, ignorando meus dedos estendidos. — Posso ver que está bem. É de fato uma pena, porém, que esteja mais uma vez sem uma criada. Ao que parece, você costuma ter problemas com seus empregados. — E riu enquanto sorvia a água com gás.

Por mais familiarizado que eu esteja com os poderes de meu amigo, essa extraordinária exibição dos mesmos me deixou deveras perplexo.

— Nossa, Oilock — retorqui, chamando-o, em minha excitação, pelo prenome —, como sabe disso?

— É perfeitamente óbvio, Spotson, perfeitamente óbvio. Uma mera observação — respondeu Combs, tirando do bolso sua gaita e começando a extrair dela uma melodia.

— Mas como? — insisti.

— Bem, se é de fato seu desejo saber — disse ele, parando de tocar —, suponho que seja obrigado a lhe contar. Vejo que você tem um curativo no dedo indicador da mão esquerda. Com certeza, um corte. Porém, o curativo é tão pequeno que o corte deve ser minúsculo. "O que pode tê-lo produzido?", perguntei-me. A resposta óbvia: uma tachinha, um alfinete ou uma agulha. Impulsivamente, eliminei a hipótese da tachinha. Outro impulso e eliminei o alfinete. Assim, só pode ter sido uma agulha. "Por que uma agulha?", indaguei-me. E, observando seu sobretudo, descobri a resposta. Nele há cinco botões, quatro dos quais estão quase soltos, enquanto o quinto se encontra firmemente preso ao tecido. Foi costurado há pouco tempo. A conexão ficou clara. Você furou o dedo com a agulha enquanto costurava o botão. No entanto — continuou divagando e falando, ao que parecia mais para si mesmo que para mim —, jamais ouvi falar de um homem que costurasse, salvo se fosse obrigado a isso. Spotson sempre teve uma criada; por que ela não costurou o botão? A resposta é fácil: a criada foi embora.

Acompanhei a explicação com atenção redobrada. Os poderes de meu amigo continuavam, constatei com felicidade, como eram quando convivíamos.

— Formidável, Combs, formidável! — exclamei.

— Uma mera observação — repetiu ele. — Algum dia acho que hei de escrever uma monografia sobre botões. É um assunto por demais interessante, e o livro decerto venderá bem. Mas, ouça! O que será isso?

O som de um cabriolé parando diante da porta provocou a observação de Combs. Na mesma hora, alguém apertou a campainha; em seguida, ouvimos passos na escada. Depois, veio uma batida seca na porta. Combs desabou em sua poltrona, estendeu as pernas como era de hábito e, então, disse:

— Entre.

A porta se abriu e, bastante perturbada, entrou na sala uma jovem, de 23 anos, usando um terno azul bem-cortado, sapatos de couro e um chapéu enfeitado com um pom-pom preto. Ela usava algumas outras coisas, mas foram essas que me chamaram a atenção. O mesmo não se deu com Combs. Pude ver pelo olhar penetrante que ele lhe lançou que o segredo da jovem já se revelara à mente aguda de meu amigo.

— Graças aos céus — gritou ela, virando-se para mim —, encontro o senhor aqui!

— Está doente, madame? — comecei, antes de me dar conta, repentinamente, de não me encontrar em meu consultório, mas no escritório de Combs. Empertiguei-me e disse: — O sr. Combs é ele.

A jovem se virou para meu amigo. Então, levando o lenço até os lindos olhos, explodiu em lágrimas enquanto dizia:

— Por favor, me ajude, me ajude, sr. Combs.

O grande homem não respondeu. Uma resposta a tal observação seria encarada como algo trivial demais. A moça baixou o lenço e, após me lançar um olhar dúbio, disse ao sr. Combs:

— Podemos conversar em particular?

Uma única vez, apenas uma única vez, eu vira antes, ou veria depois, aquela expressão de fúria no rosto de meu amigo. Isso acontecera durante uma altercação entre ele e o professor O'Flaherty, ocorrida na Suíça (veja *As memórias de Oilock Combs*, Arper & Co. $1.50).

— Minha senhora — disse ele, em tom gelado —, seja o que for que queira me dizer, pode fazê-lo diante do dr. Spotson. De que outra forma, mulher — gritou ele, perdendo o autocontrole por um instante —, o público conheceria minhas aventuras se ele não estivesse aqui para registrá-las?

Lancei um olhar agradecido a Combs enquanto ele pegava o copo de água com gás. A visita ficou momentaneamente abalada. Por fim, contudo, recuperou seu equilíbrio.

— Muito bem, então — disse ela. — Vou lhe contar minha história.

— Por favor, comece — instruiu Combs, bastante irritado.

— Meu nome é Ysabelle, duquesa de Swabia — falou a moça.

— Um instante, por favor — interrompeu Combs. — Spotson, por gentileza, procure esse nome em meu guia.

Peguei o referido livro, no qual Combs fizera milhares de anotações sobre pessoas e acontecimentos relevantes, e encontrei, entre "Yponomeutidae" e "yttrium", o seguinte, que li em voz alta:

— *Ysabelle, duquesa de Swabia; condessa de Steinheimbach; condessa de Riesendorf, etc. etc. Nascida em Schloss Ochsenfuss, em 29 de fevereiro de 1876. A mãe era a duquesa Olga, de Zwiefelfeld, e o pai, Hugo, duque de Kaffeekuchen. Aos três anos de idade, ela conseguia falar "ha, ha!" em alemão, francês, inglês, italiano e espanhol. Entre os cinco e os 15 anos, foi educada pelo professor Grosskopf, o eminente filósofo da Universidade de Kleinplatz. Aos 16, todos os seus dentes do siso já haviam nascido. Uma mulher de fato notável!*

Quando li a última frase, a duquesa voltou a explodir em lágrimas.

— Por favor, componha-se, duquesa — disse Combs, pegando da mesa o cachimbo e o enchendo com um pouco de tabaco que, distraidamente, retirou do bolso de meu sobretudo.

A mulher conseguiu se acalmar. Então, levantando-se e encarando Combs com aqueles olhos maravilhosos que já haviam destruído tantos corações da realeza, disse, em tom solene:

— Estou perdida!

A maneira como fez aquela declaração, bem como a declaração em si, causaram uma impressão profunda em Combs. Sem dizer palavra, ficou ali sentado por quatro minutos inteiros. A forma como extraía baforadas nervosas do cachimbo me deu a entender que estava pensando. De repente, com uma exclamação de deleite, saiu em disparada do aposento e desceu a escada, deixando a atônita duquesa e a mim no apartamento. Mas não por muito tempo. Em 43 segundos, já estava de volta ao cômodo e, desabando na cadeira, totalmente exausto, gritou em triunfo:

— Resolvido!

Eu jamais vira meu amigo com tal expressão de vitória. A conquista que levara essa expressão a se instalar em seu semblante devia ser notável. Aos poucos, ele se livrou da fadiga. Então, falou:

— Minha senhora, tenho a resposta.

A duquesa soluçou em êxtase.

Combs prosseguiu:

— No momento em que disse estar perdida — falou —, uma ideia me ocorreu. Deve ter notado, Spotson, como eu parecia preocupado. Bem, tratava-se de um indício de que uma ideia estava me ocorrendo. Antes que houvesse tempo para que ela desaparecesse, desci correndo a escada, fui até o vestíbulo, verifiquei o número desta casa e o anotei, madame — gritou ele, pegando um livro e olhando uma das páginas. — A senhora está salva! Já não está perdida! Estamos no número 62 da Fakir Street. A senhora se encontrou.

Durante toda essa explicação, a duquesa não dissera nada. Quando Combs terminou, ela se pôs de pé por um instante como se não entendesse, e depois, dando-se conta do fato de ter sido resgatada, chorou mais uma vez.

— Meu salvador — disse, aos prantos, já pronta para sair —, como posso lhe agradecer?

Dito isso, pôs na mão estendida de Combs uma bolsa grande folheada a ouro e cravejada de diamantes.

A porta se fechou, o cabriolé partiu e a duquesa de Swabia se foi.

— Spotson — disse Combs, dirigindo-se a mim —, não se esqueça de colocar essa no papel. Há uma duquesa nessa história e vai vender bastante para cozinheiras e arrumadeiras. A propósito, o que terá ela me dado?

Abrindo a bolsa, nela encontrou, dobradas com muito cuidado, duzentas libras em notas.

— Arre! — exclamou Combs com desdém. — Como são ingratos esses personagens da nobreza.

O casamento de Sherlock Holmes

GREGORY BREITMAN

(Traduzido do russo por Benjamin Block)

Pode ser verdade que os russos tenham um senso de humor magnífico, mas também é verdade que este traço dos mais preciosos nem sempre fica evidente em sua literatura traduzida. É bastante incomum que mesmo os indivíduos mais bem-humorados se sintam ansiosos para partilhar a hilaridade que encontram em um romance de Dostoiévski ou em um diálogo de Tolstói.

Gregory Breitman produziu uma história muito mais engraçada que se poderia esperar. Isso é fato. Quando as expectativas são zero, *qualquer* indício de humor é uma surpresa bem-vinda. Na verdade, a premissa da história já é bastante espirituosa, e, embora a execução dificilmente possa ser confundida com o melhor de Mark Twain ou Dave Barry, é mais que tolerável.

Breitman nasceu na Rússia em 20 de junho de 1873 e imigrou para os Estados Unidos em 1923, tendo morrido no dia 11 de junho de 1943.

"O casamento de Sherlock Holmes" foi publicado pela primeira vez no exemplar de dezembro de 1926 de uma revista masculina, *The Beau Book* e publicado pela primeira vez em formato de livro em *The Beau Book*, um volume único que continha os exemplares de dezembro de 1926 a outubro de 1927, editado por Samuel Roth e limitado a quinhentos exemplares destinados a assinantes (Nova York, Beau Publishing, 1927).

O CASAMENTO DE SHERLOCK HOLMES

Gregory Breitman

— É você, Watson?

O dr. Watson entrou de repente no escritório de Holmes e apertou calorosamente a mão estendida do anfitrião.

Sherlock alternou o cachimbo de um lado para o outro da boca e indicou a poltrona para o amigo se sentar.

O dr. Watson sentou-se de frente para o anfitrião e disse:

— Sherlock, você não mudou nada! Veja só! Não nos encontramos há três meses, e, no entanto, assim que pus os pés em seu apartamento, você me reconheceu na mesma hora!

O famoso detetive não sorriu, mas um esforço para tanto ficou evidente. Talvez tenha apenas mexido o cachimbo, e o movimento de seus lábios acabou sugerindo um sorriso.

— Quem mais, além de você, meu caro amigo — começou Holmes —, entraria em meu apartamento e, sem preocupação alguma, pentearia o cabelo diante daquele espelho grandalhão sem sequer perguntar por mim à criada? Toda pessoa tem nuances subjetivas de comportamento que a acompanham aonde quer que ela vá e as expõe sem que ela perceba. Você não é capaz de reconhecer os indivíduos por sua forma de caminhar?

Watson ficou em silêncio, sem dúvida encantado com a explicação do amigo. Acendeu seu charuto com calma e quando, afinal, se viu circundado por nuvens de fumaça cinzenta, indagou, de maneira casual:

— Meu amigo, você se casou?

Holmes ergueu os olhos para Watson, em cujo rosto encontrou uma expressão cínica; nenhum dos dois fingia parecer menos surpreso que o outro, como se alguma brincadeira pairasse entre ambos. Holmes respondeu:

— Você tirou suas conclusões por causa da nova ordem que reina em minha casa, do cheiro de perfume e dos itens femininos pendurados no corredor?

— De forma alguma, Sherlock. Não reparei em nada disso — retorquiu Watson, com calma. — Concluí apenas pela presença da inconfundível e brilhante aliança de casamento em seu dedo anular da mão esquerda. Sem dúvida, meu amigo, você nunca deu bola para badulaques!

Holmes levou a palma da mão esquerda ao rosto e, durante vários minutos, examinou com cuidado a aliança de ouro no dedo.

— Tem razão, meu caro — murmurou. — Esta é a prova, a prova cabal para qualquer detetive. Sim, eu me casei.

— Que diabos deu em você, Sherlock? — indagou o médico, de certa forma solidário, contemplando, pensativo, o amigo.

Sherlock Holmes tirou o cachimbo da boca e, após se certificar de que o fumo tinha acabado, observou:

— Uma aventura bem-sucedida, Watson!

— Pobre Sherlock! — suspirou o médico, penalizado. Um silêncio breve mas solene se seguiu. Holmes meditava e Watson aguardava.

— Watson — disse, afinal, o famoso detetive. — Como sabe, sempre foi meu hábito relatar a você todas as aventuras que tive; o tempo todo senti necessidade de partilhar com alguém minhas observações e impressões. Meu pensamento funciona bem mais rápido assim e, durante uma conversa, posso chegar a uma decisão pragmática com muito mais facilidade que durante o processo de raciocínio.

— Se esse é o caso, meu amigo — rebateu o médico —, lamento bastante que não tenhamos nos encontrado por tanto tempo, mas suponho que, se houvesse alguém com quem quisesse conversar de forma franca, sua situação não teria tão desditosamente se complicado.

— Por que supõe que sou infeliz em meu casamento, Watson? — indagou, curioso, Holmes, enquanto um brilho perpassava seu olhar.

— Apenas devido à minha convicção de que uma pessoa tão séria e autossuficiente como você jamais se satisfaria com a vida de casado, por mais sobrenaturais que sejam as qualidades que sua animada esposa possa possuir. Tem a ver, basicamente, com você, e não com ela. A vida a dois, sobretudo com uma mulher, é algo artificial, tão artificial quanto o amor sem uma mulher. O matrimônio, em sua forma atual, é uma selvageria, sobrevivente da barbárie e da ignorância, uma violação da natureza do ser humano moderno, uma espécie de impudicícia.

— E, acima de tudo, uma grande inconveniência — concluiu Sherlock Holmes. — A vida começa a lembrar um piano, nas cordas do qual uma bengala com castão de ouro ficou entalada. Incompatibilidade absoluta!

— Que infortúnio para a humanidade que seja negado à mulher a liberdade ideal com um homem — observou o médico, com amargura.

Sherlock disse, então, devagar:

— De bom grado, eu adotaria o nome dela, desempenharia as funções domésticas, faria dela a chefe da família, apenas para conseguir os meios de contar com algo definitivo, apenas para saber com quem estou lidando!

— Tem razão, Sherlock. A vida psíquica feminina é totalmente inconcebível para o homem, e a mulher em si é sempre um quebra-cabeça para ele. Nisso reside a natureza da relação da mulher com o homem. Desde a Criação não houve, nem haverá, homem algum capaz de entender uma mulher. Não devido à inexistência de homens eruditos e perspicazes, mas porque seria quase sobrenatural a existência de um homem capaz de entender a linguagem dos cães, pássaros e chacais.

— Por que será então que elas entendem tão bem de nós? — indagou, chocado, Sherlock.

— Porque essa é uma das peculiaridades da natureza feminina. A mulher foi criada assim por Deus — garantiu imediata e convictamente Watson. — É uma das qualidades inatas delas, sem a qual ficariam fragilizadas, defeituosas, como um gato sem bigodes e pupilas especiais, um cão sem faro, um porco-espinho sem espinhos. Essa é a arma empregada pela mulher na luta pela própria existência e contra o homem.

Watson começava a feder de suor; pegou o lenço do bolso e enxugou a testa. Sherlock acendeu o cachimbo e tirou dele baforadas suficientes para que uma fumaça densa e cinzenta o envelopasse por completo. Então, falando como que para si mesmo, disse:

— É extraordinário! Durante a vida inteira enfrentei todos os criminosos possíveis, bandidos com os quais as forças policiais de todo o mundo se recusaram a lidar; peguei os mais engenhosos impostores, os mais espertos ladrões, assaltantes corajosos e assassinos selvagens; rastreei os crimes mais incríveis, vislumbrei os segredos das aventuras mais complicadas e os desvendei; lidei com prisioneiros, brutamontes, idiotas e psicopatas.

O rosto de Watson mostrava espanto, e se esticando para adotar uma posição mais confortável, o médico interrompeu o amigo:

— Você só não consegue pegar sua esposa! — gritou.

O cachimbo na boca de Sherlock começou a tremer, como se alguém tivesse esbarrado nele. Um minuto depois, o famoso detetive formulou a seguinte resposta:

— Meu caro amigo, tão grande é minha estima por você que não sei o que responder!

Uma censura reprimida se fez ouvir na voz do detetive. Watson segurou a mão dele e se inflamou em uma exaltação ardorosa:

— Meu mestre, o que há com você? Aparentemente se esqueceu do primeiro e principal princípio: considerar tudo de forma subjetiva e séria! Não consigo reconhecê-lo, Sherlock!

— Não estou absolutamente certo de que ela tenha cometido algum crime.

— Está com ciúmes!

— Não, não é ciúme, mas desconfiança. Tenho provas suficientes para embasar minha alegação. Apenas estou ciente disso. Para qualquer outro homem, ela pareceria a esposa ideal, sincera e amorosa. Não dá a impressão de ter muitos conhecidos do sexo masculino. Não vive se enfeitando ou recebendo cartas, bem como não diz quaisquer nomes quando dorme. Em resumo, ela se porta de maneira irrepreensível.

— O que deseja dela, então?

— Saber com quem ela me trai!

— Tem certeza disso?

— Você, Watson, de todas as pessoas, deveria me conhecer ao menos um pouco!

— Perdoe-me, Sherlock! Contudo, o que exatamente o faz sofrer?

— Não estou sofrendo, Watson, em absoluto. Estou apenas interessado. Dois corações se chocam: o meu e o dela. A minha natureza, no entanto, não tolera um segredo concreto.

— Claro! Porém, em que baseia sua suposição, Sherlock?

— Tenho certeza, por exemplo, de que ela traz alguém para casa quando volta. O indivíduo em questão é um homem e não mora longe. A julgar por suas sobrancelhas arqueadas, você está bastante interessado no caso. Muito bem, então. Observei-a pela janela várias vezes na volta de um compromisso. Jamais a vi sentada no meio do banco, sempre está do lado direito. Concluo, portanto, que a seu lado esquerdo sentava-se o acompanhante, que, sem dúvida, descera do carro antes. Que se trata de um homem fica evidente por dois incidentes excepcionais: primeiro, ele se sentar no lado esquerdo; segundo, minha esposa jamais pagar o cocheiro. Isso deixa claro que o pagamento foi efetuado antes, por um homem, é claro.

— A observação tem toda a probabilidade de estar correta!

— Após o compromisso, minha esposa em geral volta com o odor do perfume e do charuto dele. Uma coisa, Watson, você deve admitir: fui abençoado com um faro muito aguçado, quase como o de um cão, e posso discernir com facilidade o cheiro de um charuto e de um cachimbo. Ademais, você mesmo sabe que a fumaça do tabaco assalta as narinas do vizinho não fumante mais prontamente que as do próprio fumante.

O detetive encheu o cachimbo com fumo fresco. Acendendo-o, tirou dele baforadas por um breve momento. Então, esticou as pernas e empertigou as costas, prosseguindo:

— Como vê, tenho um arsenal suficiente de vigilância e observação; e ambos estamos envolvidos em uma luta definitiva, silenciosa mas persistente. Minha esposa, por exemplo, sabe muito bem que apenas depois que eu testemunhe suas ações direi uma única sílaba que a incrimine; sou um homem demasiado sério para tanto. Seu comportamento comigo é irrepreensível; nem suspeito ou sinto que ela tenha se tornado fria em relação a mim; a mulher finge não se entediar em minha companhia, sendo, ao contrário, muito gentil, doce e amistosa. Ainda assim, tenho em mãos material bem fundamentado que me prova que não se trata senão de fingimento da parte dela, que está empenhada em um jogo muito sutil, que precisa acabar cedo ou tarde.

— De todo modo, acredito que ela acabará saindo disso sem mácula — observou o médico, com certa tristeza —, a menos que você a pegue em flagrante. Somente aí será impossível para ela provar o contrário ou enganá-lo por mais tempo, quando todos os caminhos que levam até esse momento se fecharem. De outro jeito, é muito difícil testar uma mulher; não é possível submeter seu amor a uma investigação. Ela é capaz de inventar e simular tanto quanto quiser. Não é o que acontece com os homens; somos meros mecanismos no processo do amor.

— Você tem toda razão, meu amigo, mas minha profissão me forçou a ignorar tanto as noções de amor quanto as da natureza feminina que acabou de propor, e que coincidem à perfeição com minhas próprias convicções. Dessa forma, será que me permite tomar a liberdade de lhe perguntar quem o está enganando?

Watson decerto se viu confuso, mas conseguiu manter a frieza de raciocínio. Enfrentou o olhar sagaz de Sherlock com firmeza e, exalando densas nuvens de fumaça, rebateu, lenta, mas enfaticamente:

— Essa é uma acusação sem fundamento, Sherlock. Apenas expressei minha visão e minhas convicções. Elas não me prendem a coisa alguma.

— Talvez! Ainda assim, creio que elas ocorram a alguém através da experiência pessoal, e sua origem é, devo dizer, a mesma que a minha. No entanto, como você é um admirador de fatos, permitirei que tenha acesso a meu material no que concerne ao caso.

O rosto de Watson corou bastante. Ele ficou calado, segurando com firmeza o charuto na boca.

— A questão, meu caro, é que há mais de três meses você anda escondido. Embora não tenha saído de Londres, cortou todo o contato comigo. É a primeira vez que isso acontece desde o início de nossa ininterrupta amizade. Suponho que não esteja doente, bem como que não tenhamos tido alguma desavença.

— Isso, se assim deseja, é uma ideia, mas não um motivo. Posso andar deveras ocupado.

— Precisamente o que achei. Você estava demasiado ocupado com sua companhia. Diga-me, Watson, desde quando começou a se enfeitar, a usar essas gravatas, a ondular o cabelo e a empregar métodos de rejuvenescimento? O odor de seu perfume me faz lembrar apenas o que sinto em *cafés-chantants*. Além disso, onde foram parar os fios grisalhos de seu cabelo? E qual o motivo da presença dessa flor branca em sua lapela? Que bem me lembre, você nunca deu bola para esse tipo de coisa. E esse dente de ouro em sua boca que não existia antes? Tudo isso, meu amigo, me obriga a pressupor com firmeza que existe alguma mulher na raiz da questão.

— Admito que sua pressuposição tem certa lógica substancial, mas não há prova alguma, Sherlock.

Watson superou a própria confusão, mas se recusou a ceder.

— Revelarei agora minhas últimas reservas, Watson — disse o detetive, imperturbável. — Cerca de um mês atrás, enquanto rastreava minha esposa, me vi, para minha grande surpresa, próximo a sua casa. Pensando em você, resolvi entrar e partilhar alguns de meus casos. Ora, meu amigo, você não pôde me receber, porque havia uma mulher em seu apartamento. Confesso, porém, nunca antes ter encontrado uma companheira feminina em sua casa, com exceção da criada, que, nessa ocasião, revelou-me o segredo: estava levando bombons, frutas e flores comprados há pouco para seu quarto. Ah, Watson, como eu gostaria de poder dividir com você meu então estado de espírito. Talvez não estivesse casado agora!

— Mas isso aconteceu há apenas três semanas, Sherlock! — observou Watson, surpreso.

— Sim, e me casei faz só uma semana. Até então, estava ocupado com a busca infrutífera de meu concorrente. De repente, uma forte depressão mental tomou conta de mim e comecei a duvidar de minhas suspeitas e... pus este anel no dedo.

Um silêncio concentrado se seguiu. Enfim, altamente pressionado e emudecido, o médico espanou para longe as cinzas do charuto e confessou, com ingenuidade:

— Tem razão, Sherlock, estou apaixonado!

— O que aconteceu, então? Você se afastou de sua amada?

O rosto de Watson empalideceu subitamente.

— O que o leva a pensar isso, Sherlock?

— Tiro essa conclusão pela tristeza e decepção expressadas enquanto falava sobre as mulheres e, sobretudo, pelo fato de que veio me ver. Suponho que estivesse dominado pelo desejo de ter uma conversa sincera com alguém; sentia-se solitário, e a primeira pessoa que lhe veio à mente, sem dúvida, fui eu, seu velho e confiável amigo. Ora, sua aparência está péssima, Watson! Vejo que não se barbeia há dias. Parabenizo-o, de todo o coração, pela perda de sua amada!

— Você é terrível, Sherlock — declarou Watson, prosseguindo, mal-humorado: — Estou passando agora por uma tragédia amorosa. Eu a estou procurando nos últimos dez dias, mas, ai de mim, é como se a própria terra a tivesse engolido! Utilizei todos os métodos de espionagem que me ensinou, mas sem sucesso. Os rastros dela se perdem em algum lugar desta vizinhança. Tendo vindo parar aqui por acaso, entrei para ter uma conversa com você e me esquecer de minha má sorte por um tempinho.

Sherlock tirava baforadas do cachimbo com grande esforço, como que envergonhado por isso. Após uma breve pausa, começou a falar com uma expressão de ansiedade no rosto:

— Quanto mais buscas conduzo, mais me convenço de como pode ser perigosa e ladina a arte da investigação. Que estranhas, terríveis e incompreensíveis conjunções de circunstâncias existem em nossas vidas, conjunções que criam um quadro completo, uma ilusão da verdade, que, no final, acabam se revelando nada além de falsidades e mitos. Quantas pessoas já foram para a cadeia, para prisões de trabalhos forçados, para a forca, devido a tais equívocos dos tribunais de justiça!

— Por que diz isso, Sherlock? — indagou Watson, surpreso com a repentina mudança de assunto por parte do detetive. Tirou o charuto da boca e permaneceu boquiaberto por algum tempo. Prosseguiu assim, em total estupor, incapaz de concluir se o amigo estava brincando ou falando sério.

— Não fique surpreso, Watson — disse Sherlock Holmes, sem sequer olhar para o convidado, concentrando, em vez disso, a atenção na extremidade do próprio cachimbo fumegante —, embora minha fala possa soar desagradável para você. Não é fato que concordamos e concluímos há muito que tudo neste mundo é possível, natural e possui razões orgânicas? Bem, faz apenas uma hora que você tentou me convencer de que eu devia encarar o caso de minha esposa de forma objetiva e abstrata. Portanto, meu caro, estou seguindo seu generoso conselho. No entanto, acaso considerou, ainda que por um breve momento, a estranha coincidência de que, quando eu estava procurando por minha esposa, indícios me tenham levado a sua casa e, quando você andava em busca da sua amada, indícios o tenham trazido a mim? É claro que se trata de mera coincidência, uma dessas coincidências que, em geral, dão origem aos equívocos dos tribunais. Por outro lado, a precisa circunstância que nos uniu no dia de hoje está nos confundindo. Agora, supondo que eu não o conhecesse, mesmo assim, sem dúvida, eu teria entrado em sua casa, não de forma amistosa, mas devido a uma intuição detetivesca. No momento, você veio aqui também devido a uma indicação investigativa, e, se eu não fosse seu amigo, estaria aqui ainda assim. E durante nossa conversa, senti o odor de seu lenço, quando você enxugou a testa, e na mesma hora me recordei da fragrância daquele desconhecido perfume masculino que minha mulher traz consigo na volta de seus encontros. Ademais, já lhe disse que ela também traz consigo o cheiro de charutos. Com efeito, você está fumando um...

Watson se aproveitou da oportunidade que Holmes lhe deu ao parar de falar para ajeitar as cinzas no cachimbo e se dirigiu ao detetive:

— Você tem razão, Sherlock, e logo há de se convencer do quanto às vezes são curiosas e imprevisíveis as peças da investigação. A fim de lhe provar que meu caso nada tem a ver com o seu, vou relatar rapidamente a história de meu romance, o começo do qual você conhece.

O detetive fez um movimento, sentou-se mais confortavelmente na poltrona e, com expressão imperturbável, preparou-se para ouvir a história de amor do amigo.

— Você decerto lembra, Sherlock —, começou Watson, depois de acender outro charuto —, de nossa última aventura, há cerca de três meses, após a qual somente tornamos a nos encontrar hoje. Talvez já tenha se esquecido daquela encantadora moça de tranças douradas e olhos celestiais, que beijou nossas mãos e nos implorou para salvar seu pai, prestes a ser capturado e preso pelos agentes da polícia real. Sua genialidade na ocasião se manifestou em toda a glória; em menos de uma hora, você fez a polícia passar vergonha e confessar o erro primário que cometera. Os agentes suspeitavam que o pobre cavalheiro, caixa do Trade Bank of England, havia se apossado de duas mil libras, enquanto, como você apontou, a soma fora roubada pelo assistente do suspeito, que a perdeu na bolsa de valores.

— Lembro-me disso, Watson — confirmou Sherlock, sem tirar o cachimbo da boca. — A investigação foi curta, mas linda. Sim, eu me recordo dela muito bem.

— Contudo, duvido que se lembre da declaração feita pela moça encantadora sobre ir para o trabalho todo dia às dez da manhã. Confesso, Sherlock, que ela causou em mim uma profunda impressão. Concordo plenamente agora com os indivíduos que dizem que o amor é uma doença infecciosa, às vezes mais obstinada que a malária. Precisamente às dez da manhã do dia seguinte, estava na casa dela e a acompanhei até seu local de trabalho. A distância era grande e tive tempo de sobra para me enamorar, cada vez mais, de seu charme incomparável. Desde então, eu a acompanho até o trabalho todos os dias.

"Sherlock, eu estava infinitamente feliz. Todo esse tempo, a moça encheu minha vida de amor, carinho e doçura, respeitando meu princípio de jamais me casar, jamais unir meu destino ao de outrem ou abrir mão de minha liberdade e meu conforto. De repente, há cerca de dez dias, ela desapareceu. Não a encontrei ainda e, enquanto a procurava, falsas pistas me trouxeram até aqui, meu caro. Acredito, porém, que foi o instinto, e não um conjunto de indícios, que aqui me trouxe; devo ter apenas sentido a necessidade de ouvir conselhos de um homem como você."

Sherlock Holmes permaneceu sentado e de olhos fechados durante vários minutos. Então, tirou o cachimbo da boca, pousou-o nos joelhos e só então encarou o convidado.

— Eu me lembro — falou — de não conseguir esquecer a moça de tranças douradas e olhos celestiais. Também não tirei da cabeça sua observação sobre sair para o trabalho às dez da manhã, o exato momento em que tomo meu café. No entanto, você aparentemente se esqueceu de que essa mesma moça encantadora acrescentou que largava o trabalho às quatro da tarde, hora em que você tem o costume de jantar. E se você, meu caro, adotou o hábito de acompanhá-la todo dia ao escritório, era eu quem a acompanhava na volta para casa. Também sucumbi à febre do amor. Em meu caso, meu amigo, o final foi catastrófico: casei-me com ela, poupando-o de tal destino.

Watson ficou pálido e muito abalado pela fleumática confissão do amigo, cuja indisposição estava demonstrada pelo cachimbo trêmulo que agora segurava na mão e com o qual batia no joelho a fim de disfarçar as emoções. No momento, nada lhe interessava mais que seu concorrente, sobre o qual ele lançou um olhar obstinado. Ambos não falaram nada. Não é tarefa fácil adivinhar o que resultaria daquele silêncio incomum, tenso, mas, afinal, os dois ouviram um ruído que lhes provocou um tremor, e uma sombra inesperada de constrangimento perpassou seus semblantes. O breve momento foi de horror puro. Tanto o anfitrião quanto o convidado ficaram atônitos. Eles estavam prontos para correr. Porém, quis o destino que os dois se olhassem nos olhos, e aquele olhar trouxe luz a seus corações, e a ausência de rotas de fuga da situação criada levou-os a um acordo silencioso. Quando a porta se abriu, e no aposento entrou bruscamente a sra. Holmes, os homens permaneceram sentados como estátuas, seguros de si mesmos e de volta às próprias convicções.

A sra. Holmes era de fato encantadora. Além das tranças douradas e dos olhos celestiais, seu rosto redondo de tez macia e cor delicada parecia quase esmaltado; cintilava com castidade moral e indolência radiante; uma espécie de ingenuidade elegante, que mesclava o infantil e o feminino em um mesmo sorriso e olhar.

Muito bem-vestida e animada com inocência, ela parou de repente, como se enraizada naquele ponto da sala. Depois de um segundo de exame meticuloso de ambos os amigos, sorridente, estendeu a mão a Watson, exclamando em sua voz doce e elástica:

— Ah, sr. Watson! Eu o conheço! Meu marido já me falou um bocado de você. Além disso, na verdade, não consegui esquecê-lo desde o instante em que o conheci. Tenho sonhado desde que me casei com Sherlock com a oportunidade de vir a conhecê-lo melhor. Meu marido me contou muitas coisas interessantes a seu respeito.

— O pobre Watson está em apuros — explicou Sherlock com calma. — Ele foi esnobado por uma mulher por quem estava apaixonado e por conta da qual esqueceu todos neste mundo, inclusive a mim, seu melhor amigo. Ele devia ser consolado, não acha, Mary? Penso que tomaria para si tal missão.

— Pobre sr. Watson! — exclamou com sinceridade a sra. Holmes, enquanto lançava um olhar ardiloso ao médico triste e calado, que permanecia sentado na poltrona de olhos baixos.

A essa altura, Sherlock Holmes já recuperara a compostura e observava, com certo prazer, a cena que se desenrolava. Aparentemente pretendia seguir em frente com sua maquinação contra a esposa, mas logo a mulher percebeu a estranha mudança nos dois homens e um laivo de suspeita cobriu seus olhos e seu rosto.

A centelha de animação que a acompanhara ao entrar na sala se apagou e de imediato um silêncio estranho, que ninguém parecia disposto a romper, encheu o ambiente. A sra. Holmes começou a sentir a proximidade do perigo, mas ainda não era capaz de medir sua proporção. Enfim, Watson não conseguiu mais se conter. A determinação cintilava em seu olhar; o instinto de autopreservação instigou seu desejo de pôr fim àquela tormentosa situação para a qual tudo indicava não haver saída. Sua voz soou monocórdia, e seu olhar era vago:

— Pare com isso, Mary, Sherlock já sabe de tudo...

A sra. Holmes ficou pálida na mesma hora, e lágrimas surgiram em seus olhos.

— O senhor não agiu de maneira justa, sr. Watson, nem se portou como um cavalheiro! — declarou ela, e foi tudo que conseguiu dizer.

Na mesma hora, Watson se pôs de pé em um salto, como se alguém o tivesse atingido. Sua voz titubeava agora, e a agitação do homem era indizível.

— Ah, minha cara sra. Holmes! — exclamou, de maneira queixosa. — Por favor, não me condene. Acaso é culpa minha seu marido ser um grande detetive?

Durante o breve elogio de Watson ao amigo, este se concentrou em extrair baforadas do cachimbo, e, tendo engolido uma grande porção de fumaça, falou no tom de voz habitual:

— O mais importante de tudo é que este mistério chegou a uma conclusão satisfatória e o caso foi esclarecido nos mínimos detalhes. Não posso fazê-la exultar, minha querida Mary, senão com um fato: durante minha longa carreira, jamais deslindei um enigma como esse.

A sra. Holmes, sabe-se lá como, recuperou a segurança. Ouvindo as palavras do marido, sentou-se devagar na ponta do sofá e começou:

— Faça como quiser, Sherlock, mas não o enganei. Quando você e o sr. Watson demonstraram tamanho interesse por mim ao salvar meu pai, todo meu ser se encheu de afeição por ambos; os dois se tornaram tão queridos que comecei a sentir forte atração pela dupla que formavam. Isso foi no início. Eu me encontrava confusa então, sem saber qual preferia. Se ambos tivessem me procurado juntos, teria sido bem mais fácil decidir por um ou por outro. Porém, justo naquele momento, os dois se separaram, e cada um me causou uma impressão diferente. No início, quando nos conhecemos, eu nem sequer imaginei, Sherlock, que pretendia se casar comigo. Só me propôs casamento três dias antes do enlace. E, por causa disso, sou culpada pelo fato de o sr. Watson ter provado ser mais ardoroso e disposto que você, Sherlock? Os dois tinham um mesmo e único objetivo, mas usaram caminhos diferentes. Ainda assim, meu marido, não o enganei, da mesma forma que não enganei o sr. Watson, mas ambos me fizeram sofrer. Vocês são homens, logo não conseguem imaginar o coração de uma mulher quando ele se enche de gratidão; isso gera todo tipo de emoção e sofrimento. Quando me propôs casamento, deixei o sr. Watson no mesmo instante porque, para você, meu querido, eu já entregara a mim mesma, a minha liberdade e o direito a meus sentimentos. Faça como quiser, Sherlock, mas teria sido muito mais correto de sua parte me fazer saber de suas intenções antes, em vez de se ocupar com investigações que maculam nosso relacionamento com conflito e inimizade. Algum dia no futuro, hei de lhe contar como lutei contra sua arte, e espero que você exalte meu espírito inventivo, minha destreza e minha engenhosidade.

A jovem se calou, encorajada pelo discurso que fizera, e lançou um olhar para os homens, corando sem querer; uma corrente de deleite e calma lhe encheu o coração. Os dois amigos trocaram olhares furtivos e, um segundo depois, começaram a sorrir.

— É uma tarefa muito diferente compreender o coração e a alma de uma mulher — disse Watson, enfim, com um dar de ombros distraído.

— E impossível! — concluiu Sherlock Holmes, apertando calorosamente a mão do médico.

O retorno de Sherlock Holmes

E.F. BENSON E EUSTACE H. MILES

Como seus dois irmãos, Edward Frederic Benson (1867-1940) foi um mestre em contos de fantasmas e de terror. Porém, seu primeiro grande sucesso foi um romance de crítica social, *Dodo*, de 1893, que continuou a ser publicado durante mais de oitenta anos. A venda ininterrupta dessa obra lhe permitiu dedicar todo seu tempo à escrita, e ele produziu uma quantidade prodigiosa de livros no gênero da sátira social, em especial a série sobre Emmeline "Lucia" Lucas e Elizabeth Mapp, que foi adaptada para televisão pela London Weekend Television com o título de *Mapp and Lucia*, em 1985-1986.

Benson também escreveu biografias muito elogiadas — incluindo a de Charlotte Bronte, que se tornou padrão na época —, somando mais de setenta livros no total. Enquanto a maioria de seus romances de costumes e crítica social está agora datada, suas frequentes investidas no terreno da ficção sobrenatural e de terror permanecem como pontos altos na literatura: *The Room in the Tower*, de 1912; *Visible and Invisible*, 1923; *Spook Stories*, de 1928; e *More Spook Stories*, de 1934; com um volume mais recente, *The Flint Knife*, de 1988, que contém obras anteriormente não reunidas.

O colaborador de Benson nesta excelente paródia, Eustace H. Miles (1868-1948), foi campeão de tênis amador e também escreveu um livro sobre como aperfeiçoar a memória, *How to Remem-*

ber, de 1901, e um livro de exercícios físicos, *Daily Training*, de 1902, com certa ênfase na alimentação vegetariana, em parceria com Benson, entre outras obras.

"O retorno de Sherlock Holmes" foi publicado pela primeira vez em *The Mad Annual* (Londres, Grant Richards, 1903).

O RETORNO DE SHERLOCK HOLMES

E.F. Benson e Eustace H. Miles

Meu amigo, o sr. Sherlock Holmes, foi morto, como meus milhões de leitores vão lembrar, em algum lugar na Suíça, pelo sr. Moriarty. Desde então, porém, ele aparentemente vem exercendo seus poderes dedutivos em algum lugar em Devonshire, algo a ver com um enorme cão pintado com fósforo. Dessa forma, como os meus milhões de leitores já terão concluído, ele não foi, de fato, morto na Suíça, e posso muito bem lhes contar, em meu estilo de sempre, o que de fato aconteceu entre sua suposta morte e sua reencarnação bastante débil na úmida mansão dos Baskervilles.

Estava eu sentado na sala de estar do apartamento que compartilhávamos na Baker Street, cerca de dois anos após seu desaparecimento, muito bem-vestido, como é meu costume, usando um chapéu-coco e uma casaca matutina. Nesse ínterim, eu lera e relera as anotações dos estranhos casos que ele tivera a consideração de se esquecer de levar em sua viagem à Suíça, e cheguei à conclusão de que seu desaparecimento — conforme revelado por mim ao mundo — fora um equívoco de minha parte. Eu detinha conhecimento razoável de seus métodos e aprendera a distinguir 57 tipos de papel mata-borrão, 43 tipos de cinzas de charuto e, com a ajuda de sua lente de aumento, que ele também deixara para trás, era capaz, a partir das marcas no carpete, de determinar, com razoável certeza, se um indivíduo usando botas bastante enlameadas havia estado recentemente no cômodo. Por consequência, caso não tivesse levado ao conhecimento do público a história de seu desaparecimento, poderia continuar escrevendo quase a quantidade que desejasse dessas reminiscências que tamanho furor causaram no mundo. Então, para meu alívio inexprimível, surgiu a história de seu maravilhoso poder de intuição na questão do cão fosforescente, e como o público a engoliu, talvez lhe agradasse engolir mais ou, com efeito, engolir qualquer coisa. A história, como todo leitor há de se lembrar, era para ter sido contada por mim, mas, na verdade, outra pessoa a inventou. Assim que a vi, pensei em um processo por quebra de direitos autorais, mas a sra. (agora lady) Watson me impediu. Desde aquele momento, contudo, comecei e planejar uma nova série de contos, e, se algum dia eles vierem à luz, não me parece que alguém deixará de se empolgar com "A esposa-mendiga do rei Cophetua", "O mistério do Hampstead Heath", "A jiboia comedora de traças", "O tinteiro roxo do rei da Espanha" e breves monografias sobre os rabos dos cavalos que puxam os cabriolés.

Como afirmei, estava sentado na sala de estar da Baker Street — o que acontecera à minha esposa não consigo lembrar. Como todo leitor há de ter reparado, ela, vez por outra, desaparece dessas histórias. Algum dia, vou vigiá-la seguindo os métodos de meu reverenciado mestre, Sherlock Holmes. De todo modo, estava sentado na sala de estar da Baker Street quando tocaram a campainha. Eu já aprendera a distinguir vários tipos de toques de campainha — o de rotina, por exemplo, do padeiro; o toque wagneriano dos conhecidos do sr. Sherlock Holmes, que acham ter algum direito sobre mim; o toque desesperançado dos pedintes; o toque ansioso dos bons amigos e o toque *enragé* do maníaco irrecuperável. Porém, tive dificuldade para classificar o toque da campainha quando meu visitante foi anunciado, e uma mulher de meia-idade e estatura abaixo de média foi trazida até a sala. Seu casaco tinha uma mancha de gema de ovo, o que me levou a concluir que não se tratava de uma pobre sem um tostão, pois, se fosse este o caso, ela não teria tomado café da manhã, e que era descuidada, enquanto, observando o cadarço enlameado da bota que deixou um rastro no tapete, inferi com a rapidez de um raio que estava apressada e provavelmente chegara ali a pé. No pescoço, usava um diamante, que percebi na mesma hora valer os olhos da cara e, por estar fumando um cachimbo curto de argila, deduzi não ser inglesa, ou, de todo modo, não pertencer ao chamado círculo mundano londrino. Portanto, adotando minha habitual postura profissional, falei:

— Minha boa senhora, em que posso ajudá-la?

A velha respondeu com uma voz um pouco áspera:

— O senhor é Sherlock Holmes?

A tentação — se é que de fato foi uma tentação — se impôs. Teria sido tedioso explicar a ela que eu era seu maior cronista, propor o paralelo óbvio de Johnson e Boswell, e, com efeito, tive dúvidas sobre se a mulher já ouvira falar de um ou de outro.

— A senhora pode falar comigo com toda franqueza — disse. — Só é uma pena que meu amigo, o lorde... isto é, o sr. Watson, não esteja aqui, já que me aconselho com ele quando um caso requer uma perspicácia maior.

Enquanto falava, baixei os olhos para ajustar o estetoscópio que se projetava de meu bolso. É meu costume — se é certo ou errado, não sei — carregá-lo onde possa ser visto com facilidade, já que isso costuma angariar pacientes. Nesse instante, ouvi um leve estalar de língua, e me lembrei do personagem que estava representando.

Por isso, acendi um punhado de tabaco e, fechando um pouco os olhos, improvisei nas cordas do violino de meu finado amigo.

— Regurgitação mitral — esclareci, me referindo ao estalar de língua. — Noto também que a senhora percorreu certa distância a pé e que tem uma natureza desleixada. Isso acontece com frequência nas mulheres de mais idade. Por sua altura, devo inferir que teve raquitismo na infância, mas seu pai era um homem de recursos.

— O senhor está falando do diamante — disse ela. — Foi presente de meu marido.

Que trabalho cansativo era aquele.

— Então onde está a aliança? — indaguei, olhando para as mãos magras de dedos afilados e dedilhando o violino.

Minha visitante fez um movimento de impaciência.

— A corda "mi" está desafinada — observou ela.

Entreguei-lhe o violino. A corda "mi" não estava lá.

— A senhora esquece com quem está falando — retorqui. — Mas, por favor, diga logo o que quer! Dois reis e três marqueses aguardam por uma ligação minha, e não posso lhe conceder muito tempo. Além disso, o imperador real do Paraguai vem me consultando sobre uma questão da maior urgência.

Eu aprendera esse truque, devo confessar, com Sherlock. Nos velhos tempos, toda vez que eu desafiava suas deduções, ele costumava me recordar do caso do pardal verde de Pesth ou da aurora de Candaar. Ao mesmo tempo em que eu falava, levantei-me e fingi fazer uma ligação em um telefone falso, com o qual tinha o hábito de impressionar pacientes. Certa vez, a sra., quero dizer, lady...

Porém, justo ao me virar, ouvi uma voz bastante conhecida.

— Você ganhou peso, Watson. Diria que está com uns cem quilos.

No mesmo instante, soube quem era.

— Holmes, isso é indigno de você! — gritei. — Ademais, estou com 83 quilos — falei, subindo na balança, que registrou 89 e imediatamente emitiu um sonoro relatório.

— Isso nos prova sua falibilidade — comentou ele. — Apreciaria muitíssimo, Watson, se você se sentasse e não fingisse telefonar para pessoas imaginárias. Fui eu quem inventou o imperador real do Paraguai, mas foi você quem arrebentou minha corda "mi".

Mesmo nesse curto espaço de tempo, ele se despojara por completo dos paramentos da velha desleixada, e lá estava, sentada na cadeira, a figura de Sherlock Holmes, vestido em seu habitual robe de chambre, o rosto fino, aquilino, iluminado por um tipo doloroso de sorriso.

— Você tentou se passar por mim — disse ele.

— Você andou perambulando por Devonshire muito depois de eu tê-lo matado — rebati.

Seu rosto se encheu daquele egocentrismo que com frequência tenho deplorado nestas páginas e em outras.

— Não nego — disse ele — que você teve certa utilidade para mim em algumas situações, mas as vezes em que sua infernal casaca e seu chapéu-coco me irritaram além do suportável são inúmeras.

Aquilo me atiçou.

— Não fosse por mim — retorqui —, jamais teriam ouvido falar de você.

— Estamos quites — respondeu Holmes. — Não fosse por mim, você jamais teria achado algo para escrever. Eu agradeceria se me desse um pouco de tabaco.

Entreguei-lhe a tabaqueira roxa e o observei com extremo interesse, pois vi que estava em seu humor mais intuitivo. Lembrei-me de registrar isso.

— Percebo — disse ele — que, durante minha ausência, você não se manteve ocioso. Uma dama da nobreza esteve aqui hoje mesmo; você se ocupou bastante antes do jantar; plantou uma prímula em Uxbridge há alguns dias e tem um criado preguiçoso; além disso, leu um livro de autoria do sr. Alfred Austin; tem um cãozinho que precisou ser repreendido porque desenterrou a prímula; fumou um cigarro pouco antes de eu entrar na sala e respondeu esta tarde a uma carta de sua sogra, que se propunha a vir se hospedar com você; tem um irmão que costumava beber, mas que foi enterrado na quinta-feira. A mãe de sir Richard Calmady casou-se de novo, e você foi ao casamento.

Eu andava de um lado para o outro na sala em uma agitação incontrolável.

— Holmes, isso não é justo! — gritei. — Você está me espionando!

Uma expressão de surpresa sofrida cobriu-lhe o rosto.

— Ainda não conhece meus métodos? — indagou. — Tudo é, ou assim deveria ser para alguém com acesso a meu caderno de notas, muito simples. Para começar, vejo o diadema de uma condessa no chão. Infiro, então, que uma condessa esteve aqui para falar com você. Uma grande mancha de tinta em seu dedo indicador, meu caro Watson, sugere que você tem andado escrevendo, e, para um homem tão escrupuloso com a própria higiene, isso leva a crer que escreveu antes do almoço, pois teria lavado a mancha antes do jantar. No dorso de seu pé, há uma folha seca de prímula, grudada em uma pequena crosta de argila do Pliocênico, o que só é possível encontrar em Uxbridge, e sei que você tem uma casa de campo lá. A argila está seca, de onde sou levado a supor a existência de um criado preguiçoso, que não limpou suas botas da maneira adequada. O livro do sr. Alfred Austin que você leu resta indicado pelos fragmentos na grelha da lareira, onde, mesmo daqui, consigo detectar *Veron... Gar...*, sem dúvida *In Veronica's Garden.* De seu bolso está saindo um chicotinho para cachorro com uma folha de prímula grudada, de onde posso inferir que você bateu no cão que arrancou a prímula em Uxbridge. O cigarro anterior ao jantar foi pura adivinhação, mas não vejo guimba no cinzeiro, motivo pelo qual deduzo que fumou um cigarro antes do jantar e de eu entrar na sala. A carta de sua sogra propondo vir se hospedar inferi a partir de uma resposta sua, endereçada à sra. Smith, contendo no alto dela a palavra "Raios", em lugar de "A ser postada". Seu irmão bêbado foi mencionado por você mesmo várias vezes; o fato de ter sido enterrado na quinta-feira foi uma dedução fácil baseada no cartão de pêsames sobre a lareira. A questão da mãe de sir Richard Calmady é um tiro no escuro maior, mas vejo pegadas de um homem pesado no carpete, milímetros apenas distantes umas das outras. Ninguém salvo sir Richard, com sua deplorável ausência de tíbia, poderia tê-las feito. A flor-de-laranjeira sobre a mesa em conjunto com o pedaço de bolo de casamento indica o restante. Além disso — falou —, li a notícia no jornal vespertino.

Na mesma hora, seu fascínio e brilhantismo extraordinários exerceram sobre mim o antigo efeito. Lá estava Holmes, o implacável perseguidor de pistas; Holmes, o mestre do violino; Holmes, o herói da banda malhada; Holmes, a autoridade em cinzas de charutos; Holmes, meu amigo. A sala era um monumento a ele. Nas paredes, o padrão elaborado de balas de revólver no lugar de papel, balas que ele costumava plantar ali distraído, enquanto refletia sobre algum crime que deixara a Scotland Yard sem pistas; as estantes carregadas de suas monografias, e atrás da porta, pendurados, vários de seus disfarces mais notáveis. Até mesmo a casaca e o chapéu-coco usados por mim eram frutos indiretos de sua mente incomparável.

— Holmes! — gritei, com devoção sem paralelo, esquecendo-me de todo o egocentrismo, esquecendo-me até do estoque de aventuras emocionantes que eu poderia ter produzido a partir de seus cadernos. — Holmes, seja bem-vindo!

Pude ver, observando seu olho semifechado, que meu amigo se sentiu agradecido.

— E me diga — falei — o que de fato aconteceu com você.

Ele se remexeu na cadeira.

— Você não vai gostar nada disso, Watson, mas é justo que saiba. Meu sumiço foi planejado com imenso cuidado para fazê-lo pensar que eu estava morto. Fiz você acreditar que Moriarty andava atrás de mim, determinado a me matar. Não era o caso. O suposto Moriarty não era outro senão meu irmão, que foi se encontrar comigo na Suíça. Desde então estamos investigando crimes no Turquistão.

— Mas por que esse elaborado estratagema? — indaguei.

Holmes fez uma pausa.

— Ora, meu caro Watson, o motivo não é dos mais elogiosos para você, mas a verdade é que eu não o aguentava mais. Você me dava nos nervos de forma indescritível, e era necessário, para minha paz de espírito, que eu me livrasse de você. Conheço sua natureza quase excessivamente leal. Sei que largaria sua profissão se eu demonstrasse o mínimo desejo de sua companhia, e a única coisa a fazer era levá-lo a pensar que eu estava morto. Com efeito, meu caro, achei que cometeria suicídio tão logo se convencesse de que eu não vivia mais. Porém, você não fez isso. Devo confessar que minhas deduções falharam um pouco neste ponto. Bom, culpe-me se quiser, mas nem eu nem meu irmão o aguentávamos. Por isso, concebemos essa conspiraçãozinha bem simples para confundi-lo. E agora voltei porque descobri que não posso mais passar sem você.

Fiquei bastante emocionado com tanta franqueza; contudo, ao mesmo tempo, ela me causou certa mágoa.

— O que em mim lhe dava nos nervos? — perguntei.

Holmes balançou a cabeça com impaciência.

— Seu chapéu, sua casaca, sua obtusidade, sua personalidade completa — esclareceu ele.

— Então por que voltou? — indaguei. — Meu chapéu, minha casaca, ou outras exatamente iguais, minha... minha obtusidade e personalidade continuam aqui.

— Sei disso, meu caro amigo, mas você tem algo que supera tudo isso, agora eu sei. Trata-se de sua incomparável mediocridade mental e seu estilo literário que são o único e conveniente meio para contar minhas histórias, já que isso deixa a mente do leitor livre para acompanhar o que faço. Você é minha pena, minha mão direita. Sou sua mente. Sozinhos, somos inúteis. Juntos, dominamos o público leitor inglês. Por isso, Watson, voltei.

Enquanto ele falava, ouvimos um prodigioso tinido da campainha da porta, seguido de uma sucessão de gritos estridentes.

— E a aventura me aguarda à porta — disse Holmes. — Um bom prenúncio para nosso trabalho futuro.

Logo, ele encheu o cachimbo de novo, com as pálpebras parcialmente cerradas, e o cômodo foi tomado por uma fumaça densa.

— Minha senhoria saiu — gritei, a fim de me fazer ouvir acima da gritaria —, e ninguém vai atender à campainha. Nesse meio-tempo, alguém está sendo assassinado diante da porta.

Holmes soltou um suspiro cansado.

— Você jamais conseguirá distinguir o essencial do incidental, Watson. Esses gritos, cujo timbre me parece ser da rainha da Boêmia, não são de dor, mas de paixão. Aguardaremos até que cessem. Então, você fará sua majestade entrar.

— Você os tem visto com frequência nos últimos tempos? — indaguei.

— Sim. Prestei um pequeno serviço ao rei — respondeu Holmes —, com o qual evitei uma guerra na Europa. Foi um problema bem simples. Ele recompensou meus serviços de forma bastante generosa, me presenteando com um notável diamante, que você talvez tenha notado que estou usando.

A campainha há muito deixara de funcionar, mas nossa visita continuava a esmurrar a porta. Os gritos haviam cessado e, a um sinal de Holmes, peguei meu chapéu-coco e saí da sala para fazer sua majestade entrar.

Uma mulher de beleza estonteante estava de pé diante da porta. Era alta e tinha uma aparência dominadora, mas o rosto se achava distorcido de paixão.

— Leve-me até o sr. Sherlock Holmes — disse.

Precedi-a escada acima e escancarei a porta da sala. O cômodo estava vazio, mas um ruído de móveis sendo arrastados para formar uma barricada do lado de dentro da porta do quarto me avisou que meu amigo usava sua habitual cautela para lidar com esse problema.

— Ele está lá dentro! — gritou a mulher. — Saia daí, sr. Holmes! Não vou machucá-lo! Só quero meu diamante! Do contrário, darei um tiro neste homem, que reconheço ser o dr. Watson, vou embarricar a porta do quarto do lado de cá e atearei fogo na casa. O senhor conhece meu temperamento impulsivo.

Alguma emoção incomumente forte deve ter brotado em Sherlock Holmes ao ouvir tal discurso, pois ele tremeu tanto no aposento contíguo que a casa toda balançou.

— Vossa majestade jura não cometer nenhum ataque a minha pessoa? — indagou.

— Eu não tocaria no senhor com uma vara de vinte metros — respondeu a mulher. — Saia!

Ouvimos os móveis serem afastados e, um instante depois, Sherlock Holmes saiu do quarto. Com um gesto imponente do braço, depositou o diamante na mão da rainha.

— Devolvo a pedra a vossa majestade com prazer — falou. — Ela é falsa e vale cerca de dez libras.

A mulher olhou para ele, curiosa, durante um momento.

— Que idiotice do rei — disse, então. — Ele me telegrafou para Londres dizendo que você havia roubado a Gema Azul e partido para a Inglaterra. Porém, vejo que se apossou apenas da imitação, que costumo usar em ocasiões de segunda classe. Não se deixam joias valiosas dando sopa, sr. Holmes, quando há gente de caráter duvidoso no palácio. Adeus! Da próxima vez que for à Boêmia, sairá no lombo de um burro, de frente para o rabo.

A mulher saiu de súbito do aposento e, durante alguns instantes, imperou o silêncio. Então, o olhar sonhador que conheço tão bem se instalou no semblante de meu amigo.

— Existem algumas *lacunae* a serem preenchidas — disse ele —, no que, afinal das contas, não passa de um caso muito banal. O roubo, veja bem, não poderia ter sido descoberto até que eu deixasse a Boêmia, nação que, como você sabe, não tem tratado de extradição com nenhuma outra. Portanto, eu estava seguro nesse aspecto. No entanto, um exame superficial da pedra por um joalheiro em Paris me convenceu da falsidade dela. Assim, eu não roubara a gema verdadeira. Não lhe disse que era falsa, meu caro Watson, porque suas declarações de que eu andara envolvido em investigações para as famílias reais do continente ajudam em muito meu prestígio, e fazê-lo saber que minha recompensa fora apenas um falso diamante de dez libras não o convenceria de que eu prestara aos monarcas um grande serviço. E agora que está a par de tudo, tenho certeza de que meu segredo está a salvo com você, pois, do contrário, estragaria o mercado para nós. A rainha é uma mulher de muito poder.

Holmes estendeu a mão para pegar o violino.

— Deixe-me tocar para você uma coisinha de minha autoria que ainda não publiquei. Amanhã começaremos a escrever mais aventuras.

O desmascaramento de Sherlock Holmes

ARTHUR CHAPMAN

Arthur Chapman (1873-1935) é mais conhecido como escritor de poesia caubói — versos que retratam a gente e a terra da fronteira do Meio-Oeste dos Estados Unidos no início do século XX, sendo sua obra mais famosa "Out Where the West Begins", que, uma década após sua criação, em 1910, foi consagrada como "os versos mais conhecidos da América".

Frequentemente reeditada, citada e parodiada, ele decidiu publicar a poesia em formato de livro em 1916. *Out Where the West Begins, and Other Small Songs of a Big Country* (Lá onde começa o Oeste, e outras pequenas canções de um grande país) era um modesto volume de 15 páginas lançado pela Carson-Harper em Denver, mas fez tanto sucesso que a Houghton Mifflin logo publicou uma coleção maior com 58 poemas, *Out Where the West Begins, and Other Western Verses*, em 1917. Além disso, o poema ganhou uma música composta por Estelle Philleo no mesmo ano.

Chapman também fez longa carreira no ramo jornalístico, trabalhando como repórter para o *Chicago Daily News*, como editor literário e colunista para o *Denver Republican* e como editor administrativo para o *Denver Times*. Em 1919, trocou o Meio-Oeste pela cidade de Nova York, onde se tornou um escritor-celebridade da edição dominical do *New York Tribune* (mais tarde, *New York Herald Tribune*). Também foi escritor de ficção e não ficção ao longo de toda a vida e publicou quatro livros no período de 12 anos: *Mystery Ranch* (1921), uma aventura de faroeste e mistério criminal; *The Story of Colorado, Out Where the West Begins* (1924), uma história do estado; *John Crews* (1926), um faroeste combinando aventura e romance, e *The Pony Express: The Record of a Romantic Adventure in Business* (1932), um relato de não ficção.

"O desmascaramento de Sherlock Holmes" foi publicado no exemplar de fevereiro de 1905 do *Critic and Literary Wold.*

O DESMASCARAMENTO DE SHERLOCK HOLMES

Arthur Chapman

Em toda minha carreira como Boswell para o Johnson de Sherlock Holmes, apenas em uma ocasião vi o grande detetive agitado. Estávamos fumando tranquilamente e discutindo a teoria das impressões digitais quando a senhoria trouxe até nós um pequeno quadrado de papel para o qual Holmes lançou um olhar indiferente, deixando-o cair logo depois. Peguei o cartão e, ao fazê-lo, percebi que meu amigo tremia, agitado demais para instruir a senhoria a mandar entrar o visitante ou pedir que ele fosse embora. No cartão, li o nome:

Monsieur C. Auguste Dupin,
Paris.

Enquanto me perguntava o que poderia haver em tal nome para fazer brotar tamanho terror no coração de Sherlock Holmes, o próprio M. Dupin entrou na sala. Era um jovem de estrutura leve e, pela aparência, sem dúvida alguma francês. Fez uma pequena reverência junto à porta, mas observei que Sherlock Holmes se encontrava por demais atônito ou amedrontado para retribuir o cumprimento. Meu ídolo permaneceu no meio da sala olhando o pequeno francês na entrada, como se M. Dupin fosse um fantasma. Por fim, recompondo-se com esforço, Sherlock Holmes fez sinal para que a visita se sentasse e, quando Dupin afundou na cadeira, meu amigo fez o mesmo em outra e enxugou a testa com vigor.

— Perdoe minha entrada abrupta, sr. Holmes — disse o visitante, que tirou do bolso o cachimbo de espuma do mar, enchendo-o e depois extraindo dele longas e deliberadas baforadas. — Temi, porém, que não quisesse me receber, razão pela qual entrei antes de lhe dar a oportunidade de dizer à sua senhoria para me mandar embora.

Para minha surpresa, Sherlock Holmes não aniquilou o homem com um daqueles seus olhares penetrantes, inquisidores, que lhe deram fama na literatura e nos palcos. Em vez disso, continuou a enxugar a testa e enfim balbuciou, debilmente:

— Mas... Mas... Eu achei que estivesse morto, sr. Dupin.

— E muitos achavam que o senhor também estivesse morto, sr. Sherlock Holmes — respondeu o visitante, em sua voz sonora e decidida. — Contudo, se lhe foi possível voltar à vida após ser atirado de um penhasco nos Alpes, por que eu não poderia sair de uma respeitável sepultura apenas para termos uma conversa? É de seu conhecimento que meu criador, o sr. Edgar Allan Poe, apreciava bastante desenterrar mortos de suas sepulturas.

— Sim, sim, admito que já li esse tal de Poe — concordou, com irritação, Sherlock Holmes. — Um escritor inteligente em certos aspectos. Algumas de suas histórias de detetive sobre o senhor também não são de todo ruins.

— Ah, mas não são mesmo — disse Dupin, com bastante sarcasmo, pensei. — O senhor se lembra daquele conto, "A carta roubada", por exemplo? Que joia! Quando o releio, me esqueço de tudo sobre o senhor e suas fracas imitações. Não há nada forçado ali. Tudo é tão concreto quanto o próprio destino. Não existe um único tom falso, não há delongas. E a solução é tão simples que faz com que a maioria dos artifícios que o senhor usa pareça rude em comparação.

— Ora, se Poe tinha o senhor em tão alta conta, por que não o aproveitou mais? — retrucou Sherlock Holmes.

— Ah! Foi aí que o sr. Poe se revelou um verdadeiro artista literário — disse M. Dupin, continuando a fumar seu eterno cachimbo de espuma do mar. — Quando ele tinha algo bom, era esperto o bastante para não arruinar sua reputação esgotando o tema. Suponha que, após escrever "Os assassinatos da rua Morgue", que girava a meu redor como personagem central, ele tivesse escrito dois ou três livros de contos nos quais eu figurasse. Então, suponha que permitisse que eu fosse levado ao palco e, como resultado, ficasse ainda mais exposto ao público. Da mesma forma, suponha que, após me matar de forma decente e anunciar que jamais voltaria a escrever histórias de detetive, ele cedesse aos apelos de seus editores e produzisse outra interminável série de histórias sobre mim. Ora, é claro que a maior parte seria mais que medíocre, e todos já teriam esquecido a obra-prima "Os assassinatos da rua Morgue", bem como "A carta roubada", de tão soterradas que estariam tais joias sob uma montanha de lixo.

— Ah, admito que minha corda tenha sido tocada à exaustão — disse, com um suspiro, Sherlock Holmes, de mau humor, estendendo a mão para a seringa hipodérmica que eu tirara de seu alcance. — Mas talvez Poe tivesse feito o mesmo com o senhor se pudesse arrancar um dólar por palavra de tudo que escrevesse a seu respeito.

— Ah, pobre Edgar, pobre e incompreendido Edgar! Talvez sim — admitiu Dupin, pensativo. — Ele dispôs de poucos dólares em sua tempestuosa vida. Ao mesmo tempo, porém, independentemente das recompensas, acho que ele foi um gênio versátil o bastante para descobrir algo novo na época certa. De todo jeito, não teria afanado o produto da mente de outrem e o apresentado como seu.

— Por Deus, homem! — gritou Sherlock Holmes. — Está dizendo que ninguém mais além de Poe tem o direito de utilizar a teoria da análise em uma história de detetive?

— Não, mas veja como o senhor me acompanha de perto em todos os outros detalhes. Não costumo ser bafejado pela sorte, assim como o senhor. Estou sempre fumando quando formulo meus planos de ataque, assim como o senhor. Tenho um amigo admirador para registrar tudo que digo e faço, assim como o senhor. Estou sempre maravilhando o chefe da polícia com teorias bem melhores que as dele, assim como o senhor.

— Eu sei, eu sei — disse Sherlock Holmes, voltando a enxugar a testa. — Parece que os argumentos estão contra mim. Nutri-me livremente do senhor, M. Dupin, e as aspas nem sempre foram usadas como deviam onde o crédito lhe era devido. Contudo, afinal, não sou a imitação mais banal que meu autor produziu. Acaso já leu o livro *A companhia branca* e o comparou com *The Cloister and the Hearth*? Não? Então faça, se quiser entender o que poderíamos chamar de "atmosfera transplantada"...

— Ora, aparentemente estamos em uma grande era para a apropriação das ideias de outrem — comentou, resignado, M. Dupin. — Quanto a mim, não dou a mínima sobre o roubo de meus méritos, Sherlock Holmes. Com efeito, você é um sujeito bastante decente, embora esteja testando minha paciência com sua contínua recusa em se aposentar. Além disso, só consegue me fazer brilhar mais na comparação. Eu nem sequer culpo você por aquele conto "Os dançarinos", no qual usa um criptograma que na mesma hora faz lembrar "O escaravelho de ouro".

— Mas você não estava em "O escaravelho de ouro" — observou Sherlock Holmes com o ar de quem marcou um ponto.

— Não, e isso apenas enfatiza o que venho lhe dizendo: que as pessoas admiram Poe como um artista literário devido ao fato de que ele não abusa de nenhuma de suas criações. Não se esqueça disso, meu garoto, e lembre-se, quando disser seu próximo adeus, de que ele não seja do tipo que deixa margem a uma volta. A paciência até mesmo dos leitores americanos tem limites, e você não pode sempre estar entre os "seis livros mais vendidos do dia".

E com essas palavras, M. Dupin, cachimbo e tudo o mais, sumiu na atmosfera impregnada de tabaco da sala, deixando o grande detetive Sherlock Holmes a me olhar tão envergonhado quanto um colegial flagrado com maçãs roubadas escondidas no uniforme.

A aventura do colar de brilhante

GEORGE F. FORREST

Como aventura editorial, um fino volume de paródias da autoria de um autor praticamente desconhecido parece um negócio arriscado. Contudo, isso não impediu Frank Harvey da 21 & 22 Broad Street, uma pequena editora em Oxford, de se comprometer a publicar *Misfits: A Book of Parodies*, de George Forrest (como seu nome aparece na capa, ou G.F. Forrest, como é identificado na página de rosto); o lançamento se deu em 1905.

Como acontece com todas as coletâneas, alguns contos são melhores que outros; no caso das paródias, algumas são mais engraçadas que outras, e esse livro não é exceção. Contém burlescos de autores tão disparatados como Rudyard Kipling, Francis Bacon, William Shakespeare, vários poetas e o escritor de aventuras muito popular H. Ridder Haggard. "The Deathless Queen", narrado por um covarde Allan Quarterslain, se passa no coração da África e é protagonizado por uma rainha idolatrada conhecida como "Ela-que-precisa-apodrecer". Para parodiar Arthur Conan Doyle, Forrest subintitulou o conto: "Apresentado como um estudo da criminologia grotesca".

Além de uma edição regular comercial em brochura, *Misfits* também foi lançado em uma bela edição grande de capa dura, limitada a 150 exemplares. Edições limitadas, na época (assim como hoje), costumam ser reservadas para os grandes nomes da literatura; por isso tudo indica que o editor nutria grandes expectativas em relação a um livro de autoria do quase conhecido Forrest, ou, como parece mais provável, o próprio autor tenha tido um papel na publicação. Publicações subsidiadas, também conhecidas como publicações por vaidade, não eram coisa rara na era eduardiana.

A AVENTURA DO COLAR DE BRILHANTE

George F. Forrest

Quando abri a porta, fui saudado pelo som de uma melodia arrebatadora. Warlock Bones tocava, sonhador, seu acordeão, e o rosto sagaz e marcante dele se achava quase escondido pelos densos anéis de fumaça que descreviam círculos acima, oriundos de um cachimbo de madeira bastante imundo. Assim que me viu, tirou um derradeiro soluço do instrumento e ficou de pé com um sorriso de boas-vindas.

— Bom dia, Goswell — falou, animado. — Por que você estica suas calças debaixo da cama?

Era verdade, a mais pura verdade. Esse extraordinário observador, o terror de todo criminoso acovardado, o maior pensador que o mundo já conheceu, havia, sem dó nem piedade, desvendado o segredo de minha vida. Ah, era verdade.

— Como sabe disso? — indaguei, estupefato.

Ele sorriu ante meu mal-estar.

— Fiz um estudo especial sobre calças — respondeu ele — e sobre camas. Quase nunca me engano. Contudo, deixando esse conhecimento de lado por um momento, você se esqueceu daquele punhado de dias que passamos juntos três meses atrás? Vi-o fazendo isso.

Ele jamais deixava de me causar espanto, esse espião do crime com olhos de lince. Nunca consegui dominar a maravilhosa simplicidade de seus métodos. Podia apenas me encher de fascínio e admiração — privilégio pelo qual nunca serei grato o suficiente. Sentei-me no chão e, abraçando seu joelho esquerdo com ambos os braços em um êxtase de adoração apaixonada, ergui os olhos para sua aparência intelectual.

Ele enrolou a manga e, expondo o braço fino, injetou uma dose de ácido cianídrico com uma rapidez incrível. Finda tal operação, consultou o relógio de parede.

— Em 23 ou 24 minutos — observou —, um homem deverá aparecer para falar comigo. Ele tem esposa, dois filhos e três dentes falsos, um dos quais precisará ser substituído em breve. É um corretor de ações bem-sucedido de cerca de 47 anos, usa roupas da Jaegers e é um fã entusiasta do jogo "Encontre a palavra que falta".

— Como sabe de tudo isso? — interrompi-o, quase sem fôlego, com uma palmadinha de impaciência em sua tíbia.

Bones me deu seu sorriso inescrutável.

— Ele virá — disse — a fim de pedir meu conselho sobre algumas joias que foram roubadas de sua casa em Richmond na quinta-feira passada. Entre elas está um colar de brilhantes de valor excepcional.

— Explique! — gritei, com uma admiração jubilosa. — Por favor, explique!

— Meu caro Goswell — falou Bones, rindo —, você é de fato lerdo demais. Será que nunca aprenderá meus métodos? O homem é meu amigo pessoal. Encontrei-o ontem no Centro e ele pediu para vir aqui conversar comigo sobre essa perda hoje de manhã. *Voilà tout.* Dedução, meu caro Goswell, uma mera dedução.

— Mas as joias? A polícia está atrás delas?

— E como! Na verdade, nossa polícia é das mais trapalhonas. Já prendeu 27 pessoas perfeitamente inofensivas e inocentes, inclusive uma duquesa abastada, que ainda tenta se recuperar do choque, e, a menos que eu esteja muito enganado, vão prender a esposa de meu amigo esta tarde. Ela estava em Moscou na ocasião do roubo, mas isso, é claro, pouco importa para aqueles amáveis jumentos.

— E você tem alguma pista do paradeiro das joias?

— Uma pista muito boa — respondeu ele. — Tão boa que, neste exato momento, posso pôr as mãos nelas. É um caso bem simples, dos mais simples com que já tive de lidar, e, no entanto, a seu jeito, um caso estranho, que apresenta várias dificuldades para o observador mediano. O motivo do roubo é um pouco enigmático. O ladrão parece ter sido levado ao crime não tanto pela ganância comum quanto por um intenso amor pela autopromoção.

— Mal posso imaginar — falei, com certa surpresa. — Um ladrão, *qua* ladrão, desejoso de anunciar suas aventuras ao mundo.

— Verdade, Goswell. Você mostra seu habitual bom senso. Porém, não tem a imaginação sem a qual um detetive nada pode fazer. Sua posição é a mesma daquele pessoal cheio de energia, ainda que um tanto obtuso, da polícia. Eles estão francamente confusos com o caso todo. Para mim, o caso é claro como o dia.

— Isso eu posso entender — murmurei com um tapinha reverente em sua canela.

— O verdadeiro ladrão — prosseguiu Bones —, por diversas razões, não me apetece produzir. Contudo, quanto às joias, como acabei de dizer, posso pôr as mãos nelas a qualquer momento. Olhe aqui!

Desvencilhando-se de meu abraço, ele se dirigiu a um cofre em um canto do cômodo. Dele, extraiu uma grande caixa de joias e, abrindo-a, revelou um conjunto dos mais soberbos diamantes. No meio, um magnífico colar piscava e faiscava sob os raios do sol invernal. A visão me tirou o fôlego, e durante um tempo, fiquei boquiaberto de admiração muda diante do mestre.

— Mas... Mas como... — gaguejei enfim, e parei, pois Bones observava minha confusão com evidente satisfação.

— *Eu* as roubei — declarou Warlock Bones.

A aventura do empate de Ascot

ROBERT L. FISH

Robert Lloyd Fish (1912-1981) era um engenheiro civil de grande sucesso trabalhando no Brasil quando se viu diante de um dia tedioso sem qualquer obrigação imediata. Por ser fã de Sherlock Holmes, resolveu preencher o tempo escrevendo uma paródia do grande detetive para seu próprio entretenimento, sem ter jamais escrito qualquer texto de natureza criativa.

Tinha uma frase na cabeça quando começou a escrever, referente aos momentos bastante registrados em que Holmes fazia uma série de deduções a respeito de um cliente, o que sempre deixava Watson e o cliente em questão estupefatos ante o brilhantismo inspirador. Na paródia de Fish, Holmes está errado e, quando corrigido em suas afirmações absurdas, retruca: "Ah, sim. Ora, com certeza era uma coisa ou outra".

"A aventura do empate de Ascot" foi vendido para a *Mistério Magazine de Ellery Queen*, marcando o início de uma carreira que levou a mais de trinta romances, dois prêmios Edgar (por "The Fugitive", o melhor romance de estreia de 1961, e por "The Moonlight Gardner", o melhor conto de 1970), ao cargo de presidente da Mystery Writers of America e ao legado do Robert L. Fish Memorial Award, patrocinado pelo espólio do autor, prêmio que vem sendo concedido todo ano desde 1984 pela MWA ao melhor conto de estreia de um autor americano.

Além de Sherlock Holmes, seus personagens mais conhecidos são José da Silva, um detetive policial do Rio de Janeiro, e

Kek Huuygens, um brilhante contrabandista. *Kek Huuygens, Contrabandista* (1976) foi o primeiro livro publicado pela Mysterious Press. Fish também escreveu sob o pseudônimo de Robert L. Pike, com o qual assinou *Mute Witness* (1963), o romance que serviu de base para o famoso filme *Bullitt* (1968), com Steve McQueen, Robert Vaughn e Jacqueline Bisset. O filme continua memorável pela cena emocionante de perseguição automobilística nas ruas de São Francisco e abiscoitou o prêmio Edgar.

"A aventura do empate de Ascot" foi publicado pela primeira vez no exemplar de fevereiro de 1960 da *Mistério Magazine de Ellery Queen* e incluído pela primeira vez em uma coletânea em *The Incredible Schlock Homes* (Nova York, Simon & Schuster, 1966).

A AVENTURA DO EMPATE DE ASCOT

Robert L. Fish

Relendo minhas anotações do ano de '59, encontro vários casos em que os talentos peculiares de meu amigo, o sr. Schlock Homes, reduziram significativamente o trabalho da Scotland Yard ou eliminaram por completo a necessidade da agência. Houve, por exemplo, o caso do músico desmantelador, que, antes que Homes o levasse à justiça, conseguiu desmontar metade dos instrumentos da Orquestra Sinfônica de Londres e escondê-los em várias caixas de correio por toda a cidade, onde os mesmos permaneceram sem serem descobertos até o desfecho do caso. Outro exemplo que logo me vem à mente é o famoso homicídio da tromba de Mayfair, em que Homes incriminou o sr. Claude Mayfair, um cuidador do zoológico, que incitara um de seus elefantes a estrangular o pretendente ao afeto da sra. Mayfair. Não podemos esquecer, é claro, da questão bastante divulgada envolvendo a srta. Millicent Unica, a quem Homes se refere até hoje como "Mulher Única". Porém, de todos os casos que encontrei registrados naquele ano específico, nenhum demonstra melhor a natureza sinuosa dos poderes analíticos de raciocínio de meu amigo que o caso que listei sob o nome de "A aventura do empate de Ascot".

Era uma manhã bastante quente do mês de junho de '59, quando apareci para tomar café da manhã na sala de jantar de nossa residência no número 221B da Bagel Street. O sr. Schlock Homes já terminara sua refeição e tinha em mãos um telegrama, que me entregou quando me sentei à mesa.

— Nosso tédio está prestes a acabar, Watney — disse ele, a animação ante a ideia de um novo caso transparecendo no tom em geral calmo de sua voz.

— Fico muito feliz em ouvir isso, Homes — respondi com toda sinceridade, pois a verdade é que eu já começava a temer os longos períodos de inatividade que, com frequência, levavam meu amigo a importunar a si mesmo e a mim. Pegando o mencionado telegrama de sua mão estendida, li-o com cuidado. — Esta moça parece extremamente nervosa — comentei, observando Homes o tempo todo a fim de captar sua reação.

— Você também percebeu, Watney? — disse ele, sorrindo de leve.

— Mas é óbvio — respondi. — A mensagem diz: "Caro sr. Homes, solicito com urgência uma reunião com o senhor esta manhã às nove horas. Estou extremamente nervosa". E está assinado: srta. E. Wimpole.

Homes pegou o telegrama de minha mão e o examinou com o maior cuidado.

— Datilografado em um formulário padrão do correio — observou ele, pensativo — com uma máquina de escrever padrão do correio. Muito provavelmente por um funcionário do correio. Interessantíssimo. No entanto, creio haver um pouco mais a descobrir até que nossa cliente apareça.

Naquele momento, um barulho alto na rua sob a janela aberta chamou minha atenção e, quando olhei para fora, gritei, muito alarmado:

— Homes! Uma charrete!

— Eu diria que mais parece uma carruagem — respondeu meu amigo, languidamente. — Esses diferentes veículos são identificados pela afinação tonal do guincho do eixo. Uma charrete, por exemplo, soa como fá; as carruagens, em geral, soam como si bemol. Um cabriolé, é claro, está sempre afinado em sol. Ainda assim, acho que devemos deixar por aqui esta discussão, já que, se não me engano, nossa cliente chegou.

Naquele momento, a criada fez entrar em nossos aposentos uma jovem de beleza normal e com cerca de 25 anos de idade. Vestia-se com esmero, seguindo a moda e parecia bastante agitada.

— Ora, srta. Wimpole — disse Homes depois que ela se sentou confortavelmente, tendo recusado com educação um arenque. — Estou ansioso para ouvir sua história. Além do fato de ser adepta de usar selas de amazona, de ter escrito uma carta de amor havia pouco tempo e ter feito uma parada no caminho até aqui para visitar uma mina de carvão, temo conhecer pouco a essência de seu problema.

A srta. Wimpole ficou boquiaberta ao ouvir tais informações. Até mesmo eu, que estou mais ou menos familiarizado com os métodos de Homes, fiquei atônito.

— Por Deus, Homes! — exclamei. — Isso é demais! Por favor, explique.

— Muito simples, Watney — respondeu ele, sorrindo. — Há um ponto lustroso na lateral da saia da srta. Wimpole um pouco acima da parte externa central da coxa, o qual tem o formato de uma fatia de torta com lados curvos. Esse é exatamente o formato do novo tipo de sela africana, hoje em dia tão popular entre os entusiastas da equitação. O terceiro dedo da mão direita da dama tem uma mancha de tinta cor de morango, que decerto não é o tipo de tinta que se usaria em uma correspondência formal ou comercial. Por último, há um resíduo sob seu olho esquerdo que não pode ser outra coisa senão pó de carvão. Como estamos em junho, podemos eliminar o manuseio de carvão para propósitos sazonais, tais como armazenamento ou aquecimento, e, assim, deduzir sua visita a um local onde o carvão fique exposto durante todo o ano, como uma mina de carvão.

A srta. Wimpole se mostrou bastante confusa com a conversa.

— Fui obrigada a sair de casa com muita pressa — explicou — e, infelizmente, não fui cuidadosa o bastante ao usar o rímel. Quanto à mancha em meu dedo, é mesmo de morango — disse ela, removendo-a logo depois com uma lambida antes que pudéssemos censurá-la por seus modos. Então examinou com atenção a saia. — Essas criadas de hoje... — comentou balançando com tristeza a cabeça. — São tão distraídas! A que temos agora sempre esquece o ferro em cima das roupas quando vai abrir a porta!

— Ah, sim — disse Homes, após um momento de instrospecção. — Ora, com certeza era uma coisa ou outra. E agora, minha jovem, poderia fazer a gentileza de nos revelar a natureza de seu problema? — Ele notou o olhar que a moça lançou em minha direção e acrescentou em tom tranquilizador: — A senhorita pode falar com toda franqueza na presença do dr. Watney. Ele é praticamente surdo.

— Muito bem, então, sr. Homes — prosseguiu ela, inclinando-se, ansiosa, para a frente. — Como sem dúvida o senhor deduziu a partir de meu telegrama, me chamo Elizabeth Wimpole e moro com meu tio, John Wimpole, em um pequeno apartamento na Barrett Street. Meu tio é um egiptólogo itinerante, e, durante um bom tempo, desfrutamos de uma vida confortável graças às viagens que ele planejava para quem desejasse visitar o Egito. No entanto, desde os recentes problemas que vêm ocorrendo naquele país, seu negócio anda um tanto parado e, em consequência, ele se tornou muito mal-humorado, passando o dia sozinho e se juntando a um grupo mal encarado todas as noites em casa.

"A fim de entender a completa mudança no homem, é preciso compreender o tipo de vida que levávamos quando os egiptólogos itinerantes gozavam de uma demanda maior. Nossa casa, embora sempre modesta, ainda assim era local de reunião de intelectuais. Não menos que três curadores, um ou dois políticos e diversos escritores de cunho sério se achavam entre os amigos de meu tio, e o chefe dos desembaladores de múmias no Museu Britânico com frequência aparecia para tomar chá e ter uma conversa amistosa sobre assuntos triviais.

"Hoje, tudo isso mudou. O tipo de pessoa com quem meu tio agora convive é extremamente rude, tanto em aparência quanto em linguagem. Embora hesite em fazer acusações que podem se basear apenas em minha imaginação, temo que vários desses rufiões estejam pensando em fazer avanços sobre mim, algo que estou certa de que meu tio jamais teria permitido no passado.

"Embora evidentemente tal situação me preocupe um pouco, eu a teria superado sem grandes problemas, caso ontem não tivesse ocorrido uma coisa muito estranha. Enquanto arrumava o quarto de meu tio, encontrei um telegrama em um envelope lacrado costurado no forro de uma de suas camisas dentro de uma gaveta trancada. A natureza da mensagem era tão perturbadora que senti que precisava de ajuda externa, e, portanto, me atrevi a recorrer ao senhor."

Dito isso, a moça entregou a Homes um telegrama que tirara da bolsa enquanto falava.

Meu amigo o pousou sobre a mesa e me pus de pé a seu lado enquanto ambos o examinávamos. Li: "QUERO ROUBAR UM MONTANTE EXCEPCIONAL PELA MANHÃ. VAMOS EFETUAR PLANO MÁXIMO: PEDRAS PRECIOSAS JAPONESAS RARAS. TRABALHO INTERNO: NÃO MANDAR EQUIPAMENTO ESPECIAL. AVISO IMPORTANTE: FAREMOS REPARTE TARDE AMANHÃ. JOE."

Uma curiosa mudança se operara no rosto de Homes enquanto ele lia essa mensagem cifrada. Sem dizer nada, virou-se para uma prateleira a seu lado e pegou um livro pesado, encadernado em couro. Abrindo-o, estudou em silêncio vários cabeçalhos no índice e depois, fechando-o, falou com calma a nossa visitante:

— Agradeço-lhe por ter me trazido o que promete ser um problema dos mais interessantes — disse, inclinando, com educação, a cabeça para a frente. — Dedicarei todo meu tempo à solução. Creio, contudo, que pouco possa lhe dizer sem antes fazer uma reflexão mais profunda. Peço-lhe a gentileza de deixar seu endereço com o dr. Watney. Tenho certeza de que logo entraremos em contato para lhe dar boas notícias.

Depois que a jovem se foi, Homes se virou para mim, cheio de excitação.

— Um código bastante engenhoso, Watney — disse, estalando a língua e esfregando as mãos, animado. — Como sabe, escrevi cerca de 16 monografias sobre o tema da criptografia, cobrindo todas as fases da escrita oculta e secreta, da pedra de Roseta a um último texto sobre a interpretação das instruções para a montagem de brinquedos. Acho que posso afirmar, sem falsa modéstia, que há pouca gente no mundo capaz de me confundir com uma cifra ou um código. Ficarei muito surpreso, portanto, se não chegar rapidamente à solução desta mensagem. A dificuldade, é claro, reside no fato de que pouquíssimas palavras são empregadas, mas como sabe, os únicos problemas que me interessam são os difíceis. Imagino que isso demandará o uso de cinco cachimbos. Portanto, se não se importa, Watney, por favor, me passe meus apetrechos de fumo antes de sair. Vou pôr mãos à obra agora mesmo!

Estendi o braço e peguei atrás de mim o conjunto de cinco cachimbos de açafrão que lhe havia sido presenteado por um famoso comerciante de tabaco a quem Homes prestara serviços: um caso que relatei em "A aventura dos cinco cachimbos laranja". Quando saí da sala para buscar minha maleta de médico, Homes já enchera um deles e expelia nuvens de fumaça para o teto, enquanto se debruçava sobre o telegrama em feroz concentração.

Tive um dia movimentado e não voltei para casa até o final da tarde. Homes andava de um lado para o outro da sala, satisfeito. Os cinco cachimbos continuavam acesos em vários cinzeiros por todo o cômodo, mas a ruga de concentração fora substituída por uma expressão de paz que ele, em geral, ostentava quando via luz no fim do túnel de um problema especialmente complexo.

— Você desvendou o código — observei, pousando a maleta sobre a bancada.

— Está se transformando em um grande detetive, Watney — disse Schlock Homes com um sorriso. — Sim, ele é diabolicamente engenhoso, mas, no final, eu o desvendei, como tinha certeza de que o faria.

— Nunca duvidei disso, Homes — garanti, caloroso.

— Watney, você é muito bom para mim — respondeu ele, apertando minha mão, agradecido. — Pois bem, a solução está aqui. Repare na mensagem. Ela diz: "QUERO ROUBAR UM MONTANTE EXCEPCIONAL PELA MANHÃ. VAMOS EFETUAR PLANO MÁXIMO: PEDRAS PRECIOSAS JAPONESAS RARAS. TRABALHO INTERNO: NÃO MANDAR EQUIPAMENTO ESPECIAL. AVISO IMPORTANTE: FAREMOS REPARTE TARDE AMANHÃ. JOE." Agora, desprezando a pontuação que separa essa baboseira, apliquei as várias fórmulas matemáticas que são padrão na codificação, bem como várias que não têm sido usadas há anos, até onde sei. Nada deu certo.

"Durante algumas horas, confesso ter ficado perdido. Cheguei mesmo a testar o telegrama para ver se havia algum texto escondido, aplicando uma solução de benzedrina e hipoclorito de sódio em ambos os lados do papel, mas, afora uma velha lista de compras que algum funcionário do correio aparentemente redigira e depois apagara, nada havia a ser descoberto.

"Foi então que me lembrei de que o sr. John Wimpole conhecia um desembalador de múmias, e me ocorreu a possibilidade de que, no curso de suas muitas conversas, talvez o enigma da antiga escrita egípcia secreta tivesse sido veiculado. Recomeçando com base em tal premissa, apliquei o sistema originalmente desenvolvido por Tutancâmon para marcar a roupa suja do palácio e, na mesma hora, a coisa toda começou a fazer sentido. Veja, Watney!

Inclinando-se sobre a mensagem, com expressão de triunfo, ele sublinhou a letra Q na palavra QUERO, e depois passou a sublinhar a primeira letra de cada palavra alternada, observando, satisfeito, meu rosto atônito durante o processo. A mensagem agora dizia: "QUEM EM PRIMEIRA".

— Notável, Homes! — exclamei, reticente. — Mas, se me permite, continuo tão perdido quanto antes.

— Ora, Watney! — disse meu amigo, agora rindo alto. — Quando li a mensagem da primeira vez, também fiquei perdido. Contudo, isso faz algumas horas, e não fiquei ocioso durante esse tempo. Estou agora de posse do esboço do plano, e embora ele não envolva nenhum crime sério, ainda assim é um tanto engenhoso e inteligente. Porém, não há mais nada a ser feito esta noite. Por favor, envie um telegrama a nossa cliente avisando que passaremos na casa dela e a apanharemos amanhã às dez e que, então, nos dirigiremos ao lugar onde todo o mistério será esclarecido.

— Mas Homes! — protestei. — Não estou entendendo nada!

— Você entenderá, Watney, amanhã de manhã — retrucou, com um amplo sorriso. — Já chega por ora. Hoje a ópera *The Wreckers* será apresentada no Albert Hall, acho eu, e estamos em cima da hora para nos aprontarmos e chegar lá a tempo de assistir ao espetáculo.

Na dia seguinte, às dez em ponto, nosso cabriolé parou defronte a um pequeno prédio na Barrett Street, e a srta. Wimpole se juntou a nós. Tanto a jovem quanto eu lançamos um olhar de soslaio para Homes, mas ele se inclinou, imperturbável, e disse ao condutor:

— Ascot Park, por favor. — Depois, ele se recostou com um sorriso no rosto.

— Ascot Park? — indaguei, atônito. — A solução de nosso problema está em um hipódromo?

— De fato, está, Watney — falou Homes, obviamente adorando meu espanto. Então, me dando palmadinhas no ombro, acrescentou: — Por favor, perdoe meu pobre senso de humor, Watney, e você também, srta. Wimpole. O problema está quase todo solucionado, e a solução reside em Ascot Park. Watney sabe como eu gosto de causar surpresas, mas vou satisfazer a curiosidade de ambos agora.

Inclinando-se para a frente, ele refletiu sobre as palavras a usar.

— Quando decodifiquei o texto e me vi com outra mensagem quase tão curiosa quanto a primeira, a saber, QUEM EM PRIMEIRA, refleti bastante a respeito durante algum tempo. Podia ser, é claro, alguma referência a uma pessoa que deveria ficar situada em uma Primeira avenida ou Primeira rua. Embora não acreditasse nisso, é de minha natureza ser meticuloso, e como Nova York é a única cidade, até onde sei, com uma Primeira avenida, telegrafei a meu velho amigo, o inspetor LeStride, pedindo-lhe esclarecimentos. Sua resposta negativa eliminou essa possibilidade, e voltei à minha tese original.

"Reparem na última palavra, "PRIMEIRA". Isso poderia, é claro, ser uma referência à Bíblia, na qual se promete que os últimos serão os primeiros, mas ao examinar com cuidado a mensagem original, não percebi aura religiosa alguma, e sou bastante sensível a tais sutilezas. Não. Em vez disso, permiti-me considerar aqueles casos em que o primeiro lugar pode ser importante. É claro que não me refiro a filas ou obstáculos. A resposta lógica, evidentemente, foi uma aposta. Os diversos meios disponíveis aos ingleses da atualidade para fazer apostas são muito restritos, e depois de checar a situação dos times e descobrir que o Nottingham ainda continua em vantagem, voltei-me para a seara das corridas de cavalo.

"E ali descobri, como esperava, que, na segunda corrida em Ascot no dia de hoje, a competidora do haras Abbot-Castle é uma potranca de três anos chamada *Quem em Primeira*."

Homes se virou para a jovem a seu lado:

— Minha cara, temo que seu tio esteja envolvido em um esquema de manipulação de apostas, e que o grupo com quem ele tem se encontrado nos últimos tempos esteja usando o sistema telegráfico para enviar dicas sobre possíveis vencedores. Isso, claro, é considerado questionável na maioria dos círculos turfísticos, mas, como afirmo com frequência, não faço parte da polícia oficial e, portanto, não me sinto responsável por levar à assim chamada justiça alguém que cometa infrações leves. Espero, contudo, encontrar a prova de meu raciocínio na pista de corrida em poucos momentos.

— Ah, sr. Schlock Homes! — exclamou a srta. Wimpole, agarrando-lhe a mão com gratidão —, o senhor me proporcionou um grande alívio. Ando tão preocupada, sobretudo depois de ter encontrado grandes somas de dinheiro escondidas em locais obscuros da casa. Tive medo de que meu tio estivesse envolvido com sujeitos metidos em práticas nefastas. Agora que estou a par da natureza da empreitada, posso me tranquilizar e quem sabe até repor ao menos parte desse dinheiro com a consciência tranquila, sabendo que ele não foi obtido por meios escusos. No entanto, o senhor deve me permitir pagar por seu trabalho nesse caso, sr. Homes. Por favor, diga-me o valor de seus honorários.

— Não, srta. Wimpole — retorquiu Homes com modesta dignidade. — Se minha teoria for tão boa quanto imagino, não haverá necessidade de pagamento. Encararei como pagamento o benefício da informação que a senhorita tão gentilmente trouxe à minha atenção.

Em poucos minutos, nosso cabriolé estacionou no portão ornamentado do famoso hipódromo e, enquanto Homes foi examinar o painel de apostas e falar com alguns corretores de apostas conhecidos dele, comprei o jornal mais recente e me dirigi às tribunas para aguardar seu retorno. Em poucos minutos, ele estava a meu lado, sorrindo profusamente.

— É ainda melhor que eu imaginava, Watney! — exclamou. — A verdadeira genialidade dessas pessoas desperta minha mais profunda admiração. Repare que, além de *Quem em Primeira* na segunda corrida, o haras Abbott-Castle também inscreveu um cavalo chamado *Qual em Segundo* na primeira corrida. E quando falei com um dos fiscais de pista ainda agora, fui informado de que, devido aos boatos que invadiram a administração do hipódromo, aparentemente espalhados por um condutor de cabriolé no portão, decidiram juntar as duas corridas. Agora, afinal, a verdadeira natureza desse plano engenhoso vem à tona!

— Como assim, Homes? — indaguei, espantado. — Será que os fiscais estão a par do esquema de informações e decidiram unir as corridas para combatê-lo?

— Sua fé em fiscais de pista é tocante, Watney — retrucou Homes, seco. — Estou convencido de que, sem a ajuda de um deles, de nome Joseph, o esquema não poderia ser levado a cabo. Não, não, Watney! O plano é ainda mais sofisticado. Essa gente sabe que, se procurarem um corretor com uma aposta em qualquer cavalo como vencedor, o máximo de retorno que se pode esperar fica na casa de cinco ou, no máximo, dez para um. Mas pense, Watney, pense! Reflita! Qual seria o retorno para uma aposta em caso de *empate*?

Na mesma hora, a diabólica esperteza de todo o negócio explodiu em minha mente.

— O que propõe fazer, Homes? — indaguei, buscando em seu semblante alguma pista.

— Já fiz, Watney — respondeu meu amigo com calma, tirando do bolso do colete cinco pules de aposta separadas, cada uma de vinte libras, e cada uma fazendo jus a duzentas libras para uma, caso a corrida unificada terminasse em empate.

— Ora, Watney — disse Homes, depois de estarmos de novo confortavelmente sentados em nossos aposentos na Bagel Street —, posso declarar que, em minha opinião, este foi um de meus casos mais bem-sucedidos. Sobretudo do ponto de vista financeiro. Sinto que a ingenuidade ao codificar a dica sobre a aposta, embora deixando de fora certos fatores óbvios, situa nosso sr. Wimpole e seus associados em uma categoria especial de brilhantismo. Devemos ser gratos por eles terem escolhido esse meio inofensivo de infringir a lei, e não algo mais nefasto. Decerto não invejo os ganhos dele, embora deva dizer que, ao destrinchar um esquema tão inteligente, sinto-me à vontade para aproveitar os meus.

Homes acendeu seu cachimbo, e quando ele começou a queimar a seu gosto, tornou a falar:

— Agora, Watney, precisamos correr atrás de outro caso para afastar o tédio. Há alguma notícia criminal nesse jornal que está lendo que possa ser de nosso interesse?

— Apenas uma — respondi, dobrando o jornal ao meio e o entregando a Homes com a matéria em questão no topo. — Cerca de três milhões de libras em diamantes foram roubados ontem à noite da casa do embaixador japonês. As pedras eram conhecidas como diamantes Ogima e consideradas a coleção mais valiosa do tipo no mundo. O artigo diz que a polícia acredita ter sido trabalho de uma gangue, mas que, afora isso, não tem pista alguma.

— É mesmo? — murmurou Homes, as narinas infladas de um jeito que havia muito eu reconhecia como indicativo de interesse. — Posso ver a notícia, Watney? Ah, sim! Ogima... Ogima... Algo me soa familiar nessa palavra.

Estendendo o braço, alcançou a prateleira às costas, onde guardava os livros de referência, tirando do lugar um deles, que abriu na letra *O*.

— Ogima em suaíli básico significa apontador de lápis — disse, em parte para si mesmo —, enquanto a mesma palavra em mandarim antigo se referia ao tipo de palheta usada em um violão de uma única corda. Não, duvido que isso seja de grande ajuda. Seria sutil demais.

Devolveu o livro de referência à prateleira e mais uma vez examinou a matéria do jornal. De repente, o semblante se desanuviou e ele se inclinou para a frente, excitado.

— Claro! Veja, Watney, que Ogima escrito de trás para a frente vira *amigo*. Ficarei bastante surpreso se a resposta a esse problema não residir em algum lugar ao sul da fronteira inglesa. Sua agenda, Watney, por gentileza.

VITORIANOS CONTEMPORÂNEOS

Um caso de identidade equivocada

COLIN DEXTER

Criador do irascível mas amado inspetor Morse, Norman Colin Dexter (1930-2017) partilha muitas qualidades com seu detetive (embora não a irascibilidade). Ambos adoram literatura inglesa, cerveja de tonel, a música de Richard Wagner e quebra-cabeças extremamente difíceis. Em novembro de 2008, Dexter apareceu em um programa da BBC, *How to Solve a Cryptic Crossword*, em que falou sobre a destreza de Morse com dicas para palavras cruzadas.

O primeiro romance protagonizado por Morse foi *Last Bus to Woodstock* (1975), e ele foi o personagem central em todos os 13 romances de Dexter e em seis dos contos em *Morse's Greatest Mystery* (1993). Já amplamente lida, a série sobre o detetive de polícia de Oxford alcançou sucesso maior ainda quando foi ao ar na TV em 33 episódios com o título *Inspetor Morse*, produzida entre 1987 e 2000. Bem ao estilo dos breves momentos de Alfred Hitchcock diante da câmera nos filmes que ele dirigia, Dexter gostava de fazer uma breve aparição em quase todos os episódios. Um personagem menor na série de Morse, o sargento (agora inspetor) Lewis, tornou-se o astro de uma nova série televisiva *Lewis*; Dexter também fazia participações especiais nessa série.

A Associação (Britânica) de Escritores de Crime premiou dois de seus romances com Adagas de Ouro — *The Wench is Dead* (1989) e *The Way Through the Woods* (1992) — e lhe concedeu uma Adaga de Diamante Cartier pelo conjunto da obra em 1997. Na tradição de outros escritores britânicos de mistério, como Dorothy

L. Sayers, Nicholas Blake, Edmund Crispin e Michael Innes, os mistérios de Dexter combinam erudição acadêmica, enredos bem construídos e humor.

"Um caso de identidade equivocada" foi originalmente publicado em *Winter's Crimes*, editado por Hilary Hale (Londres, Macmillan, 1989) e fez parte da coletânea *Morse's Greatest Mystery* (Londres, Macmillan, 1993).

UM CASO DE IDENTIDADE EQUIVOCADA

Colin Dexter

Por mais longa que fosse minha convivência com Sherlock Holmes, poucas vezes o ouvi referindo-se a sua juventude, e as únicas coisas que eu já tive notícia sobre sua história familiar resultou das raras visitas de seu famoso irmão, Mycroft. Naquelas ocasiões, nosso visitante quase sempre se dirigia a mim com cortesia, mas também (serei honesto!) com certa condescendência. Ele era — desse tanto eu sei — uns sete anos mais velho que meu grande amigo e membro fundador do Diogenes Club, uma instituição peculiar cujos membros são proibidos de conversar uns com os outros. Fisicamente, Mycroft era mais robusto que o irmão (estou colocando a questão da forma mais generosa possível); porém, o que mais chamava a atenção nele era a inteligência penetrante dos olhos — olhos acinzentados que pareciam ver além do escopo dos meros mortais. O próprio Holmes tecera comentários a esse respeito:

— Meu caro Watson, você já registrou, e fico lisonjeado por isso, parte de meus poderes de observação e dedução. Saiba, porém, que Mycroft tem um grau de observação equivalente ao meu. Quanto à dedução, seu cérebro não tem rival, *de maneira alguma*, no hemisfério norte. Pode lhe servir de alívio, contudo, saber que ele é um tanto preguiçoso e sonolento e que sua habilidade como violinista é muito inferior à minha.

(Vez por outra me indaguei se haveria algum resquício de inveja competitiva entre esses dois intelectos sem precedentes.)

Eu acabava de chegar ao número 221B da Baker Street em uma tarde brumosa de novembro de 188-, depois de participar de uma pesquisa no hospital St. Thomas sobre amigdalite (eu pusera Holmes a par dos detalhes mais cedo). Mycroft estava hospedado com Holmes há alguns dias, e, quando entrei naquela sala bem conhecida, escutei o finzinho da conversa dos irmãos.

— É possível, Sherlock, é possível. Mas é o *detalhe*, certo? Dê a mim todas as provas e talvez eu possa fazer as mesmas análises que você, aqui mesmo em minha poltrona. No entanto, exigir que eu corra de lá para cá a fim de encontrar e inquirir testemunhas, deitar em um tapete com uma lente de aumento presa a meu olho, cuja visão já não é das melhores... Não! Este não é meu *métier*!

Durante esse tempo, o próprio Holmes se manteve diante da janela, contemplando a rua cinzenta de Londres abaixo. Olhando por sobre o ombro, pude ver que na calçada oposta havia uma jovem atraente envolta em um pesado casaco de pele. Estava claro que ela acabara de chegar e, com segundos de intervalo, erguia os olhos para a janela de Holmes de forma hesitante, os dedos brincando com os botões das luvas. De repente, atravessou a rua, e a sra. Hudson logo fez entrar nossa mais recente cliente.

Após entregar o casaco a Holmes, a jovem se sentou, nervosa, na ponta da poltrona mais próxima e se anunciou como a srta. Charlotte van Allen. Mycroft assentiu brevemente na direção da recém-chegada, mas logo depois voltou sua atenção para uma monografia sobre canto gregoriano, enquanto Holmes, por sua vez, observava a moça daquele jeito distante mas intenso que lhe era tão peculiar.

— Você não acha — disse ele — que, com sua miopia, é um pouco difícil se ocupar com tanta datilografia?

Surpresa, apreensão e admiração passaram, cada qual a seu turno, pelo rosto da jovem, seguidas por um sorriso encantador enquanto ela, aparentemente, registrava os poderes extraordinários de Holmes.

— Talvez também possa me dizer — prosseguiu ele — por que saiu de casa com tanta pressa?

Durante poucos segundos, a sra. Van Allen permaneceu sentada, balançando a cabeça com incredulidade; então, enquanto meu amigo contemplava o teto sentado em sua poltrona, ela deu início à sua notável narrativa.

— Sim, saí correndo de casa, porque fiquei com muita raiva ao ver o jeito como meu pai, o sr. Wyndham, encarou a coisa toda, recusando-se, inclusive, a cogitar procurar a polícia e, com certeza, proibindo que se recorresse ao senhor, sr. Holmes! Ele só fazia repetir, e eu *consigo* entender o ponto de vista dele, de que não houve prejuízo algum… embora meu pai não faça ideia do sofrimento que tive de enfrentar.

— Seu pai? — indagou o detetive, baixinho. — Imagino que esteja se referindo a seu padrasto, já que os nomes são diferentes.

— Sim — confessou ela. — Meu padrasto. Não sei por que cismo de me referir a ele como "pai", sobretudo por ele ser apenas cinco anos mais velho que eu.

— Sua mãe ainda é viva?

— Ah, sim! Embora eu não vá fingir que morri de contentamento quando ela se casou de novo tão pouco tempo depois da morte de meu pai. E ainda por cima com um homem quase 17 anos mais moço. Meu pai, meu verdadeiro pai, quero dizer, tinha uma oficina de hidráulica na Tottenham Court Road, e mamãe assumiu o negócio quando ele morreu, até se casar com o sr. Wyndham. Acho que ele considerava tal ocupação um pouco abaixo da nova esposa, em especial por ele ter uma posição tão superior como representante de vendas de vinhos franceses. Seja como for, ele obrigou minha mãe a vender a oficina.

— A senhorita obteve algum rendimento oriundo da venda do negócio?

— Não, mas tenho uma renda de cem libras anuais em meu nome, além do extra que ganho com meu trabalho de datilógrafa. Se me permite dizer, sr. Holmes, o senhor ficaria surpreso com o número de empresas locais, inclusive a *Cook and Marchant*, que me pedem que trabalhe para elas algumas horas por semana. Vejam bem — ela olhou para nós com uma tímida e cativante desconfiança —, sou bastante boa *nisso*, ao menos.

— Nesse caso, a senhorita deve ter ações lucrativas do governo... — disse Holmes.

Ela sorriu de novo:

— Nova Zelândia, a quatro e meio por cento.

— Perdoe-me, srta. Van Allen, mas não seria possível uma moça solteira viver muitíssimo bem hoje em dia com, digamos, cinquenta libras anuais?

— Ah, sem dúvida! Eu mesma vivo com bastante conforto com dez *shillings* por semana, o que corresponde a apenas metade dessa soma. Veja, não toquei em um único centavo de minha herança. Como moro em casa, não suporto a ideia de ser um encargo para meus pais, e chegamos a um acordo segundo o qual o próprio sr. Wyndham tem poderes para sacar meus rendimentos a cada trimestre enquanto eu permanecer morando com eles.

Holmes assentiu.

— Por que a senhorita me procurou? — indagou sem mais delongas.

Um rubor perpassou o rosto da srta. Van Allen e ela torcia, nervosa, um lencinho retirado da bolsa enquanto relatava seus motivos com sincera simplicidade.

— Eu daria tudo que tenho para saber o que aconteceu com o sr. Horatio Darvill. Pronto! É isso.

— Por favor, poderia começar pelo início? — encorajou Holmes com delicadeza.

— Enquanto meu pai era vivo, sr. Holmes, sempre recebíamos ingressos para o baile dos instaladores de gás. Depois que ele morreu, os ingressos eram enviados à minha mãe. Porém, nem ela nem eu jamais pensávamos em comparecer, porque nos foi deixado claro que o sr. Wyndham não aprovava. Para ele, o tipo de gente convidada para tais eventos era inferior. Ademais, sempre declarava que nenhuma de nós, sem gastar uma considerável despesa extra, teríamos o figurino adequado para a ocasião. No entanto, acredite, sr. Holmes, eu tinha uma estola roxa que jamais saíra da gaveta!

Foi depois de um intervalo decente que Holmes observou com calma:

— Então a senhorita *foi* ao baile?

— Sim. No final, fomos nós duas, minha mãe e eu, quando meu padrasto estava na França a trabalho.

— E foi lá que a senhorita conheceu o sr. Horatio Darvill?

— Exatamente! E ele me telefonou logo na manhã seguinte. E várias vezes depois, enquanto meu padrasto ainda estava na França, caminhamos juntos.

— O sr. Wyndham deve ter ficado aborrecido quando descobriu o ocorrido, não?

A srta. Van Allen baixou a cabeça encantadora.

— Muitíssimo, penso, pois na mesma hora ficou claro que ele desaprovava o sr. Darvill.

— Por que teve essa impressão?

— Estou certa de que ele achou que o sr. Darvill só estava interessado em minha herança.

— O sr. Darvill tentou continuar a vê-la, apesar das dificuldades?

— Ah, sim! Achei, entretanto, que seria recomendável pararmos de nos ver durante algum tempo. Porém, ele me escrevia todos os dias. E sempre, pela manhã, eu mesma recebia a correspondência, de modo que ninguém mais soubesse.

— A senhorita ficou noiva desse cavalheiro?

— Sim! Pois não havia dúvidas de que ele poderia me sustentar. Trabalhava como caixa em uma firma na Leadenhall Street...

— Ah! Que firma era essa? — interrompi, pois essa área específica me é muito familiar, e eu esperava talvez poder ajudar na investigação. No entanto, a expressão no rosto de Holmes foi de aborrecimento, e me afundei mais na poltrona enquanto a conversa prosseguia.

— Nunca soube exatamente que firma era — admitiu a srta. Van Allen.

— Mas onde ele morava? — insistiu Holmes.

— Ele me disse que, em geral, dormia em um apartamento no próprio imóvel da firma.

— A senhorita deve ter escrito para esse homem do qual aceitou ficar noiva, não?

Ela assentiu.

— Eu endereçava as cartas ao correio da Leadenhall Street, onde as deixava na posta-restante. Horatio, isto é, o sr. Darvill, me disse que se eu escrevesse para o endereço de trabalho, ele jamais veria meus envelopes primeiro, e que os jovens funcionários de lá com certeza zombariam dele.

Foi nesse ponto que, de repente, me conscientizei de certos ruídos estertorosos vindos do canto onde estava Mycroft. Aquilo me pareceu um lapso totalmente censurável em termos de boas maneiras.

— O que mais pode me dizer a respeito do sr. Darvill? — perguntou Holmes.

— Ele era muito tímido. Sempre preferia caminhar comigo à noite, em vez de durante o dia. "Retraído" talvez seja a melhor palavra para descrevê-lo. Até sua voz era assim. Teve amigdalite na juventude e ainda se tratava disso. Contudo, a deficiência o deixou com uma laringe fraca e uma espécie de fala sussurrada. Sua visão também era bastante prejudicada, assim como a minha, e ele sempre usava óculos escuros para proteger os olhos da claridade de qualquer luz brilhante.

Holmes anuiu, demonstrando entender, e comecei a perceber um tom de excitação reprimida em sua voz.

— E depois?

— Ele telefonou para minha casa na mesma noite em que o sr. Wyndham tornou a viajar para a França e me propôs casamento antes da volta de meu padrasto. Estava convencido de que aquela seria nossa única chance, e foi tão sincero e solene que me fez jurar com a mão sobre ambos os Testamentos que, independentemente do que acontecesse, eu sempre lhe seria fiel e leal.

— Sua mãe estava ciente do que ocorria?

— Ah, *sim*! E aprovava totalmente. De uma forma estranha, parecia até gostar mais de meu noivo que eu, e concordou que nossa única chance seria fazer um casamento secreto.

— O casamento seria feito em uma igreja?

— Na sexta-feira passada, em St. Saviour, perto da King's Cross. Iríamos de lá para um café da manhã de casamento no hotel St. Pancras. Horatio chamou um cabriolé para nós e fez com que minha mãe e eu entrássemos antes de ele embarcar em uma carruagem que por acaso estava na rua. Mamãe e eu chegamos antes à igreja. A distância era de apenas alguns minutos, mas quando a carruagem apareceu e esperamos Horatio saltar... nada, sr. Holmes! E quando o condutor desceu de seu compartimento e olhou para a parte traseira... a carruagem *estava vazia*.

— Desde então a senhorita não viu nem ouviu falar do sr. Darvill?

— Não — sussurrou ela.

— Vocês planejaram uma lua de mel, suponho.

— Tínhamos planejado — disse a srta. Van Allen, mordendo o lábio e mal conseguindo responder — uma estadia de 15 dias no Royal Gleneagles em Inverness. Pegaríamos o expresso da hora do almoço na King's Cross.

— Parece-me — falou Holmes, com certa simpatia — que a senhorita foi tratada da maneira mais vergonhosa.

A srta. Van Allen, porém, não admitiria ouvir coisa alguma contra seu amado e protestou com veemência:

— Ah, não, sr. Holmes! Ele era bom e atencioso demais para me tratar assim.

— Em sua opinião, então — disse Holmes —, algum acidente ou catástrofe imprevisível ocorreu?

Ela anuiu.

— E acho que ele deve ter tido alguma premonição de um perigo iminente naquela mesma manhã, porque me implorou mais uma vez para permanecer fiel a ele, independentemente do que acontecesse.

— A senhorita faz ideia de que perigo seria esse?

— Não.

— Como sua mãe encarou esse súbito desaparecimento?

— Ela ficou terrivelmente preocupada no início, mas depois cada vez mais enraivecida, e me fez prometer jamais voltar a comentar o assunto com ela.

— E seu padrasto?

— Ele deu a impressão... foi uma coisa estranha, na verdade... de ser mais solidário que minha mãe. Ao menos, ele se dispôs a falar sobre o assunto.

— E qual foi a opinião dele?

— Concordou comigo que algum acidente deve ter ocorrido. Conforme ele disse, o sr. Darvill não podia ter qualquer interesse em me levar até a porta da igreja de St. Saviour e depois me abandonar. Se tivesse pedido dinheiro emprestado ou se parte de minha herança já estivesse no nome dele, talvez houvesse algum motivo por trás de uma ação tão cruel. Porém, o sr. Darvill não dependia de ninguém em relação a dinheiro e jamais sequer olhou uma moeda minha quando saímos juntos. Ah, sr. Holmes! Fico louca de pensar...

No entanto, o restante da frase se perdeu enquanto a jovem soluçava em silêncio, com o rosto no lenço.

Quando ela recuperou a compostura, Holmes se levantou da cadeira, prometendo que refletiria sobre os fatos desconcertantes que lhe foram apresentados.

— Entretanto, se me permite dar-lhe um conselho — falou, enquanto entregava à moça o casaco —, providencie para que o sr. Horatio Darvill desapareça completamente de sua lembrança da mesma forma que desapareceu do veículo nupcial.

— Então o senhor acha que não o verei de novo?

— Temo que não. Mas, por favor, deixe tudo em minhas mãos. Agora, gostaria que a senhorita me enviasse a descrição física mais precisa do sr. Darvill, bem como quaisquer cartas das quais sinta que pode abrir mão.

— Podemos ao menos apressar um pouco as coisas nesses dois aspectos — retorquiu ela em um tom quase profissional —, já que pus um anúncio para ele no *Chronicle* da última segunda-feira.

Prontamente, então, abrindo a bolsa, retirou de lá um recorte de jornal que entregou a Holmes, junto com algumas outras folhas.

— Eis aqui, também, quatro de suas cartas, que por acaso estão comigo. Serão suficientes?

Holmes deu uma olhada rápida nas cartas e assentiu.

— A senhorita disse que jamais teve o endereço do sr. Darvill?

— Nunca.

— Qual o endereço do local de trabalho de seu padrasto, por favor?

— Ele viaja a serviço da *Cook and Marchant*, os maiores importadores de vinhos da Borgonha, na Fenchurch Street.

— Obrigado.

Depois que ela saiu, Holmes se sentou refletindo durante vários minutos, os dedos fortemente entrelaçados.

— Um caso interessante — observou enfim. — Não achou, Watson?

— Ao que parece, muito do que você leu ficou invisível para mim — confessei.

— Não invisível, Watson. Vamos chamar de despercebido. E isso apesar de minhas reiteradas tentativas de chamar sua atenção para a importância de mangas, unhas de polegares, cadarços de botas e todo o restante. Agora me diga, o que você registrou de imediato a respeito da aparência da mulher? Descreva para mim.

Consciente da presença de Mycroft, procurei recordar as impressões mais próximas de nossa recente visita.

— Bem, ela usava, debaixo do casaco de pele, um vestido marrom forte, um pouco mais escuro que café, com um pequeno arremate de felpo negro na gola e nas mangas. Você mencionou mangas, não é, Holmes? As luvas eram cinzentas e estavam gastas no dedo indicador direito. De onde estava sentado, não fui capaz de observar em detalhe suas botas pretas, mas eu diria serem de tamanho 35 ou 36. Ela tinha pequenos brincos pendentes, quase com certeza imitações de ouro, e o lencinho com que a pobrezinha com tanto charme enxugava as lágrimas tinha um remendo bem feito no canto do monograma. No geral, me passou a impressão de ser uma jovem razoavelmente bem de vida que não escapou de todo da herança um pouco vulgar de um pai que era, sejamos honestos, um bombeiro hidráulico.

O grunhido vindo da cadeira ao lado da qual Holmes havia largado o casaco de pele da srta. Van Allen serviu para nos recordar que Mycroft, ali reclinado, despertara e que talvez minha descrição, sob algum aspecto, tivesse causado sua desaprovação. Contudo, ele não verbalizou qualquer comentário e logo voltou à sua postura anterior.

— Acredite, Watson — disse Holmes —, você está se saindo muito bem. Não é mesmo, Mycroft? É verdade que sua descrição deixa escapar quase tudo que é de fato importante. Mas o método! Você entendeu o *método*, Watson. Tomemos, por exemplo, o felpo que citou nas mangas. Este é um dos materiais mais úteis para mostrar indícios; e a linha dupla no pulso, onde a datilógrafa pressiona a mão contra a mesa, estava definida. Quanto à visão deficiente, isso foi brincadeira de criança. As marcas de óculos na lateral de cada narina... você não observou? Elementar, meu caro Watson! E as botas. Você *precisa* praticar a arte de se posicionar onde todas as provas possam ser visíveis com clareza. Se não deseja observar absolutamente nada, como meu irmão Mycroft, então escolha o canto mais afastado do cômodo, onde até mesmo o exame mais vago do cliente será impedido pela mobília, por um casaco de pele ou por qualquer coisa. Porém, voltando às botas da moça: observei que embora fossem muito parecidas uma com a outra em cor e estilo, na verdade, eram botas *diferentes*; a do pé direito tinha uma biqueira decorada, e a do esquerdo um acabamento mais simples.

Ademais, a direita estava presa apenas pelos três botões inferiores, de cinco; a esquerda, apenas pelo primeiro, terceiro e quinto. Ora, a dedução que se pode tirar de tal indício é que a moça saiu de casa com muita pressa. Não concorda?

— Fantástico, Holmes!

— Quanto à luva gasta no indicador…

— Seria melhor — interveio de repente a voz profunda de Mycroft — concentrar-se na pessoa desaparecida!

Terá sido um quê de irritação que se revelou nos olhos de Holmes? Em caso afirmativo, o sumiço deste foi instantâneo.

— Tem toda razão, Mycroft! Vamos, Watson, leia para nós o parágrafo do *Chronicle*.

Segurei o recorte sob a luz e comecei:

— "Desaparecido no dia 14 de novembro de 188-. Um cavalheiro de nome Horatio Darvill: com cerca de 1,73 metro de altura; razoavelmente robusto; com tez pálida; cabelos pretos, um pouco calvo no centro da cabeça; costeletas e bigode vastos e pretos; óculos escuros; ligeira deficiência na fala. Na última vez em que foi visto, vestia…

— Creio — interrompeu Holmes — que ele possa ter trocado a roupa de casamento a esta altura. Não acha, Watson?

— Ah, com certeza, Holmes.

Nada havendo, aparentemente, de mais valioso na descrição do jornal, Holmes voltou sua atenção para as cartas, passando-as a mim depois de estudá-las com minuciosa atenção.

— E então? — indagou.

Afora o fato de que as cartas eram datilografadas, não encontrei nada de interessante e as pousei na mesinha de centro diante do sonolento Mycroft.

— E então? — persistiu Holmes.

— Suponho que esteja se referindo ao fato de as cartas serem datilografadas.

— Vejo que já está negligenciando seu conhecimento recém-adquirido do método, Watson. Além desse fato que mencionou, existem três pontos de interesse e importância imediatos. Primeiro, as cartas são curtíssimas; segundo, afora o vago "Leadenhall Street" sobrescrito, não há endereço preciso declarado em momento algum; terceiro, não é apenas o corpo da carta que está datilografado, mas também a assinatura. Veja aqui, Watson! E aqui! Este "Horatio Darvill" datilografado no final de cada uma das quatro provas. E não deve ter lhe escapado, presumo, como esse último ponto pode ser conclusivo.

— Conclusivo, Holmes? Mas de que forma?

— Meu caro, como é possível que não veja o quanto isso é importante para nossas investigações?

— *Homo circumbendibus*! É isso que você é, Sherlock! — Era Mycroft de novo. — Não lhe passa pela cabeça que sua cliente deve preferir alguma ação positiva a mais provas de sua superioridade intelectual?

Sinto prazer de registrar aqui que essa tentativa da parte de Mycroft de provocar o criminologista mais distinto do século se revelou ineficaz, e Holmes se permitiu um sorriso fraternal enquanto o irmão se remexia devagar.

— Tem razão, Mycroft — concordou Holmes, com jovialidade. — E vou agora mesmo redigir duas cartas: uma para os srs. *Cook and Marchant*; a outra para o sr. Wyndham, pedindo ao cavalheiro para encontrar-se conosco aqui amanhã, às seis da tarde.

Eu já estava ciente da postura à vontade e confiante com que Holmes enfrentava o mistério singular que nos desafiava a todos. Contudo, naquele momento, minha atenção foi distraída por um pequeno, mas curiosíssimo incidente.

— Ainda bem, Sherlock — disse Mycroft, que agora parecia desperto —, que não se propôs a redigir três cartas.

Devo admitir que raramente vi meu amigo tão perplexo:

— Uma *terceira* carta?

— Com certeza. No entanto, tal carta não poderia ter destinação certa, já que, aparentemente, lhe escapou à memória perguntar à jovem o endereço atual em que reside. Além disso, as cartas que a mesma lhe entregou parecem, até onde as examinei, carecer de envelope.

Por um momento, Holmes pareceu não se divertir com essa intervenção jocosa.

— Você está mais observador hoje do que imaginei, Mycroft, já que minha observação ocular e auditiva me levou a nutrir a suspeita de que dormia a sono profundo durante minha conversa com a srta. Van Allen. No entanto, quanto ao endereço da jovem, tem razão. — E ao mesmo tempo em que falava, notei um brilho de inteligência maldosa em seus olhos. — Ainda assim, não seria, talvez, fácil *deduzir* o endereço da jovem, Mycroft? Em um dia tão pouco ameno quanto este seria perigoso e pouco recomendável para uma dama andar pelas ruas caso tivesse a seu dispor uma alternativa aceitável e confortável como o metrô, e como eram precisamente 15h14 quando a srta. Van Allen surgiu sob minha janela, eu apostaria que ela pegou o trem que passa pela Baker Street às 15h12 a caminho de Hammersmith. Podemos pensar em mais duas pistas. As botas da moça, apesar de descasadas, apresentavam poucos sinais da lama e do lodo das ruas londrinas, de onde podemos inferir que sua residência seja tão próxima de uma estação do metrô quanto é a nossa. Mais relevante, porém, é o fato, como todos observamos, de que a srta. Van Allen usava um vestido de linho, tecido que, embora seja duradouro e agradável de usar, tem a desvantagem de amarrotar com facilidade. Agora, a saia do vestido fora passada bem recentemente e as poucas rugas existentes devem ter sido resultado da viagem até aqui. E, sugiro isso apenas como conjectura, Mycroft; provavelmente não foram mais que três ou quatro paradas de metrô. Se recordarmos também os "poucos minutos" que seu veículo nupcial levou para ir de sua casa à igreja de St. Saviour's, acho que talvez... talvez...

Holmes puxou para si um mapa urbano e inspecionou a área escolhida com sua lente de aumento.

— Eu apostaria — falou, sem rodeios — na Cowcross Street, aquela pequena via decadente e elitista que liga a Farringdon Road à St. John Street.

— Impressionante! — exclamou Mycroft, antecipando minha própria admiração. — E você a situaria no lado norte ou no lado sul dessa via, Sherlock?

Antes, porém que meu amigo pudesse responder a essa pequena brincadeira, a sra. Hudson entrou com um pedaço de papel, que entregou a Holmes.

— A jovem disse que se esqueceu de lhe dar o endereço dela, senhor, e o anotou aqui.

Sherlock deu uma rápida olhada no endereço e uma fagulha de orgulho brilhou em seus olhos.

— A resposta à sua pergunta, Mycroft, é no lado sul, pois se trata de uma casa com número par, e, se não me engano, a numeração das casas naquela zona de Londres invariavelmente começa na ponta leste com os números ímpares no lado direito de quem vai para oeste.

— E o número talvez se encontre no final da casa dos trinta, estou certo? — sugeriu Mycroft. — Trinta e seis, quem sabe? Ou seria 38?

O próprio Holmes nos entregou o papel, e Mycroft e eu lemos:

Miss Charlotte van Allen
Cowcross Street, 38

Eu me habituara a exibições diárias da lógica mais dedutiva empregada por Sherlock Holmes, mas, àquela altura, comecei a suspeitar de que seu irmão Mycroft tivesse capacidades paranormais em seus pensamentos. Foi apenas cerca de meia hora depois, quando Holmes saíra para comprar tabaco, que Mycroft, observando meu espanto ainda presente, falou baixinho em meu ouvido:

— Se mantiver a boca calada, dr. Watson, eu lhe contarei um segredinho. Na verdade, um segredinho muito simples. O casaco da jovem foi jogado sem cuidado, como você mesmo notou, sobre o encosto de uma poltrona. No forro havia costurada uma etiqueta com o nome e o endereço da dona. Infelizmente, minha visão não é mais tão aguçada quanto na juventude, e os números seis e oito, como bem sabe, são de fato suscetíveis a confusão.

Nunca fui acusado, acredito, de frivolidade indevida, mas não consegui conter uma boa gargalhada ante a jogada de Mycroft, a quem garanti que o irmão jamais ouviria a verdade de minha boca.

— Sherlock? — comentou Mycroft, erguendo as bastas sobrancelhas. — Ora, ele percebeu na mesma hora a minha brincadeira.

Não foi senão depois das seis da tarde do dia seguinte que voltei à Baker Street, após (não se trata de uma questão irrelevante) um dia profundamente interessante no hospital St. Thomas.

— Então, já solucionou o mistério? — indaguei ao entrar na sala.

Holmes se encontrava acomodado em sua poltrona fumando o cachimbo de argila e discutindo madrigais medievais com Mycroft.

— Sim, Watson, creio...

Porém, as palavras mal chegaram a sair de sua boca quando ouvimos passadas pesadas no corredor e uma forte batida à porta.

— É o padrasto da moça — avisou Holmes. — Ele escreveu dizendo que estaria aqui às 18h15. Entre!

O homem que entrou era um sujeito robusto, de estatura mediana, com cerca de trinta anos, barbeado, pálido, com um par de olhos dos mais penetrantes. Pousou um chapéu-coco lustroso na bancada da lareira e, com um cumprimento de cabeça, sentou-se na cadeira mais próxima.

— Suponho — disse Holmes — que o senhor seja James Wyndham e — falou, segurando uma folha datilografada — que esta seja a carta que me escreveu.

— Sou ele mesmo, meu senhor, e a carta é minha. Foi contra meu desejo, como deve ser de seu conhecimento, que a srta. Van Allen o contatou a respeito dessa questão. No entanto, ela é uma moça impetuosa, e minha esposa e eu nos contentaremos em perdoá-la por uma ação tão impulsiva. Ainda assim, quero lhe pedir para não se envolver mais no que é, infelizmente, um infortúnio comum. Está claro o que aconteceu, e acho muito improvável que mesmo o senhor consiga encontrar um único sinal do sr. Darvill.

— Pelo contrário — retorquiu Holmes com calma. — Tenho motivos para crer que já descobri o paradeiro do cavalheiro.

O sr. Wyndham deu um salto na cadeira e deixou cair as luvas:

— Ora, fico encantado de saber — falou com voz tensa.

— É um fato dos mais curiosos — prosseguiu Holmes — que uma máquina de escrever tenha quase tanta individualidade quanto a caligrafia. Mesmo quando novas em folha, não existem duas máquinas exatamente iguais; conforme envelhecem, certos caracteres se gastam em um dos lados e alguns no outro. Ora, nessa sua carta, sr. Wyndham, o senhor vai notar que sempre há um leve borrão no olho do *E* e um defeito muito fácil de detectar no traço do *T*.

— Toda a correspondência de nosso escritório — interrompeu o visitante — é datilografada na mesma máquina, e posso entender por que ela ficou meio gasta.

— Mas tenho comigo quatro outras cartas — insistiu Holmes, em um tom lento e ameaçador —, que em teoria vieram do sr. Horatio Darvill. E em cada uma delas, também, as letras *E* estão borradas e as *T* sem traço.

Na mesma hora, o sr. Wyndham se levantou da cadeira e pegou seu chapéu:

— Não posso desperdiçar meu tempo com essas trivialidades, sr. Holmes. Se o senhor conseguir pegar o homem que tratou a srta. Van Allen de forma tão vergonhosa, faça isso! Desejo-lhe sorte… E, por favor, me informe o resultado. Porém, não tenho interesse algum em suas noções fantasiosas.

Holmes, contudo, já atravessara o cômodo e girara a chave da porta.

— Com certeza lhe direi como peguei o sr. Darvill, se o senhor fizer a gentileza de tornar a se sentar.

— O quê? — gritou Wyndham, pálido, o olhar varrendo a sala como o de um rato em uma ratoeira. Ainda assim, por fim, sentou-se e lançou um olhar agressivo ao redor, enquanto Holmes prosseguia em sua análise.

— Foi um dos ardis mais egoístas e cruéis que já vi na vida. O sujeito se casa com uma mulher mais velha, em grande parte por causa do dinheiro. Além disso, se aproveita dos juros sobre a nada desprezível herança da enteada, sob a condição de que essa enteada morasse com o casal. A perda dessas receitas extras faria uma grande diferença no estilo de vida adotado pelos recém-casados. A enteada era uma moça agradável, de bom coração e um tanto atraente, com a vantagem adicional de contar com proventos pessoais. Era óbvio que, em circunstâncias normais, ela não permaneceria solteira por muito tempo. Assim, ele, esse homem de quem falo, resolveu lhe negar a companhia e a amizade de seus contemporâneos mantendo-a em casa. Porém, ela, e quem poderia culpá-la?, se tornou inquieta sob um regime tão pouco natural e anunciou a intenção de comparecer a um baile. O que fez seu padrasto, então? Com a conivência da esposa, concebeu um plano covarde. Disfarçou-se com esperteza: cobriu os olhos com óculos de lentes escuras; mascarou o rosto barbeado com costeletas bastas; estrangulou a voz cristalina para transformá-la no sussurro de alguém que sofre de amigdalite. Assim, sentindo-se duplamente seguro devido à visão prejudicada da moça, apareceu *ele próprio* no baile, disfarçado de um tal de Horatio Darvill, e lá cativou a encantadora srta. Van Allen, tomando a precaução extra de sempre providenciar para que os encontros seguintes se dessem à luz de velas.

Ouvi um profundo rosnado que na hora supus ter vindo de nosso visitante, mas que, após um momento de reflexão, estou inclinado a crer que se originou no canto onde Mycroft se encontrava.

— A srta. Van Allen se apaixonou por seu novo namorado e nenhuma suspeita de estar sendo enganada jamais surgiu em sua linda cabecinha. Ficou lisonjeada pela atenção que recebia e o efeito foi realçado pela admiração da mãe pelo sujeito. Um "noivado" foi combinado e um engodo perpetrado. Porém, as falsas viagens ao exterior começavam a ficar cada vez mais difíceis de sustentar, e as coisas precisaram ser apressadas, embora de uma forma que fosse *dramática* o suficiente a ponto de causar uma impressão eterna na mente da jovem. Daí as juras de fidelidade feitas sobre os Testamentos; daí as sugestões sombrias repetidas na própria manhã do matrimônio de que algo sinistro podia estar a caminho. James Wyndham, vejam, queria que sua enteada estivesse tão unida a seu pretendente fictício que permaneceria quietinha na Cowcross Street por mais uma década, no mínimo, continuando a pôr seus juros regulares diretamente na conta de seu guardião: o mesmo canalha que a levara até as portas de St. Saviour e depois desaparecera usando o velhíssimo truque de entrar por uma porta de uma carruagem e sair pela outra.

Pondo-se de pé, Wyndham lutou bravamente para controlar a fúria.

— Quero que saiba que é o senhor quem está violando a lei deste país, não eu! Enquanto mantiver esta porta trancada, me obrigando a permanecer contra minha vontade nesta sala, o senhor se expõe...

— A lei — interrompeu Holmes, de repente destrancando e escancarando a porta — pode não me dar o direito de tocá-lo no momento. No entanto, nunca houve homem mais merecedor de punição. Na verdade... já que meu chicote está bem à mão...

Holmes deu duas passadas largas até o outro lado do cômodo, mas era tarde demais. Ouvimos o ruído de passos frenéticos descendo a escada, anunciando a partida de Wyndham. Depois, tivemos a satisfação de vê-lo fugir pela Baker Street.

— Aquele patife sem coração acabará atrás das grades, anotem minhas palavras! — falou Holmes.

— Mesmo agora, porém, não consigo acompanhar todas as etapas de seu raciocínio, Holmes — comentei.

— É o seguinte — respondeu Holmes. — A única pessoa que lucrou financeiramente com o truque do sumiço foi o padrasto. Então, o fato de os dois homens, Wyndham e Darvill nunca terem sido vistos *juntos* era bastante sugestivo. Assim como os óculos escuros, a voz rouca, as costeletas bastas: tudo isso, Watson, indicava a existência de um disfarce. Mais uma vez, a assinatura datilografada apontava para uma só coisa: a assinatura do homem era tão familiar à srta. Van Allen que ela poderia reconhecer com facilidade até uma pequena amostra dela. Fatos isolados? Sim! Mas todos levando à mesma e inevitável conclusão, como até meu dorminhoco irmão poderá concordar, não?

Entretanto, não se ouviu som algum vindo do canto de Mycroft.

— Você conseguiu checar sua conclusão? — indaguei.

Holmes assentiu.

— Sabemos para qual firma Wyndham trabalhava e tínhamos uma descrição completa de Darvill. Assim, eliminei dessa descrição tudo que pudesse resultar de um disfarce deliberado...

— O que significa que *não* checou sua conclusão! — A intervenção súbita de Mycroft fez com que ambos nos virássemos na direção dele.

— Sempre haverá — contestou Holmes — necessidade e hora para conjectura embasada...

— Conjectura *inspirada*, Holmes — intervim.

— Balela! — grunhiu Mycroft. — Você está falando de *adivinhação*, Sherlock. E, em minha opinião, neste caso, sua adivinhação está muito equivocada.

Só me cabe relatar que eu nunca vira Holmes tão desconcertado. Ele se sentou em silêncio enquanto Mycroft ergueu seu corpanzil da cadeira e se pôs de pé ao lado da lareira.

— Sua lógica dedutiva não necessita de aplausos de minha parte, Sherlock, e, como o dr. Watson, admiro sua hipótese desesperada, mas a menos que exista alguma prova concreta que até agora tenha escondido de nós...

Holmes continuou em silêncio.

— Bem — declarou Mycroft —, vou me dar ao luxo de propor minha adivinhação e dizer que o cavalheiro que acabou de sair a toda desta sala é tão inocente quanto Watson!

— Com certeza ele não *agiu* como um homem inocente — protestei, olhando em vão para Holmes em busca de apoio, enquanto Mycroft prosseguia.

— Os motivos a que você alude para embasar suas suspeitas são sólidos sob vários aspectos, mas, mesmo assim, devo ser sincero, Sherlock! Estou bastante decepcionado com sua leitura, na verdade, má leitura, do caso. Você tem, creio eu, toda a razão em afirmar a inexistência desse tal Horatio Darvill — disse Mycroft, e como latejava o sangue em minhas veias enquanto ele proferia tais palavras! — Contudo, quando o desafortunado sr. Wyndham, que acabou de subir afobado a Baker Street, voltar a descê-la trazendo consigo um mandado de intimação por difamação de caráter, como temo que fará, você será levado a pensar, analisar e agir com um pouco mais de cuidado e circunspecção.

Holmes inclinou-se para a frente, as narinas sensíveis daquele nariz aquilino um pouco dilatadas. Porém, continuou sem tecer qualquer comentário.

— Por exemplo, Sherlock, duas informações específicas fornecidas pela própria e atraente srta. Van Allen foram desconsideradas, se não totalmente ignoradas, em sua análise. — Observei as sobrancelhas de Holmes se erguerem, indagadoras. — Em primeiro lugar, o fato de que o sr. Wyndham era mais velho que ela *apenas cerca de cinco anos*. Segundo, o fato de a srta. Van Allen ser tão competente e rápida como datilógrafa que trabalha para várias firmas nas imediações de sua residência, inclusive a *Cook and Marchant*. Ademais, é espantosa a suposição de que a srta. Van Allen tenha sido completamente enganada pelo disfarce do sr. Darvill. Com efeito, ela precisaria não apenas ser cega, mas também quase senil! Ora, é verdade que a visão da moça está longe de ser perfeita. *Glaucopia Athenica* seria o diagnóstico, não concorda, dr. Watson? Contudo, é absurdo crer que ela não reconheceria a pessoa com quem mora e desonesto de sua parte afirmar que todos os encontros eram sempre à luz de velas, já que ao menos em duas ocasiões, a manhã seguinte ao primeiro encontro, *manhã, Sherlock!*, e a manhã da planejada cerimônia de casamento, a srta. Van Allen teve ampla oportunidade de examinar os traços físicos de Darvill em plena luz do dia.

— Ao que me parece, você está levando um tempo longo demais para apresentar a própria hipótese — retrucou Holmes, com certa rispidez.

— Tem razão — admitiu o outro. — Deixemos de delongas! Você nunca sentiu uma emoção parecida com amor por qualquer mulher, Sherlock, nem mesmo por aquela tal de Adler. Por isso, não desfruta das vantagens daqueles que, como eu, são capazes de entender o funcionamento tanto da mente masculina quanto da feminina. Cinco anos mais velho, *apenas cinco anos mais velho*, era o padrasto. Ora, uma das tristezas da natureza feminina é a tendência a envelhecer mais rápido e de forma menos graciosa que os homens, e uma das verdades a respeito da humanidade, em geral, é que se dois indivíduos de sexos opostos e mais ou menos da mesma idade se veem em relativa proximidade… e se um desses indivíduos for a bela srta. Van Allen… você estará comprando um problema. E foi isso que aconteceu no lar dos Wyndham. A sra. Wyndham é 17 anos mais velha que o jovem esposo, e talvez, com o passar do tempo, alguns sinais ou provas dessa diferença desproporcional de idade tenham começado a se manifestar. Ao mesmo tempo, podemos supor que o próprio Wyndham não conseguiu evitar se sentir atraído, por mais que no início tentasse resistir à tentação, pela jovem cativante e vivaz que era sua enteada. Decerto deve ter sido ele quem recomendou a srta. Van Allen para o trabalho de meio expediente na *Cook and Marchant*, onde os dois com frequência se esbarravam, longe das restrições da esposa e do lar, com um resultado que não chega a ser tão difícil de perceber. Em minha opinião, não há dúvida de que Wyndham procurou transferir seu afeto da mãe para a filha, e, no devido tempo, foi a filha quem decidiu que, fossem quais fossem seus próprios sentimentos, era preciso, em nome da honra, que ela se afastasse da casa da mãe e do padrasto. Daí a grande ansiedade da parte dela para ir a festas, bailes e congêneres, atividades contra as quais Wyndham objetava pela óbvia razão de querer ter a srta. Van Allen junto a si durante o maior tempo possível. Você, Sherlock, parte do princípio de que essa objeção derivava dos juros que se acumulavam dos títulos da Nova Zelândia, mas isso foi *adivinhação*, certo? Não é possível que Wyndham tenha uma fonte de renda própria? Descubra, meu irmão! Talvez o que ele deseje de verdade não seja um modesto acréscimo à sua abastança, mas o amor de uma jovem por quem se apaixonou. Veja, ela *o* engambelou, da mesma forma que engambelou *você*, Sherlock. Porque você engoliu tudo que aquela criaturinha calculista relatou.

— Mas isso é ultrajante! — objetei, mas Holmes ergueu a mão e me indicou que ouvisse o irmão até o fim.

— O que fica claro é que, em dado momento, enquanto Wyndham estava na França... aliás, por que não checou as datas em que ele esteve no exterior? Garanto que a *Cook and Marchant* as forneceria tão rápido quanto forneceu a descrição do homem infeliz. Como eu dizia, com Wyndham na França, mãe e filha se viram em um *tête-à-tête* certa noite, durante o qual toda uma cesta de roupa suja foi lavada, com a filha desiludida quanto ao comportamento do padrasto, e a mãe magoada e furiosa quanto à infidelidade do marido. Assim, juntas, as duas arquitetaram um plano. Agora, Sherlock, ambos concordamos no mínimo em uma coisa! Parece não haver prova alguma da existência de Horatio Darvill, salvo o que ouvimos dos lábios da srta. Van Allen. Você acertou quando chamou nossa atenção para o fato de que os dois homens jamais foram vistos juntos. Porém, infelizmente, mesmo reconhecendo a *importância* da pista, se equivocou por completo quanto a seu *significado. Você* decidiu que não há Darvill, porque ele é Wyndham. *Eu* preciso lhe dizer que não há Darvill *porque ele é uma invenção das mentes da sra. Wyndham e da filha.*

Holmes contemplava, com certa consternação, um desenho no carpete, enquanto Mycroft arrematava suas conjecturas extravagantes e totalmente carentes de embasamento.

— Cartas foram escritas, sim. E, aliás, eu seria muito mais cauteloso a respeito daqueles *E* e *T*; defeitos idênticos, na verdade, são encontrados em minha própria máquina de escrever! No entanto, como eu dizia, cartas foram escritas, *mas pela própria srta. Van Allen*. Um casamento foi planejado, uma história foi inventada sobre um veículo inexistente no qual entrou um noivo que nunca existiu: fim do enigma. Ora, meu irmão, foi você quem corretamente fez a pergunta-chave: *cui bono*? E concluiu que o verdadeiro beneficiário era Wyndham. Contudo, é precisamente o contrário! A mãe e a filha é que pretendiam ser as beneficiárias, obter um bom acordo pecuniário para ambas, sobretudo talvez para a jovem que, como apontou o dr. Watson, poderia muito bem ganhar brincos decentes e um novo lenço. E a pressão *social* que menciono, Sherlock, foi calculada, clara e sabiamente calculada, para vir de *você*.

Uma história absurda lhe é contada por uma mocinha assustada, uma história tão banal, com pistas plantadas em quase toda esquina, que levariam até mesmo Lestrade, após uma ou duas semanas, a chegar, é bem provável, a um diagnóstico idêntico ao seu. E por que acha que ela recorreu a você e não a Lestrade? Por quê? Porque "o senhor Sherlock Holmes é o maior investigador que o mundo já conheceu", e seus julgamentos só ficam atrás dos do Todo-Poderoso em infalibilidade. Porque se você, Sherlock, acreditou que Wyndham fosse culpado, então Wyndham *seria* culpado aos olhos do mundo inteiro, quer dizer, o mundo inteiro menos uma pessoa.

— Duas — acrescentei, baixinho.

Mycroft Holmes dirigiu sua atenção integral para mim pela primeira vez, como se eu tivesse sido excluído de sua plateia. Porém, não lhe dei a oportunidade de buscar o significado de minhas palavras, pois me dirigi a ele sem rodeios:

— Fiz a Holmes uma pergunta quando ele apresentou sua própria análise. Farei a mesma pergunta ao senhor agora: de alguma forma, o senhor checou sua hipótese? Em caso afirmativo, de que maneira?

— A resposta, dr. Watson, à sua primeira pergunta é, em grande parte, "sim". O sr. Wyndham, na verdade, tem dinheiro suficiente para não se sentir prejudicado com a retirada da contribuição comparativamente menor da srta. Van Allen. Quanto à segunda parte... — Microft hesitou por algum tempo. — Não sei ao certo se meu irmão lhe contou quantos cargos exerço sob a Coroa Britânica...

Foi Holmes quem interveio, e de forma impaciente.

— Sim, sim, Mycroft! Vamos admitir que fontes, digamos, "não oficiais" às quais você tem acesso invalidaram por completo minha reconstrução do caso. Que seja! No entanto, se me permite, gostaria de fazer uma ou duas observações sobre sua fiel interpretação dos acontecimentos. É, com certeza, com plena justiça que me acusa de não ter conhecimento em primeira mão daquilo que é denominado "questões do coração". Além disso, você também acertou ao chamar a atenção para as dificuldades que o sr. Wyndham teria para enganar a enteada. Ainda assim, como subestima o poder do disfarce! E como *superestima* a inteligência de Lestrade! Até mesmo o dr. Watson tem um cérebro muito superior...

Não pude mais me conter nem por um segundo:

— Cavalheiros! — gritei. — Vocês estão os dois, *os dois*, tragicamente equivocados.

Ambos me encararam como se eu tivesse perdido o juízo.

— Acho que você deveria tentar se explicar, Watson — disse Holmes, em um tom afiado.

— Um homem recém-casado — comecei — planejara passar 15 dias na Escócia com sua esposa e sacou cem libras em dinheiro, não menos que isso, da filial da Oxford Street do Royal National Bank na véspera do casamento. Ele, porém, foi sequestrado após subir na carruagem na manhã da cerimônia, brutalmente agredido e depois roubado de todo o dinheiro e pertences. Em seguida, foi jogado, talvez considerado morto, em um beco deserto em Stepney. Por mero acaso, foi descoberto depois, na mesma noite, e levado ao hospital Whitechapel. No entanto, somente após vários dias, o paciente começou a recuperar os sentidos e algumas porções de memória, bem como, senhores, a *voz*. Porque, vejam, foi em parte por sofrer tanto daquilo que nós médicos chamamos de amigdalite supurativa, que o transferiram para St. Thomas, onde, como você sabe, Holmes, estou no momento participando de uma pesquisa sobre o tema. Lá, solicitaram meu parecer profissional esta manhã. Enquanto lia o prontuário do homem, pude ver que a única pista para sua identidade era uma peça de roupa de baixo que continha as iniciais "H.D.". Podem imaginar minha agitação...

— Humphry Davy, talvez — resmungou Mycroft, petulante.

— Ah, não! — retorqui com um sorriso. — Insisti bastante com o coitado, e, por fim, ele conseguiu me informar o nome de seu banco. Depois disso, se me permite dizer, Holmes, foi quase brincadeira de criança checar *minha* hipótese. Fiz uma visita ao banco, onde descobri o saque do dinheiro para a lua de mel, e o próprio gerente me acompanhou de volta ao St. Thomas, onde pôde ver o paciente e fornecer prova inequívoca de sua identidade.

Preciso informar aos dois cavalheiros, portanto, que não só existe um sr. Horatio Darvill, como também ele se encontra neste exato momento em um leito da ala particular no segundo andar do hospital St. Thomas!

Durante um breve espaço de tempo fez-se silêncio na sala. Então vi Holmes, que nos últimos minutos estivera de pé junto à janela, levando um pequeno susto:

— Ah, não! — gemeu.

Olhando por cima de ombro dele, vi, um tanto mal delineado sob a luz do poste de iluminação embaçada pelas brumas, um sr. Wyndham agitado, falando com um cavalheiro com aparência de advogado a seu lado.

Pegando de repente a capa, Holmes se dirigiu apressado para a porta.

— Por favor, Watson, diga ao sr. Wyndham que já lhe escrevi uma carta com uma retratação completa de minhas acusações e lhe pedindo as mais sinceras desculpas. No momento, estou de saída. Pela porta dos fundos.

E se foi. Quando, um minuto depois, a sra. Hudson anunciou que dois cavalheiros um tanto furiosos haviam pedido para falar com o sr. Holmes, percebi que Mycroft parecia mais uma vez adormecido em sua poltrona no canto, com uma monografia sobre canto gregoriano aberta em cima dos joelhos e um sorriso de vago prazer iluminando seu rosto grande e inteligente.

— Mande entrar os cavalheiros, por gentileza, sra. Hudson! — falei de forma tão peremptória que, por um momento ou dois, a boa mulher me encarou estupefata, quase como se tivesse confundido minha voz com a do próprio Sherlock Holmes.

Acontecimentos estarrecedores na cidade eletrificada

THOMAS PERRY

Thomas Perry (1947-), famoso por seus romances de suspense sofisticados e humorísticos, escreveu mais de vinte livros, inclusive oito protagonizados por Jane Whitefield e três pelo Filho do Açougueiro, que surgiu em *The Butcher's Boy* (1982), que recebeu o prêmio Edgar de Melhor romance de estreia.

Frequentador assíduo da lista dos mais vendidos do *New York Times*, a personagem mais querida de Perry é Jane Whitefield, uma poderosa índia seneca, cuja maior habilidade é ajudar indivíduos a desaparecer e criar novas identidades quando escapam de situações violentas. O primeiro romance da saga Whitefield, *Vanishing Act* (1995), foi indicado como um dos cem Mistérios favoritos do século pela Independent Mystery Booksellers Association.

Os três romances do Filho do Açougueiro apresentam um assassino de aluguel anônimo (ou, mais precisamente, que usa um pseudônimo) que, ainda assim, captura a simpatia do leitor por conta de seu próprio código de honra, que costuma pôr o personagem em confronto com vilões e gângsteres.

Perry tem sido elogiado por inúmeros escritores de peso, inclusive Stephen King, que escreveu: "O fato é que existe provavelmente apenas meia dúzia de escritores de suspense vivos que podemos garantir serem capazes de criar impactos de alta voltagem, personagens vívidos e simpáticos e narrativas convincentes toda vez que publicam uma obra. Thomas Perry é um deles."

Antes de se tornar romancista em tempo integral, Perry foi roteirista e produtor de vários episódios de séries de TV, como *Simon & Simon*, *Anjos da lei* e *Jornada nas estrelas: A nova geração.*

"Acontecimentos estarrecedores na cidade eletrificada" foi originalmente publicado em *A Study in Sherlock*, editado por Laurie R. King e Leslie S. Klinger (Nova York, Bantam Books, 2011).

ACONTECIMENTOS ESTARRECEDORES NA CIDADE ELETRIFICADA

Thomas Perry

(Um manuscrito assinado por "John Watson" na coletânea de Thomas Perry)

Durante os muitos anos em que tive o privilégio de conhecer o detetive consultor Sherlock Holmes e, me agrada crer, servi-lo como seu confidente mais íntimo, com frequência ele me permitia elaborar um registro dos acontecimentos dos quais, em alguma medida, participávamos e publicá-los nos periódicos da época. Seria falsa modéstia negar que a publicação de tais casos, a partir de 1887, acrescentou algo à sua já ampla reputação.

Houve diversos casos a ele entregues por gente atraída pela nova e maior reputação que meus escritos amadorísticos lhe conferiram. No entanto, houve outros em que o acompanhei sem ter a menor intenção de publicar qualquer relato ao longo da vida dele ou da minha. O acontecimento em Buffalo combina, de certa forma, ambas as situações. Trata-se de um caso que lhe chegou vindo do outro lado do Atlântico, já que sua reputação extrapolara as fronteiras do reino devido ao conteúdo da *Strand Magazine*. Ainda assim, é um caso merecedor de tanta discrição e confidencialidade que, quando encerrar esta narrativa, guardarei o manuscrito em uma caixa trancada na companhia de um bom número de outros relatos que não pretendo que sejam vistos pelo público até que o tempo e a mortalidade lhes tenham neutralizado o poder de causar danos.

Era o dia 25 de agosto de 1901, ano da morte da rainha Vitória. Eu estava com Holmes naquela tarde nos aposentos que nós dois partilhávamos no número 221B da Baker Street desde que ele voltara a Londres em 1894. Fiquei satisfeito por ter fechado meu consultório médico cedo naquele dia, porque Holmes parecia perdido, vítima de um surto de melancolia, que, em silêncio, diagnostiquei como resultado da inatividade. Era um dia de temperatura incomumente amena para o final do verão, após uma semana de temporais avassaladores, e, enfim, consegui persuadi-lo a apagar o cachimbo e dar uma caminhada comigo para pegar ar. Já estávamos de posse de nossos chapéus e nossas bengalas e começávamos a descer a escada quando ouvimos o toque estridente da campainha.

Holmes falou:

— Pode deixar, sra. Hudson. Estou em meu turno de sentinela. Vou ver quem está à porta.

Ele desceu rapidamente os 17 degraus que levavam à entrada e a abriu. Ouvi um homem dizer:

— Meu nome é Frederick Allen. Estou falando com o sr. Holmes?

— Entre, por favor — disse Holmes. — O senhor veio de longe.

— Obrigado — agradeceu ele e seguiu Holmes escada acima até a sala. Olhou em torno, e pude perceber que seu olhar avaliava a desordem estudada da vida do detetive, demorando-se sobretudo nos papéis espalhados de maneira insana sobre a mesa, bem como nos pouquíssimos documentos mais importantes espetados por uma adaga na parede acima da lareira.

— Este é meu bom amigo, o dr. John Watson.

O estranho apertou calorosamente minha mão.

— Já ouvi falar do senhor, doutor, e li alguns escritos seus.

— Perdoe-me, sr. Allen — interveio Holmes nesse instante —, mas gostaria de usar este momento para um experimento. Watson, que profissão você diria que nosso convidado exerce?

— Diria que ele é militar — respondi. — Tem a aparência e a postura, e o cabelo e o bigode aparados, comuns a essa classe. E vi a forma como ele observou a arrumação de seus aposentos. É um oficial graduado, habituado a inspeções.

— Excelente, meu amigo. Alguma outra conjectura?

— É óbvio que ele é americano. Provavelmente participou do final do conflito com a Espanha. Então, é do Exército americano e, a julgar pela idade e pelas maneiras impecáveis, sua patente é de comandante ou superior.

O sr. Allen falou, então:

— Notável, dr. Watson. O senhor se equivocou apenas em uma informação.

— Sim — disse Holmes. — A força militar a que ele pertence. O sr. Allen é oficial de Marinha. Quando ouvi seu sotaque, também vi que era americano, e disse que viera de longe, sugerindo que acabara de chegar de uma viagem transatlântica. Ele não negou. E todos sabemos que o tempo ao longo da última semana foi abominável. No entanto, não lhe pareceu algo digno de ser mencionado, já que ele passou metade da vida no mar — complementou Holmes, assentindo para Allen. — Lamento desperdiçar seu tempo, sr. Allen, mas Watson e eu praticamos esses joguinhos vez ou outra. Contudo, o que o trouxe aqui, comandante Allen?

— Infelizmente, uma questão da maior urgência e confidencialidade, cavalheiros.

Holmes caminhou até a janela e observou a rua.

— Garanto-lhe que estive envolvido em questões confidenciais várias vezes. E o dr. Watson me acompanhou em todos os estágios na maioria desses casos. Ele não é só um competentíssimo oficial médico do exército real, que enfrentou as campanhas afegãs, mas também um homem da mais absoluta discrição.

— Acredito em você, sr. Holmes. Tenho permissão dos mais altos escalões para incluir o dr. Watson no que vou compartilhar.

— Excelente.

— Sem dúvida, o senhor sabe que, em meu país, na cidade de Buffalo, Nova York, a Exposição Pan-Americana foi inaugurada no dia 1º de maio. Foi um evento bastante divulgado.

— Sim, é claro — disse Holmes. — Uma celebração do futuro, na verdade, não acha? Reunir o mundo para testemunhar as maravilhas da eletricidade.

— Com certeza este foi um dos aspectos que nos deixou mais orgulhosos. Esperava-se que o presidente McKinley a visitasse em junho, mas ele precisou adiar o compromisso devido a problemas de saúde da sra. McKinley. Ao menos essa foi a justificativa oficial.

— Se há uma justificativa oficial, deve haver uma justificativa confidencial — falou meu amigo.

— Sim. Existem indícios da existência de um complô contra a vida do presidente.

— Bom Deus! — exclamei.

— Sei como isso pode parecer chocante para vocês. Sua nação é famosa pela estabilidade. Nunca houve, desde Carlos I, em 1649, a morte violenta de um chefe de Estado, e quando o reinado de sua amada rainha Vitória chegou ao fim alguns meses atrás, foi após quase 64 anos. Em meu país, apenas durante os últimos quarenta anos, como sabem, houve uma guerra civil que matou seiscentos mil homens, e dois presidentes foram assassinados.

— Não se trata de algo que cause vaidade — admiti, mas Holmes parecia perdido em reflexões.

Ele perguntou:

— Quem é suspeito de conspirar para assassinar o presidente McKinley?

— Lamento ter chegado ao limite do que estou autorizado a dizer a respeito do tópico em questão — respondeu o comandante Allen.

Senti a mesma frustração que costumava me assaltar diante da ofuscação oficial do Exército, na qual um médico não faz parte da cadeia de comando.

— Se seu assunto é um segredo que não pode ser contado a Holmes, como espera que ele o ajude?

— Falei tão livremente quanto as ordens que recebi me permitem. Minha missão é solicitar que os dois cavalheiros tenham um encontro pessoal e privado com o presidente dos Estados Unidos, que lhes contará o restante. — Metendo a mão no bolso do casaco, Allen tirou de lá um envelope. — Comprei duas passagens no *SS Deutschland* da linha Hamburgo-América. O transatlântico tem menos de um ano de idade e é capaz de alcançar 22 nós de velocidade, já tendo estabelecido um recorde ao cruzar o oceano em pouco mais de cinco dias.

— Muito rápido, realmente — admiti.

Holmes acendeu o cachimbo e deu um par de baforadas, produzindo anéis de fumaça azulada.

— Como o presidente dos Estados Unidos chegou a pensar em mim, quando pode contar com tantos homens competentes sob seu comando em questão de minutos?

— O presidente McKinley é um ávido leitor. Imagino que tenha conhecido seus feitos na *Strand Magazine.*

Confesso que, ao ouvir essas palavras, descobri que minhas orelhas ardiam e meu colarinho pareceu ter se apertado em torno do pescoço. A vaidade é uma droga poderosa, capaz de acelerar de forma extraordinária os batimentos cardíacos e a circulação.

Holmes disse:

— Posso responder por *mim* mesmo, porque só preciso responder a *mim* mesmo. Ficarei feliz de encontrar o presidente. Quando o *Deutschland* zarpa?

— A maré alta é amanhã às 19 horas.

Holmes se virou para mim:

— E quanto a você, Watson?

Não era a primeira vez que supus detectar em Holmes um leve ressentimento por conta de meu relacionamento com a encantadora criatura que dentro de um ano eu esperava que se tornasse minha segunda esposa. Pareceu-me uma provocação, quase um desafio, uma sugestão de que eu não era mais dono de mim mesmo e capaz de ter as próprias aventuras.

Não engoli a isca e disse algo tolo na tentativa de manter as aparências.

— Preciso falar com um grande amigo antes de responder, mas tenho quase certeza de que vou com você.

Allen sorriu e assentiu.

— Agradeço a ambos, cavalheiros. Deixarei as passagens com vocês. Mais uma vez, tenho que abordar a constrangedora questão da confidencialidade. Preciso que jurem silêncio absoluto a respeito da natureza da viagem.

— É claro — falei, já que o pedido havia sido claramente endereçado a mim. Holmes jamais foi exposto à presunção de ser forçado a revelar o que não desejasse. Eu, por outro lado, estava prestes a ir até a Queen Anne Street para falar como uma mulher linda e amorosa e convencê-la a aceitar minha viagem a outro continente sem poder lhe dizer que continente era esse nem o porquê da jornada.

O que foi dito durante as conversas daquela noite e que incentivos me foram oferecidos para que quebrasse meu juramento de silêncio deixo a cargo da experiência pessoal do leitor. Contudo, apresentei-me no porto de Londres às 19 horas da noite seguinte com meu baú de viagens marítimas. Holmes, ao me ver chegar de carruagem, apenas ergueu os olhos e disse:

— Ah, Watson. Pontual como sempre.

Partimos assim que a maré permitiu. O navio a vapor *Deutschland* era uma maravilha do design moderno, mas também da impaciência moderna. As potentes máquinas situadas abaixo da popa podiam ser ouvidas e sentidas em qualquer lugar do navio, a qualquer hora do dia ou da noite, a despeito do fato de a proa estar a quase de duzentos metros de distância. Eu fora habituado, após várias jornadas na Índia, a longas viagens em embarcações a vela. O embalo antigo, gracioso e acalentador do vento, onde o único som é o ranger da madeira e das cordas em seu enfrentamento contra as ondas, está desaparecendo rapidamente. Até mesmo o HMT *Orontes*, que me trouxe de volta a Portsmouth depois de minha última missão em serviço, suplementava a ação de seus três mastros de vela com a potência da máquina a vapor sob o convés. Um dia, sem dúvida, as viagens a vela serão um prazer reservado aos ricos ociosos, os únicos que terão tempo suficiente para tal ventura.

Nosso imenso navio a vapor seguia a toda, independentemente das intempéries. Holmes e eu palmilhávamos o convés e especulávamos acerca da real natureza de nosso enigmático convite. Ou melhor, eu especulava, pois Holmes mantinha o silêncio irritante ao qual às vezes se recolhe no início de um caso, algo entre a meditação silenciosa de um boxeador antes da luta — dentre as muitas habilidades de meu amigo se inclui o domínio da arte do pugilismo — e a reflexão de um cientista sobre um fenômeno natural. Muito antes de o navio atracar no porto de Nova York, me vi grato pelo fato de sua velocidade me livrar da necessidade de estar na presença de um homem que não falava nem escutava.

A tarde já chegava ao fim quando a tripulação amarrou proa e popa aos pilares do ancoradouro, e os estivadores retiraram nossos baús da cabine. Estávamos no convés principal, prontos para descer a rampa e pisar no Novo Mundo. O comandante Allen se juntou a nós e alugou uma carruagem fechada para nos levar a um cais diferente.

— Algum dos senhores já esteve nos Estados Unidos antes? — indagou Allen.

— Eu estive — respondeu Holmes. — Em 1879, viajei para cá com uma companhia shakespeariana como Hamlet. Espero desempenhar um papel menos trágico nesta visita.

Ao chegar ao novo cais, vimos que todos os marinheiros usavam fardas militares. Eles logo acomodaram nossos baús em uma embarcação menor, da Guarda Costeira, com cerca de 15 metros de comprimento e motor a vapor. Uma vez a bordo, a embarcação foi empurrada para fora do cais, orientou-se na direção norte e começou a se mover ao longo do porto. O ar estava quente e úmido naquela tarde, e fiquei agradecido quando o barco começou a ganhar velocidade. Entendi, pelas palavras de um dos membros da tripulação, que o objetivo da embarcação era ultrapassar os barcos de contrabandistas e outros patifes e fazê-los parar; por isso a velocidade considerável. Não muito tempo depois, saímos das águas congestionadas do porto e tomamos a direção do majestoso rio Hudson.

Boa parte das margens do rio era repleta de vegetação, mas, aqui e acolá, era possível vislumbrar cidadezinhas charmosas, a maioria aparentemente sustentada por uma combinação de agricultura e indústria leve. Pude ver grandes campos de milho e outras plantações crescendo nos morros distantes, porém, mais próximo à água, havia chaminés e trilhos de trem.

Enquanto eu explorava o barco da Guarda Costeira, esbarrei em Allen e Holmes na proa.

— Que meio excelente para viajar — disse Holmes, ao que Allen respondeu:

— Não é o habitual, mas chegamos à conclusão de que uma embarcação do governo não levantaria suspeitas de estar contrabandeando dois ingleses para Buffalo.

— A confidencialidade está garantida? — indagou o detetive.

Allen disse:

— Se tudo correr bem, talvez jamais saibamos.

— De fato.

Desembarcamos em uma cidade chamada Albany. De certa forma, sempre achei perturbadora a presença de todos aqueles nomes de lugares britânicos nos Estados Unidos: York, Albany, Rochester. Era como sair de uma trilha silvestre e descobrir ter chegado a Charing Cross. Porém, não teci comentário algum. Em Albany, fomos transferidos para um trem, cuja velocidade era ainda maior que a da embarcação. Seguimos, mais ou menos, ao longo de um estreito e reto curso d'água chamado canal Erie, que, durante os últimos setenta anos ou mais, tem levado os recursos naturais e as matérias-primas da parte Oeste do país — madeira, produtos agrícolas e coisas assim — para portos como o de Nova York. Achei a vastidão do lugar um tanto aflitiva. Quando chegamos a Buffalo, havíamos coberto uma distância maior que a que separa Londres de Edimburgo sem sair do estado de Nova York, um dos 45 daquela nação, e nem de longe o maior.

No dia seguinte, às quatro da tarde, chegamos à estação ferroviária em Buffalo. Era uma obra de arquitetura imponente para um lugar tão distante e provinciano, com piso de mármore trabalhado e galerias altas em pedra, como aquelas que são vistas em uma igreja. Ali, fui apresentado à peculiaridade da mente americana. No centro do grande salão de mármore impunha-se a estátua de um bisão revestido do que me pareceu ser bronze polido. Embora o animal seja costumeiramente chamado de "búfalo", ele nada tem em comum com essa espécie, ao menos não com o búfalo da Ásia ou da África. Os americanos apenas o chamam de búfalo, assim como gostam de atribuir o nome "tordo" a um nativo pássaro migratório que nem sequer é parente próximo dos tordos da Inglaterra. Ademais, embora o bisão que se passava por búfalo seja o mascote da cidade, o nome do lugar nada tem a ver com o animal. Pelo que parece, Buffalo é uma corruptela do nome francês que o local tinha no século XVII, *Beau Fleuve*, rio bonito, uma descrição precisa do Niágara, em cujas margens se situa a cidade. A lógica era absolutamente incompreensível, mas mesmo o visitante mais obtuso veria que os habitantes locais construíram um bezerro dourado próprio e o colocaram na estação. Como em breve eu viria a descobrir, essa era uma cidade que venerava a indústria, o progresso tecnológico e a prosperidade com o mesmo fervor que os pecadores bíblicos veneravam seus falsos deuses. Holmes e eu estávamos prestes a testemunhar uma de suas maiores celebrações pagãs: a Exposição Pan-Americana era um festival de potência elétrica.

Fomos levados às pressas da estação para uma carruagem que tomou a direção do hotel Genesee na interseção da avenida principal com a Genesee Street. O Genesee era um dos vários hotéis grandes e bem-sucedidos na parte central da cidade, onde outros estavam sendo construídos. Ele serviu para reforçar minha impressão de Buffalo — que estava cheia de gente vinda de todos os lugares, a fim de vender, ou comprar, ou apenas se maravilhar — como um lugar que crescia e mudava tão rapidamente que seus cidadãos fariam bem em anotar o próprio endereço, pois, na próxima vez que vissem suas casas, elas poderiam estar diferentes.

O comandante Allen aguardou enquanto nos registrávamos no balcão e os carregadores levavam nossos baús até a suíte. Encerrados tais trâmites, ele partiu.

— Passarei aqui, cavalheiros, às 22 horas, para dar prosseguimento à questão sobre a qual conversamos — disse ele, dando meia-volta e saindo porta afora. A carruagem o levou embora.

Holmes e eu subimos para nossos aposentos.

— Devemos ficar nesta cidade ao menos uma semana — disse ele. — Portanto, vamos desfazer as malas.

Segui o conselho dele e vi, pelo canto do olho, Holmes desfazer sua mala. Levara na bagagem um leque de objetos inesperados que eu não notara durante os seis dias no mar ou nos dois dias de viagem para o interior. Além das roupas e dos acessórios que usava em Londres, vi vestimentas e sapatos semelhantes aos usados por operários, algumas armas de fogo e munição, um conjunto de maquiagem de palco e uma caixa de madeira comum sem qualquer rótulo, que permaneceu fechada dentro do baú.

Aproveitamos a oportunidade para tomar banho e nos vestirmos de forma apropriada para o compromisso noturno. Holmes era um homem alto e esbelto que ficava bastante elegante quando lhe aprazia, e uma visita ao presidente dos Estados Unidos lhe pareceu uma ocasião merecedora de certo esforço. Com toda a modéstia, devo declarar que meu corpo, um tanto mais amplo, também estava vestido de maneira adequada. A dama elegante e de bom gosto que eu vinha cortejando muito antes da viagem insistira em ir comigo a um ótimo alfaiate em Savile Row, onde me fizeram vários ternos sob medida que eu mal consegui pagar.

Exatamente às 22 horas, bateram à porta de nossa suíte. Era o comandante Frederick Allen, para nos acompanhar. Ele nos conduziu até um cabriolé que nos aguardava e descemos uma rua larga e muito bem pavimentada chamada Delaware Avenue. Em ambos os lados, havia casas imponentes e impecáveis de três andares, feitas de madeira, tijolos ou ambos os materiais e cercadas por gramados e jardins admiráveis. Paramos no número 1.168. Quando o cabriolé se afastou para estacionar, Allen disse:

— Esta é a casa de um advogado local, o dr. John Milburn, que está ocupando o cargo de presidente da Exposição.

Subimos as escadas, e uma dupla de soldados americanos usando fardas azuis abriu as portas para nós, ficando alguns instantes do lado de fora para se assegurarem de que não havíamos sido seguidos. Depois, tornaram a entrar e retornaram a seus postos. O sr. Allen nos guiou por um amplo vestíbulo até um conjunto de portas de carvalho. Ele bateu em uma delas, e o homem que abriu me causou surpresa.

Eu vira fotos de William McKinley durante a eleição de 1900, e seria impossível não reconhecê-lo. Era alto, na casa dos sessenta anos, e seu cabelo ainda não tinha ficado grisalho. A testa franzida criava uma expressão de vigilância que o fazia parecer mais severo que viria a se revelar mais tarde. Na mesma hora, seu rosto foi iluminado por um sorriso, e ele disse:

— Ah, cavalheiros. Entrem, por favor. Devo agradecer a ambos por viajarem para o outro lado do mundo a fim de falar comigo.

— É um prazer, senhor — disse Holmes, apertando a mão dele.

— Estou honrado em conhecê-lo — falei.

Logo fomos para a biblioteca, e então alguém, talvez Allen, fechou a porta. Holmes disse:

— Não me incomoda que nosso amigo, o comandante Allen, ouça o conteúdo de nossa conversa.

O presidente balançou a cabeça:

— Ele está a par do que vou lhes dizer. O fato de estar presente nesta sala talvez o sujeite a um interrogatório indesejável no futuro.

O presidente foi até o extremo oposto da biblioteca e se sentou em uma poltrona de couro. Reparei que havia um copo na mesinha a seu lado cujo conteúdo parecia ser algum tipo de bebida alcoólica, como uísque misturado com água.

— Por acaso, os senhores desejam me acompanhar em um drinque?

Vi que havia uma garrafa com o líquido âmbar e uma jarra de água sobre um aparador, bem como alguns copos. Por uma questão de educação, me servi de três dedos do destilado.

Holmes disse:

— Apenas água para mim, Watson, ao menos até eu ter certeza de que não preciso estar com a mente desanuviada.

Entreguei-lhe um copo d'água e ambos nos sentamos defronte ao presidente. Holmes se recostou, cruzou as pernas e falou, confiante:

— O senhor é um presidente que descobriu a existência de um complô recente contra sua vida. Está prestes a aparecer em público em uma exposição internacional. Presumo que o que deseja é que eu assuma o encargo de sua segurança pessoal para garantir que não seja assassinado.

— Ora, não, sr. Holmes — respondeu o presidente McKinley. — Eu lhe pedi para vir de tão longe porque quero que o senhor garanta que eu *seja* assassinado.

— O quê? — falei, atônito. — Talvez eu...

— Sua surpresa comprova que você ouviu corretamente o que o presidente disse — interveio Holmes. Olhando, então, com atenção para o homem, o detetive prosseguiu: — O dr. Watson há de concordar comigo que o senhor parece gozar de saúde perfeita. Assim, não está evitando o sofrimento de uma doença fatal. Posso ver pela ausência de vasos rompidos na pele de seu rosto que o álcool que está tomando não é sua bebida habitual, mas uma amabilidade para com os convidados. O senhor foi reeleito há pouco tempo por uma nação agradecida por seus serviços. A menos que haja nos Estados Unidos alguma demora curiosa na veiculação de más notícias, não creio que se trate de um escândalo. E se o senhor quisesse cometer suicídio, seria plenamente capaz de obter e disparar uma arma, já que lutou na Guerra de Secessão. Por que um líder no ápice da carreira teria o desejo de ser assassinado?

— Não quero ser assassinado. Quero parecer ter sido assassinado.

— Mas por quê? Sua vida dá a impressão de ser uma sucessão de vitórias.

— Tornei-me escravo dessas vitórias — respondeu o presidente.

— Como assim?

— Cinco anos atrás, com a ajuda de meu amigo, Mark Hanna, o líder do partido, montei uma coalizão de empresários e comerciantes e concorri à presidência com a plataforma de promover prosperidade, concedendo todos os benefícios ao empresariado. Lançando mão de impostos protecionistas e apoiando uma moeda baseada no padrão-ouro, ajudei a tirar o país da depressão que começara em 1893 e o transformei em uma potência industrial.

— Então, qual é o problema?

— Sou um homem que conseguiu tudo o que queria e só agora descobriu que seus desejos não eram o melhor para o país.

— Por que não?

— Consequências involuntárias. Mark Hanna fez com que eu fosse eleito, mas, nesse processo, gastou 3,5 milhões de dólares. Meu temor é havermos irrevogavelmente amarrado o sucesso político ao dinheiro, e essa conexão, uma vez estabelecida, será desastrosa para a nação. Os homens mais ricos vão comprar o governo que desejarem. Consegui que saíssemos da depressão beneficiando os negócios. Acreditei que os homens com dinheiro e poder seriam justos com seus trabalhadores, porque essa era a coisa certa a fazer. Em vez disso, as empresas gigantes que ajudei agem como criminosos vorazes. Empregam crianças em condições desumanas em fábricas e minas, assassinam líderes sindicais, mantêm tão baixos os salários que seus operários vivem como escravos. Os próprios empregados não conseguem comprar os produtos que fabricam, e os fazendeiros vivem endividados e na pobreza. Desde minha reeleição, venho tentando regular os negócios de forma saudável e moderada, mas sem sucesso. Meus aliados, liderados por meu amigo, o senador Hanna, não querem ouvir falar disso. Meus opositores não confiam em mim porque eu era partidário de seus opressores. Eu queria um segundo mandato para consertar os erros do primeiro, mas descubro agora que não posso consertar nada. É claro que não sou o homem para este cargo.

— Seu povo o reelegeu.

— Eu não deveria nem ter me candidatado. Sou um homem do século XIX. Entendia os desafios da época: pôr fim à escravidão, construir ferrovias, pacificar o Oeste. Porém, minha época chegou ao fim. Entramos no século XX, e já exauri as boas-vindas da História.

— Sr. presidente, se fosse assassinado, o que aconteceria com seu país? — indaguei.

Ele sorriu:

— Essa é uma das poucas coisas que não me preocupam. Escolhi um homem especial para ser candidato à vice-presidência. O nome dele é Theodore Roosevelt. Ele é o que eu jamais poderei ser: um homem do século XX.

— Lamento saber pouco a respeito dele — falou Holmes. — Lembro-me de ter lido que ele liderou um ataque da cavalaria em San Juan Hill.

McKinley assentiu.

— Ele comandava a Marinha americana quando a guerra foi declarada. Renunciou ao cargo em Washington e depois reuniu a própria tropa de cavalaria, lutou ao lado de seus homens e foi reconhecido pela bravura. É um verdadeiro herói. E isso será de grande ajuda quando os Estados Unidos tiverem de aceitá-lo como presidente. É um homem tão instruído quanto pode ser um indivíduo deste país, um historiador respeitado, mas também passou anos criando gado no território de Dakota. Tem apenas 42 anos. É corajoso, inteligente e incorruptível, um indivíduo que vê nossos tempos com tamanha clareza que, para alguém do século XIX como eu, parece um vidente. É um homem para os tempos difíceis que vêm por aí.

— A que dificuldades o senhor se refere? — perguntei.

— Os grupos étnicos e linguísticos da Europa estão se organizando em nações e se aliando há décadas. A Alemanha e a Itália cresceram, e a Alemanha derrotou a França em 1870. O pan-eslavismo uniu a Rússia aos Bálcãs. A força da Rússia coloca o país em confronto com os turcos e os japoneses. Agora, todas essas nações, e dezenas mais, estão no processo de se armarem. Galopam em direção a uma conflagração.

— E o que o sr. Roosevelt pode fazer?

— Em poucos dias, ele pode começar mostrando ao mundo que, uma vez mais, haverá uma sucessão ordeira aqui. Quando um líder americano morre, outro líder, melhor e mais forte, assume seu lugar na mesma hora. E então o sr. Roosevelt mostrará ao globo que os Estados Unidos têm poder. Conhecendo-o, acredito que começará com a Marinha, que ele domina melhor. Também sugeriu enviar uma Grande Frota Branca para dar a volta ao mundo, mostrando a bandeira. A Alemanha tem trabalhado bastante para construir uma frota mais forte que a nossa. Talvez se o kaiser se der conta de que terá de derrotar duas poderosas marinhas, ele pense duas vezes antes de atacar alguém durante um tempo.

— Então, o senhor vê Roosevelt como uma solução protelatória?

— Sim. Acredito que, se ele fizer seu trabalho direito, conseguirá evitar uma guerra mundial por dez anos. Se for melhor que isso, por 15. Os Estados Unidos estão em ascensão. Cada dia que a paz é mantida por nossos líderes leva o país a enriquecer, a se fortalecer e a se tornar menos vulnerável. Manter a paz também dará a Roosevelt tempo para começar a conservar para o futuro as florestas do país e começar a restringir e desmontar os cartéis que brotaram na indústria para sufocar a concorrência e empobrecer fazendeiros e operários. Não sei o que mais ele fará. Ele é um homem do futuro, e eu, um homem do passado. Só sei que chegou a hora de sair de seu caminho.

— E o que será do senhor?

— Isso ficará a seu cargo. Gostaria que o senhor organizasse meu assassinato nos próximos dias. Depois, quero que me ajude com o pós-vida. Minha esposa, Ida, e eu gostaríamos de partir para algum lugar a fim de viver os anos que nos restam de forma anônima e privada. Amo meu país e fiz o melhor que pude por ele a vida toda, mas agora ficaria contente de assistir aos acontecimentos a certa distância.

Ao olhar para Holmes, as sobrancelhas do presidente se uniram naquele jeito severo que lhe era peculiar.

O detetive permaneceu sentado em silêncio por um momento:

— Meu senhor, aceito o trabalho. Hoje, se não me engano, é dia 3 de setembro. Precisamos agir rápido e manter o número de conspiradores reduzido. Acredito que estaremos prontos para agir no dia 6.

Dito isso, ficou de pé.

McKinley sorriu e se levantou também, o que me deixou pouca alternativa além de fazer o mesmo, embora eu me sentisse um tanto confuso diante da pressa dos dois. Nós nos despedimos, e Holmes e eu saímos para nos depararmos com o comandante Allen nos aguardando junto ao cabriolé. Entramos no veículo, e Allen disse ao motorista:

— Para o hotel Genesee.

Afastou-se, então, e viu o cabriolé partir.

Durante o percurso pela Delaware Avenue, Holmes pediu ao motorista para parar no escritório dos telégrafos. Havia um na rua principal, não muito longe do hotel. Ele entrou e escreveu uma mensagem que tapou com a mão, de modo que não me foi possível lê-la, entregando-a depois ao funcionário e lhe pagando a quantia de três dólares.

Quando voltamos ao cabriolé, ele disse:

— Leve-nos até o local da exposição, por favor.

— Os prédios vão estar fechados, meu senhor — respondeu o condutor. — Já é quase meia-noite.

— Exatamente — concordou Holmes.

O cabriolé nos conduziu pela Delaware Avenue, agora deserta. O ruído dos cascos dos cavalos no pavimento de paralelepípedo era o único som audível. Todas as mansões se encontravam fechadas e escuras.

Após não mais que dez minutos, chegamos a uma parte da avenida que fazia uma curva e, no final dela, a Exposição Pan-Americana surgiu diante de nós. Àquela distância, era uma visão estranha e fantasmagórica: 120 hectares de prédios construídos no maior parque da cidade. Pelo fato de a exposição ser, acima de tudo, uma celebração do progresso exemplificado pela potência elétrica, todos os prédios principais estavam decorados e delineados com lâmpadas, todas acesas, fazendo o local parecer a capital de um mundo de fantasia.

As incontáveis lâmpadas cintilavam em um tom cor-de-rosa quente que jamais ofuscava ou cansava os olhos, levando a atenção do espectador a ser atraída para cada detalhe, cada cor. Fiquei boquiaberto com a visão. O local da exposição era cortado por uma grande alameda ligando a ponte Triunfal, no extremo sul, à torre Elétrica, no extremo norte. Havia canais, lagos e fontes circundando todos os prédios, de modo que essas grandes, complexas e belas construções com muros bastante ornamentados não apenas ficassem iluminadas e delineadas pela iluminação mágica, mas também criando reflexos dela nos lagos e canais. Quando nos aproximamos, a impressão foi de uma cidade com cúpulas, torres e pináculos por todo lado.

A arquitetura era indescritível — uma elaborada mistura dos estilos neoclássico, renascentista espanhol, barroco, além de pura fantasia, tudo lado a lado ao longo da alameda central, em todas as direções. Algumas construções me lembraram dos templos hindus mais ornamentados que eu já tinha visto, pintados de vermelho e amarelo e com painéis verdes.

Toda vez que pensava ter entendido o princípio organizador da exposição, via que minha conclusão fora inadequada e parcial. As cores dos prédios no extremo sul eram brilhantes e vivas. O templo da Música era de um vermelho espalhafatoso, com painéis verdes em sua cúpula e um emprego generoso de dourado e azul-esverdeado. Mais próximo ao extremo norte, junto à torre Elétrica, as cores ficavam mais sutis, suaves e conservadoras, como se representassem uma mudança do esplendor agressivo para a sofisticação moderna. Também vi esculturas monumentais, como encenações congeladas, que em teoria retratavam a Ascensão do Homem, a Subjugação da Natureza, as Conquistas Humanas. Outras séries levavam títulos como Era da Selvageria, Era do Despotismo, Era do Iluminismo. Talvez, caso existisse um princípio organizador, esse fosse o de mostrar que aquelas eram pessoas que veneravam o progresso e o apontavam onde quer que o detectassem.

Vez por outra, Holmes descia do cabriolé e olhava de perto algum prédio ou encostava o rosto nas janelas para tentar enxergar o interior. Ou ficava em pé junto à borda elevada de uma fonte e examinava o que o circundava como se apontasse um rifle para um alvo distante. Espichava o pescoço para olhar ao longo dos parapeitos, como se procurasse atiradores imaginários.

Em dado momento, desci do veículo para caminhar com ele.

— O que está fazendo? — perguntei.

— A exposição passou o verão todo aberta e agora está sendo divulgada boca a boca. As estimativas atuais indicam que quando fechar, no mês que vem, terá sido visitada por oito milhões de pessoas. Se viéssemos fazer nosso exame amanhã de manhã, não só chamaríamos atenção, como também seríamos atropelados pela multidão.

— Mas por que estamos fazendo esse exame?

— Para detectar vulnerabilidades e oportunidades, meu caro. Precisamos achar os melhores meios, o melhor horário e o melhor lugar para providenciar nosso assassinato fictício do presidente, assim como nos assegurar de que detemos o monopólio de assassinatos presidenciais no momento.

— O quê?

— Você com certeza se lembra de que o presidente McKinley conseguiu uma vitória acachapante sobre a Espanha em 1898. Isso deve fazê-lo parecer um presunçoso perigoso na visão de muitas potências europeias. Além disso, ele também deu a entender aos proprietários e operadores inescrupulosos de grandes empresas americanas e seus lacaios políticos que pretende retirar muitos dos privilégios e poderes deles. Para mim é difícil imaginar alguém com inimigos piores.

— Você está dizendo que precisamos manter o sr. McKinley vivo para poder assassiná-lo?

— Exato. Nosso teatro poderá prosperar apenas na ausência de uma tragédia genuína. — Holmes caminhou mais um pouco.

— Por isso disse a ele que agiríamos no dia 6. Esperar até o dia 10 ou 12 talvez o expusesse a um risco inaceitável.

Permaneci calado, pois enfim me dera conta do que Holmes procurava. Eu o vi demonstrar um interesse especial pelo prédio Acetileno, examinando-o por todos os lados e balançando a cabeça.

— O perigo de explosão é óbvio demais — explicou. — Podemos evitar o risco mantendo o presidente longe daqui.

Descemos do cabriolé de novo no estádio, na ala norte da Exposição. Era um local fantástico, considerando-se que fora construído apenas para aquele verão, e, como os demais prédios, seria derrubado no final do evento. A construção podia acomodar 12 mil espectadores.

— Um local tentador — disse Holmes. — A vantagem de grandes espaços abertos é que podemos pô-lo de pé em um pódio no centro e reunir 12 mil testemunhas nos assentos. Mais tarde, todas vão jurar que viram o presidente ser morto, sem que nenhuma delas estivesse perto o suficiente para ver, de fato, alguma coisa, exceto um homem cair.

— É algo para manter em mente — falei. — Podemos fabricar um tiro de rifle vindo do alto, talvez da torre Elétrica, e fingir que ele foi alvejado.

— Vejamos o que mais temos à disposição — disse Holmes. Voltamos ao cabriolé, e ele instruiu o motorista a prosseguir pela alameda principal.

Passamos pelo ornamentado templo da Música, que tinha uns 45 metros de lateral, com os cantos truncados fazendo com que sua forma quadrada desse a impressão de ser redonda. Encimado por uma cúpula, todas as superfícies expostas eram decoradas com ornamentos rebuscados e pintadas em cores vivas, sobretudo vermelho, e circundado por estátuas representando algum tipo de alegoria que homem algum seria capaz de decifrar — estilos musicais, suponho.

Holmes pareceu se interessar especialmente por esse prédio. Circulou-o, olhou pelas janelas e, por fim, arrombou a tranca na porta e entrou. Era um auditório com um palco no fundo e assentos removíveis no centro.

— Creio que encontramos o que procurávamos — falou.

Quando saímos, ele parou um instante para trancar a porta de novo.

Pegamos o cabriolé de volta ao hotel Genesee e pagamos com generosidade o condutor, cansado após uma longa noite de trabalho.

Na manhã seguinte, enquanto Holmes e eu tomávamos café em nosso quarto, ouvimos uma batida suave à porta. Levantei-me para abrir, esperando ver o comandante Allen, mas ali, de pé diante de mim, estava um indivíduo mais velho. A julgar pelo cabelo branco, pelas roupas, surradas e meio desbotadas após muitas lavagens, bem como pelos sapatos velhos que usava, pensei tratar-se de um comerciante que envelhecera demais para continuar praticando seu ofício. Com a maior delicadeza, falei:

— Posso ajudá-lo, senhor?

— Sim, meu amigo — respondeu o velho em uma voz alquebrada. — Esta é a suíte do sr. Holmes?

— Ora, é esta mesma. O senhor gostaria de entrar?

No momento em que ele entrou na sala, Holmes vinha saindo do quarto e sorriu:

— Ah, sr. Booth. Fico feliz que tenha vindo tão rápido. E obrigado por esconder sua identidade de maneira tão eficaz.

Na mesma hora, o idoso se empertigou, aproximando-se de Holmes com uma energia atlética e apertando-lhe a mão com um sorriso:

— Fiz a viagem durante a noite e ela foi muito rápida — explicou. — Vim tão logo minha última apresentação terminou. Estamos programados para começar os ensaios da próxima peça em Nova York daqui a um mês, e se eu não estiver de volta, meu substituto tomará meu lugar — disse ele, antes de olhar para cada um de nós. — Ficarão incomodados se eu ficar à vontade?

Ao dizer isso isso, tirou a peruca branca e com cuidado removeu o bigode, guardando ambos no bolso do enorme casaco. Tornara-se um jovem, um homem de 21 a 25 anos, tão alto e saudável quanto parecera antes curvado e frágil.

— Este é meu amigo Watson — disse Holmes. — Ele goza de minha mais absoluta confiança. Watson, este é o sr. Sydney Barton Booth, membro da principal família de atores deste país.

Puxei Holmes de lado e sussurrei:

— Booth? Mas Holmes...

— Sim — respondeu ele, em tom alto, todo satisfeito. — É o próprio.

O jovem falou:

— Tenho 23 anos. O feito tenebroso de meu tio John Wilkes Booth aconteceu 12 anos antes de meu nascimento. Ele era o único da família, entre meu pai, avô e nove tios e tias, que simpatizava com os confederados. Os outros eram totalmente a favor da União e apoiavam o presidente Lincoln.

— A família Booth há muito superou qualquer suspeita — disse Holmes. — Nesse ínterim, prosseguiu em sua tradição de atuar primorosamente nos palcos, sobretudo retratando a emoção humana de forma realista. O sr. Sydney Booth é considerado o melhor de sua geração. Deduzi pelo convite que recebemos que precisaria dos serviços de um excelente ator americano. Um amigo meu que atua nos palcos ingleses me informou que os Booth sempre buscaram uma forma de compensar as ações insanas do tio do sr. Booth. Ele também me deu sua opinião profissional de que o atual sr. Booth provavelmente seria nosso homem. Precisamos mais dele que previ, embora em um desempenho com um final bem diferente.

— Mas você avisou ao sr. Booth do quanto é delicado e perigoso o papel que vai desempenhar?

Holmes se virou para Booth:

— Sr. Booth, nosso esquema é perigoso ao extremo e lhe granjeará poucos agradecimentos se o senhor for bem-sucedido. A única recompensa é que se trata de uma missão patriótica que, estou convencido, fortalecerá seu país e, por consequência, também o nosso, ao menos por algum tempo.

— Não consigo pensar em nada que me faria mais feliz — retorquiu o jovem.

— Apenas um grupo pequeno será convidado a se unir à nossa conspiração. Além de nós, dela faz parte o presidente, é claro; seu fiel secretário, o sr. Cortelyou; o chefe de polícia de Buffalo, o sr. William Bull; o comandante do contingente militar, que espero ser nosso amigo, o sr. Allen; e o dr. Roswell Park, o médico mais respeitado da cidade. Cada um deles deve ter um ou dois aliados de confiança a quem precisará contar parte do plano, mas não todo — explicou meu amigo.

— Isso me faz lembrar — falei — de que preciso ir andando. Vou me encontrar com o dr. Park agora de manhã.

Pegando meu chapéu e minha bengala, saí da suíte.

Descobri que meu colega americano, o dr. Roswell Park, era um homem bastante instruído e um cidadão de certo destaque na comunidade médica. Ele e eu fizemos um passeio pelas dependências da faculdade de medicina da Universidade de Buffalo, pelo instituto médico-legal e por três dos hospitais locais, bem como no hospital de campanha que fora montado na periferia do terreno da Exposição Pan-Americana. Em todos esses lugares, as portas se abriam para nós, e o dr. Park foi recebido como uma espécie de estadista visitante e benfeitor paternal.

Ele e eu examinamos a máquina de raios X que estava sendo exibida na exposição, que tornava possível ver dentro do corpo para detectar uma fratura em um osso ou identificar lesões perigosas. Também vimos uma incubadora para bebês, que me pareceu especialmente promissora.

Em vários desses momentos estivemos em lugares onde os únicos bisbilhoteiros possíveis eram os mortos — os cadáveres usados para dissecação por estudantes de medicina ou os corpos ainda frescos de indigentes encontrados próximos às docas da Canal Street. Durante nosso encontro, discutimos as dificuldades da missão que nos fora confiada pelo presidente e por Holmes, mas encontramos várias soluções em protocolos médicos reconhecidos e no simples fato de estarmos preparados de antemão para garantir que os acontecimentos se desenrolassem da maneira devida. O dr. Park era um homem tão meticuloso que pensou em coisas que não tinham me ocorrido — garantir que determinados internos e enfermeiras fossem os responsáveis pelo plantão na tarde e na noite de 6 de setembro, porque estes seguiriam sem hesitar cada ordem sua e providenciariam para que houvesse ambulâncias puxadas a cavalo a postos a fim de fazer determinadas entregas clandestinas nas noites seguintes. No final do dia, eu estava pronto a entregar minha vida nas mãos do dr. Park, sentimento esse que não foi expressado, pois isso era precisamente o que eu estava fazendo, assim como ele entregava a dele a mim.

Voltei ao hotel Genesee à tarde e encontrei Holmes e Booth ainda imersos em intensa conversa. Holmes levara com ele o conjunto de maquiagem que, às vezes, eu o vira usar em Londres. Tratava-se de um conjunto de substâncias que ele tomara emprestado da arte teatral, mas, de forma ainda mais liberal, nele figuravam as tinturas e os pós empregados pelas mulheres elegantes em prol da beleza. Holmes com frequência obtivera no passado informações disfarçado de estivador, ou de cigano, ou de vendedor de livros, e esse conjunto ajudava a transformar sua aparência. Pelo que percebi na mudança da aparência, o jovem ator, o sr. Booth, era tão experiente quanto Holmes. Ele se transformara mais uma vez. Era, agora, um sujeito meio bronco de trinta anos que fazia trabalho braçal ao ar livre. A pele e o cabelo haviam escurecido um pouco, fazendo-o parecer oriundo de algum lugar na Europa continental.

Os dois também tinham aberto uma série de mapas da Exposição Pan-Americana que, até onde me parecia, Holmes desenhara de memória. Booth examinava um deles.

— Você terá de esperar o suficiente para que a primeira centena de espectadores passe pelas portas e encontre o presidente — disse. — A essa altura, a fila estará andando de forma ordenada, e os guardas se mostrarão cheios de confiança e entediados. Lembre-se de que o primeiro movimento é meu. Você agirá apenas depois de mim.

— Entendi — disse o sr. Booth. — E depois farei uma tentativa apressada de sumir dali.

— Claro, mas se assegure de que não vai conseguir. Você precisa permanecer embolado com os vigilantes e os guardas. Se sair para o espaço aberto, sem dúvida um deles dará um tiro em você.

— Farei de tudo para ser dominado logo — garantiu Booth.

E por aí eles continuaram. Como minha presença não era necessária, retirei-me para meu quarto e acalmei minha cabeça com um cochilo, que me ajudou a digerir os diversos detalhes que teria de recordar dois dias depois. Poucas horas depois, o sr. Booth se levantou e apertou a mão de Holmes. A essa altura, notei, ele já voltara a ser um velho de cabelos brancos.

— Não o verei de novo até a tarde do dia 6, sr. Holmes. Tenho certeza de que concordamos quanto à essência do desempenho. Se houver alguma mudança, por favor, me avise. Estou na pensão que fica na esquina da rua principal com a Chippewa Street.

— Deixe comigo, sr. Booth. Nesse ínterim, saiba que temos a maior confiança no senhor e o parabenizamos por seu patriotismo.

— Até logo. E até logo para o senhor também, dr. Watson. Nós nos veremos dentro de dois dias.

— Até logo, sr. Booth.

E ele se foi. Holmes rapidamente guardou seu conjunto de disfarce e alguns outros objetos que ele e o sr. Booth haviam examinado, dizendo:

— Estou com fome, Watson. Já está mais que na hora de jantarmos.

Saímos do hotel e demos a volta no quarteirão para chegar a um pequeno estabelecimento que desfrutava de muitas das qualidades de seus congêneres londrinos. Sentado a uma mesa nos fundos estava um homem grandalhão vestindo um uniforme azul da polícia. O chapéu estava na mesa junto a uma caneca de cerveja vazia, e quando entramos, vi que ele o colocou na cadeira a seu lado.

— Sr. Bull — disse Holmes.

— Sentem-se — convidou o policial.

Holmes e eu nos sentamos de frente para ele e o homem ergueu a mão para chamar o garçom.

— Já jantaram? — perguntou Bull.

— Não — respondi.

— Esses dois cavalheiros vão jantar, por favor. E traga uma jarra de cerveja. Ponha tudo em minha conta.

— Obrigado — agradeceu Holmes. — Por acaso o senhor sabe qual é o prato do dia?

— Rosbife com pão *kummelweck*, ovos cozidos, cerveja, chucrute e picles — recitou o garçom. — Tudo que quiserem.

— Excelente — aprovou Holmes, em um tom que me pareceu sincero.

Fiquei surpreso com a avidez com que Holmes e o chefe de polícia atacaram aquela estranha comida, mas eu os acompanhei com pouca hesitação. Descobri que a refeição daquele estabelecimento era precisamente o que eu necessitava após um longo dia com meu colega médico. Apreciei sobremaneira alguns detalhes que não foram considerados dignos de menção — pequenas porções de linguiça e pedaços de galinha: coxas e asas. Com frequência me dou conta de que, em países exóticos, a dieta nativa é exatamente a necessária para a manutenção da saúde e do vigor.

Holmes ficou de pé e examinou o corredor atrás do bar para se certificar de que não havia ali indivíduos que pudessem ouvir nossa conversa e foi direto ao ponto:

— Chefe Bull, o senhor sabe por que pedi este encontro entre nós?

— Sei — respondeu o policial. — Quando o comandante Allen me procurou a seu pedido, busquei informações junto ao secretário do presidente, o sr. Cortelyou. Confesso que estava ofendido por terem contratado um civil de outro país para fazer meu trabalho de proteger convidados importantes em minha cidade natal.

— E o sr. Cortelyou o tranquilizou a esse respeito?

— Sim — disse Bull, inclinando-se para ficar mais perto de nós e baixando o tom de voz. — Não estou mais ofendido. Estou com medo por todos os envolvidos. Se isso der errado, será difícil alguém acreditar que não nos juntamos em uma conspiração assassina. Basta o nome "Booth" ser mencionado... — Ele estremeceu.

— Precisamos ter certeza de que nenhum erro seja cometido — disse Holmes. — O fato de o senhor estar de nosso lado me tranquilizou um bocado.

— E o que o senhor quer que eu faça?

— Em primeiro lugar — começou Holmes —, precisamos de sua mais absoluta discrição. Este não é um embuste que pode ser revelado mais tarde. Nossa intenção é criar um acontecimento histórico que permanecerá registrado no conhecimento público durante séculos. Os homens que têm conhecimento dele são os seguintes: nós três, o presidente, o sr. Cortelyou, o dr. Roswell Park, o sr. Booth e o comandante Allen. Acredito que possamos restringi-lo a um pequeno círculo de homens honrados, apenas aqueles que precisam ter ciência do plano.

O chefe Bull tomou um gole de cerveja com expressão séria.

— De acordo. Meus subordinados farão o que eu mandar, pois eu darei a ordem. Eles não precisam saber por que dei uma ordem.

— Exatamente — disse Holmes. — Os estágios para os quais mais necessitamos de sua ajuda são a organização e o posicionamento da plateia, os efeitos imediatos da encenação e, depois, tão importante quanto, os acontecimentos que terão lugar nas duas semanas seguintes.

— Vou cooperar com o senhor — disse Bull. — Precisaremos repassar aquilo que deseja que aconteça e o que não deseja que aconteça.

— Proponho nos dedicarmos a isso tão logo terminemos este lauto banquete — disse Holmes.

E assim foi feito. Não levou mais que uma hora agradável passada naquele *pub* americano para que Holmes coreografasse com precisão o que queria — onde cada guarda teria de ficar, como os cidadãos seriam postos em fila para encontrar o presidente, o que aconteceria tão logo o sr. Booth cumprisse a parte dele e daí por diante. O chefe Bull, devo dizer, mostrou ser um estrategista sagaz e inteligente, registrando cada detalhe e antecipando um punhado de outros devido à sua experiência profissional quanto ao comportamento de multidões. No final de uma hora, quando se levantou e pegou seu quepe, ele e Holmes tinham um sólido acordo.

Holmes era bastante meticuloso por força do hábito e por temperamento, e no período que se seguiu, assegurou-se de que cada membro do grupo conhecesse algo sobre o papel de cada um dos outros, de modo que ninguém pudesse impedir sem querer o desempenho de um colega. Por insistência sua, cada qual foi à exposição sozinho a fim de estudar as áreas que precisaria conhecer no dia em questão, como um ator ensaiando sua parte em uma peça.

Então, antes que eu sequer estivesse preparado para isso, chegou o dia 6 de setembro. No instante em que acordei, soube que o dia seria quente. O sol mal nascera naquela manhã um pouco nublada e já começava a exercer seu poder sobre a cidade. A umidade me fazia lembrar dos dias em Deli que antecediam, todo ano, a mudança do governo para Simla, mais alta e com clima mais fresco.

Às 7h15 da manhã, o presidente acordou no número 1.168 da Delaware Avenue, o lar do dr. Milburn. Deu uma caminhada ao longo da avenida, onde encontrou outra figura solitária, um cavalheiro alto e asseado equipado com itens do ofício de um mascate a caminho da exposição com um tabuleiro de lembrancinhas para vender. Fui informado de que os dois andaram juntos por apenas dois quarteirões, mas, durante esse tempo, um bocado de informações foi fornecido por um e por outro. Então, o misterioso ambulante se afastou do presidente e os dois seguiram caminhos diferentes.

Mais tarde naquela manhã, Holmes e eu estávamos na estação ferroviária para embarcar em um trem que nos levaria às cataratas do Niágara. Percebi que havia um grande número de cavalheiros bem-vestidos e com aparência próspera aguardando na plataforma, mesmo depois que Holmes e eu entramos no trem, que foi retido no último instante, para acolher um passageiro específico. O presidente e seu grupo chegaram em uma carruagem e foram levados a um vagão especial. Os dignitários locais estavam em número grande demais para serem admitidos nesse vagão, mas ocuparam os vagões alternativos mais próximos da melhor maneira que encontraram, com pouco atropelo.

Sussurrei para Holmes:

— Onde está a sra. McKinley?

— Ainda na mansão de Milburn. O marido teme que o calor seja excessivo para ela — respondeu Holmes, fazendo uma pausa significativa. — E ela tem muitos preparativos a fazer. Desempenhará um papel de peso nas próximas semanas.

O trem nos levou ao longo do rio Niágara, que calculei ter oitocentos metros de largura com uma corrente de três a cinco nós na maior parte de seu comprimento. Foi agradável viajar a uma velocidade considerável naquele calor. Holmes, porém, insistiu em ficar de pé e andar pelo corredor do trem.

Perguntei:

— O que estamos fazendo?

— Procurando — respondeu ele. — Procurando por rostos que sejam familiares, rostos que não se encaixem, rostos que não queiram nos encarar, rostos que nos observam com muito interesse.

Fomos de um vagão ao outro, com andar despreocupado, olhando para os numerosos passageiros. Às vezes, Holmes parava e falava com alguém que estava sentado:

— Lindo dia para uma visita às cataratas, não?

Ou:

— O senhor faz ideia de quando este trem vai chegar à estação?

Ou até mesmo:

— Este lugar está ocupado?

A pessoa respondia, ele assentia e levava a mão à aba do chapéu, antes de seguir em frente. Tenho certeza de que nenhum indivíduo nos vagões públicos do trem escapou de seu escrutínio. No final, quando estávamos de pé junto ao gradil nos fundos do primeiro carro, contemplando o vagão de carvão e a locomotiva, eu falei:

— Bom, já olhamos tudo. O que vimos?

— Não o suficiente — respondeu ele. — Mas veremos mais quando voltarmos.

— O que esperamos ver?

— Você e eu temos um plano. Porém, e se outra pessoa também tiver um plano? Hoje é um ótimo dia para isso. E a exposição é o lugar perfeito para isso. Contudo, as cataratas também são um lugar muito bom.

— Quer dizer que...

— Não quero dizer nada além do que falei. Observe os rostos, Watson.

Abrindo a porta, ele entrou no corredor. Dessa vez estávamos de frente para os passageiros e tínhamos uma oportunidade melhor de encarar cada um.

No final do vagão anterior ao do presidente, ele sussurrou:

— Temos que ser vigilantes. Há três indivíduos neste trem que não são o que parecem ser.

— Quais?

— Um homem vestindo um terno preto no terceiro vagão. É magro, com dedos longos e elegantes que acariciam ociosamente sua bengala. Entre os pés, no chão, está um estojo rígido. Chamou minha atenção o fato de ele não tê-lo colocado no compartimento de bagagem.

— Você desconfia de que o homem tenha uma arma lá dentro? — indaguei. — Talvez algo silencioso como a carabina de ar comprimido que o mecânico cego Von Herder produziu e o coronel Moran usou para cometer seu crime anos atrás?

— A mesma ideia me ocorreu quando vi o estojo, mas depois reparei que o fecho tem o emblema da Bergmann-Bayer, um fabricante de armas de fogo militares para o exército espanhol — disse Holmes. — A arma não precisaria ser silenciosa, se ele pretende dispará-la depois que chegarmos às cataratas. Dizem que o ruído da água é tão alto que alguém poderia disparar um canhão e o tiro soaria como um pequeno estouro. Não, acho que ainda temos tempo com ele.

— Um espanhol enfurecido tentando se vingar por causa da guerra. Quem são os outros dois?

— Uma senhora baixinha de meia-idade, usando um vestido marrom debruado de verde no primeiro vagão.

— Uma mulher? Não pode estar falando sério!

— É uma mulher incomum. Tem um corte superficial e recente de 1,5 centímetro e quase vertical perto do queixo, no lado esquerdo do rosto. Notei, por seus movimentos, que ela é destra. Por isso se cortou no lado esquerdo quando fazia a barba. É mais difícil alcançá-lo com a navalha.

— Então é um homem.

— Um homem que se barbeou com bastante zelo hoje de manhã. O pó de arroz que deve ter aplicado depois do acontecido escorreu no calor.

— Incrível! — exclamei. — Ela... Ele pode estar levando qualquer coisa debaixo daquelas saias. Um par de pistolas. Um sabre. Até mesmo um rifle. — Pensei por um instante. — Se ao menos tivéssemos tempo, podíamos descobrir um jeito de garantir a segurança.

— É mesmo? — reagiu Holmes.

— Um artefato de algum tipo, talvez um arco pelo qual cada passageiro precisasse passar, equipado com ímãs poderosos pendurados por cordas. Eles detectariam o ferro e o aço de uma arma, seriam atraídos por eles e se grudariam no objeto.

— Podemos pensar na ideia em outro momento, talvez — disse ele. — Acho que precisamos nos aproximar do terceiro homem antes que o trem chegue a seu destino. Ele é o que me parece ser nosso concorrente mais imediato.

— Quem é ele?

— Pense nisso. Compramos uma passagem. Entramos no trem. Viemos andando de trás para a frente, depois da frente para trás. Paramos para conversar. Acabei de ver uma placa dizendo que estamos entrando em La Salle, que é o último lugar antes das cataratas. O condutor do trem perfurou seu bilhete?

— Ora, não.

— Ele também não checou o de mais ninguém. Quando o encarei, o homem evitou meu olhar e continuou olhando adiante, como se estivesse dirigindo o trem. Os condutores que já observei conseguem praticamente sentir sua posição nos trilhos sem olhar para lugar algum. Eles têm um sentido quase miraculoso da exata duração da viagem. Eu diria que logo ele haverá de se dirigir até o fim do trem com uma aparência bastante condutoral, se me permite a cunhagem do termo. Porém, o que pretende na verdade é, por causa do uniforme, ser admitido no vagão em que o presidente está.

E em pouquíssimos minutos, o sujeito apareceu. Quando já estávamos quase alcançando a periferia de uma cidade maior, que só podia ser Niagara Falls, o falso condutor de repente desceu pelo corredor pedindo as passagens para perfurá-las. Perfurava-as sem olhá-las com atenção, o que o fazia parecer muito experiente, mas sua verdadeira intenção era calcular a distância até seu destino: a porta do último vagão.

Holmes ocupava o assento no corredor no lado direito do vagão, e eu, o que ficava em frente, enquanto observávamos o progresso do homem. Imaginei que Holmes fosse fazer algum movimento, mas ele permitiu que o condutor continuasse andando. Olhei várias vezes para meu amigo, mas não vi sinal em sua expressão de que ele sequer tivesse notado o homem. Com efeito, olhava pela janela, apreciando vislumbres do rio entre os prédios pitorescos da cidade de Niagara Falls. O condutor prosseguiu em seu avanço. Chegou a três metros da porta, depois a 1,5 metro, mas Holmes continuou sem fazer nada. Finalmente, não consegui mais me conter. Minha bengala estava em meu colo, e quando o condutor alcançou a porta do vagão presidencial, enfiei-a entre os calcanhares dele, fazendo-o tropeçar e se estatelar no chão. Bati, então, na parte de trás de sua nuca com o pesado castão de marfim e me atirei em cima dele. Vi que o sujeito ficou atordoado, semiconsciente e sem ar. Holmes, de forma bastante casual, meteu a mão no bolso do colete e me entregou um par de algemas sem sequer ficar de pé. A visão das algemas me irritou, mas percebi que tinha apenas uma escolha a fazer: podia aceitá-las ou rejeitá-las, sem tecer qualquer comentário. Optei por aceitá-las, já que o condutor era um homem de certa envergadura e parecia forte, e puxei seus braços para trás das costas fechando as algemas em seus pulsos antes que ele recobrasse a consciência.

Holmes me ajudou a virar o homem de lado e apalpou a túnica do uniforme azul. Puxou de dentro dela um revólver Colt calibre 45, uma arma bastante avantajada para manter escondida. Holmes enfiou-a sob o paletó e ergueu os olhos para os passageiros próximos, todos membros do grupo de dignatários locais sem relevância suficiente para viajarem com o presidente. Abanou o patife caído no chão com o quepe de condutor e disse aos passageiros:

— Este calor pode levar uma pessoa a desmaiar com o mais leve esforço.

O homem planejara seu crime muito bem. O trem já estava entrando na plataforma em Niagara Falls. Estava claro que ele pretendia entrar no vagão, atirar no presidente e depois pular do último vagão quando o trem reduzisse a velocidade ao se aproximar da plataforma. Poderia jogar fora o quepe e o paletó de condutor em um segundo e se parecer com qualquer outra pessoa na multidão reunida na estação para assistir à chegada do presidente.

O trem parou e aguardamos que os demais passageiros saíssem. Então Holmes bateu à porta do vagão do presidente e um jovem soldado a abriu. Era possível ver outros quatros soldados atrás dele.

— Este homem tentou entrar e atirar no presidente — disse o detetive. — Trancafiem-no na delegacia de Niagara Falls agora mesmo. Não corram riscos. Estamos lidando com um assassino.

Entregou, então, a arma ao soldado, ajudou o matador fracassado a ficar de pé e atravessou o corredor até a saída na dianteira do vagão.

Vendo que estávamos sozinhos, falei:

— Por que não fez nada enquanto eu lutava com um assassino armado?

— Isso não é verdade, Watson. Incentivei você. Em silêncio, por motivos de segurança.

Ajeitei minha roupa enquanto descíamos do trem para a plataforma e logo emparelhamos com o presidente e seu séquito. Eles seguiram o caminho por uma rua larga, margeada de árvores, até uma escadaria que levava diretamente à beira das cataratas. O rio azul e largo se estreita nesse ponto à beira de um penhasco semicircular e depois deságua de uma altura de 52 metros em um caldeirão branco agitado. O volume de água despejado era impressionante, levantando uma bruma branca de dezenas de metros em direção ao firmamento, visível a quilômetros de distância. O troar da água era constante, imutável, hipnótico. Não fazia diferença esse som tão estrondoso, porque a beleza e a imensidão deixavam qualquer homem mudo e tornava qualquer comentário inadequado. O que quer que fosse dito soaria irrelevante.

Quando nos aproximamos das cataratas gigantescas e a vista e o som sobrepujaram tudo o mais, percebi que o semblante de Holmes pareceu se nublar e depois congelar em uma expressão estoica. Ele seguiu em frente e, por um instante, seus olhos perderam o foco.

— Acalme-se, Holmes — falei. — Sei do que está se lembrando, mas, neste momento, preciso de você aqui e alerta.

Ele deu um tapinha em meu braço.

— Tem razão, meu amigo. As cataratas de Reichenbach estão há uns bons dez anos no passado. É incrível como sons e odores são capazes de trazer de volta momentos do passado. Contudo, assumimos um risco quando nos detemos em tais lembranças.

Continuamos andando a uns trinta metros de distância da comitiva presidencial, e pude ver que Holmes não os observava, mas estudava os rostos das pessoas na multidão. Ver tantos homens e mulheres bem-vestidos em um único grupo na passarela ao longo do gradil que os separava do abismo causava uma potente impressão em todos os estranhos que estavam ali de férias. Era difícil para mim saber se o americano médio era capaz de reconhecer William McKinley, mas também era difícil saber quais indivíduos ali eram americanos e quais não eram. Ouvi gente falando francês, alemão, espanhol e vários tipos de línguas eslávicas da Europa Central. Da mesma forma, havia vozes asiáticas, inclusive falando híndi ou punjabi. Estávamos, afinal, em uma das sete maravilhas do mundo moderno, e gente de todos os continentes vinha para admirá-la. Pouquíssimas pessoas afastavam o olhar da água, salvo para prestar atenção nos próprios pés a fim de evitar cair lá embaixo. Presidentes, reis ou imperadores eram visões minúsculas e insignificantes comparadas ao espetáculo titânico da natureza.

De repente, porém, Holmes apressou o passo. Afastou-se do grupo que caminhava ao longo do gradil e subiu correndo a escada que levava ao nível da rua. Segui-o ao longe, não querendo chamar atenção para mim mesmo nem para ele.

Assim que cheguei ao nível da rua, eu o vi observando um homem de terno escuro. Ele o seguiu ao longo do rio acima das cataratas por dois quarteirões. Eu não conseguia imaginar que dano o homem pudesse vir a causar afastando-se da comitiva presidencial à beira das cataratas, mas, então, vi o que Holmes deve ter percebido em um instante: o homem se dirigia à ponte de pedestres que levava à maior das ilhas acima das cataratas, que, mais tarde, fiquei sabendo chamar-se Goat Island. Sua aproximação era quase imperceptível, obliterada pelas numerosas árvores que cresciam na ilha, sombreando as trilhas. Dali, ele prosseguiu, pela margem da Goat Island até uma segunda ponte de pedestres que ia dar em uma ilha bem menor, chamada Luna Island, um minúsculo trecho de terra bem na beira das cataratas.

Holmes caminhava agora com enorme velocidade. Corria, na verdade, levando na mão o chapéu e a bengala, pulando arbustos baixos, sempre longe da visão do homem por um caminho mais longo e circular. Concluí que, já que ele estava cercando o homem, eu deveria caminhar de forma mais casual e direta na trilha bem marcada, para poder capturá-lo de surpresa, se fosse necessário.

Quando cheguei a uma trilha reta, temi que o homem se virasse e me visse, motivo pelo qual também optei por uma rota com mais vegetação, caminhando ao longo de um corredor de árvores bem grandes. Por acaso, o homem estava claramente visível para mim quando Holmes reapareceu. Era o sujeito alto e magro usando o terno preto que viajara conosco no trem, e vi que ainda carregava seu estojo rígido. Ele ficou parado à beira das cataratas observando. Então, olhou para a direita ao longo da beirada irregular da queda d'água na direção do mirante. De onde estava, podia ver o presidente McKinley e sua comitiva com nitidez.

O homem do terno escuro foi até um local nos arbustos vizinhos, a cerca de um metro da beirada, onde milhões de litros d'água se derramavam a mais ou menos sessenta quilômetros por hora de um penhasco. Ajoelhou-se, abriu a caixa, tirou o que parecia o tripé de um instrumento de topógrafo, abriu-o e fixou os suportes. Colocou um pequeno telescópio de metal no topo e olhou através dele, fazendo alguns ajustes. Era óbvio que mirava o presidente e seus anfitriões. Então, tornou a se ajoelhar e se pôs a juntar vários pedaços de metal cintilante. Quando ficou em pé de novo, vi que o que o homem tinha em mãos era um tubo de metal um pouco mais grosso que o cano de um rifle, e na coronha, um mecanismo semelhante ao receptor de uma pistola. A distância, dava a impressão de ser um telescópio. Prendeu-o no alto do tripé, ajustando um conjunto de parafusos, e Holmes começou a correr.

Corri também e, enquanto o fazia, me dei conta de que o assassino tinha um rifle especialmente projetado com um visor telescópico menor montado de forma independente no tripé. Havia encontrado sua presa e focou a mira da arma antes de prender o rifle. Holmes e eu chegamos perto e então paramos e começamos a nos aproximar em silêncio de duas direções diferentes. Caminhamos até onde ele estava e observamos enquanto ele olhava pelo visor para o presidente. Então, pondo-se de joelhos, o homem enfiou a mão na maleta, da qual tirou uma caixa de metal destacável e a inseriu no rifle agora montado.

Quando o olho do assassino encostou no visor do telescópio, Holmes e eu nos precipitamos como dois jogadores de rúgbi atacando em formação. Bati com força de encontro ao ombro do homem, atirando-o no gradil, enquanto Holmes atingia o tripé, que foi parar no rio, rolando várias vezes em direção ao turbilhão de água abaixo.

— Ah, me desculpem, cavalheiros — disse Holmes a nós dois. — Tropecei em uma pedra solta na trilha. Espero que nenhum dos dois esteja machucado.

Ajudou-me a ficar de pé primeiro e depois pegou o braço do homem de terno preto e começou a espanar a poeira da roupa do sujeito, com força.

— Lamento muito por seu telescópio — falou. — Ou era uma câmera? De todo jeito, insisto em arcar com o prejuízo total.

— Você... — O homem conteve a fúria, como alguém que fecha uma torneira. — O senhor não me machucou, de forma alguma. — Percebi, então, o sotaque espanhol que estava esperando. — E o telescópio era só uma bugiganga, um brinquedo que comprei em Nova York.

— Eu insisto — disse Holmes, tirando do bolso a carteira e pegando um maço de dinheiro americano. Parecia ser uma quantia vultosa, mas como o dinheiro americano consiste em notas da mesma cor e de tamanho e formato idênticos, não dava para saber à primeira vista. Quando o homem não fez menção de pegar o montante, Holmes enfiou o maço no bolso do paletó do terno escuro. — Por favor, senhor. Já estraguei seu dia. É o mínimo que posso fazer.

Então, ele se virou e partiu, deixando-me ali com o assassino frustrado. Ocorreu-me que tendo perdido sua arma, que agora jazia sob a água lá embaixo, o homem era relativamente inofensivo. Anda assim, levei a mão à aba de meu chapéu como pretexto para recuar, dei meia-volta e fui atrás de meu amigo. Pouco antes de chegar à curva da trilha que levava à ponte de pedestres de Luna Island, olhei para trás e vi o indivíduo jogar o estojo por cima do gradil para dentro do precipício.

Quando alcancei a trilha principal acima das cataratas, vi que a comitiva do presidente, após admirar a catarata de todos os ângulos possíveis e conhecer a usina elétrica inventada pelo sr. Tesla na orla lá embaixo, agora caminhava em direção à rua mais próxima. Holmes deixou o grupo e se juntou a mim.

— Eles estão indo almoçar, Watson.

Eu estava faminto, pois não havia comido nada desde o apressado café da manhã de chá com torradas no hotel.

— Vamos com eles?

— De certa forma, sim, mas creio que teremos que encher nossos olhos e nossas narinas hoje, e não nossas barrigas.

Ele passou a andar rápido, e reparei que em vez de se dirigir à entrada de um dos muitos restaurantes, Holmes seguiu para um beco estreito e parou diante de uma porta aberta.

Ouvindo os ruídos que vinham lá de dentro, perguntei:

— A cozinha?

Ele assentiu.

— Seu treinamento médico e sua experiência o tornam o homem ideal para garantir que nenhum veneno derivado de drogas medicinais, como ópio, por exemplo, seja acrescentado à comida, nem toxina biológica alguma, como a que causa botulismo. Já eu tenho certa familiaridade com a maioria das substâncias comuns, como arsênico e estricnina, assim como com um punhado de outras das quais quase nunca se ouve falar fora da tenda de um xamã. Venha, meu caro. Tudo que não tenha a aparência ou o odor correto terá de ser descartado.

Entramos na cozinha. Do lado de fora estava quente e úmido, mas o lado de dentro mais parecia a sala de máquinas de um navio fervendo em direção ao inferno. Os *sous-chefs* trabalhavam de peito nu, os corpos brilhando sob o suor enquanto cuidavam de suas sopas e molhos ferventes, cozinhavam suas carnes e assavam seu peixe. Holmes e eu despimos nossos paletós e coletes e nos juntamos à equipe. Examinamos cada prato que saía pelas portas vaivém para o salão, cheirando cada carcaça crua, provando um tantinho de cada especiaria e indagando sobre o frescor e a proveniência de cada alimento. Não encontramos venenos, apenas um prato de ostras que estavam passadas, mas o trabalho levou quase duas horas, e quando saímos para nos juntarmos à comitiva do presidente no caminho a pé até o trem, senti como se tivesse sido catapultado do Hades para o paraíso.

Às 13 horas, o trem lotado partiu para Buffalo e fiquei em pé do lado de fora do vagão, na pequena área acima da junção de vagões traseira, onde havia um gradil, aproveitando o vento e observando os passageiros pelo vidro. Holmes se juntou a mim depois de um tempo.

— Quando chegarmos a Buffalo, o presidente descansará uma hora em seu quarto na mansão do dr. Milburn na Delaware Avenue. Às 16 horas, vão levá-lo à exposição, e ele cumprimentará seus eleitores no templo da Música. Esta é nossa hora e preciso me preparar para ela. Depois disso, não nos veremos durante um ou dois dias, Watson. Suponho que você e o dr. Park fizeram todos os preparativos necessários, certo?

— Tenho certeza de que sim — garanti. — Ele é um médico brilhante, tem a mente de um cientista e se engajou logo na conspiração.

— Ótimo — disse Holmes. — Assim sendo, desejo a todos nós o benefício da sorte.

Ele se virou, então, entrou no vagão seguinte em direção ao final do trem e desapareceu de vista.

O trem chegou à estação em Buffalo às 13h30, e o presidente e seu séquito partiram de carruagens, mas não vi Holmes entre eles. Nem o vi em qualquer outro lugar, para falar a verdade. Era como se tivesse virado pó e sido levado pela brisa.

Tomei uma carruagem para o local da exposição. Caminhei até o hospital que havia sido montado ali, apresentei-me como o dr. Mann e informei que seria o médico encarregado do plantão que começaria às 17 horas. Como prevíramos, a enfermeira administrativa, uma mulher formidável na casa dos cinquenta anos, enviou uma mensagem ao dr. Park para checar minhas credenciais, embora o tivesse visto me conduzir em um passeio pelas instalações apenas dois dias antes. A demora me deu a oportunidade de sair, e foi o que fiz, com a desculpa de inspecionar as ambulâncias estacionadas na área central para o caso de uma emergência. Na verdade, tomei o rumo do templo da Música e me apresentei ao policial na entrada como o dr. Mann. Ele pediu que o chefe Bull viesse até a porta, e Bull me cumprimentou calorosamente e autorizou minha entrada. Pelas janelas, pude ver que já havia uma grande multidão organizada em fila, à espera do presidente, do lado de fora. Senti pena de todos e imaginei que não demoraria para que eu estivesse cuidando de casos de intermação.

Durante os minutos seguintes, permaneci no prédio, inspecionando os preparativos para a visita do presidente. Muitas cadeiras haviam sido removidas a fim de abrir espaço para acomodar a fila de cumprimentos ao presidente. Ele ficaria de pé mais ou menos no centro do auditório com parte de sua comitiva e os soldados. As pessoas seriam admitidas, e cada indivíduo trocaria um aperto de mãos com ele e depois daria meia-volta e iria embora.

Ouvi um murmúrio lá fora, que logo se transformou em uma comoção. As portas se abriram e o presidente McKinley entrou. Assumiu seu lugar, ladeado pelo dr. John Milburn e o sr. Cortelyou. Havia 11 soldados e quatro policiais no prédio, incluído o chefe Bull. O presidente deu a ordem às 16 horas e os soldados abriram as portas.

A fila comportada de cidadãos avançou prédio adentro. Havia homens, mulheres e um bom número de crianças. Quando vi as crianças, estremeci, mas logo verifiquei que os pais as mantinham sob controle, e minha preocupação diminuiu. O presidente cumprimentava cada pessoa com um sorriso e depois os policiais a tiravam do caminho para que outros indivíduos tivessem sua vez. Conjeturei que os soldados e os policiais tivessem concordado em fazer a fila andar rápido para que mais gente pudesse entrar e sair do sol.

Então, um problema surgiu. Pude antecipá-lo quando a multidão avançou. Um homem alto, magro e soturno com um bigode de guidão de bicicleta e cabelo ondulado preto apareceu. Falava furiosamente consigo mesmo enquanto aguardava na fila, em uma língua que, após um instante, me dei conta de ser italiano.

Ele começou a atrair olhares dos demais e, depois, dos guardas. Três dos policiais se deslocaram junto às pessoas, aparentemente endireitando a fila e estreitando-a para que um indivíduo ficasse após o outro, conforme os grupos de pessoas se aproximavam do presidente. Quando alcançaram o italiano, um deles falou com o sujeito em voz baixa e lhe tomou o braço para fazê-lo dar um passo para a esquerda. Ele reagiu como um louco. Socou o policial e se virou para atacar os outros dois, que foram pegos de surpresa e atirados pelo insano homem na direção de uma dupla de senhoras que acabaram se estatelando de costas no carpete.

Esse setor da fila se transformou em uma balbúrdia, com oito ou nove soldados e todos os policiais entrando na briga e desferindo golpes com menos sensatez que fervor. Quando a repentina comoção congelou em uma disputa de empurra-empurra, percebi que o soturno italiano tinha um perfil que me era muito familiar. Também notei que ele enlaçava uma das mulheres em um abraço inquebrantável. Passado um segundo, me dei conta de que a ofensora era o homem disfarçado que Holmes reconhecera no trem.

Justo então, quando a multidão à frente do italiano se moveu adiante, parte para ir ao encontro do presidente e parte para se afastar da briga, um indivíduo, com aparência de nativo da Europa Central — talvez sérvio ou croata, com pele, cabelo e bigode escuros — assumiu a vanguarda. Tinha em uma das mãos um lenço branco, como acontecia com vários outros indivíduos, para enxugar o suor antes de apertar a mão do presidente. Vi que quase todos os policiais e soldados estavam ocupados com o italiano desordeiro e os que ainda continuavam próximos ao presidente observavam a confusão, hipnotizados. Assim, quando o homem apontou um revólver que escondera debaixo do lenço para o presidente, não apareceu ninguém a tempo de impedir o gesto.

Ele atirou uma vez, e um botão de cobre no paletó do presidente emitiu fagulhas. O segundo tiro não foi desviado. O presidente segurou o estômago e caiu. Quando isso aconteceu, os soldados e os policiais deixaram de lado o italiano intratável. Alguns correram na direção do presidente e outros cercaram o assassino. Felizmente, um sujeito alto de ascendência africana vinha logo atrás do atirador na fila. Ele arrancou a arma da mão do agressor e o impediu de escapar. Caso não tivesse agido assim, é quase certo que os soldados alvejariam o culpado. Em vez disso, derrubaram-no no chão e lhe desferiram uma série de chutes e socos.

O presidente, deitado no tapete nos braços de seu secretário e do dr. Milburn, gritou:

— Não o machuquem, rapazes!

Aquelas palavras calmas e sábias aparentemente infundiram algum juízo nos homens, que imobilizaram o agressor e o levaram até um veículo da polícia estacionado próximo ao prédio.

Enquanto isso, abri caminho até onde estava o presidente.

— Sou médico — gritei, e os guardas abriram caminho. Abri o paletó do ferido enquanto me inclinava para mais perto a fim de ouvir sua respiração. Ao fazê-lo, disfarçadamente tirei um pequeno frasco de sangue fresco de galinha que se encontrava no bolso de meu colete e joguei um pouco na camisa branca logo acima do cinto. — Ele está ferido, mas vivo — declarei. — Levem o presidente até a carruagem. Nós o conduziremos ao hospital de campanha no terreno da exposição.

Os jovens e fortes soldados que estavam próximos ergueram nos braços o presidente e o colocaram na carruagem. Entrei também, e o comandante Allen pulou no assento do condutor e chicoteou os cavalos, que irromperam em tamanho galope que temi que o presidente fosse morrer em um acidente de carruagem e me levar junto. Consegui falar com ele em um tom bem baixinho:

— Como o senhor está?

— Ótimo, dr. Watson — respondeu o presidente. — Poucas vezes me senti melhor.

— Perfeito. Vamos tentar mantê-lo assim. Agora, ponha este paletó e este chapéu.

Tratava-se de um paletó marrom bastante comum, bem diferente do preto elegante que ele vestira no evento. O chapéu-coco era semelhante aos que muitos homens estavam usando naquele dia. Quando estávamos próximos do Congresso Indígena, o comandante Allen entrou com a carruagem em um estábulo. Ele e eu passamos para uma segunda carruagem que nos aguardava ali. A velocidade de nossos cavalos superara em muito a da notícia do atentado ao presidente e, quando nos afastamos, pude ver que nenhum dos visitantes que passeavam pela exposição reparou no sr. McKinley em seu novo figurino entrando na instalação.

O comandante Allen chicoteou a nova parelha de cavalos e comecei meu trabalho no paciente substituto, que já me aguardava no banco da carruagem, um cadáver que o dr. Park e eu escolhêramos na faculdade de Medicina na véspera. Cobri seu torso com o paletó preto do sr. McKinley, e o rosto com meu lenço, como se pretendesse proteger os olhos dele do sol. Quando chegamos ao hospital de campanha, pulei da carruagem, e eu e o comandante Allen pusemos o corpo em uma maca. Dois maqueiros de prontidão do lado de fora correram para nos ajudar.

— Para a sala de operações agora mesmo! — gritei. Levamos a maca para dentro e trancamos a porta.

Passados alguns minutos, o dr. Roswell Park surgiu à porta com vários de seus assistentes e suas enfermeiras e fez com que o pequeno hospital desse a impressão de ser administrado com grande eficiência profissional. Com ele de assistente, dei início à operação. Eu removera balas de vários soldados enquanto servia na Índia, razão pela qual estava bastante familiarizado com o procedimento e as muitas maneiras que podem levá-lo a ser bem-sucedido ou fracassar. Conforme trabalhava no cadáver para parecer que o estava abrindo em busca da bala, o dr. Park elogiou minha técnica várias vezes.

À vista havia apenas a parte aberta do abdômen fora dos lençóis, e o falecido que supostamente era o presidente estava de bruços com uma máscara tapando-lhe a boca e o nariz e uma touca cirúrgica na cabeça. Ainda assim, ocorreu-me que felizmente, embora milhões de lâmpadas estivessem em exibição por todo lado na exposição, ninguém pensara em instalar uma única no hospital.

Por intermédio das enfermeiras e dos assistentes do dr. Park, aos poucos vendemos nossa ficção ao mundo exterior. Dissemos que o presidente era um homem saudável e que tivera sorte. A primeira bala acertara um botão de bronze e ricocheteara, deixando um rasgo ao longo de sua costela. A segunda entrara no abdômen à queima-roupa, mas a pistola era de calibre baixo, e muito provavelmente o dr. Mann encontraria e removeria a bala na cirurgia que estava em curso. Uma vez feito isso, era de esperar que McKinley se recuperasse. No entanto, com mais de quatro horas de cirurgia, alteramos um pouco as notícias. O dr. Mann não encontrara a bala, que deve ter se fragmentado dentro do corpo.

Essa foi a história veiculada durante toda aquela noite. E continuava sendo a mesma, quando levamos o cadáver para a casa do dr. Milburn para que se recuperasse. Várias vezes ao longo dos dias seguintes, emitimos relatórios declarando que o presidente estava se recuperando bem, que seu ânimo era bom e que esperávamos um retorno rápido de sua boa forma.

Enquanto isso, conforme Holmes me contou mais tarde, o restante do engodo corria razoavelmente bem. O assassino capturado no templo da Música foi levado para a delegacia. É claro que se tratava do sr. Booth, que se identificou como Leon Czolgosz, filho de imigrantes poloneses, que se dera conta da desigualdade com que era tratado o presidente em comparação ao cidadão comum. Devido ao temor do chefe Bull de uma comoção pública provocada pelo crime, Czolgosz foi mantido longe dos demais prisioneiros.

O presidente seguira para o Congresso Indígena, onde se encontrou com Holmes, já despido de seu disfarce de italiano louco. Holmes o aguardava com três índios iroqueses que conhecera quando os três estudavam na Universidade de Londres anos antes — dois senecas e um moicano. Com a ajuda da maquiagem que levara com ele, em poucos minutos, o detetive e o presidente se transformaram no quarto e no quinto iroqueses. Após o cair da noite, os cinco deixaram a exposição em meio à multidão e atravessaram remando o rio Niágara para chegar ao Canadá.

Auxiliado por seus amigos indígenas, Holmes levou o sr. McKinley até Montreal, onde o embarcou no navio a vapor *Arcturus*, que partiu para Londres no dia 9 de setembro. Contaram-me que sua figura era imponente, registrado na lista de passageiros como Selim Bey, primo da terceira esposa do sultão da Turquia. Usava um pouco de maquiagem, um volumoso turbante e uma faixa na cintura que prendia uma adaga curva. Ao chegar a Londres, tomou outro navio para Tanger, dessa vez como o reverendo dr. Oliver McEachern, um missionário metodista.

Cinco dias depois da partida do *Arcturus*, em 14 de setembro, fui obrigado a declarar a morte do presidente William McKinley. Havia sido declarado que ele vinha se recuperando, mas, alguns dias depois, uma infecção acabou por matá-lo. Não faltaram especulações, sobretudo nos jornais de Nova York e Washington, sobre se o dr. Mann teria cometido um erro na cirurgia. Chegou-se mesmo a lamentar que na exposição houvesse uma máquina de raios X experimental que poderia ter sido usada para encontrar os fragmentos da bala, mas não o foi. Precisamente por isso, eu, ou o dr. Mann, proibira a utilização dela.

Nove dias depois, com o depoimento de testemunhas oculares, Leon Czolgosz, o jovem que atirara no presidente, foi condenado por homicídio. Levaram-no do tribunal para a penitenciária Auburn, onde o executaram em uma cadeira elétrica — mais uma utilidade para as maravilhas da eletricidade celebrada pela Exposição Pan-Americana em Buffalo. A única falha do moderno método em comparação ao enforcamento era que, quando um único fio se soltava, uma cadeira elétrica se tornava apenas uma cadeira. Um ator competente pode fingir uma série de estertores capazes de levar um coveiro a desmaiar.

Holmes e o dr. Mann estavam entre os convidados que compareceram ao discreto funeral do assassino na penitenciária. O caixão fora fechado com pregos porque o rosto do homicida Czolgosz ficara desfigurado pelo ácido sulfúrico derramado sobre o cadáver por indivíduos desconhecidos. O funeral foi conduzido por um jovem clérigo que fez um discurso fúnebre impressionante, inspirando todos os ouvintes com a noção de que mesmo o pior pecador pode ser perdoado e admitido no reino do céu. Depois da cerimônia, nós o levamos até a estação ferroviária mais próxima e lhe compramos uma passagem, não para o céu, mas para Nova York, onde ele chegou a tempo de dar início aos ensaios de uma peça na Broadway chamada *Life*, que estreou no mês de março seguinte e mereceu diversos elogios.

Após o funeral de estado do presidente em Washington, o povo assumiu que a sra. Ida McKinley retornou a Ohio, onde passou a morar com a irmã. Com frequência pensei nela nos sete anos seguintes, sabendo que vivia satisfeita, ora como a esposa de Selim Bey, ora como a esposa do reverendo dr. McEachern — uma muçulmana de véu para os cristãos e uma cristã para os muçulmanos, uma pessoa que fingia não falar a língua dos que a rodeavam e jamais precisou se justificar. Quando morreu, passados sete anos, seu corpo foi secretamente enviado de navio para Ohio e então enterrado pela irmã, como se ela tivesse vivido como viúva reclusa o tempo todo.

No dia 14 de setembro de 1901, quando foi anunciado pela primeira vez que o presidente McKinley estava morrendo, vários indivíduos notáveis acorreram a Buffalo. Um deles era seu velho amigo, o senador Mark Hanna, e outro, o jovem vice-presidente, Theodore Roosevelt, que ficou na mansão Ansley Wilcox, no número 641 da Delaware Avenue, onde prestou juramento já tarde naquela noite como o 26º presidente dos Estados Unidos. Se, nos anos posteriores, Roosevelt satisfez as esperanças de seu predecessor, não sei dizer. Como Selim Bey ou como o dr. McEachern, o ex-presidente se declarava feliz em sua aposentadoria e jamais emitiu opinião política alguma. Porém, a Grande Guerra que temera não teve início até 1914, não envolveu os Estados Unidos até 1917 e terminou um ano depois como ele torcera para acontecer, com seu país vitorioso e cada vez mais forte.

Nota do curador: Embora os registros do dr. Watson não possam ser verificados, as circunstâncias da descoberta do manuscrito em uma caixa de metal trancada e escondida na casa de seu bisneto em Londres com diversos outros manuscritos, igualmente estarrecedores, talvez acrescente credibilidade à história, na opinião de alguns leitores. Muitas personalidades no relato do dr. Watson eram indivíduos reais, como, por exemplo, Mark Hanna, Ida e William McKinley, o dr. Roswell Park, o dr. John Milburn, George Cortelyou, o chefe William Bull, o "dr. Mann", Leon Czolgosz, Theodore Roosevelt, Ansley Wilcox e Sherlock Holmes. A descrição do assassinato feita por Watson parece compatível com as descrições de testemunhas oculares, mesmo no detalhe da distração dos guardas provocada pelo italiano não identificado. O corpo de Czolgosz ficou, de fato, inidentificável devido ao ácido sulfúrico sobre ele derramado por pessoas desconhecidas após sua execução. O ator Sydney Barton Booth era, com efeito, um descendente de Edwin Booth, um membro que apoiava Lincoln da família de atores, e fez uma bela carreira, duradoura o bastante para que ele aparecesse em vários filmes de sucesso. Quanto à cronologia, sabemos que o paradeiro de Holmes e Watson é desconhecido entre a terça-feira, 16 de maio de 1901, quando os acontecimentos de "A escola do priorado" tiveram lugar, e a quinta-feira, 19 de novembro de 1901, quando os dois foram vistos durante o caso "O vampiro de Sussex".

O caso da loucura do coronel Warburton

LYNDSAY FAYE

Depois de dez anos como atriz profissional na costa Oeste, Lyndsay Faye (1980-) se mudou para Nova York em 2005 para abrilhantar sua carreira, mas logo concluiu que a concorrência e o estilo de vida eram desalentadores, voltando-se, então, para a literatura.

Fã de longa data de Sherlock Holmes, o primeiro livro de Faye, *Dust and Shadow: An Account of the Ripper Killings by dr. John H. Watson* (2009), recebeu elogios vindos de diversas fontes, incluído Caleb Carr, que escreveu seu próprio pastiche, *The Italian Secretary*, em 2005. Tendo recebido loas do Arthur Conan Doyle Estate, o livro de Faye põe em confronto Holmes e Jack, o Estripador.

Faye escreveu em seguida *The Gods of Gotham* (Os deuses de Gotham), em 2012, um ambicioso romance de estreia de uma série sobre Timothy Wilde, um barman que se torna policial na época em que Nova York estava criando seu departamento de polícia em 1846, coincidentemente o ano da Grande Fome de 1845-1849 na Irlanda; o romance foi indicado a um prêmio Edgar. A extensa pesquisa histórica novamente teve destaque no segundo romance protagonizado por Wilde, *Seven for a Secret* (2013), o qual lida com facínoras do submundo que sequestravam negros do Norte para vendê-los como escravos no Sul.

"O caso da loucura do coronel Warburton" foi escolhido para ocupar o primeiro lugar pela renomada *Best American Mystery Stories 2010*, editada por Lee Child; é um dos dez contos que Faye escreveu sobre Holmes, sendo o mais recente e longo "The Gospel of Sheba" (2014). "O caso da loucura do coronel Warburton" foi publicado pela primeira vez em *Sherlock Holmes in America*, editado por Martin H. Greenberg, Jon L. Lellenberg e Daniel Stashower (Nova York, Skyhorse, 2009).

O CASO DA LOUCURA DO CORONEL WARBURTON

Lyndsay Faye

Meu amigo, o sr. Sherlock Holmes, embora dono de uma das mentes mais vigorosas de nossa geração e capaz de fazer tremendas exibições de atividade física quando a situação exige, podia, ainda assim, permanecer em sua poltrona totalmente imóvel por mais tempo que qualquer ser humano que já conheci. Essa habilidade passava por completo despercebida de seu dono. Não acredito que fosse sua intenção me impressionar nem acho que tal exercício fosse, para ele, estressante. Mesmo assim, continuo a crer que, quando um homem mantém a mesma postura por um período superior a três horas, ele realizou um feito sobrenatural.

Deixei de lado a tarefa de organizar um conjunto de velhos diários naquela tarde cinzenta para observar Holmes empoleirado com uma perna dobrada sob o corpo, a claridade iluminando a barra de seu camisolão e a cabeça apoiada na mão, tendo junto aos seus pés no carpete um livro há muito abandonado. A visão familiar se tornara cada vez mais irritante com o passar das horas. Foi com a intenção de me certificar de que meu amigo ainda estava vivo que me afastei por completo de meus hábitos e interrompi seu devaneio.

— Meu caro, gostaria de dar uma volta comigo? Preciso dar um pulo no fabricante de botas no final da rua e o tempo clareou um pouco.

Não sei se foi o céu ainda carregado que o deteve ou seu humor reflexivo, mas Holmes apenas respondeu:

— Necessito de uma distração melhor neste exato momento que uma obrigação que não é minha e os desígnios caprichosos de um temporal de março.

— Que tipo de distração específica estaria mais a seu gosto? — inquiri, um tanto irritado diante de sua indiferença.

Ele fez um gesto langoroso com a mão, enfim erguendo a cabeça de cabelos escuros do encosto estofado onde ficara tanto tempo reclinada.

— Nada que você possa prover. É aquela velha história. Nesses últimos dois dias, não recebi uma única correspondência que valesse a pena nem ouvi uma única alma viva apertar com violência nossa campainha com o intuito de contratar meus serviços. O mundo está cansado, eu estou cansado, e já me canso de estar cansado disso. Assim, Watson, como estou me sentindo um inútil no momento, meu estado não pode ser amenizado por ocupações frívolas.

— Suponho que me agradaria saber que ninguém está tão perturbado a ponto de buscar sua ajuda, caso eu não soubesse o quanto seu trabalho significa para você — falei, mais solidário.

— Ora, ora, não adianta chorar mágoas sobre isso.

— Não, mas sem dúvida eu ajudaria se pudesse.

— E o que poderia fazer? — disse ele, fungando. — Espero que não esteja prestes a me dizer que seu relógio de bolso foi roubado ou que sua tia-avó desapareceu sem deixar rastros.

— Estou a salvo nessas áreas, obrigado. Contudo, talvez possa lhe apresentar um problema para importunar seu cérebro durante meia hora.

— Um problema? Ah, lamento muito. Acabei esquecendo. Se quer saber onde foi parar a outra chave da escrivaninha, recentemente tive motivos para testar a flexibilidade de tais objetos. Vou mandar fazer outra.

— Eu não havia reparado na chave — interrompi, com um sorriso —, mas poderia, caso queira, relatar uma série de acontecimentos que certa vez se abateu sobre mim quando eu praticava minha profissão em São Francisco, acontecimentos cujos detalhes curiosos me deixaram perplexo durante anos. Meu trabalho nesses velhos diários me fez relembrar deles, e as circunstâncias dizem respeito à sua especialidade.

— Suponho que eu deveria ficar grato ao menos por você não ter lançado olhares furiosos para meus arquivos desorganizados — observou Holmes.

— Viu? Existem inúmeras vantagens. Seria preferível a se aventurar lá fora, pois está chovendo de novo. E se você recusar, ficarei tão desocupado quanto você, o que também prefiro evitar.

Não mencionei que se ele permanecesse imóvel como uma estátua um segundo a mais, só a lugubridade do cômodo já me obrigaria a sair de casa.

— Você está querendo me contar uma história de seu passado e eu devo solucioná-la? — indagou ele friamente, mas o ângulo sutil de uma de suas sobrancelhas me disse que estava intrigado.

— Sim, se conseguir.

— E se você não tiver os dados?

— Então passaremos direto para o conhaque e os charutos.

— É um desafio formidável. — Para meu grande alívio, com a ajuda das mãos, ele se ergueu no ar e cruzou as pernas sob o corpo. Depois, estendeu a mão, para o cachimbo que se achava apagado na mesinha ao lado. — Não posso dizer que estou confiante de que possa ser feito, mas como experimento, exerce certa atração.

— Nesse caso, contarei a história, e você poderá fazer qualquer pergunta que lhe ocorrer.

— Do início, por favor, Watson — admoestou-me Holmes, assumindo um ar confortável de atenção resignada. — E com o máximo de detalhes que puder recordar.

— A história está bem fresca em minha mente, porque a registrei nos volumes que estava organizando há pouco. Como sabe, minha residência nos Estados Unidos foi curta, mas São Francisco permanece em minha lembrança de forma tão viva quanto Sydney ou Bombaim: uma cidade impetuosa, próspera, aninhada entre as grandes montanhas, onde as neblinas se originam no ar marinho e a luz do sol é refretada pelas inúmeras janelas de vidro da Montgomery Street. É como se todos os homens e todas as mulheres empreendedores do planeta decidissem ter uma cidade própria, pois a Corrida do Ouro a forjou e a descoberta de depósitos de prata a reconstruiu, e agora que ela está ligada por trilhos aos estados do Leste, o populacho crê que nada é impossível sob o sol. Você iria adorar o lugar, Holmes. Vê-se por lá quase tantas nacionalidades e atividades representadas quanto em Londres, todo mundo mergulhando em milhares de coincidências bizarras, não causando surpresa alguma encontrar um farmacêutico chinês espremido entre um chapeleiro francês e um comerciante de vinhos italiano.

"Meu consultório ficava na Front Street em um pequeno prédio de tijolos próximo a vários estabelecimentos farmacêuticos, e eu recebia na mesma hora qualquer paciente que me procurasse. Pobre ou abastado, refinado ou boçal, não havia diferença para um rapaz em início da carreira. Como não gozava de referências sedimentadas, não dispunha de uma grande clientela, mas era impossível sentir-se pequeno naquela cidade, pois o trabalho duro e o otimismo eram tão valorizados que eu sentia que sucessos repentinos me aguardavam a qualquer instante na próxima esquina.

"Em certa tarde brumosa, como não tinha consultas e podia ver o sol iluminando os mastros dos navios na baía, resolvi que já estava sentado ocioso há tempo demais e saí para dar uma caminhada. Uma das características peculiares de São Francisco é que, não importa a direção que se tome, sempre se há de encontrar um morro íngreme, já que existem sete deles, e depois de meia hora andando sem rumo para longe da água, me vi subindo Nob Hill, contemplando boquiaberto o conjunto de casas.

"Casas, na verdade, não é o termo apropriado; o lugar se chama Nob Hill por ser habitado por nababos da mineração ou das estradas de ferro, e os residentes parecem ter saído do reinado de Luís II ou de Maria Antonieta. Muitas dessas casas são maiores que nossos latifúndios, porém todas foram construídas nos dez anos após minha chegada. Passei por uma casa que mais lembrava um castelo gótico e uma mansão neoclássica e me pus a espionar uma *villa* italiana do outro lado da rua, todas elas se esforçando para superar umas às outras em termos de vitrais, colunas e torres. A vizinhança..."

— Era abastada — interrompeu Holmes com um suspiro, levantando-se da cadeira para servir dois cálices de clarete.

— Você sem dúvida teria achado aquela zona da cidade chocante — falei, sorrindo ao pensar em meu amigo boêmio contemplando aqueles marcos do prazer com seu desagrado gélido, quando ele me entregou meu cálice. — Existem outros lugares por lá mais a seu gosto, penso eu. Ainda assim, era uma maravilha de arquitetura, e quando me aproximei do topo do morro, parei para apreciar a vista do Pacífico.

"De pé ali, vendo o sol lançar sua luz alaranjada sobre as ondas, ouvi uma porta ser escancarada e me virei a tempo de flagrar um velho claudicando freneticamente por um gramado bem-cuidado em direção à rua. A mansão de onde ele saíra era uma construção mais discreta que a maioria das outras, em estilo que lembrava o grego e pintada de branco. O homem era muito alto, quase tanto quando você, meu caro, mas com a envergadura de um touro. Vestia um uniforme militar com décadas de uso, composto de um surrado paletó azul e calças cinzentas, além de uma larga gravata vermelha e uma faixa na cintura. O cabelo grisalho estava desalinhado, como se ele tivesse acabado de sair do meio de uma batalha.

"Embora sua figura fosse extraordinária, eu não teria lhe prestado muita atenção naquela metrópole ensandecida se uma um moça não viesse correndo em seu encalço gritando: 'Tio! Pare, por favor! O senhor não pode ir, eu imploro!'

"O homem que ela chamara de tio chegou ao meio-fio a menos de três metros de onde eu me encontrava e então, de repente, desabou na calçada, o peito não mais arquejando e a perna manca dobrada sob o corpo.

"Corri até ele, que respirava, mas com muito esforço. Assim, de perto, pude ver que uma das pernas era artificial e se soltara das amarras de couro, causando a queda do homem. A moça nos alcançou menos de dez segundos depois, quase sem fôlego enquanto fazia um esforço visível para impedir que seus olhos ficassem marejados.

"'Ele está bem?', perguntou-me ela.

"'Creio que sim', respondi, 'mas prefiro ter certeza. Sou médico, e gostaria de examiná-lo com mais cuidado dentro de casa'.

"'Não sei como lhe agradecer por isso. Jefferson!', gritou ela para um criado negro alto que vinha correndo em nossa direção. 'Por favor, nos ajude a levar o coronel para dentro de casa.'

"Juntos, nós três logo acomodamos meu paciente em um sofá, em uma sala de refeições alegre, de paredes de vidro, onde consegui fazer um diagnóstico mais meticuloso. Afora a perna de madeira, de excelente fabricação, que recoloquei no devido lugar, o homem parecia gozar de perfeita saúde e, se não fosse um sujeito tão grande e robusto, eu diria que havia sofrido apenas um desmaio.

"'Ele se machucou, doutor?', indagou a jovem, ainda sem fôlego.

"Apesar do nervosismo evidente, vi de imediato que se tratava de uma bela mulher, uma figura pequena, feminina, mas, ainda assim, dona daquele tipo de graça compatível com estaturas maiores. O cabelo era castanho-avermelhado, penteado para trás em ondas grandes e preso em um coque elegante, deixando à mostra o rosto de pele alva em que olhos castanhos-dourados brilhavam, mesmo estando marejados. Ela vestia um vestido azul-claro debruado de prateado e as mãos sem luvas se agarravam ao tecido devido à apreensão. Ela... Meu caro, você está bem?"

— Estou ótimo — respondeu Holmes, pigarreando de leve. Se meu humor não estivesse em um bom dia, eu quase diria que ele estalara a língua. — Por favor, continue.

— "Este homem ficará bom após um pouco de repouso" — disse a ela. — "Meu nome é John Watson."

"'Perdoe-me, eu me chamo Molly Warburton, e o homem que o senhor acabou de atender é meu tio, o coronel Patrick Warburton. Nossa, que susto levei. Não sei como agradecer ao senhor.'

"'Srta. Warburton', falei, 'seria possível conversarmos a sós em outro cômodo, de modo a não perturbar seu tio enquanto ele se recupera?'

"Ela me conduziu pelo corredor até outra sala também de bom gosto e desabou, exausta, em uma cadeira. Hesitei em perturbá-la ainda mais; porém, me senti obrigado a fazê-la saber de minha preocupação.

"'Srta. Warburton, acho que seu tio não teria sofrido uma queda tão dramática se não se encontrasse sob um grave estresse mental. Acaso houve algum acontecimento recente que possa tê-lo abalado?'

"'Dr. Watson, o senhor esbarrou em um constrangimento familiar', disse ela, baixinho. "'O estado mental de meu tio está precário já faz algum tempo e acho que infelizmente ele... piorou.'

"'Lamento ouvir isso.'

"'A história é um pouco longa', explicou ela, com um suspiro, 'mas vou pedir para nos servirem um chá, e o senhor saberá de tudo. Para começar, dr. Watson, moro aqui com meu irmão, Charles, e meu tio, o coronel. Afora o tio Patrick, Charles e eu não temos parentes vivos, e somos muito gratos a ele por sua generosidade, pois titio fez imensa fortuna na atividade naval logo que a Califórnia se tornou um estado. Meu irmão está começando no negócio de fotografia, e eu sou solteira. Por esse motivo, morar com o coronel é, neste momento, uma situação bastante confortável.'

"'O senhor precisa entender que meu tio foi um agitador na juventude e viu muitas lutas na condição de colonizador no Texas, antes que essa região fosse considerada parte dos Estados Unidos. A luta encaniçada entre os texianos, ou seja, os anglocolonizadores, e os *tejanos* tocou-o de tal forma que ele se alistou no exército do Texas sob o comando de Sam Houston e foi condecorado várias vezes por sua bravura no campo de batalha, em especial na batalha de San Jacinto. Mais tarde, quando a Guerra de Secessão começou, meu tio foi comandante da União e perdeu a perna durante o cerco de Petersburg. Perdoe-me se o entedio. Pelo sotaque, me parece que o senhor não é americano nativo', acrescentou ela com um sorriso.

"'Sua história muito me interessa. O uniforme que ele está vestindo é do exército do Texas?', indaguei.

"'Sim, esse mesmo', respondeu a moça, enquanto uma fagulha de tristeza contraía seu belo rosto. 'Ele tem se fantasiado desta forma com frequência cada vez maior. Essa aflição, pois não sei como lhe dar outro nome, começou há várias semanas. Na verdade, acho que o primeiro sintoma se deu quando ele alterou seu testamento.'

"'Como assim? Foi uma alteração significativa?', indaguei.

"'Charles e eu éramos os únicos beneficiários', respondeu ela, apertando um lenço na mão. 'Toda a fortuna dele agora será distribuída a várias instituições de caridade militares. Instituições filantrópicas que lutam pela independência do Texas e outras, da Guerra de Secessão, por exemplo. Meu tio está obcecado por guerra', completou, engasgada, antes de esconder o rosto nas mãos.

"Eu já estava comovido com a história dela, Holmes, mas a estranheza do estado de saúde do coronel me deixou ainda mais intrigado. 'Que outros sintomas ele apresenta?', perguntei quando ela se recuperou.

"'Após alterar seu testamento, meu tio começou a ter as visões mais tenebrosas no escuro. Ele afirma, dr. Watson, da forma mais veemente possível, que está sendo assombrado. Jura que viu um *tejano* assustador ameaçar um mulher com uma pistola e um chicote, e, de outra feita, testemunhou a mesma aparição massacrando um dos homens de Hudson com uma baioneta. Isso é o que o perturba tanto, pois esta manhã mesmo, ele insistiu comigo que vira um bando assassino brandindo espadas e tochas, com o mesmo *tejano* no comando. Meu irmão acredita que, como parentes, temos o dever de ficar aqui e cuidar dele, mas confesso que, às vezes, sinto medo de meu tio. Se o abandonássemos, ele não teria mais ninguém, com exceção de seu velho criado, Sam Jefferson, que serve o coronel há muitos anos, desde a época do Texas, creio eu. Quando meu tio construiu esta casa, Jefferson se tornou mordomo-chefe.'

"A narrativa da moça foi interrompida quando a porta se abriu e o homem que vi de imediato ser seu irmão entrou. Ele tinha os mesmos olhos claros e as feições delicadas da irmã, feições que estamparam uma indagação quanto à minha presença ali.

"'Olá, Molly. Quem é esse cavalheiro?'

"'Ah, Charlie, foi horrível', disse ela, chorando e correndo ao encontro do irmão. 'O tio Patrick fugiu de casa e levou um tombo. Este é o dr. John Watson. Foi tão prestativo e solidário que eu estava lhe contando tudo a respeito do estado de nosso tio.'

"Charles Warburton apertou de pronto minha mão.

"'Sinto muito ter lhe criado problemas, doutor', disse ele. 'No entanto, como o senhor pode ver, estamos em uma enrascada. Se o tio Patrick piorar, nem quero pensar no quê...'

"Justo nesse momento um enorme barulho chegou até nós vindo da sala de refeições, seguido do som de algo se estilhaçando. Nós três corremos para o corredor e encontramos o coronel Warburton olhando em torno assustado, com os fragmentos de um vaso aos pés.

"'Eu já deixei esta casa uma vez', gritou ele, 'e, com os diabos, farei isso de novo! Ela está cheia de espíritos vingativos, e vou ver vocês no inferno por me manterem preso aqui!'

"Sobrinha e sobrinho fizeram o possível para acalmar o coronel, mas ele ficou ainda mais enraivecido ao vê-los. Com efeito, estava tão agitado e violento que apenas Sam Jefferson conseguiu persuadi-lo a se deixar levar, com minha ajuda, até o quarto. Quando chegamos lá, o coronel bateu a porta na cara dos parentes.

"Por pura sorte, eu o convenci a tomar um sedativo, e quando ele desabou na cama atordoado, fiquei de pé e olhei em volta. O quarto era espartano, com as paredes praticamente nuas, no estilo simples que supus ser uma relíquia de seus dias no Texas. Já disse a você que o restante da casa também refletia seu desprezo por frivolidades. A cama ficava sob uma agradável janela aberta, e como o quarto se situava no térreo, era possível observar o jardim.

Virei as costas para ir ao encontro de meus anfitriões e, então, Sam Jefferson pigarreou atrás de mim.

"'O senhor acha que ele vai ficar bom?'

"A voz dele tinha o tom profundo e lento de um homem nascido do outro lado do Mississippi. Eu não notara antes, mas uma cicatriz espessa lhe atravessava a têmpora, o que me fez crer que ele lutara na juventude tanto quanto seu patrão.

"'Espero que sim', respondi, 'mas a família faria bem ao consultar um especialista. O coronel está à beira de um colapso nervoso. Ele era tão fantasioso assim na juventude?'

"'Não entendo direito essa coisa de fantasioso, meu senhor. Mas ele é bem supersticioso e tem mais medo de espíritos que a maioria das pessoas. Sempre teve. Mas acho que devo lhe dizer uma coisa sobre esses transes que o coronel vem tendo.'

"'Pode falar', instruí.

"'Apenas uma coisa, doutor', começou, e a voz se transformou em um sussurro. 'Na primeira vez que ele teve uma visão, achei que fosse um sonho. O sr. Patrick sempre foi mais chegado a essas coisas que eu, e não dei importância. Só que, depois do segundo transe, aquele em que viu o *tejano* esfaqueando o soldado, ele me mostrou uma coisa que não mostrou aos outros.'

"'E o que era?', perguntei.

"Jefferson foi até onde o coronel agora dormia e apontou para um rasgo no peito do velho uniforme, onde a roupa fora remendada com esmero.

"'Quando o sr. Patrick me contou do sonho, nesse mesmo dia remendei o buraco na camisa dele. Ele achou que estava ficando maluco, e não posso dizer que podia culpá-lo. Porque o buraco está exatamente no lugar onde ele sonhou que o *tejano* esfaqueou o texiano na noite anterior. O que o senhor acha disso?'

"'Não faço ideia do que achar', respondi. 'Parece-me algo muito estranho.'

"'Então, ele teve a terceira visão', prosseguiu Jefferson, com paciência. 'A de ontem à noite. Diz que viu um bando de *tejanos* com tochas, vindo na direção dele como uma legião de demônios.

Eu sei lá, mas tenho certeza de que, ontem de manhã, quando fui acender a lareira na biblioteca, metade de nossa lenha tinha sumido, como se em um passe de mágica. Não fiz muito caso na hora, mas isso muda tudo de figura.'"

Sherlock Holmes, que mudara de posição um número gratificante de vezes durante meu relato, esfregou as mãos avidamente antes de bater palmas uma única vez.

— Esplêndido, meu caro. Com certeza, de primeira classe. O quarto era muito espartano, você disse?

— Sim. Mesmo com tanta abastança, ele vivia como um soldado.

— Suponho que não possa me dizer o que viu do lado de fora da janela.

Hesitei e refleti da melhor forma possível.

— Não havia nada do lado de fora da janela, porque fiz questão de olhar. Jefferson me garantiu que examinou o terreno junto à casa depois de descobrir que a lenha tinha desaparecido e não achou sinal da nenhuma presença incomum. Quando indaguei sobre um buraco estranho, ele falou que era de um pé de lilás alto que fora derrubado nas semanas anteriores, pois estava bloqueando a luz; no entanto, isso não pode ter nenhuma ligação com o caso. Como falei, a cama ficava de frente para a parede, não para a janela.

Holmes jogou a cabeça para trás e deu uma risada curta:

— Sim, você falou, e lhe garanto que minha admiração por seu talento como investigador está crescendo. O que aconteceu depois?

— Saí da casa em seguida. Os Warburton mais jovens me pareciam ansiosos para saber o que acontecera no quarto, e eu os tranquilizei dizendo que o tio havia adormecido e que era pouco provável que tivesse outro surto naquele dia. Porém, assegurei a todos, inclusive Jefferson, que voltaria na tarde seguinte para checar o paciente.

"Ao sair, não pude deixar de reparar que outro homem vinha caminhando em direção à porta dos fundos. Muito bronzeado, tinha um bigode basto, além de cabelo preto desalinhado, e usava uma calça simples e uma camisa de linho rústico, do tipo que costumamos ver em operários mexicanos. Esse sujeito moreno não me deu atenção, mas seguiu em frente, e aproveitei a oportunidade para guardar na memória sua aparência para o caso de ele ter algo a ver com aquela situação. Não sabia o que pensar sobre o problema com assombrações do coronel nem sobre o relato bizarro feito por Jefferson da manifestação física do mesmo, mas concluí se tratar de uma coincidência suficientemente bizarra para ser registrada.

"No dia seguinte, atendi um ou dois pacientes à tarde e depois fechei o consultório e tomei um cabriolé para me levar de novo a Nob Hill. Jefferson me recebeu à porta e me conduziu a uma espécie de biblioteca, com prateleiras repletas de volumes militares e obras históricas com títulos em letras douradas. O coronel Warburton estava no aposento vestido com roupas civis: um terno de verão cinzento. Deu a impressão de estar confuso diante do próprio comportamento na véspera.

"'Isso é uma maldição verdadeira, não posso deixar de crer, e estou sofrendo para pôr um fim a ela', falou-me ele. 'Há momentos em que sei que não estou em meu juízo perfeito e há outros em que posso testemunhar essas visões pavorosas de forma tão clara quanto vejo seu rosto agora.'

"'Existe algo que o senhor possa me dizer para ajudar no diagnóstico?', indaguei.

"'Nada que não vá parecer que estou perdendo o juízo, dr. Watson. Depois de cada um dos vívidos pesadelos, acordei com a mesma dor de cabeça, e não posso, por mais que queira, concluir se imaginei a coisa toda ou se estou, de fato, sendo assombrado por um dos homens que matei durante a guerra no Texas. As coisas eram um bocado confusas então. Sem dúvida alguma me enganei quanto a um ou mais *tejanos*. O massacre era tão grande naquela época que nenhum homem podia se dar ao luxo de saber se estava sempre agindo da forma correta.'

"'Não sou especialista em distúrbios mentais', avisei, 'embora esteja disposto a fazer tudo que me for possível pelo senhor. Contudo, acho melhor consultar um especialista se os sintomas persistirem ou piorarem. O senhor me permite, no entanto, fazer uma pergunta aparentemente sem relação com os acontecimentos?'

"'Claro que sim.'

"'O senhor tem como empregado algum mexicano ou acaso algum de seus criados ou jardineiros contrata operários mexicanos vez ou outra?'

"O coronel se mostrou confuso ante a pergunta.

"'Não tenho hispânico algum em minha folha de pagamento. E quando meus funcionários precisam de mão de obra adicional, quase sempre contratam chineses, que são rápidos e honestos, além de baratos. Por que o senhor pergunta?'

"Eu o convenci de que a pergunta havia sido puramente clínica, parabenizei-o pela recuperação e me dirigi ao corredor que levava à entrada da casa, remoendo várias novas ideias na cabeça. Jefferson apareceu para abrir a porta para mim, me entregando o chapéu e a bengala.

"'Onde estão os outros membros da família hoje?', perguntei.

"'A srta. Molly saiu para fazer visitas, e o sr. Charles está trabalhando em seu quarto escuro', respondeu o criado.

"'Jefferson, vi um sujeito muito misterioso ontem, quando estava saindo daqui. Você sabe se algum homem de origem mexicana ou chilena já foi contratado pelo jardineiro?'

"Posso jurar a você, Holmes, que um brilho estranho perpassou os olhos do homem quando ouviu a pergunta, mas a resposta dele foi uma mera negativa com a cabeça.

"'Dr. Watson, ninguém aqui contrata outra pessoa sem meu conhecimento. E ninguém assim andou por aqui pedindo emprego nos últimos seis meses ou mais.'

"'Fiquei apenas curioso para saber se a visão de um homem do tipo poderia ter perturbado o coronel', expliquei. 'Entretanto, como sabe, ele está bem melhor hoje. Não me sinto perto de encontrar a causa do problema, mas espero que, se algo novo ocorrer ou se você tiver qualquer dúvida, não hesite em entrar em contato comigo', falei.

"'Esses surtos vêm e vão, dr. Watson', disse Jefferson, 'mas se eu descobrir alguma coisa, com certeza falarei com o senhor.'

"Quando saí da casa, apertei o passo, porque achei que seria bom descer o morro ao cair da noite. No entanto, assim que comecei minha descida e o vento do oeste começou a soprar mais forte, vi, a menos de vinte metros de distância, o operário de pele bronzeada que passara por mim na véspera, vestido da mesma forma, nitidamente tendo saído de algum lugar da residência dos Warburton momentos antes. A mera visão do sujeito acelerou meu pulso. Eu ainda não conhecia você, Holmes, razão pela qual nada sabia a respeito do ofício de detetive, mas o instinto me disse para segui-lo, a fim de descobrir se o coronel estava sendo vítima de alguma conspiração maligna."

— Você o seguiu? — interveio Holmes, com uma expressão de espanto. — Com que finalidade?

— Senti que não me restava alternativa. O paralelo entre a presença daquele homem e os pesadelos do coronel Warburton precisava ser explicado.

— Sempre um homem de ação — comentou meu amigo, assentindo com a cabeça. — Até onde o seguiu?

— Quando ele chegou à Broadway, onde o terreno fica plano e as mansões dão lugar a mercearias, açougues e tabacarias, ele parou para pegar um bonde. Por pura sorte, chamei um cabriolé que passava e mandei o condutor seguir o bonde até eu lhe mandar parar.

"Minha perseguição durou até o cais, onde ele desceu do bonde. Rapidamente paguei o condutor e saí atrás do sujeito em direção ao Telegraph Hill. Na época da Corrida do Ouro, esse morro, que faceia o Pacífico, foi um acampamento de chilenos e peruanos. Essa colônia se misturava com a mais vil escória do leste: Sydney-Town, onde os presos australianos fugitivos e condenados sob condicional administravam os piores estabelecimentos imagináveis. Consta nos registros históricos que o bar Fierce Grizzly tinha um urso vivo acorrentado do lado de fora da porta."

— Já ouvi falar dessas cercanias — declarou Holmes com entusiasmo. — O local ficou conhecido como Barbary Coast, não é? Confesso que me agradaria tê-lo visto em seu apogeu, embora aqui em Londres existam várias ruas que posso visitar caso queira colocar minha vida em risco. Você não encontrou nenhuma fera selvagem, encontrou?

— Não no sentido estrito, mas em apenas dez minutos, me vi passando por botequins capazes de se rivalizar com St. Giles no quesito depravação. A iluminação a gás era parca, e baderneiros saíam cambaleando de um covil de ladrões para o outro, perdendo o dinheiro que tinham em apostas ou bebendo do copo errado para acabar inconscientes na sarjeta na manhã seguinte sem um tostão no bolso.

"A certa altura, achei que perdera o sujeito de vista, pois uma carroça se intrometeu entre nós, e, na mesma hora, ele se esgueirou para dentro de uma dessas espeluncas. Logo me dei conta, porém, do lugar onde ele estava e, após uma breve hesitação, também entrei.

"A iluminação vinha de velas de sebo baratas e de velhos lampiões de querosene com quebra-luzes roxos. Sem perder tempo, abordei o homem e pedi para falar com ele

"O sujeito me olhou calado, os olhos entrefechados. Por fim, fez sinal ao atendente no balcão e pediu um segundo drinque, entregando-me um pequeno copo de uma bebida transparente. Agradeci, mas o homem continuou mudo.

"'Você fala inglês?', indaguei, afinal.

"Ele riu e, com um movimento ágil do punho, bebeu de um gole só sua bebida e pousou o copo vazio no bar.

"'Falo inglês tão bem quanto o *señor*. Meu nome é Juan Portillo. O que quer comigo?'

"'Quero saber por que visitou a mansão Warburton ontem e hoje de tarde', respondi.

"O sorriso dele se ampliou ainda mais.

"'Ah, agora entendi. O senhor me seguiu?'

"'Acontecimentos suspeitos ocorreram naquela casa, coisas que tenho motivos para crer que podem lhe dizer respeito', esclareci.

"'Não estou a par de nada suspeito. Fui contratado para fazer um trabalho e ficar calado. Por isso estou calado.'

"'Preciso avisar ao senhor que, se tentar prejudicar o coronel de alguma maneira, terá de prestar satisfações a mim', alertei-o.

"Ele assentiu friamente, ainda sorrindo.

"'Termine sua bebida, *señor*. Depois, vou lhe mostrar uma coisa.'

"Eu vira o dono do estabelecimento me servir da mesma garrafa de onde viera a bebida do homem, logo não podia me recusar a beber. A bebida era forte como gim, porém mais quente, e causava uma queimação na garganta. Eu mal tinha terminado quando Portillo tirou de um bolso escondido uma faca muito comprida com o cabo de madrepérola.

"'Nunca fiz mal ao coronel. Aliás, nem mesmo vi o sujeito. Mas vou lhe contar uma coisa, de qualquer forma. Os homens que me seguem têm de dar satisfações a isto aqui', falou, erguendo a faca.

"Então, ele grunhiu alguma coisa em espanhol. Três homens que estavam sentados em torno de uma mesa redonda a uma boa distância de nós se levantaram e vieram em nossa direção. Dois tinham pistolas no cinto e um carregava um porrete. Eu avaliava se seria preferível dar conta da situação com a faca que carregava comigo ou tentar uma fuga, quando um dos sujeitos parou de repente.

"'*Es el Doctor!* Dr. Watson, não?', indagou animado.

"Passado um momento de espanto, reconheci um paciente de que tratara há menos de duas semanas, mesmo sabendo que ele não tinha como me pagar, um homem que sofrera um rasgão enorme na perna durante uma briga no cais e que fora carregado pelos amigos até o médico mais próximo. Ele ficou felicíssimo ao me ver e de seus lábios saiu uma torrente de palavras em espanhol. Em menos de dois minutos, o sujeito gesticulou com orgulho mostrando o ferimento e apontando para mim, totalmente esquecido da disputa de Portillo. Não abusei da sorte, mas partilhei outro copo daquela substância abominável com o grupo e me despedi. O olhar fixo de

Portillo me seguiu até eu sair do bar e partir a toda em direção à Front Street.

"No dia seguinte, decidi relatar a presença de Portillo ao coronel, já que, embora sem entender muito bem, eu agora o via como um personagem ainda mais sinistro. Para minha decepção, porém, encontrei a casa no maior alvoroço."

— Não estou surpreso — disse Holmes, assentindo. — O que tinha acontecido?

— Sam Jefferson fora acusado de arrombar o quarto escuro de Charles Warburton com a intenção de roubar seu aparato fotográfico. A criada que me abriu a porta mal conseguia raciocinar em meio às lágrimas, e ouvi cruéis vituperações mesmo antes de entrar na casa. Aparentemente, ou assim ouvi da criada em seu estado de quase histeria, Charles já despedira Jefferson, mas o coronel se enfurecera porque o sobrinho agira sem a aprovação dele, com ou sem roubo, e no exato momento em que bati à porta, os dois travavam uma violenta briga. De onde eu estava, era possível ouvir o coronel Warburton gritando para que Jefferson fosse chamado de volta e Charles retrucando aos berros que já sofrera indignidades suficientes para uma vida inteira naquela casa. Vamos lá, Holmes, admita que esta é uma história ímpar — acrescentei, incapaz de me conter, pois o rubor no rosto de meu amigo me dizia precisamente o quanto ele estava interessado.

— Essa não é a palavra ideal — disse Holmes. — Ainda não ouvi tudo, mas houve casos em Lisboa e Salisburgo ao longo dos últimos cinquenta anos que talvez tenham algumas semelhanças. Por favor, termine sua história. Você foi embora, é claro, pois que cavalheiro não iria em tais circunstâncias, e voltou no dia seguinte para falar com o coronel.

— Na verdade, não falei com o coronel.

— Não? Sua curiosidade natural não o obrigou a isso?

— Quando cheguei à casa na manhã seguinte, tanto o coronel Warburton quanto Sam Jefferson haviam desaparecido.

Eu esperava que essa revelação fosse cair como um raio, mas sofri uma grande decepção.

— Ah — disse Holmes, com uma sugestão de sorriso. — Tinham desaparecido?

— Molly e Charles Warburton pareciam desesperados de preocupação. O cofre fora aberto, e vários títulos e ações, sem falar em dinheiro, sumiram. Como não se via sinal de arrombamento, ambos concluíram que o tio havia sido obrigado ou convencido a fornecer o segredo.

"Um grupo de busca foi montado na mesma hora, é claro, e as descrições de Warburton e Jefferson distribuídas, mas em vão. O coronel louco e seu criado, quer juntos, quer separados, de forma voluntária ou não, saíram da cidade sem deixar uma única pista. Mediante meu testemunho, a polícia levou Portillo para um interrogatório, mas o suspeito forneceu um álibi conclusivo e não pôde ser denunciado. Assim, a obsessão do coronel Warburton com a guerra, bem como as misteriosas intenções de seu criado, permanece até hoje sem explicação.

Então, percebendo que Holmes estava agora sentado na beira da poltrona, completamente envolvido no caso, perguntei triunfante:

— O que acha disso tudo?

— Acho que Sam Jefferson, independentemente de suas nobres intenções, meu amigo, é o herói da história.

— Como assim? — indaguei, incrédulo. — Sem dúvida, o incidente do quarto escuro o põe em uma posição suspeita. Tudo que sabemos é que ele desapareceu, provavelmente com o coronel, e o boato em São Francisco era de que os dois haviam sido sequestrados pelo fantasma *tejano* que se apossara da casa. Isso é tolice, claro, mas mesmo agora, não consigo imaginar para onde os dois foram nem por quê.

— É impossível saber para onde os dois foram — retrucou Holmes, os olhos cinzentos brilhando —, mas com certeza posso lhe dizer por quê.

— Santo Deus, você solucionou o caso? — indaguei, eufórico. — Não pode estar falando sério. Queimei meus miolos tentando todos esses anos e não cheguei a conclusão alguma. Que diabos aconteceu?

— Antes de mais nada, Watson, acho que preciso poupá-lo de cometer um equívoco. Creio que Molly e Charles Warburton foram os autores de uma conspiração nefasta e sutil, que, se não fosse por você e Sam Jefferson, poderia ter sido bem-sucedida.

— Como sabe disso?

— Porque você mesmo me contou, meu caro, e fez um excelente trabalho ao me manter informado. Pergunte a si mesmo quando a doença mental do coronel teve início. Quais foram os primeiros sintomas?

— Ele alterou o testamento.

— Esse é, você há de concordar, um ponto de partida bastante revelador. Tão revelador que precisamos lhe dar a mais profunda atenção. — Holmes ficou de pé em um salto e começou a andar para lá e para cá como um matemático explicando um teorema. — Ora, existe um punhado de decisões, criminosas ou não, que podem ser tomadas quando se é deserdado. Falsificação é uma opção viável, e a mais comum. Homicídio está fora de questão, a menos que a vítima ainda não tenha assinado o novo testamento. Os Warburton optaram por um esquema tão engenhoso quanto raro: decidiram provar que um homem são estava louco.

— Mas, Holmes, isso seria quase impossível!

— Admito que a sorte sem dúvida estava do lado dos sobrinhos. O coronel já sofria com uma preocupação ilógica com o sobrenatural. Além disso, não havia nenhum tipo de ornamento em seu quarto, e o jovem Charles Warburton era especialista em técnica fotográfica.

— Meu amigo, você sabe que tenho o maior respeito por seus talentos notáveis, mas não consegui entender uma só palavra do que acabou de dizer — confessei.

— Serei mais claro, então — disse Holmes, rindo. — Temos algum motivo para achar que Jefferson mentiu quando contou a você sobre as manifestações terrenas do fantasma?

— Ele podia estar falando sobre qualquer coisa. Pode ter, ele próprio, feito o rasgo na roupa e roubado a lenha.

— Concordo. Contudo, foi apenas depois que você o informou da presença de Portillo que ele arrombou o estúdio fotográfico.

— Você vê alguma ligação entre Portillo e as fotografias de Charles Warburton?

— Sem dúvida, bem como uma ligação entre as fotografias, a parede nua e o pé de lilás arrancado.

— Holmes, isso nem mesmo...

Parei de repente, quando uma ideia tomou forma em minha cabeça. Enfim, após tantos anos, eu começava a entender.

— Você está falando de uma lanterna mágica — disse, devagar. — Minha nossa, como fui cego.

— Você foi incrivelmente astuto, meu bom homem, pois registrou todos os detalhes essenciais. Na verdade, acredito que possa assumir a partir deste ponto — acrescentou Holmes, com uma delicadeza maior que a habitual.

— O coronel deserdou os sobrinhos, possivelmente porque abominava a natureza mercenária de ambos, para favorecer instituições filantrópicas militares — sugeri, hesitante. — Em um laivo de brilhantismo, os dois resolveram fazer parecer que guerra se tornara uma obsessão para o homem e que não se podia permitir que ele menosprezasse a própria família. Charles contratou Juan Portillo para aparecer em uma série de fotografias como se fosse um soldado *tejano* e prometeu recompensá-lo se ele mantivesse isso em segredo. O sobrinho revelou as imagens em forma de slides de vidro, que projetava por meio de uma lanterna mágica do lado de fora da janela tarde da noite. A vítima ficava tão aterrorizada pela aparição na parede que jamais pensou em procurar a fonte da luz às costas. A primeira foto, ameaçando a mulher branca, provavelmente contou com Molly Warburton como protagonista. Quanto à segunda...

— Aquela da faca cravada no peito do texiano. Os sobrinhos provavelmente pegaram uma velha farda do coronel e a colocaram em um manequim. A lenha despareceu quando um grupo de homens se juntou no gramado, para se fingir de rebeldes com tochas. O lilás, é claro...

— Atrapalhava o aparato necessário para a lanterna mágica funcionar — falei. — O que poderia ser mais simples?

— E as dores de cabeça que o coronel sentia depois? — perguntou meu amigo, provocando-me.

— Era bem capaz de ser um efeito colateral de um derivado de ópio ou narcótico que a família botava na comida a fim de amplificar a experiência das visões que ele teria no quarto.

— E Sam Jefferson?

— Um oponente bastante menosprezado que via como eram os jovens Warburton de verdade e mantinha uma vigilância cerrada. A única coisa que ele fez de errado foi flagrar as chapas no estúdio de Charles Warburton para usar como prova derradeira. Quando o despediram, ele contou ao coronel tudo o que sabia e eles...

— Jamais foram vistos de novo — concluiu Holmes com um floreio poético.

— Com efeito, foi a vingança perfeita — comentei, rindo. — O coronel Warburton não tinha o menor interesse pela própria fortuna e retirou do cofre mais que o necessário para sua sobrevivência. E afinal, quando foi enfim declarado morto, seu patrimônio foi distribuído conforme seu desejo.

— Sim, vários acontecimentos afortunados ocorreram. Fico grato, como confesso ter ficado em outras ocasiões, por você ser um sujeito acima de tudo correto, meu caro doutor.

— Não entendi — retruquei, confuso.

— Eu vejo o mundo em termos de causa e efeito. Se você não fosse o tipo de homem disposto a tratar de um patife ferido em uma briga de faca, é possível que hoje não tivesse a oportunidade de me contar essa história.

— Não foi tão simples assim — murmurei, bastante desconcertado —, mas obrigado...

— E que história admirável é essa! Sabe, Watson — disse Holmes, apagando o cachimbo —, de tudo que já ouvi falar dos Estados Unidos, deduzo que o país deva ser terreno bastante fértil para homens de fibra. O lugar ocupa um espaço quase mítico na imaginação da maioria dos ingleses. Eu mesmo quase nunca encontrei um americano, com ou sem noção ética, que não tivesse certa audácia mental.

— É a natureza pioneira deles, suponho. Ainda assim, não consigo deixar de achar que você é mais que páreo para qualquer indivíduo, seja americano ou não — garanti a ele.

— Eu sequer pensaria em contradizê-lo, mas aquele território enorme ostenta mais que um quinhão razoável de crimes, bem como de imaginação, e, por esse motivo, merece algum respeito. Não desconheço totalmente o criminoso americano — disse Holmes com um sorriso.

— Eu adoraria ouvi-lo discorrer sobre o assunto — falei, com um olhar melancólico para meu caderno de notas e minha caneta.

— Em outra hora, talvez. — Meu amigo fez uma pausa, os dedos longos acompanhando o movimento descendente das gotas de chuva, enquanto contemplava a rua pela janela da sala, os olhos brilhando mais que a calçada ensopada lá embaixo. — Talvez um dia nós dois encontremos uma oportunidade para nos testar em solo americano — disse ele, erguendo de forma abrupta o olhar para mim. — Gostaria de ter conhecido Sam Jefferson, por exemplo. Sem dúvida, ele tinha talento.

— Talentoso ou não, ele estava lá para testemunhar os acontecimentos; você solucionou o caso com base em um relato de segunda mão feito por um homem que, na época, sequer ouvira falar da ciência da dedução.

— Existem pouquíssimos crimes neste mundo, Watson. Apenas cerca de cem milhões de variações — disse ele, dando de ombros. — Foi um probleminha cativante, no entanto, ainda que de forma alguma inédito. O uso da lanterna mágica, embora eu jamais possa prová-lo, foi alguma fonte de inspiração. Agora — falou, indo em direção ao violino e tomando-o nas mãos —, se fizer a gentileza de providenciar o conhaque e os charutos que mencionou mais cedo, mostrarei minha gratidão entretendo-o com minha música. Você mudou de opinião quanto a meu apreço por Kreutzer, não? Ótimo. Agradeço por ter trazido à minha atenção um caso tão interessante; não perderei meu tempo informando a meu irmão que o solucionei sem mexer nem sequer um músculo. E agora, amigo Watson, continuemos a tentar animar esta tarde pavorosa.

O espectro da abadia de Tullyfane

PETER TREMAYNE

Ao combinar seus temas literários prediletos — mistério, terror e história —, Peter Berresford Ellis (1943-) desfrutou de grande sucesso no mundo todo seguindo essa fórmula. Nascido em Coventry, Warwickshire, em uma família que reside neste lugar desde os idos de 1288, Ellis, que publicou a maior parte de sua obra sob o pseudônimo de Peter Tremayne, seguiu os passos do pai e se tornou jornalista. Seu primeiro livro foi *Wales — A Nation Again: The Nationaist Struggle for*, de 1968, uma história da luta galesa pela independência, seguido por títulos populares em estudos celtas; na condição de autoridade em história celta, tem 34 livros de não ficção publicados. Serviu como Presidente Internacional da Liga Celta (1988-1990) e é Presidente Vitalício honorário da Sociedade Escocesa 1820 e Membro Vitalício honorário da Sociedade Literária Irlandesa.

É autor de quase cem livros, um número similar de contos e vários folhetos acadêmicos. Sob o pseudônimo Tremayne, publicou 23 romances que figuraram internacionalmente nas listas de mais vendidos sobre a freira-detetive irlandesa do século VII, a irmã Fidelma, com mais de três milhões de exemplares impressos. Como Peter MacAlan, escreveu oito thrillers (1983-1993). No campo do terror, foram mais de 24 romances, a maioria inspirada em mitos e lendas celtas, incluídos aí *Dracula Unborn* (1977), *The Revenge of Dracula* (1978) e *Dracula, My Love* (1980).

"O espectro da abadia de Tullyfane" foi publicado pela primeira vez em *Villains Victorious*, editado por Martin H. Greenberg e John Helfers (Nova York, DAW, 2001).

O ESPECTRO DA ABADIA DE TULLYFANE

Peter Tremayne

> Em algum lugar nos cofres do banco Cox & Co, em Charing Cross, está uma mala diplomática de metal desgastada pelo uso em viagens com meu nome, John H. Watson, médico do Exército da Índia Britânica, pintado na tampa. Ela está cheia de papéis, quase todos contendo registros de casos para ilustrar os problemas curiosos que o sr. Sherlock Holmes precisou enfrentar em diversas ocasiões.
>
> — "A ponte Thor", Arthur Conan Doyle

Este é um desses documentos. Preciso confessar que em poucas ocasiões vi meu estimado amigo, Sherlock Holmes, o famoso detetive, em um estado de tamanha agitação. Ele costuma ser tão desligado que a palavra *calma* não parece apropriada para descrever sua atitude geral. Ainda assim, eu o visitei certa noite para pedir sua opinião quanto ao esboço de um relato que eu fizera de um de seus casos, ao qual dei o título de "A ponte Thor".

Para minha surpresa, encontrei-o sentado na poltrona com a expressão tensa, o cachimbo apagado, seus dedos longos e pálidos apertando com força as páginas de meu manuscrito e as sobrancelhas franzidas em desaprovação.

— Francamente, Watson! — saudou-me ele de forma ríspida assim que entrei. — Acaso precisa me expor ao ridículo dessa maneira?

Fiquei, admito, um tanto atordoado diante dessa acolhida atípica.

— Na verdade, acho que sua imagem saiu preservada da história, Holmes — retruquei, defendendo-me. — Afinal, ajudou uma mulher notável, como você mesmo observou, enquanto, no que tange ao sr. Gibson, creio que tenha aprendido uma lição...

Ele me interrompeu:

— Cale-se! Não estou falando do caso de Grace Dunbar, que, já que o mencionou, não foi tão glamoroso quanto sua pena imaginativa faz crer. Não, Watson, não! Aqui está — falou, brandindo as páginas diante de mim —, aqui em seu desajeitado preâmbulo. Você fala de meus casos não resolvidos como se fossem fracassos. Eu apenas os dividi de passagem, e agora você declara a mim e aos leitores da *Strand Magazine* que os anotou e os depositou naquela abominável maleta de metal guardada no banco Cox.

— Não achei que você teria motivos para objeção, meu caro — retorqui com certa vergonha.

Ele acenou com uma de suas mãos como se fosse indiferente a meus sentimentos

— Minha objeção é contra a forma como você revela esses casos! — disse ele, cravando os olhos míopes em meu manuscrito. — Leio aqui e recito: "Alguns casos, e não os menos interessantes, foram fracassos absolutos, e, como tal, não merecem ser narrados, já que não haverá uma explicação definitiva para eles. Um problema sem solução pode interessar a um estudante, mas facilmente deixará o leitor comum entediado. Entre esses relatos inacabados figura o do sr. James Philimore, que, voltando à própria casa para pegar seu guarda-chuva, nunca mais foi visto." Aí está! — concluiu ele, me lançando um olhar furioso.

— Mas Holmes, essa é precisamente a questão, conforme você me disse. Onde foi que cometi um erro?

— O erro é fazer a declaração. Ela é incompleta. Não foi contextualizada. O caso de James Phillimore, que era coronel, por sinal, aconteceu quando eu era jovem. Tinha acabado de completar meu segundo semestre em Oxford. Foi a primeira vez que cruzei meu caminho, por assim dizer, com o homem que viria a me causar tanto tormento mais tarde em minha carreira... o professor Moriarty.

Fiquei surpreso com a informação, pois Holmes sempre era demasiado reticente com relação a seus embates com James Moriarty, aquela sinistra figura a quem meu amigo parecia ao mesmo tempo desprezar como criminoso e considerar um intelectual.

— Eu não sabia disso, Holmes.

— E também não ouviria mais nada sobre o assunto, mas acho que você poupou uma referência a esse acontecimento singular em que Moriarty levou a melhor sobre mim.

— Você foi superado por Moriarty? — Naquele momento, fiquei intrigado.

— Não pareça tão surpreso, Watson — retrucou Holmes —, até os vilões podem se sair vitoriosos vez ou outra. — Dito isso, ele fez uma pausa antes de acrescentar baixinho: — Sobretudo quando vilões como Moriarty usam o poder das trevas em seus desígnios nefastos.

Comecei a rir, sabendo que Holmes abominava o sobrenatural. Recordo-me de sua catarse quando recebemos a carta de Morrison, Morrison & Dodd que nos levou a "O vampiro de Sussex". Porém, meu riso morreu na garganta quando notei a expressão macabra que perpassou o semblante de Holmes. Ele olhava fixo para as labaredas dançantes do fogo como se recordasse da ocasião.

— Não estou gracejando, Watson. Naquelas circunstâncias, Moriarty empregou as forças das trevas para alcançar seu fim maléfico. Sobre isso não há dúvida. Foi a única vez que fracassei, total e deploravelmente. Fracassei em impedir uma tragédia terrível, cuja lembrança há de me acompanhar até o túmulo.

Holmes deu um suspiro profundo e depois pareceu notar pela primeira vez que o cachimbo estava apagado e estendeu a mão para pegar os fósforos.

— Sirva dois copos daquele decantador com um Hennessy excelente ali na mesa e sente-se também. Tendo chegado a este ponto em minha confissão, o melhor é terminar a história para o caso de sua imaginação resolver embelezar o pouco que já sabe.

— Ora, Holmes... — falei em protesto, mas ele prosseguiu, ignorando minhas palavras.

— Eu lhe peço que apenas prometa jamais revelar esta história até que a argila da qual fui feito tenha se misturado à terra da qual brotei.

Se existe um preâmbulo para esta história, trata-se de um que eu já conhecia e sobre o qual fiz um breve relato nas memórias que intitulei "O tumulto no clube da Kildare Street". Holmes é da família Holmes de Galway. Como o irmão, Mycroft, frequentara o Trinity College, em Dublin, onde ganhara, no mesmo ano em que seu amigo Oscar Wilde, uma bolsa parcial para continuar os estudos em Oxford. Creio que o nome Sherlock tenha origem materna, já que a mãe pertencia a outra abastada família anglo-irlandesa. Holmes sempre foi reticente quanto a seu passado, embora as pistas que indicam sua origem irlandesa sejam óbvias para a maioria das pessoas esclarecidas. Um de seus disfarces frequentes era assumir o nome Altamont quando fingia ser irlandês-americano. Altamont era o berço de sua família, próximo a Ballysherlock.

De posse desse conhecimento, sentei-me com um cálice do conhaque e o ouvi contar uma história das mais peculiares e assustadoras. Incluo-a aqui precisamente da forma que ele a narrou para mim.

"Tendo completado meu primeiro semestre em Oxford, voltei a Dublin para me hospedar com meu irmão Mycroft na casa dele, na Merrion Square. Porém, me vi um tanto desocupado. Havia certo pânico no setor fiscal da secretaria em que Mycroft trabalhava. Isso o impediu de encontrar tempo para me acompanhar em uma pescaria, conforme havíamos planejado. Assim, fui convencido a acompanhar Abraham Stoker, que frequentou o Trinity College no mesmo ano que Mycroft, ao Royal Theatre. Abraham, ou Bram, como preferia ser chamado, também era amigo íntimo de sir William e lady Wilde, que moravam do outro lado da praça, e com cujo filho mais moço, Oscar, eu estudava na época em Oxford.

"Bram era um sujeito ambicioso que não apenas trabalhava com Mycroft no castelo de Dublin, como também escrevia críticas teatrais nas horas vagas e, à noite, editava o *Dublin Halfpenny Press*, um jornal que tinha acabado de lançar. Vinha tentando me persuadir a escrever sobre os famosos assassinatos de Dublin para esse periódico, mas, como não me ofereceu remuneração alguma, recusei de maneira delicada.

"Estávamos no salão do teatro quando Bram, um gigante ruivo amistoso e animado, acenou para alguém por sobre as cabeças da multidão. Um jovem magro e pálido surgiu para ter a mão calorosamente apertada. Era um rapaz da mesma idade que eu e bem conhecido por mim: chamava-se Jack Phillimore. Ele também havia estudado no Trinity College. Meu coração disparou e busquei na multidão um rosto feminino familiar, que, confesso, me era extremamente caro. Porém, Phillimore estava sozinho. Sua irmã Agnes não o acompanhara ao teatro.

"Na presença de Bram, passamos a trocar amenidades sobre nossa *alma mater*. Percebi que a atenção de Phillimore não se dirigia à conversa, assim como, para ser honesto, nem a minha. Eu estava impaciente para indagar sobre a irmã dele. Ah, deixe que a verdade seja conhecida, Watson, mas somente depois que eu partir deste mundo.

"Era amor, meu caro. Amor! Creio que você já percebeu que todas as emoções, e essa em especial, são terríveis para minha mente. Isso é verdade, e desde que amadureci o bastante para entender esse fato, passei a considerar o amor como o oposto da razão nua e crua que ponho acima de todas as coisas. Nunca me casei para não influenciar meu julgamento. Ainda assim, essa não foi sempre minha intenção, e justo esse fato foi o que levou a meu deslize, provocando a tragédia que estou prestes a relatar. Ah, Watson, se ao menos... Mas com conjecturas poderíamos fazer qualquer coisa impossível.

"Quando jovem, fui profundamente apaixonado por Agnes Phillimore, que era apenas um ano mais velha que eu. Quando Jack Phillimore e eu cursávamos nosso primeiro ano no Trinity College, era meu costume frequentar a casa da família, próxima a Stephen's Green. Confesso que não era a companhia de Jack que me aprazia então, mas a de Agnes.

"Na maturidade, consegui passar a admirar *a* mulher, como você insiste em chamar Irene Adler, mas admiração não é a mesma coisa que o poder emocional profundo e destrutivo que denominamos amor.

"Foi no momento em que Bram notou alguém do outro lado do salão com quem precisava falar que Phillimore aproveitou a oportunidade para indagar de repente o que eu andava fazendo em termos de lazer. Ouvindo que eu não tinha compromissos importantes, ele me sugeriu acompanhá-lo à propriedade do pai, em Kerry, para passar alguns dias lá. O coronel James Phillimore era dono de uma enorme casa naquele remoto condado. Phillimore disse que iria para lá a fim de comemorar o cinquentenário do pai. Achei, no momento, que ele dera uma ênfase especial ao fato.

"Então, consegui perguntar, de forma casual, se Agnes estaria em Dublin ou em Kerry. Phillimore, é claro, como a maioria dos irmãos, não percebia que a irmã exercia atração sobre o sexo masculino, quanto menos sobre um de seus amigos. Ele comentou com indiferença:

"— Certamente, ela está em Tullyfane, Holmes, preparando-se para seu casamento no mês que vem.

"Seu olhar foi desviado para um homem que abria caminho no salão, o que o impediu de registrar o efeito que tal informação causou em mim.

"— Casamento? — perguntei, quase sufocado. — Com quem?

"— Um professor, veja só! Um homem arrogante chamado Moriarty.

"— Moriarty? — repeti, pois o nome pouco significava para mim naquele contexto. Era apenas conhecido por mim como um nome comum no condado de Kerry, uma anglicização do nome irlandês Ó Muircheartaigh, que significa "navegador experiente".

"— Ele é nosso vizinho, está encantado por minha irmã e parece que já está tudo acertado para se casarem no mês que vem. É um sujeitinho inteligente. Tem boa instrução e uma cátedra de matemática na Queen's University, em Belfast.

"— Professor James Moriarty — murmurei com selvageria. A notícia das intenções de Agnes ouvida de Phillimore destruíra minhas ilusões.

"— Você o conhece? — indagou Jack, notando meu desprazer. — Ele é um bom homem, não? Quero dizer... não é um salafrário, certo?

"— Eu o vi apenas uma vez, e mesmo assim de longe, no Kildare Street Club — confessei. Nada tinha contra Moriarty na época. — Meu irmão Mycroft me mostrou quem era. Não fomos apresentados. Contudo, estou a par de sua reputação. Sua obra, *A dinâmica de um asteroide*, alcançou tal altura na esfera da matemática pura que nenhum homem na imprensa científica foi capaz de criticá-la.

"Phillimore estalou a língua:

"— Isso está além de meus conhecimentos. Graças a Deus sou um mero estudante de teologia. Contudo, percebo que você o admira.

"— Admiro o intelecto dele, Phillimore — retruquei, com simplicidade. Moriarty, pelo que me constava, devia ser dez anos mais velho que Agnes. O que são dez anos em nossa idade? Porém, para mim, um jovem imaturo, a diferença de idade existente entre Agnes e James Moriarty pareceu obscena. Explico isso tão somente porque minha atitude tem relação com a postura que assumi depois.

"— Então venha comigo para a abadia Tullyfane — insistiu Phillimore, alheio ao turbilhão emocional que criara em mim.

"Eu estava prestes a declinar do convite quando ele, notando minha expressão negativa, ficou, de repente, muito sério. Aproximou-se mais e disse baixinho:

"— Veja, Holmes, meu velho companheiro, estamos tendo cada vez mais problemas com o fantasma da família, e, se bem me lembro, você tem um jeito astuto para solucionar problemas bizarros.

"Eu conhecia o suficiente da natureza de Phillimore para saber que gracejar daquela maneira estava além de sua capacidade.

"— O fantasma da família?

"— Um maldito espectro infernal que está abalando o juízo de meu pai. Sem falar no de Agnes.

"— Seu pai e sua irmã estão com medo de um fantasma?

"— Agnes está assustada com a deterioração do comportamento de meu pai. Para ser sincero, Holmes, eu realmente não sei o que fazer. As cartas de minha irmã mencionam um leque tão bizarro de circunstâncias que sou levado a acreditar que ela esteja alucinando ou que meu pai já tenha enlouquecido.

"Minha tendência era evitar abrir velhas feridas agora me encontrando de novo com Agnes. Eu podia passar o restante das férias na biblioteca Marsh, onde há um excelente acervo de criptogramas medievais manuscritos. Porém, hesitei — hesitei e sucumbi. Tive de admitir que estava curioso para ouvir mais sobre o assunto, a despeito de minha inquietação emocional, pois qualquer mistério ativa a adrenalina em meu corpo.

"Na manhã seguinte, acompanhei Jack Phillimore até a estação ferroviária de Kingsbridge e embarcamos no trem para Killarney. No caminho, ele me explicou alguns dos problemas.

"— Em teoria, a abadia Tullyfane é amaldiçoada. Fica no extremo da península de Iveragh em um local inóspito e deserto. A abadia Tullyfane nunca foi, claro, uma abadia. Era uma altiva casa de campo georgiana. A elite anglo-irlandesa no século XVIII tinha apreço pelo que fosse grandioso e chamava suas casas de *abadias* ou *castelos*, mesmo quando não passavam de residências modestas habitadas por famílias de parca fortuna.

"Phillimore me disse que o primogênito de todas as gerações dos senhores de Tullyfane estava fadado a encontrar uma morte terrível ao completar cinquenta anos, até a sétima geração. Aparentemente, o primeiro senhor de Tullyfane enforcara um garoto por ter roubado cabras. Entretanto, a criança era inocente, e a mãe, uma viúva que fizera tudo pelo filho, a fim de ter alguma segurança na velhice, lançara a maldição. Desde então, todos os senhores de Tullyfane, nas últimas seis gerações, haviam tido morte prematura.

"O rapaz me garantiu que o primeiro senhor de Tullyfane nem sequer era seu ancestral direto, mas que o bisavô comprara a abadia Tullyfane quando o proprietário, preocupado com a expectativa iminente de partir desta vida em seu quinquagésimo aniversário, resolvera vendê-la e se mudar para climas mais amenos na Inglaterra. Essa artimanha do proprietário não impediu que o bisavô de Jack, o general Phillimore, caísse de seu cavalo e quebrasse o pescoço no quinquagésimo aniversário. O pai de Jack, um temível juiz, levou um tiro em seu aniversário de cinquenta anos. O inspetor de polícia local atribuíra essa morte prematura mais à profissão da vítima do que a causas paranormais. Juízes e policiais com frequência ficavam sujeitos a términos repentinos de suas carreiras em um país onde eram considerados pelos cidadãos comuns como parte da ocupação colonial.

"— Presumo que seu pai, o coronel James Phillimore, esteja próximo do cinquentenário, daí o alarme dele, certo? — perguntei a Phillimore enquanto o trem atravessava a zona de Tipperary em direção à fronteira de Kerry.

"Phillimore assentiu devagar:

"— Minha irmã escreveu que já ouviu o espectro chorar à noite. Disse que meu pai chegou até a ver a aparição, a silhueta de um garoto, chorando na torre da abadia.

"Ergui as sobrancelhas involuntariamente.

"— Viram e ouviram? — indaguei. — Duas testemunhas? Bom, posso lhe garantir que nada existe neste mundo que não se deva a uma razão explicável pela ciência.

"— Nada neste mundo — resmungou Phillimore. — Mas e no outro?

"— Se sua família acredita nessa maldição, por que continua morando em Tullyfane? — perguntei. — Não seria melhor sair da casa e da propriedade se vocês têm tanta certeza de que a maldição é tão potente?

"— Meu pai é um homem teimoso, Holmes. Ele não vai sair daquele lugar, pois enterrou todo o dinheiro que tinha ali, e só lhe restou nossa casa em Dublin. Se fosse comigo, eu venderia a abadia para Moriarty e sairia do local amaldiçoado.

"— Vender para Moriarty? Por que para ele?

"— Ele se ofereceu para comprá-la a fim de ajudar a resolver a situação.

"— Muito magnânimo da parte dele — observei. — Presumo que não tenha medo da maldição, então?

"— Ele acha que a maldição só afeta famílias anglo-irlandesas, como a nossa, enquanto ele, por ser um puro milesiano, um galês autêntico, por assim dizer, seria imune à maldição.

"O coronel Phillimore mandara uma caleche nos apanhar na estação de Killarney para nos levar até a abadia Tullyfane. O velho coronel não estava no melhor dos humores quando nos recebeu na biblioteca. Percebi que sua mão tremia um pouco quando ele a ergueu para me cumprimentar.

"— Amigo de Jack, hein? Sim, eu me lembro de você. Um dos Holmes de Galway. Seu irmão é Mycroft Holmes? O que trabalha para lorde Hartington, hein? O secretário do tesouro, hein?

"O coronel tinha um jeito irritante de acrescentar um "hein" indagativo no final de cada frase telegráfica à guisa de pontuação.

"Foi então que Agnes Phillimore entrou para nos cumprimentar. Deus, Watson, eu era jovem e ardente naquela época. Mesmo agora, quando olho para trás com uma perspectiva mais crítica e com sangue-frio, reconheço que ela era ímpar e maravilhosa em sua beleza. Estendeu a mão para mim com um sorriso, mas logo vi que nele faltavam o calor e a amizade que ali um dia se destinavam apenas a mim. Suas palavras eram calculadas, e ela me tratou como um amigo distante. Quem sabe não se tornara mulher enquanto eu me apegava à sua imagem com uma paixão de menino? Foi impossível para mim perceber isso então, mas a paixão era só minha. Ah, juventude imatura! O que mais posso dizer?

"Jantamos sob um clima pesado naquela noite. Pesado para mim porque eu travava um embate contra as cruéis realidades da vida; pesado para os Phillimore porque a maldição pairava sobre a casa. Estávamos terminando de comer a sobremesa, quando Agnes de repente congelou, o garfo a meio caminho da boca. Então, o coronel Phillimore deixou cair sua colher com estrondo no prato e emitiu um gemido de dar pena.

"No silêncio que se seguiu, eu ouvi com muita clareza. Era o som de uma criança soluçando. Dava a impressão de ecoar pelo cômodo inteiro. Até Jack Phillimore pareceu perturbado.

"Empurrei minha cadeira e fiquei de pé, tentando discernir de que direção os sons vinham.

"— Que cômodo fica diretamente embaixo deste? — perguntei ao coronel. Ele estava pálido, demasiado abalado pelo choque para me responder.

"Virei-me para Jack Phillimore, que respondeu com certo nervosismo.

"— A adega, Holmes.

"— Venha comigo, então — falei, agarrando um dos candelabros da mesa e me encaminhando para a adega.

"Quando cheguei à porta, Agnes bateu o pé duas vezes, agitada.

"— Sr. Holmes! — disse. — O senhor não pode lutar contra um ser etéreo!

"Parei para sorrir brevemente para ela.

"— Duvido que vá encontrar um ser etéreo, srta. Phillimore.

"Jack Phillimore me mostrou o caminho até a adega, e procuramos por todo lado, sem nada encontrar.

"— O que esperava achar lá? — indagou Phillimore, vendo meu desapontamento quando voltamos à sala de jantar.

"— Um garotinho corpóreo, e não um espírito — respondi com firmeza.

"— Quem dera — disse Agnes, que nos recebeu de volta sem disfarçar sua satisfação por eu não ser capaz de produzir qualquer entidade física como explicação. — Você acha que não mandei revistar a casa várias vezes? Meu pai está à beira da loucura. Acredito que ele chegou ao limite da razão. Tenho medo do que ele pode fazer a si mesmo.

"— E depois de amanhã é o quinquagésimo aniversário dele — acrescentou Phillimore, circunspecto.

"Estávamos na entrada da sala de jantar quando Malone, o mordomo idoso, atendeu ao som do sino que anunciava alguém à porta da casa.

"— É o professor Moriarty — entoou.

"Moriarty era alto e magro, com uma testa abaulada e olhos fundos. O rosto se projetava para a frente e o homem tinha o curioso hábito de oscilar devagar de um lado para o outro no que, com a crueldade própria dos jovens, achei um traço curiosamente reptiliano. Suponho, olhando em retrospecto, que ele, de certa forma, era bonito e distinto. Para o cargo que exercia, era jovem, e não havia como negar a acuidade de seu raciocínio nem sua inteligência.

"Agnes o recebeu calorosamente, enquanto Phillimore pareceu indiferente. Quanto a mim, achei melhor reprimir meu mau humor. Ele viera para o café e o conhaque e fez comentários solidários ao coronel a respeito de sua aparente má saúde.

"— Minha oferta continua de pé, meu senhor — disse ele. — É melhor se livrar da abadia e da maldição de uma só tacada. O senhor não há de perdê-la por completo, pois, quando Agnes e eu nos casarmos, será sempre um convidado bem-vindo aqui.

"O coronel Phillimore deu um rosnado como resposta. Um som grave ribombante no fundo da garganta, como um animal encurralado faria.

"— Pretendo superar isso. Recuso-me a ser expulso de minha própria casa por um espectro quando nem Akbar Khan e seus afegãos aos gritos foram capazes de me fazer sair do forte em Peiwar Pass. Não, senhor. Aqui pretendo ficar e passar meu quinquagésimo aniversário.

"— Acho que o senhor deveria ao menos considerar a oferta de James, papai — retorquiu Agnes. — Essa coisa toda está afetando seus nervos. O melhor é se livrar desta casa e se mudar para Dublin.

"— Tolice! — respondeu o pai. — Vou superar tudo isso. Não quero ouvir mais nada sobre o assunto.

"Fomos dormir cedo naquela noite, e, confesso, passei algum tempo analisando meus sentimentos por Agnes antes de mergulhar em um sono profundo.

"O choro me acordou. Vesti às pressas um robe e corri para a janela pela qual uma alva lua cheia projetava sua luz suave. O choro era como o uivo de um demônio da morte. Dava a impressão de vir de um lugar acima de mim. Saí correndo do quarto e, no corredor, esbarrei em Jack Phillimore, também vestido em um robe de chambre, com uma expressão horrível no rosto.

"— Diga que não estou sonhando, Holmes — falou ele.

"— Não está, a menos que partilhemos o mesmo sonho — retruquei concisamente. — Você tem um revólver?

"Ele me encarou atônito.

"— O que pretende fazer com um revólver?

"— Acho que ele pode ser eficaz para lidar com fantasmas, almas penadas e aparições — respondi com um leve sorriso.

"Phillimore balançou a cabeça.

"— As armas estão trancadas lá embaixo, na sala de armas. Meu pai tem a chave.

"— Ah, bom — falei, resignado. — Provavelmente podemos prosseguir sem elas. Esse choro vem de cima. O que tem lá?

"— A sala da torre. É onde meu pai disse que viu a aparição antes.

"— Leve-me, então, à sala da torre.

"Impelido pela urgência em meu tom de voz, Phillimore se virou para me guiar até o local. Subimos rapidamente a escada de uma torre circular e chegamos a um telhado plano. No extremo do prédio se erguia uma torre parecida, embora maior, ou, para ser mais exato, um torreão circular. Contornando-o, três metros acima do nível do telhado, havia um pequeno balcão.

"— Meu Deus! — gritou Phillimore, parando de forma tão abrupta que eu o abalroei.

"Levei um instante para me recuperar antes de ver o que causara seu espanto. No balcão, de pé, vi a figura de um garotinho. Estava iluminado pelo luar brilhante, mas, mesmo assim, não vou mentir, Watson, seu corpo e suas roupas reluziam com uma estranha luminescência. Era o menino que emitia aqueles sons sobrenaturais, gemendo.

"— Está vendo isso, Holmes? — gritou Phillimore.

"— Estou vendo um jovem biltre, seja ele quem for! — gritei, correndo em direção à torre acima do telhado plano.

"Então, a aparição sumiu. Como ou para onde, não sei.

"Alcancei a base da torre e procurei um caminho para subir até o balcão. Havia apenas um jeito de sair do telhado: uma pequena porta que parecia embarricada pelo lado de dentro.

"— Venha, Phillimore, a criança vai fugir! — gritei, frustrado.

"— Fugir, hein?

"Era o coronel, que saiu da escuridão atrás de nós com o rosto pálido e vestindo um pijama.

"— Espectros não precisam fugir, hein? Não, senhor! Agora que vocês também o viram, posso afirmar que não estou louco. Ao menos isso, hein?

"— Como se chega à torre? — indaguei, ignorando a arenga do coronel.

"— Está embarricada há anos, Holmes — explicou Phillimore, se adiantando para sustentar o pai frágil, temeroso de que o velho desabasse no chão. — Não há como entrar ou sair de lá.

"— Alguém conseguiu — afirmei. — Não há espectro algum. Acho que isso tudo é uma armação. E acho que deveriam chamar a polícia.

"O coronel se recusou a continuar falando sobre o assunto e se recolheu a seus aposentos. Eu passei a maior parte da noite checando os acessos à sala da torre e fui obrigado a admitir que todos os meios de entrada e saída pareciam inexpugnáveis. Contudo, tinha certeza de que, quando comecei a correr pelo telhado em direção à torre, o menino havia se escafedido com uma expressão tão atônita que nenhum fantasma de respeito exibiria enquanto estivesse assombrando alguém.

"Na manhã seguinte, durante o café, fui veemente com o coronel em minha sugestão de que ele pusesse a questão nas mãos da polícia local. Eu lhe disse que não tinha dúvidas de que algum jogo bizarro estava em ação. O homem recuperara parte do equilíbrio e ouviu meus argumentos com atenção.

"Para minha surpresa, a oposição veio de Agnes, que continuava a defender que o pai deveria sair da casa e pôr fim à maldição.

"Estávamos terminando o café quando Malone anunciou a chegada do professor Moriarty.

"Agnes foi se juntar a ele na biblioteca enquanto nós três acabávamos de comer nossa refeição, no fim da qual o coronel Phillimore decidiu seguir meu conselho. Ficou resolvido que acompanharíamos o coronel logo após o café para conversar sobre o assunto com o inspetor de polícia local. Agnes e Moriarty se juntaram a nós na sala de jantar, e, depois de ouvir a história contada pela jovem, Moriarty chegou a dizer que era o melhor a fazer, embora a noiva ainda mantivesse suas dúvidas. Com efeito, ele se ofereceu para nos acompanhar. Agnes se desculpou de maneira meio indelicada, achei, porque combinara de fazer um inventário dos vinhos na adega.

"Assim, o coronel, Phillimore, Moriarty e eu concordamos em seguir a pé os quase quatro quilômetros até a cidade. Devo esclarecer que uma caminhada de alguns quilômetros não era nada para quem vivia no campo naquela época. Hoje em dia, em Londres, todo mundo vive chamando cabriolés, mesmo que o objetivo seja chegar ao final da mesma rua.

"Saímos da casa e começamos a andar. Mal havíamos caminhado vinte metros, quando o coronel, depois de olhar para o céu, desculpou-se para ir buscar seu guarda-chuva, garantindo que não demoraria. Virou as costas e, apressado, voltou até a porta da frente, por onde entrou. Foi então que ele desapareceu deste mundo para sempre.

"Nós três aguardamos com paciência durante alguns minutos. Moriarty então disse que, se continuássemos caminhando a passos curtos, o coronel nos alcançaria. No entanto, quando chegamos ao portão da propriedade, comecei a ficar preocupado, pois ainda não havia sinal do coronel. Fiz com que o grupo esperasse no portão.

Dez minutos se passaram, e então decidi voltar para descobrir o que atrasava tanto o coronel.

"O guarda-chuva continuava no mesmo lugar no corredor. Não havia sinal do homem. Toquei a campainha chamando o velho Malone, que jurou que, para ele, o coronel saíra conosco e não retornara. Não houve como fazê-lo voltar atrás nesse ponto. Resmungando, ele se dirigiu ao quarto do coronel; já eu fui até o escritório. Em pouco tempo a busca se estendeu à casa toda, tão logo Jack Phillimore e Moriarty voltaram, a fim de saber o motivo da demora.

"Foi quando Agnes saiu da adega, parecendo um pouco desalinhada, segurando um inventário nas mãos. Quando soube que o pai desaparecera sem mais nem menos, perdeu o controle, e Malone precisou providenciar um conhaque.

"Na adega de vinhos, ela nos falou, não ouvira nem vira coisa alguma. Moriarty se ofereceu para procurar por lá, apenas para dar por concluída a busca na casa. Mandei Phillimore cuidar da irmã e acompanhei o professor. Embora não simpatizasse com o sujeito, não havia dúvida de que ele dificilmente teria conseguido engendrar o sumiço do coronel, já que saíra da casa e ficara do lado de fora conosco o tempo todo. É claro que nossa busca se revelou infrutífera. A adega era grande e provavelmente serviria de esconderijo para um exército se alguém assim desejasse. Porém, a entrada que se originava no corredor levava à área destinada ao armazenamento de vinhos, e ninguém poderia ter passado por ali sem ser visto por Agnes. Nenhuma explicação para o sumiço de coronel James Phillimore me ocorreu.

"Passei uma semana em Tullyfane, tentando chegar a alguma conclusão. A polícia local acabou desistindo da busca. Eu precisava voltar a Oxford, e ficou óbvio para mim que nem Agnes nem Moriarty ansiavam por minha companhia. Depois disso, recebi apenas uma carta de Jack Phillimore, e isso vários meses depois do ocorrido e com selo de Marselha.

"Aparentemente, após duas semanas, um bilhete suicida foi encontrado na escrivaninha do coronel, declarando que ele não conseguia mais suportar as estranhas aparições na abadia Tullyfane, preferindo pôr fim à própria vida em vez de aguardar a morte terrível em seu quinquagésimo aniversário. Em anexo, havia um testamento, legando a abadia Tullyfane a Agnes, em razão de seu casamento próximo, e a casa em Stephen's Green a Jack. Phillimore me escreveu dizendo que, embora o testamento fosse bizarro e não houvesse provas da morte do pai, ele se recusara a contestá-lo. Soube mais tarde que isso foi de encontro aos conselhos de seu advogado, mas aparentemente Jack não queria ter nada a ver com a maldição ou com a propriedade. Desejava a felicidade da irmã, e partiu para a África como missionário, acabando por ser morto, dois anos depois, em uma rebelião nativa na parte oriental daquele continente. A morte nem mesmo ocorreu em seu quinquagésimo aniversário. Era o fim das maldições.

"Agnes Phillimore se casou com James Moriarty, e a propriedade passou para o nome dele. Seis meses depois, ela morreu afogada em um acidente de barco quando o marido a levava até a ilha de Beginish, na costa de Kerry, para lhe mostrar as formações balsáticas similares às da Calçada dos Gigantes. O professor foi o único sobrevivente da tragédia.

"Ele vendeu a abadia Tullyfane para um americano e se mudou para Londres a fim de se tornar um diletante, embora seu dinheiro logo tenha acabado devido à vida que levava. Moriarty recorreu, então, a atividades ostensivamente ilegais para recuperar sua fortuna. Não é sem motivo que o denomino "Napoleão do crime".

"Quanto a Tullyfane, o americano tentou administrar a propriedade, mas foi vítima das guerras agrárias de alguns anos atrás, quando os membros da Liga da Terra forçaram mudanças radicais na maneira como as grandes propriedades na Irlanda eram geridas. Foi então que uma nova palavra foi acrescentada ao dicionário — boicote — quando os membros da Liga relegaram ao ostracismo Charles Boycott, o administrador da propriedade de lorde Erne em Lough Mask. O americano abandonou a abadia Tullyfane, que logo ficou em ruínas e se tornou terra devoluta.

"Sem conseguir descobrir o que acontecera a James Phillimore quando ele voltou para casa a fim de pegar o guarda-chuva, fui incapaz de encontrar o culpado, que acredito, com cada fibra de meu corpo, ser James Moriarty. Acredito que foi ele quem planejou todo o esquema covarde para se apoderar da propriedade que ele achou que o sustentaria até o fim da vida. Ele não estava apaixonado pela pobre Agnes e via a mulher como um meio rápido de ficar rico e, não satisfeito em esperar pela porção dela que lhe cabia por casamento, acredito que falsificou o bilhete de suicídio e o testamento, encontrando depois uma forma engenhosa de despachar o coronel, uma vez que fracassara na missão de enlouquecê-lo com a encenação da maldição. Uma vez de posse da propriedade, a pobre Agnes se tornou dispensável.

"No entanto, a forma como ele engendrou a encenação era algo de que eu não tinha certeza — até que um acontecimento peculiar me foi relatado anos depois.

"Foi em Londres, poucos anos atrás, quando por acaso encontrei o irmão mais novo de Bram Stoker, George. Como a maioria dos irmãos Stoker, com exceção de Bram, George fizera medicina e fazia parte do Colégio Real de Cirurgiões em Dublin. George acabara de se casar com uma moça do condado de Kerry, na verdade, irmã dos McGillycuddy de Reeks, membros da antiga nobreza gaélica.

"Foi George quem me forneceu uma peça importante do quebra-cabeça. De fato, quem lhe deu a informação sobre o ocorrido foi o próprio cunhado, Dennis McGillycuddy, que testemunhara o acontecimento.

"Cerca de um ano após as ocorrências na abadia Tullyfane, o corpo de um menino foi encontrado no terreno de uma velha mina nas Reeks. Devo explicar que as Reeks são montanhas na península Iveragh, os picos mais altos da Irlanda, e, lógico, Tullyfane fica sob suas sombras. O corpo do garoto não estava muito decomposto, pois ficara exposto às temperaturas gélidas dos pequenos lagos da área. Ocorreu que um famoso médico de Dublin, o dr. John MacDonnel, a primeira pessoa a realizar uma operação sob anestesia na Irlanda, se encontrava em Killarney. Ele concordou em fazer a autópsia porque o legista local percebera algo peculiar no corpo: o homem observou que, no escuro, o cadáver do garoto brilhava.

"MacDonnell descobriu que todo o corpo do menino havia sido coberto por uma substância cerosa amarela; com efeito, essa foi a causa da morte, pois fechara de tal modo os poros de sua pele que a pobre criança morrera asfixiada. Depois da análise, descobriu-se que a substância era uma espécie de fósforo natural, encontrada nas cavernas da região. Na mesma hora, me dei conta do significado disso.

"A criança, assim presumi, era um dos infelizes miseráveis condenados a vagar pelas estradas secundárias da Irlanda, tendo talvez ficado órfã durante o fracasso das colheitas de batata em 1871, que disseminou a fome e o tifo entre os camponeses do país. Moriarty a obrigara ou a convencera a fazer o papel da criança chorosa que havíamos visto. Aquele garoto era nosso espectro, aparecendo sob o comando de Moriarty para gritar e chorar em determinados lugares. O fósforo emitia o brilho sobrenatural.

"Tendo servido a seus propósitos, o professor, conhecendo muito bem as propriedades da substância cerosa com a qual cobrira o corpo da criança, deixou-a sufocar e jogou seu corpo nas montanhas."

Aguardei algum tempo após Holmes terminar a história, e então me aventurei a fazer a pergunta para a qual ele não fornecera, até então, uma resposta. Para tanto, fiz o seguinte preâmbulo:

— Admitindo-se que Moriarty tenha posto em execução um esquema diabólico para enriquecer e que apenas em retrospecto você percebeu como ele usara a criança para se fingir de fantasma...

Holmes soltou a respiração com força e me interrompeu:

— É o fracasso de minha habilidade dedutiva que não tenho desejo de anunciar, Watson.

— No entanto, ainda existe uma questão em aberto. Como Moriarty conseguiu sumir com o corpo de James Phillimore depois de o homem voltar à casa para pegar o guarda-chuva? De acordo com seu próprio depoimento, o professor, Jack Phillimore e você estavam todos juntos, esperando o coronel do lado de fora. O empregado da família, o velho Malone, jurou que seu patrão não tornara a entrar na casa. Como foi feito isso? Malone foi pago por Moriarty?

— Essa ideia já me ocorreu. O inspetor de polícia também interrogou Malone meticulosamente, chegando à conclusão de que ele não participara de complô algum. Na verdade, o mordomo não pôde dizer se o coronel havia ou não retornado, pois estava na cozinha com duas criadas como testemunhas na ocasião.

— E Agnes?

— Agnes estava na adega. Nada viu. Quando tudo é dito e feito, não há resposta lógica. James Phillimore sumiu no momento em que entrou pela porta da frente. Tenho pensado em todas as explicações concebíveis durante os últimos vinte anos, sem chegar a uma conclusão adequada, exceto uma...

— Que é?

— Os poderes das trevas foram exaltados naquele dia, e Moriarty fez um pacto com o diabo, vendendo a alma por ambição.

Fixei o olhar em Holmes por um instante. Eu jamais o vira admitir uma explicação para acontecimentos que não estivesse conforme a lógica científica. Estaria ele correto ao dizer que a resposta residia no sobrenatural, ou apenas acobertando sua falta de conhecimento, ou, uma opção ainda mais pavorosa para minha suscetibilidade, residiria a verdade em algum lugar na mente de meu velho amigo, uma verdade que ele se recusava a admitir até mesmo para si?

Preso ao manuscrito de John H. Watson havia um pequeno recorte amarelado do *Kerry Evening News*; infelizmente, a data não fora registrada.

"Durante a recente construção de um acampamento da polícia irlandesa nas ruínas da abadia Tullyfane, um esqueleto masculino bastante preservado foi descoberto. O subinspetor Dalton disse a nosso repórter que era impossível calcular há quanto tempo o esqueleto estava ali. A localização precisa era uma área embarreirada da antiga adega da abadia.

"O dr. Simms-Taafe declarou que deduzia, com base nas condições do esqueleto, que ele pertencera a um homem de meia-idade que encontrara a morte nos últimos vinte ou trinta anos. A parte de trás do crânio fora esmagada por um golpe violento, o que teria causado a morte.

"O subinspetor Dalton opinou que essa descoberta pode muito bem estar ligada ao desaparecimento do coronel Phillimore, na época proprietário da abadia Tullyfane. Como o proprietário seguinte, o professor James Moriarty, morreu na Suíça, e o último proprietário, um americano, voltara à sua terra natal, e os Phillimores não mais residiam no país, a polícia decidiu arquivar o caso na pasta das mortes suspeitas não solucionadas."

Um punhado de linhas foram manuscritas no recorte, na caligrafia do dr. Watson: "Acho que ficou óbvio que o coronel Phillimore foi assassinado assim que voltou a entrar na casa. Passei a acreditar que a verdade de fato residia em um canto remoto da mente de meu velho amigo, que se recusava a admitir a grotesca e terrível realidade do caso. Patricídio, mesmo quando feito por uma enamorada, é o crime mais hediondo de todos. Será que Holmes teria acabado por considerar que a jovem em si representava o poder das trevas?" Esta última frase estava fortemente sublinhada.

A aventura do estalajadeiro da Dorset Street

MICHAEL MOORCOCK

Um dos mais prolíficos escritores do mundo da ficção científica e da fantasia, Michael Moorcock (1939-) é também um de seus autores mais reverenciados. Recebeu prêmios pelo conjunto da obra de todas as organizações importantes desses gêneros. Foi entronizado no Hall da Fama da Ficção Científica e da Fantasia em 2002, e o prêmio decisivo pelo conjunto da obra lhe foi concedido na Convenção Mundial da Fantasia em 2000 (Prêmio da Fantasia Mundial), no Festival Internacional Utopiales em 2004 (Prix Utopia), pela Associação de Escritores de Terror em 2004 (Prêmio Bram Stocker) e pelos Escritores de Ficção Científica e Fantasia dos Estados Unidos em 2008 — seu 25º Grand Master. Foi Coconvidado de Honra na Convenção Mundial da Fantasia na cidade de Nova York em 1976 e também Convidado de Honra na Convenção Mundial de Ficção Científica de 1997 em San Antonio, no Texas.

Ainda produziu obras de outros gêneros, sobretudo ficção literária, e o *Times* de Londres o indicou para sua lista dos "Maiores escritores britânicos desde 1945".

Suas obras mais populares tinham como protagonista o anti-herói Elric de Melniboné, uma série de romances de fantasia em que Moorcock reverte os clichês usados pelos autores do tipo "capa e espada", como Robert E. Howard e Fritz Leiber (os quais, mesmo assim, ele admira).

"A aventura do estalajadeiro da Dorset Street" foi originalmente impressa como um livro de literatura popular por David Shapiro e Joe Piggott (1993) e pela primeira vez incluída em uma coletânea no livro *The Improbable Adventures of Sherlock Holmes*, editado por John Adams (São Francisco, Night Shade Books, 2009).

A AVENTURA DO ESTALAJADEIRO DA DORSET STREET

Michael Moorcock

Foi um setembro especialmente quente aquele em que toda Londres parecia murchar devido à excessiva exposição ao sol, como uma grande besta marinha do Ártico encalhada em uma praia tropical fadada à morte. Enquanto Roma ou Paris teriam reluzido e relaxado, Londres apenas sufocava.

Com nossas janelas escancaradas para o barulhento abafamento do ar e as persianas baixadas contra a claridade intensa, jazíamos em uma espécie de torpor, Holmes estirado no sofá enquanto eu cochilava em minha cadeira de balanço, recordando meus tempos na Índia, quando todo aquele calor era normal e nossas acomodações muito menos equipadas para lidar com ele. Eu andava ansioso para pescar nos Yorkshire Dales, mas, infelizmente, uma paciente minha começou a vivenciar um confinamento difícil e perigoso, o que me impedia de me afastar muito de Londres. No entanto, Sherlock e eu tínhamos planejado estar alhures nessa época e deixamos confusa a pobre sra. Hudson, que não esperava encontrar Holmes em casa.

Languidamente, Holmes largou no chão o bilhete que estava lendo. Ouvi um quê de irritação em sua voz quando ele falou:

— Parece, Watson, que estamos prestes a ser despejados de nossos cômodos. Eu esperava que isso não acontecesse enquanto você estivesse hospedado aqui.

O gosto de meu amigo por declarações dramáticas me era familiar, motivo pelo qual mal pisquei ao indagar:

— Despejados, Holmes?

Eu sabia que o aluguel anual, como de hábito, era pago adiantado.

— Apenas por um tempo, meu caro. Você há de lembrar que ambos tínhamos a intenção de estar ausentes de Londres por volta desta época, até que as circunstâncias ditassem o contrário. Em nosso acordo inicial, a sra. Hudson contratou a firma Peach, Peach, Peach & Praisegod para remobiliar e decorar o 221B. Esta é a notificação. As obras começam na próxima semana e seria recomendável desocuparmos o imóvel, já que pequenas alterações estruturais devem ser feitas. Ficaremos sem teto durante uma quinzena, meu amigo. Precisamos encontrar novas acomodações, Watson, mas o endereço não pode ser muito longe daqui. Você tem sua paciente que se encontra em complicações, e eu tenho meu trabalho. Preciso ter acesso a meus arquivos e meu microscópio.

Não sou homem de me adaptar de pronto a mudanças. Eu já sofrera vários reveses em meus planos, e aquela notícia, combinada ao calor, azedou um pouco meu ânimo.

— Todos os criminosos em Londres vão querer se aproveitar dessa situação — falei. — E se um Peach ou Praisegod estiver a serviço de algum novo Moriarty?

— Meu fiel Watson! Aquele caso em Reichenbach lhe causou uma impressão profunda. É o único engodo pelo qual sinto imenso remorso. Fique tranquilo, amigo. Moriarty já não está entre nós e não é provável que haja outra mente criminosa como a dele. Concordo, porém, que deveríamos ficar de olho nas coisas por aqui. Não existem hotéis nesta região adequados à habitação humana ou amigos ou parentes por perto para nos acolher.

Era quase tocante ver o mestre da dedução se perder em profunda reflexão e começar a pensar em nosso problema doméstico com a mesma atenção que daria a um de seus casos mais difíceis. Foi esse poder de concentração voltado para qualquer assunto em questão que primeiro me fez admirar seus talentos ímpares. Por fim, com um estalar de dedos, rindo como um macaco-de-gibraltar e com os olhos fundos cintilando com inteligência e autozombaria, ele disse:

— Já sei, Watson! Devemos, é claro, perguntar à sra. Hudson se ela tem algum vizinho que alugue cômodos!

— Excelente ideia, Holmes! — Fiquei encantado com o prazer inocente de meu amigo em descobrir, se não uma solução para nosso dilema, a melhor pessoa para encontrar a solução.

Recuperado de meu mau humor, botei-me de pé e puxei a corda de sino.

Em poucos instantes, a senhoria, a sra. Hudson, veio ao nosso encontro.

— Devo dizer que sinto muito pelo mal-entendido, senhor — disse ela a mim. — Mas pacientes são pacientes, suponho, e sua truta escocesa terá de esperar um pouquinho mais até que tenha oportunidade de pescá-la. Quanto ao senhor, sr. Holmes, me parece que, com ou sem assassinatos, ainda poderia desfrutar de umas boas férias à beira-mar. Minha irmã em Hove cuidaria de você com tanto zelo quanto eu aqui em Londres.

— Não duvido, sra. Hudson. No entanto, o assassinato do anfitrião de alguém desencoraja a pessoa a tirar férias, e embora o príncipe Ulrich não passasse de um conhecido e as circunstâncias da sua morte estejam todas bem claras, eu me sinto forçado a refletir um pouco sobre o assunto. É útil para mim ter meus vários instrumentos analíticos à mão. O que nos cria um problema que sou incapaz de solucionar. Se não em Hove, sra. Hudson, onde? Watson e eu precisamos de casa e comida, e isso precisa ser perto.

Estava claro que aquela boa mulher desaprovava os hábitos pouco saudáveis de Holmes, mas desistira de convertê-lo à sua causa.

Franzindo a testa para expressar sua falta de satisfação com a resposta de meu amigo, ela falou, com certa relutância:

— Há a casa de minha cunhada na Dorset Street. No número 2. Devo dizer que a cozinha dela é um tanto afrancesada para meu gosto, mas é uma casa boa, limpa e confortável com um bonito jardim nos fundos, e ela já se ofereceu para recebê-los antes.

— E ela é discreta, sra. Hudson, como a senhora?

— Silenciosa como uma igreja. Meu finado marido costumava dizer que a irmã podia guardar um segredo melhor que o confessor do papa.

— Muito bem, sra. Hudson. Está decidido! Partiremos para Dorset Street na próxima sexta-feira, permitindo que seus operários venham trabalhar na segunda. Vou providenciar para que alguns documentos e pertences sejam levados, e o restante ficará protegido sob alguma coberta. Bom, Watson, o que acha? Você terá suas férias, só que um pouco mais perto de casa que o planejado e com uma pescaria bem menos atraente!

Meu amigo estava tão animado que ficou impossível para mim manter meu mau humor e, com efeito, as coisas começaram a acontecer tão rápido a partir daquele ponto, que qualquer inconveniência menor foi logo esquecida.

Nossa remoção para o número 2 da Dorset Street correu de forma tão tranquila quanto se podia esperar e logo estávamos acomodados. A desorganização de Holmes, um aspecto tão natural do homem, logo deu a impressão de que ocupávamos nossos novos aposentos no mínimo há um século. Nossos quartos davam para um jardim que bem poderia ter sido trazido de Sussex, e, da sala, víamos a rua, onde, na esquina, era possível observar clientes entrando e saindo de opulentas lojas de penhores, em geral a caminho da Wheatsheaf Tavern, cujas "camas bem arejadas" havíamos rejeitado em prol do alojamento mais luxuoso da sra. Ackroyd. Outro aspecto agradável da casa era a vicejante trepadeira de glicínia de certa idade que subia pela fachada do prédio e acrescentava um quê à aparência campesina da construção. Desconfio de que alguns de nossos confortos não representassem o padrão de todos os estalajadeiros. A boa senhora, de sólida linhagem de Lancashire, ficou encantada com o que chamou de "honra" de cuidar de nós, e ambos concordamos que jamais recebemos tamanha atenção. Ela tinha feições agradáveis, amplas e um jeito prático, profissional, que nos convinha. Embora eu jamais vá dizer a nenhuma das mulheres, sua culinária foi uma mudança bem-vinda em relação à da sra. Hudson, que era boa, mas que contava com pouca variação.

E assim nos acomodamos. Como minha paciente vinha tendo um progresso difícil na gravidez, era importante que eu estivesse disponível, mas optei por passar o restante de meu tempo como se em férias. De fato, o próprio Holmes também partilhou um pouco de minha determinação, e tivemos várias noitadas agradáveis juntos, indo aos teatros e salões de música aos quais Londres deve sua fama. Enquanto eu desenvolvera um interesse pelas densas peças modernas de Ibsen e Pinero, Holmes ainda preferia a atmosfera do Empire e do Hippodrome, e Gilbert e Sullivan no Savoy eram seu ideal de perfeição. Muitas noites me sentei a seu lado, quase sempre no camarote predileto dele, observando sua expressão fascinada e me perguntando como um tamanho intelecto podia sentir tanto prazer assistindo a uma ópera bufa acompanhada de canções interpretadas em sotaque *cockney*.

A atmosfera ensolarada do número 2 da Dorset Street aparentemente melhorou o ânimo de meu amigo e lhe conferiu um ar tão juvenil que, certo dia, observei que ele devia ter descoberto a "fonte da juventude" para ter rejuvenescido tanto. Quando teci o comentário, ele me olhou de forma um tanto estranha e me pediu que o lembrasse das descobertas feitas por ele no Tibete, onde passara um tempo depois de "morrer" durante sua luta com o professor Moriarty. Concordou, porém, que a mudança estava lhe fazendo bem. Permitia-se continuar suas pesquisas quando assim quisesse, mas não se sentia forçado a ficar em casa. Chegou mesmo a insistir que fôssemos ao cinema juntos, mas o calor do prédio que abrigava o telão, aliado aos odores naturais que emanavam de nossos vizinhos de assento, expulsou-nos para o ar fresco antes do final do filme. Holmes não demonstrou um interesse genuíno pela invenção. O homem tendia a reconhecer o progresso apenas quando ele afetava sua profissão. Ele me disse que acreditava que o cinema não tinha relevância alguma para a criminologia, a menos que pudesse ser usado na reconstituição de um crime e, assim, ajudar a capturar o criminoso.

Quando voltamos, no início da noite, para nossas acomodações temporárias, depois de assistirmos à exibição cinematográfica no museu Madame Tussaud na Marylebone Road, Holmes ficou alerta de repente, apontando com a bengala um ponto adiante e dizendo naquele murmúrio urgente que conheço tão bem:

— O que acha daquele sujeito, Watson? Aquele com o chapéu-coco novo em folha, as costeletas ruivas, um fraque matutino emprestado e que chegou recentemente dos Estados Unidos, mas que acabou de voltar dos subúrbios da zona oeste, onde desempenhou alguma tarefa da qual pode agora estar arrependido?

Ri ante a pergunta.

— Ora, deixe disso, Holmes! — exclamei. — Vejo um sujeito de chapéu arrastando uma mala pesada, mas como sabe que ele veio dos Estados Unidos e todo o resto, não faço ideia. Creio que está inventando essa história, meu velho.

— De forma alguma, meu caro! Sem dúvida você percebeu que o fraque está começando a rasgar na costura de trás, o que indica que é pequeno demais para o homem em questão. A explicação mais provável é que ele pediu o traje emprestado com a finalidade de fazer uma visita específica. O chapéu foi comprado há pouco pela mesma razão, enquanto as botas têm o salto "gaucho" característico do sudeste dos Estados Unidos, um estilo encontrado apenas nessa região e adaptado, é claro, de uma bota de montaria espanhola. Fiz um estudo sobre saltos humanos, Watson, bem como de almas humanas!

Mantivemos uma distância constante do objeto de nossa conversa. O tráfego ao longo da Baker Street estava em seu auge, com condutores gritando e toda a humanidade diversificada londrina tentando voltar para casa, desesperada para descobrir alguma forma de esfriar seu corpo coletivo. Nosso "alvo" vez por outra precisava parar e pôr no chão a mala, eventualmente mudando-a de mão antes de prosseguir.

— Mas por que diz que ele chegou há pouco tempo? E que andou visitando a zona oeste de Londres? — indaguei.

— Isso, Watson, é elementar. Se pensar por um instante, verá claramente que nosso amigo é abastado o suficiente para encomendar o que há de melhor em chapéus e malas Gladstone, mas está usando um paletó pequeno demais, o que sugere que veio com pouca bagagem ou talvez sua bagagem tenha sido roubada e lhe faltou tempo para ir a um alfaiate. Ou então ele foi a uma daquelas lojas de roupas prontas e pegou a primeira coisa que viu. Daí, a mala nova, que, sem dúvida, foi comprada para levar o objeto que acabara de comprar. Está claro também que ele não se deu conta do quanto era pesado, e tenho certeza de que, se não estivesse hospedado por perto, teria tomado um cabriolé. Pode muito bem estar arrependido da compra. Talvez seja algo muito caro, mas não exatamente o que ele esperava comprar... Com certeza não percebeu o quanto seria difícil de carregar, sobretudo nesse calor. Isso sugere que ele acreditava ser capaz de andar quando saísse da estação de metrô de Baker Street, o que, por sua vez, sugere que andou visitando a zona oeste de Londres, a principal a ser servida pela linha que para na Baker Street.

Poucas vezes eu questionava as conclusões de meu amigo, mas essa me parecia fantasiosa demais. Fiquei um pouco surpreso, portanto, quando vi o cavalheiro de chapéu-coco virar à esquerda na Dorset Street e sumir. Na mesma hora, Holmes apertou o passo:

— Rápido, Watson! Acho que sei para onde ele está indo.

Dobrando a esquina, chegamos a tempo de ver o americano parado defronte ao número 2 da Dorset Street, enfiando a chave do portão na fechadura!

— Bem, Watson — disse Holmes, com certo triunfo na voz. — Devemos tentar verificar minha análise?

Então, ele começou a caminhar em direção a nosso companheiro inquilino, levantou seu chapéu e oferceu-lhe ajuda para carregar a bagagem.

O homem reagiu de forma tremendamente dramática, desabando de costas sobre as barras de ferro do portão e quase deixando o próprio chapéu cair sobre os olhos. Ele observou Holmes, ofegante, e então, resmungando, entrou no salão frontal da casa, levando a pesada mala atrás dele e batendo a porta na cara de meu amigo. Holmes levantou as sobrancelhas, com uma expressão perplexa.

— Não há dúvida de que o esforço o deixou de mau humor, Watson.

Depois de entrar, chegamos a tempo de ver o homem, com o chapéu ainda na cabeça, arrastando a mala escada acima. A coisa se abriu, e tive um vislumbre do brilho da prata e do ouro na forma, achei, de uma minúscula mão humana. Quando nos reconheceu, o sujeito parou, um tanto confuso, e murmurou em tom exagerado:

— Cuidado, cavalheiros. Tenho um revólver e sei como usá-lo.

Holmes ouviu aquela notícia com expressão solene e informou ao homem que, embora tivesse ciência de que uma troca de tiros era uma espécie de apresentação cortês no Texas, na Inglaterra ainda se considerava desnecessário defender uma posição disparando armas dentro de casa, o que me pareceu um tanto hipócrita vindo de alguém que costumava praticar tiro ao alvo na própria sala!

Nosso colega hóspede, porém, deu a impressão de estar envergonhado e começou a se recuperar:

— Desculpem-me, senhores — disse ele. — Sou estrangeiro e devo admitir que me sinto um bocado confuso quanto a quem é amigo ou inimigo. Aconselharam-me a ser cuidadoso. Como os senhores entraram?

— Com uma chave, exatamente como o senhor. O dr. Watson e eu estamos hospedados aqui por algumas semanas.

— Dr. Watson! — A voz do homem o identificou na mesma hora como americano. Seu sotaque era arrastado como de um sulista, e confiei o suficiente no ouvido de Holmes para crer que ele fosse do Texas.

— Eu mesmo. — Fiquei pasmo com o entusiasmo dele, mas encantado quando ele voltou a atenção para meu colega.

— Então, o senhor deve ser Sherlock Holmes! Ah, meu caro, perdoe minha falta de maneiras! Sou um grande admirador de ambos, cavalheiros. Segui todos os seus casos. Vocês são, em parte, o motivo pelo qual aluguei acomodações perto da Baker Street. Infelizmente, quando liguei para a casa de vocês ontem, descobri que estava ocupada por empreiteiros que não sabiam me informar de seus paradeiros. Tendo pouco tempo, fui obrigado a agir por conta própria. E sinto não ter sido muito bem-sucedido! Não fazia ideia de que estavam hospedados aqui!

— Nossa senhoria — disse Holmes, seco — é famosa por sua discrição. Duvido que até mesmo o gato dela tenha escutado nossos nomes nesta casa.

O americano tinha cerca de 35 anos, a pele bronzeada pelo sol e uma basta cabeleira ruiva, um bigode igualmente ruivo e um maxilar firme. Não fossem os olhos verdes inteligentes e as mãos delicadas, eu poderia tê-lo confundido com um boxeador irlandês.

— Meu nome é James Macklesworth, senhor, de Galveston, Texas. Trabalho com importações e exportações em minha terra. Enviamos por navio mercadorias até Austin, a capital de nosso estado, e temos a reputação de sermos negociantes honestos. Meu avô lutou para instaurar nossa república e foi o primeiro a pegar um barco a vapor para subir o rio Colorado para comerciar com Porto Sabatine e outras cidades ribeirinhas.

À maneira típica dos americanos, ele nos fazia um resumo de sua história, vida e época, até no momento em que apertávamos as mãos. É um costume necessário naquela zona selvagem e nas regiões ainda tumultuosas dos Estados Unidos

Holmes foi cordial, como se farejasse um mistério atraente, e convidou o homem a se juntar a nós dali a uma hora, para podermos tomar um uísque com soda e conversar de maneira mais confortável.

O sr. Macklesworth aceitou com alacridade e prometeu que levaria junto o conteúdo da mala e uma explicação completa sobre seu comportamento recente.

Antes da chegada de James Macklesworth, perguntei a Holmes qual era a impressão dele sobre o homem. Para mim, o sujeito parecia honesto, talvez um empresário que se metera em alguma grande enrascada e quisesse a ajuda de Sherlock Holmes para sair dela. Se essa fosse a única demanda a ser feita a Holmes, eu tinha certeza de que ele recusaria o caso. Por outro lado, havia uma chance de este ser um caso incomum.

Holmes respondeu que achara o homem interessante e acreditava que fosse honesto. Porém, não tinha certeza ainda se ele era um tolo a mando de algum vilão inteligente ou se estava agindo em desacordo com a própria natureza.

— Penso que um crime foi cometido, Watson, e diria que um crime bastante diabólico. Sem dúvida você já ouviu falar do *Perseu*, de Fellini.

— Quem não ouviu? Dizem ser a melhor obra dele. Feita de prata maciça e banhada a ouro, representa Perseu com a cabeça de Medusa, que é feita de safiras, esmeraldas, rubis e pérolas.

— Sua memória é sempre excelente, Watson. Durante muitos anos, foi a joia da coroa da coleção de Sir Geoffrey Macklesworth, filho do famoso mestre ferreiro que diziam ser o homem mais rico da Inglaterra. Sir Geoffrey, se não me engano, morreu na miséria. Gostava de arte, mas não entendia de dinheiro. Isso o tornou, até onde sei, uma presa para vários tipos de vampiros sociais! Na juventude, se envolveu com o movimento estético, foi amigo de Whistler e de Wilde. De fato, Wilde foi, por um tempo, um grande amigo seu, tentando dissuadi-lo de seus mais rematados excessos!

— Macklesworth! — exclamei.

— Isso mesmo, Watson. — Holmes fez uma pausa para acender o cachimbo, olhando para a rua, onde o movimento diário de

Londres prosseguia em sua rotina familiar e banal. — A coisa foi roubada há dez anos. Um roubo ousado, que eu, na época, atribuí a Moriarty. Tudo indicava que a obra tinha sido levada do país e vendida no exterior. No entanto, eu a reconheci, ou, ao menos, reconheci uma boa cópia, na mala que James Macklesworth carregava escada acima. Garanto que ele leu sobre o caso, sobretudo levando-se em conta seu sobrenome. Por isso, deve saber que a estátua de Fellini foi roubada. Ainda assim, com certeza foi a algum lugar hoje e voltou para cá com ela. Por quê? O homem não é um ladrão, Watson. Aposto minha vida nisso.

— Espero que ele pretenda nos esclarecer — falei no momento em que ouvimos uma batida à porta.

O sr. James Mackelsworth mudara um bocado. De banho tomado e vestindo as próprias roupas, parecia muito mais confiante e à vontade. Seu terno era do tipo apreciado em sua terra natal, com um nítido corte espanhol, e ele usava uma gravata por baixo do amplo colarinho de uma camisa macia, um colete vermelho e botas pontudas de couro de vaca. Tinha a aparência típica do romântico pioneiro.

Começou se desculpando pelo figurino. Não se dera conta, até chegar a Londres na véspera, que suas roupas eram incomuns e chamativas na Inglaterra. Garantimos a ele que seu figurino de forma alguma nos ofendia. De fato, até o achávamos atraente.

— Contudo, meus trajes me fazem sobressair na multidão, não é mesmo, cavalheiros?

Concordamos que não haveria muita gente vestida daquela maneira em Oxford Street.

— Foi por isso que comprei roupas inglesas — disse ele. — Queria passar despercebido. O chapéu-coco era grande demais e o fraque, demasiado pequeno. A calça era a única coisa do tamanho certo. A mala foi a maior que encontrei naquele formato.

— Então, vestido de maneira mais conveniente, como imaginou, o senhor pegou o metrô esta manhã para...?

— Para Willesden, sr. Holmes. Ora! Como sabia disso? Andou me seguindo o dia todo?

— Claro que não, sr. Macklesworth. E em Willesden, o senhor tomou posse do *Perseu* de Fellini, estou certo?

— O senhor sabe de tudo antes que eu revele, sr. Holmes! Não preciso falar mais nada. Sua reputação é de fato merecida. Se eu não fosse um homem racional, acreditaria que tem poderes paranormais!

— São simples deduções, sr. Macklesworth. É possível desenvolver essa habilidade. Porém, talvez leve um pouco mais de tempo para que eu deduza como foi que atravessou quase dez mil quilômetros de terra e mar para chegar a Londres, ir direto a Willesden e de lá sair com uma das mais belas obras de prata da Renascença que o mundo já viu. E tudo isso em um único dia.

— Posso lhe garantir, sr. Holmes, que tal aventura não me é familiar. Até poucos meses atrás, eu era o proprietário de um negócio bem-sucedido de transporte e comércio atacadista. Minha esposa faleceu há vários anos e não voltei a me casar. Meus filhos estão todos crescidos e casados, morando longe do Texas. Eu estava um pouco solitário, suponho, mas razoavelmente feliz. Tudo isso mudou, como o senhor adivinhou, quando o *Perseu* de Fellini entrou em minha vida.

— O senhor soube dele no Texas, sr. Macklesworth?

— Ora, trata-se de uma coisa estranha. E um pouco constrangedora também. No entanto, acho que terei de ser franco e contar tudo. O cavalheiro do qual o *Perseu* foi roubado era meu primo. Nós trocávamos correspondências vez ou outra. Em uma dessas cartas, ele me revelou um segredo que agora se tornou um fardo para mim. Sou seu único parente vivo do sexo masculino, vejam bem, e ele tinha negócios de família para tratar. Havia outro primo, que ele achava morar em Nova Orleans, mas seu paradeiro era desconhecido. Bem, cavalheiros, para resumir, jurei por minha honra seguir as instruções de sir Geoffrey caso algo acontecesse com ele ou com o *Perseu*. Suas instruções me levaram a pegar um trem para Nova York e embarcar no *Arcadia* para Londres. Cheguei ontem à tarde.

— Então o senhor veio de tão longe por uma questão de honra? — Eu estava deveras impressionado.

— Pode-se dizer que sim, senhor. Prezamos muito a lealdade familiar em minha terra. O patrimônio de sir Geoffrey, como sabe, foi usado para pagar suas dívidas. Porém, essa parte de minha viagem tem a ver com uma questão particular. Meu motivo para procurar o senhor está ligado a ela. Acredito que sir Geoffrey foi assassinado, sr. Holmes. Alguém o vinha chantageando, e ele falava bastante de "compromissos financeiros". Suas cartas demonstravam mais e mais ansiedade e muitas vezes não passavam de relatos desconexos sobre seus temores de que nada sobrasse para seus herdeiros. Eu lhe disse que ele não tinha herdeiros diretos e, portanto, podia ficar tranquilo. Ele não deu a impressão de registrar o que falei. Implorou-me para ajudá-lo. E me implorou também para ser discreto. Então, eu prometi. Em uma de suas últimas cartas, ele me disse que, se eu viesse a saber de sua morte, deveria partir para a Inglaterra de pronto e, ao chegar aqui, levar uma mala de bom tamanho até o número 18 de Dahlia Gardens, em Willesden Green, a noroeste de Londres, e lá fornecer prova de minha identidade, assumindo então a responsabilidade pelo objeto mais precioso para os Mackelsworth. Logo depois, eu deveria voltar a Galveston com a maior rapidez possível e jurar manter o objeto em questão dentro da família.

"Fiz o juramento e, passados poucos meses, li no jornal de Galveston a notícia do roubo. Pouco depois, seguiu-se a notícia do suicídio de sir Geoffrey. Não me restava outra coisa a fazer, sr. Holmes, senão seguir as instruções que jurara seguir. No entanto, fiquei convencido de que sir Geoffrey não estava em seu juízo perfeito no fim da vida. Desconfiei que ele temia ser morto. Falava de gente que chegaria a qualquer extremo para possuir a obra de Fellini. Não lhe importava que o restante do patrimônio fosse hipotecado em sua totalidade nem tinha medo de morrer na miséria. O

Perseu era de tamanha importância. Por isso suspeito que o roubo e o assassinato estejam conectados."

— Mas o veredicto foi suicídio — intervim. — Encontraram um bilhete. O legista se deu por satisfeito.

— O bilhete estava coberto de sangue, não é mesmo? — murmurou Holmes de sua cadeira, tocando o queixo com a ponta do dedo.

— Acredito que sim, sr. Holmes. Mas como não houve suspeita de crime, não abriram uma investigação.

— Entendi. Por favor, continue, sr. Mackelsworth.

— Bem, cavalheiros, na verdade, tenho pouco a acrescentar, afora essa suspeita incômoda de que há algo errado. Não quero ser cúmplice de um crime nem reter informações úteis à polícia, mas me sinto obrigado, por uma questão de honra, a satisfazer o juramento que fiz a meu primo. Procurei o senhor não necessariamente para solucionar um crime, mas para me deixar tranquilo de que nenhum crime foi cometido.

— Um crime foi cometido, já que sir Geoffrey reportou um roubo que não ocorreu. No entanto, não chega a ser algo tão grave. O que o senhor deseja de nós, sr. Mackelsworth?

— Eu esperava que o senhor ou o dr. Watson me acompanhassem ao endereço em questão, por uma série de motivos óbvios. Procuro sempre cumprir as leis, sr. Holmes. Por outro lado, era uma questão de honra…

— É verdade — interrompeu Holmes. — Agora, sr. Mackelsworth, nos diga o que encontrou no número 18 de Dahlia Gardens, em Willesden.

— Bom, era uma casa um bocado miserável, de um tipo com que não tenho a menor familiaridade. Várias moradias grudadas em uma ruazinha a menos de meio quilômetro da estação. De forma alguma era o que eu esperava. A de número 18 era a mais miserável de todas, uma lástima, com a pintura descascando, um jardim que era só mato, muitas latas de lixo e todo o tipo de coisa que se espera encontrar no East Side de Nova York, e não em um subúrbio londrino.

"A despeito de tudo isso, encontrei a aldrava suja e bati até que a porta fosse aberta por uma mulher muito atraente, que eu descreveria como mestiça. Era uma moça avantajada, de unhas longas, mas surpreendentemente bem-feitas. Na verdade, sua aparência era impecável, em distinto contraste com o ambiente. Ela me aguardava. Chamava-se sra. Gallibasta. Soube seu nome de imediato. Com frequência sir Geoffrey falava dela, em um tom de considerável afeto e confiança. Ela havia sido, me disse, governanta de sir Geoffrey. Ele a incumbira, antes de morrer, de desempenhar esse derradeiro feito de lealdade para o patrão. Entregou-me um bilhete que sir Geoffrey tinha escrito com tal finalidade. Aqui está ele, sr. Holmes."

Estendendo a mão, entregou o papel ao meu amigo, que o examinou com atenção.

— O senhor reconhece a caligrafia, não?

O americano não tinha dúvidas.

— É a caligrafia fluida, um pouco errática e masculina de meu primo. Como o senhor pode ver, o bilhete diz que devo aceitar o legado de família das mãos da sra. Gallibasta e, em segredo, transportá-lo para os Estados Unidos, onde ficaria sob minha responsabilidade até o outro primo Mackelsworth "perdido" ser encontrado. Se ele tiver herdeiros do sexo masculino, o legado deverá ser passado a esses, a meu critério. Se não existir herdeiro varão, o legado caberá a uma de minhas filhas, já que não tenho filho vivo, com a condição de que ela acrescente o sobrenome Mackelsworth ao dela. Entendo, sr. Holmes, que até certo ponto, estou traindo a confiança depositada em mim, mas conheço tão pouco da sociedade e dos costumes ingleses... Tenho uma profunda noção de família e não sabia que pertencia a uma linhagem tão ilustre até sir Geoffrey me escrever. Embora só nos correspondêssemos, me sinto obrigado a realizar seus últimos desejos. No entanto, não sou tolo o bastante para achar que sei exatamente o que estou fazendo e preciso de orientação. Quero me assegurar de que não há crime aqui e sei que, de todos os homens na Inglaterra, posso confiar no senhor para não trair meu segredo.

— Fico lisonjeado com isso, sr. Macklesworth. Por favor, me diga a data da última carta que recebeu de sir Geoffrey.

— A carta em si não estava datada, mas me recordo do carimbo do correio. Dia 15 de junho deste ano.

— Entendi. E a data da morte de sir Geoffrey?

— Dia 13. Suponho que ele tenha postado a carta antes de morrer, mas que ela só tenha sido recolhida depois.

— Uma suposição razoável. E o senhor está familiarizado, como afirmou, com a caligrafia de sir Geoffrey.

— Nós nos correspondemos durante vários anos, sr. Holmes. A caligrafia é idêntica. Nenhuma falsificação, por mais perfeita, daria conta das particularidades, dos surtos imprevisíveis em que sua escrita mal podia ser lida. Porém, em geral, sua caligrafia é bonita, clara e idiossincrática. Não é uma falsificação, sr. Holmes. Nem é falsificado o bilhete que ele deixou com a governanta.

— Contudo, o senhor nunca encontrou sir Geoffrey pessoalmente, certo?

— Infelizmente, não. Ele falou algumas vezes de ir ao Texas, mas creio que outras preocupações exigiam sua atenção.

— De fato, eu o conheci de passagem alguns anos atrás, quando pertencíamos ao mesmo clube. Um tipo artístico, amante de ilustrações japonesas e móveis escoceses. Um sujeito afável, distraído e bastante reservado, com uma natureza muito gentil. Bom demais para este mundo, como se dizia antigamente.

— Quando foi isso, sr. Holmes? — indagou nosso visitante, inclinando-se para a frente e demonstrando uma curiosidade considerável.

— Ah, faz uns vinte anos, acho, quando eu estava começando minha carreira. Consegui fornecer provas em um caso que dizia respeito a um jovem amigo dele que se metera em apuros. Ele foi delicado o bastante para crer que fui capaz de repor um bom sujeito no bom caminho. Lembro-me de que, com frequência, ele se mostrava genuinamente preocupado com o destino do próximo. Permaneceu um solteirão convicto, pelo que sei. Lastimei quando soube do roubo. E depois o coitado se matou. Fiquei um pouco surpreso, mas não se suspeitou de crime e, na época, eu andava envolvido com um problema difícil. Um cavalheiro gentil, meio antiquado. Patrono de muitos jovens artistas sem um tostão. Foi a arte, me parece, que em grande parte reduziu sua fortuna.

— Ele não falava de arte comigo, sr. Holmes. Imagino que tenha mudado um bocado nesse ínterim. O homem que conheci foi ficando cada vez mais nervoso e dado a ansiedades irracionais. Foi para apaziguar essas ansiedades que concordei em fazer o que ele me pediu. Eu era, afinal, o último dos Mackelsworth e me cabia aceitar certas responsabilidades. Fiquei honrado, sr. Holmes, com a responsabilidade, mas perturbado com o que se esperava de mim.

— O senhor é nitidamente um homem de grande bom senso, sr. Mackelsworth, bem como um sujeito honrado. Solidarizo-me com seu dilema. Agiu muito bem em vir nos procurar e faremos o possível para ajudá-lo!

O alívio do americano ficou claro em seu rosto.

— Obrigado, sr. Holmes, obrigado, dr. Watson. Sinto que agora posso agir com alguma coerência.

— Sir Geoffrey já havia mencionado a governanta para você, suponho.

— Sim, em termos mais que elogiosos. Ela começara a trabalhar para ele há cerca de cinco anos e se esforçou muito para organizar as coisas. Se não fosse por ela, segundo meu próprio primo, sua falência teria sido decretada antes. Com efeito, ele falava dela com tanto carinho que eu admito que pensei... bem, que eles fossem...

— Entendo o que o senhor quer dizer, sr. Mackelsworth. Isso também pode explicar por que ele nunca se casou. Sem dúvida, a diferença de classe era insuperável, se é que nossas suspeitas têm fundamento.

— Não desejo macular o nome de meu parente, sr. Holmes.

— No entanto, precisamos olhar o problema de forma realista, creio. — Holmes gesticulou com sua grande mão. — Fico pensando se poderíamos ter permissão para ver a estátua que o senhor pegou hoje.

— Com certeza, meu senhor. Acho que o jornal em que estava embrulhada se soltou e…

— Foi assim que reconheci a obra de Fellini — disse Holmes, o rosto adquirindo uma expressão beirando o êxtase quando a extraordinária figura foi revelada. Ele estendeu a mão para passar os dedos sobre a musculatura que bem podia se passar por carne viva em miniatura de tão perfeita que era. A prata em si vibrava com uma espécie de energia interior e o revestimento em ouro, as pedras preciosas, tudo contribuía para criar a mais maravilhosa impressão de Perseu, que trazia na mão uma espada ensanguentada e no braço, o escudo, segurando a cabeça coroada de serpentes que fixava seus olhos de safira em nós e ameaçava nos transformar em pedra!

— É óbvio por que sir Geoffrey, cujo gosto era tão refinado, queria que isso permanecesse na família — falei. — Agora entendo por que o homem se tornou tão obcecado perto do fim. Mesmo assim, imaginaria que ele pudesse doá-la a um museu, em vez de se dar ao trabalho de preservá-la. Esta obra é algo que o público merece ver.

— Estou de total acordo. Por isso pretendo mandar construir uma sala especial para exibi-la em Galveston. Porém, até lá, fui alertado, tanto por sir Geoffrey quanto pela sra. Gallibasta, de que a notícia de sua existência criaria inúmeros problemas, nem tanto com a polícia, mas com outros ladrões que cobiçam o que talvez seja o exemplo mais formidável da arte em prata da Renascença Florentina. Deve valer milhares de dólares! Pretendo segurá-la por um milhão de dólares, quando chegar em casa — disse o homem do Texas.

— O senhor poderia confiá-la a nós de hoje à noite até amanhã de tarde? — perguntou Holmes.

— Bem, como o senhor sabe, devo embarcar no *Arcadia* de volta a Nova York. Ele zarpa amanhã de noite de Tilbury. É um dos poucos vapores de tal naipe partindo de Londres. Se eu me atrasar, precisarei voltar via Liverpool.

— Está preparado para fazer isso, se for necessário?

— Não posso partir sem a obra, sr. Holmes. Assim sendo, enquanto ela estiver com o senhor, terei de ficar. — John Mackelsworth nos deu um breve sorriso e a sugestão de uma piscadela. — Ademais, preciso dizer que o mistério da morte de meu primo me preocupa mais que o mistério de seus últimos desejos.

— Excelente, sr. Mackelsworth. Vejo que pensamos da mesma maneira. Será um prazer pôr a seu dispor quaisquer talentos que eu possua. Sir Geoffrey, se bem me lembro, morava em Oxfordshire.

— A uns vinte quilômetros de Oxford, dizia ele. Próximo a uma cidadezinha agradável chamada Witney. A casa é conhecida como Cogges Old Manor e já foi o centro de uma propriedade de bom tamanho, que incluía uma fazenda. Entretanto, boa parte da terra acabou sendo vendida e agora só restam a casa e o terreno em volta, que também estão à venda pelos credores de meu primo. A sra. Gallibasta acredita que demore muito para que alguém compre o lugar. O vilarejo mais próximo é High Cogges. A estação ferroviária mais próxima é South Leigh, a 1,5 quilômetro de distância. Conheço o lugar como se morasse lá, sr. Holmes. As descrições de sir Geoffrey eram tão vívidas!

— Realmente! Por acaso foi o senhor quem o contatou primeiro?

— Não. Sir Geoffrey era interessado em heráldica e linhagem. Na tentativa de rastrear os descendentes de sir Robert Mackelsworth, nosso bisavô mútuo, ele esbarrou em meu nome e me escreveu. Até então, eu não fazia ideia de que era tão próximo da aristocracia inglesa! Durante algum tempo, sir Geoffrey mencionou que eu poderia herdar o título, mas sou um republicano convicto. Não damos muita importância a títulos e coisas do gênero no Texas. A menos que sejam conquistados!

— Você lhe informou que não tinha interesse em herdar o titulo?

— Eu não tinha desejo de herdar coisa alguma, senhor. — John Mackelsworth se levantou para partir. — Eu apenas gostava de trocar correspondências com ele. Comecei a me preocupar quando suas cartas foram ficando cada vez mais ansiosas e ele passou a falar de suicídio.

— Ainda assim, o senhor suspeita de assassinato?

— Sim. Atribua isso a um instinto pela verdade. Ou a uma imaginação pródiga. O senhor decide!

— Suspeito do primeiro, sr. Mackelsworth. Voltaremos a nos ver amanhã à noite. Até lá, boa noite.

Apertamos as mãos.

— Boa noite, cavalheiros. Dormirei mais tranquilo hoje, pela primeira vez em meses. — Dito isso, nosso homem do Texas partiu.

— O que acha disso, Watson? — indagou Holmes enquanto estendia a mão para pegar o cachimbo e enchê-lo com o tabaco tirado da bolsa que trouxera com ele. — Você acha que o nosso sr. Mackelsworth é o "artigo genuíno", como diriam os compatriotas dele?

— Fiquei bem impressionado, Holmes, mas acredito que ele tenha sido enganado para se envolver em uma aventura que, caso obedecesse aos próprios instintos, jamais teria pensado em se envolver. Não creio que sir Geoffrey fosse tudo que dizia ser. Talvez fosse quando você o conheceu, Holmes, mas, desde então, ele claramente degenerou. Mantém uma mestiça como amante, se afunda em dívidas e depois planeja roubar o próprio tesouro a fim de preservá-lo dos credores. Envolve o decente amigo do Texas, invocando laços familiares, sabendo como essas coisas são importantes para os sulistas. Então, imagino, conspira com a governanta para fingir a própria morte.

— E dá seu tesouro ao primo? Por que ele faria isso, Watson?

— Ele está usando Mackelsworth para transportá-lo para os Estados Unidos, onde pretende vendê-lo.

— Porque não quer ser identificado com a obra ou ser pego com ela. E o sr. Mackelsworth é tão inocente que se torna a pessoa perfeita para levar a obra para Galveston. Ora, Watson, não é uma teoria ruim. Desconfio até de que parte dela seja relevante.

— Você sabe de mais alguma coisa?

— Não passa de uma sensação, na verdade. Acredito que sir Geoffrey esteja morto. Li o relatório do legista. Ele estourou os próprios miolos, Watson. Por isso havia tanto sangue no bilhete suicida. Se planejou um crime, não viveu para executá-lo.

— Então, a governanta resolveu ir em frente com o plano?

— Só há uma falha aí, Watson. Sir Geoffrey aparentemente antecipou seu suicídio e deixou instruções com ela. O sr. Mackelsworth identificou a caligrafia do primo. Eu mesmo li o bilhete. Nosso amigo americano se correspondeu com sir Geoffrey durante anos e confirmou que o bilhete era de sir Geoffrey.

— Então a governanta também é inocente. Devemos procurar um terceiro homem.

— Vamos fazer uma expedição no campo, Watson. — Holmes já estava consultando seu guia de informações turísticas. — Há um trem saindo de Paddigton de manhã, o que exigirá uma baldeação em Oxford e nos deixará em South Leigh antes do almoço. Sua paciente resistirá à sedução da maternidade por mais um ou dois dias, Watson?

— Felizmente, tudo indica que ela esteja decidida a aproveitar um confinamento elefantino.

— Ótimo! Então, amanhã, satisfaremos os desejos da sra. Hudson experimentando ar fresco e a comida simples do campo inglês.

E com isso meu amigo, que estava de ótimo humor ante a perspectiva de usar aquela mente privilegiada em algo merecedor do esforço, voltou a se sentar na cadeira, tirou uma longa baforada do cachimbo e fechou os olhos.

Não podíamos ter escolhido um dia melhor para nossa expedição. Embora ainda quente, o ar era fragrante, e mesmo antes de chegarmos a Oxford, pudemos sentir a deliciosa opulência do início do outono inglês. Por todo lado, o milho tinha sido colhido e os cercas vivas abundavam em cores. Víamos palha e ardósia de nossa janela, cuja vista dava para o que há de melhor em uma Inglaterra em que as pessoas haviam construído de acordo com as inclinações naturais da terra e plantado com um olhar instintivo tanto para a beleza quanto para o pragmatismo. Era disso que eu sentia falta no Afeganistão e do que Holmes sentira falta no Tibete, quando aprendera tantas coisas com o Dalai Lama em pessoa. Nada jamais compensava, em minha opinião, a abastança e a variedade da paisagem típica do campo inglês.

Em pouquíssimo tempo estávamos na estação South Leigh e alugamos uma carroça puxada por um pônei para nos dirigirmos até High Cogges. Abrimos caminho por entre trilhas sinuosas, arbustos altos, aproveitando a tranquilidade abafada de um dia cujo silêncio era quebrado apenas pelo som do canto dos pássaros e o eventual mugido de uma vaca.

Atravessamos o povoado, atendido por uma igreja do estilo normando e uma mercearia que também funcionava como o correio local. High Cogges em si era acessada por uma trilha tosca, pouco mais que um caminho de fazenda que passava por algumas casinhas pitorescas de fazenda com telhados de sapê, que pareciam estar lá desde o começo dos tempos, espessamente cobertas por rosas e madressilvas, e por uma casa moderna vulgar, em que o proprietário fizera acréscimos horrorosos ao gosto popular do momento, além de uma fazenda com prédios externos construídos com a pedra local, que parecia ter brotado da paisagem de forma tão natural quanto o bosque e o pomar nos fundos. Quando chegamos ao portão trancado de Cogges Old Manor, vimos que o lugar transpirava negligência. Tive a impressão de que havia muitos anos que a propriedade não era cuidada.

Como era natural, meu amigo começou a explorar e logo descobriu uma fenda no muro através da qual podíamos nos espremer e entrar no terreno, pouco mais que um gramado de bom tamanho, algumas moitas e estufas dilapidadas, estábulos abandonados e outros barracões, bem como uma oficina surpreendentemente organizada. Fora ali, falou Holmes, que sir Geoffrey morrera. O local fora limpo com muito cuidado. O homem colocara o revólver em um torno e atirara na própria boca. No inquérito, sua governanta, que nitidamente era dedicada ao patrão, falara das preocupações financeiras do velho, do medo dele de ter desonrado o nome da família. O bilhete garatujado ficara empapado de sangue e era legível apenas em parte, mas sem dúvida era dele.

— Não houve qualquer indício de trapaça, Watson. Todos sabiam que sir Geoffrey levava uma vida boêmia até se estabelecer aqui. Havia dilapidado a fortuna da família, em maior parte com artistas e suas obras. Sem dúvida, algumas de suas muitas telas modernas se tornariam valiosas, ao menos para alguém, mas naquele momento os artistas patrocinados por ele ainda não haviam capitalizado qualquer valor material. Tenho a impressão de que metade dos frequentadores do Café Royal dependia dos milhões de Mackelsworth até que a fonte secou, afinal. Também acredito que sir Geoffrey ficou, nos últimos anos, desatento ou deprimido. Talvez ambos. Acho que precisamos fazer um esforço para entrevistar a sra. Gallibasta. Antes de qualquer coisa, porém, vamos visitar o correio, a fonte de todo o conhecimento nestas pequenas comunidades.

A mercearia que servia como correio era uma cabana com telhado de sapê adaptada, com uma cerca branca e uma variedade de flores do início de setembro que não pareceriam deslocadas em um quadro. No interior da loja sombreada e fresca, com todos os itens que um residente local poderia desejar, desde livros até doces, fomos cumprimentados pela proprietária, cujo nome acima da porta já havíamos anotado.

A sra. Beck era uma mulher gorducha e rosada. Ela usava um vestido de algodão estampado e um avental engomado, com olhos alegres e um leve arquear de boca que sugeria um conflito entre uma natureza calorosa e um temperamento um pouco crítico. Com efeito, foi precisamente isso que descobrimos. Ela conhecia tanto sir Geoffrey quanto a sra. Gallibasta. Tivera bom relacionamento com vários criados, segundo disse, embora eles tenham partido um por um sem deixar substituto.

— Correram boatos de que o pobre cavalheiro estava à beira da miséria e não tinha recursos para manter a criadagem. No entanto, jamais atrasou os pagamentos, e aqueles que o serviram foram leais o bastante. Sobretudo a governanta, que tinha uma atitude estranha, distante, mas que com certeza cuidava bem do patrão e, como a situação dele já era conhecida, aparentemente ela não estava à espera de seu dinheiro.

— Ainda assim, a senhora não gostava da mulher, não é? — murmurou Holmes, os olhos estudando um anúncio de caramelo.

— Admito que eu a achava um pouco estranha, senhor. Ela era estrangeira. Espanhola, acho. Não era a aparência cigana que me incomodava, mas nunca consegui me dar bem com ela. Sempre foi muito educada e agradável nas conversas. Eu a via quase todo dia, também, embora nunca na igreja. Ela vinha aqui comprar todas as pequenas coisas de que necessitavam. Ela sempre pagava em dinheiro e jamais pediu para ter crédito. Embora eu não lhe tivesse muito afeto, parece que era ela que sustentava sir Geoffrey, e não o contrário. Alguns diziam que a mulher tinha gênio forte e que, certa vez, dera com o ancinho em um mordomo, mas nunca vi prova alguma disso. Ficava algum tempo conversando comigo, às vezes comprava um jornal, pegava a correspondência que houvesse e voltava a pé para a mansão. Chovesse ou fizesse sol, meu senhor, ela sempre vinha. Que mulher grande e saudável ela era! Fazia piada dizendo como dava duro, cuidando do patrão e da propriedade, mas não parecia se importar. Eu só tenho conhecimento de uma coisa estranha a respeito dela. Quando ela adoecia, não importa o quão mal ficava, ela sempre se recusava a ver o médico. A mulher tinha um terror cego pela profissão médica, senhor. Bastava sugerir chamar o dr. Shapiro que começava a gritar e insistir que não precisava de nenhum "serrador de ossos". No mais, ela era tudo de que sir Geoffrey precisava, aquele homem tão gentil e estranho que vivia com a cabeça nas nuvens. Foi assim desde menino.

— Mas o homem era dado a medos e noções irracionais, pelo que sei, não?

— Jamais ouvi falar disso, meu senhor. Ele nunca me pareceu diferente. Ela era a estranha. Apesar de ele ficar bastante em casa nos últimos vários anos e eu só o ver raramente, quando o via, sir Geoffrey estava sempre de seu jeito otimista.

— Isso é muito interessante, sra. Beck. Fico muito grato à senhora. Acho que vou levar cem gramas de sua melhor bala de menta, por gentileza. Ah, quase me esqueci de perguntar. A senhora se lembra de sir Geoffrey receber cartas dos Estados Unidos?

— Ah, sim, o tempo todo. Ele as esperava com ansiedade. Lembro-me dos envelopes e dos selos. Era praticamente a única correspondência regular que recebia.

— E ele enviava suas respostas daqui?

— Isso eu não sei dizer. As cartas são recolhidas de uma caixa postal próxima à estação. O senhor poderá vê-la se voltar por aquele lado.

— A sra. Gallibasta, creio, mudou-se daqui.

— Não faz nem duas semanas. Meu filho levou as coisas dela até a estação. A mulher levou tudo. Ele comentou como a bagagem era pesada. Disse que, se não tivesse ido ao funeral de sir Geoffrey em St. James, chegaria a acreditar que ela estava levando o corpo dele em seu baú. Ora, me perdoem pela brincadeira.

— Agradeço muitíssimo, sra. Beck. — O detetive ergueu o chapéu e fez um cumprimento. Reconheci o ânimo ativo e excitado de Holmes. Estava em uma pista agora e farejara algum tipo de alvo. Quando saímos, murmurou: — Preciso ir até o 221B assim que voltarmos e dar uma olhada em meus arquivos antigos.

Enquanto eu dirigia a carroça de volta à estação, Holmes mal abriu a boca, perdido em reflexões durante todo o caminho até Londres. Eu estava acostumado aos humores e hábitos de meu amigo e me satisfiz em deixar aquela mente brilhante se exercitar enquanto eu me dedicava aos problemas mundiais na edição matutina do *Telegraph*.

***

O sr. Macklesworth nos encontrou para tomar chá naquela tarde. A sra. Ackroyd se esmerara preparando salmão defumado e sanduíches de pepino, pequenos salgadinhos, broinhas e bolos. O chá era Darjeeling, meu favorito, cujo delicado sabor é melhor apreciado àquela hora da tarde, e até mesmo Holmes observou que bem podíamos ser clientes do Sinclair's ou do Grosvenor.

Nosso ritual foi testemunhado pela esplêndida obra de Fellini, que, talvez para aproveitar o melhor da luz, Holmes colocara na janela de nossa sala, de frente para a rua. Era como se tomássemos chá na presença de um anjo. O sr. Mackelsworth balançava seu prato sobre o joelho, estampando no rosto uma expressão de deleite.

— Ouvi falar desta cerimônia, cavalheiros, mas nunca imaginei que faria parte de um *high tea* com o sr. Sherlock Holmes e o dr. Watson!

— Na verdade, o senhor não está fazendo isso — contestou Holmes com delicadeza. — É um equívoco comum, suponho, entre nossos primos americanos achar que o *high tea* e chá da tarde são a mesma coisa. Trata-se de duas refeições bem diferentes, feitas em horários distintos. *High tea*, em meu tempo, só tinha lugar em determinadas instituições acadêmicas, e era um jantar quente consumido cedo. O mesmo tipo de jantar, servido em uma enfermaria, ultimamente passou a ser chamado de *high tea*. O chá da tarde, que consiste em uma variedade de sanduíches frios, às vezes acompanhados de bolinhos, creme azedo e geleia de morango, é consumido por adultos, geralmente às 16 horas. O *high tea*, quase sempre é consumido por crianças às seis da tarde. A linguiça sempre teve lugar de destaque em tais refeições quando eu era jovem. — Holmes pareceu estremecer um pouco.

— Sinto-me corrigido e informado, senhor — falou o homem do Texas, de forma jovial, acenando com um sanduíche para enfatizar, levando-nos a cair na gargalhada, Holmes por conta do próprio pedantismo e o sr. Macklesworth quase por alívio de poder se distrair dos assuntos pesados que lhe enchiam a cabeça.

— O senhor descobriu alguma pista para o mistério em High Cogges? — perguntou nosso convidado.

— Ah, sim, sr. Macklesworth — respondeu Holmes —, tenho uma ou duas coisas para verificar, mas creio que o caso esteja solucionado. — Estalou de novo a língua, dessa vez diante da expressão de espanto encantado no rosto do americano.

— Solucionado, sr. Holmes?

— Solucionado, sr. Macklesworth, mas não provado. O dr. Watson, como de hábito, contribuiu bastante com minhas deduções. Foi você, Watson, que sugeriu o motivo para envolver esse cavalheiro no que, acredito, foi um crime tenebroso cometido com absoluto sangue-frio.

— Então eu estava certo, sr. Holmes! Sir Geoffrey foi assassinado!

— Assassinado ou levado ao suicídio, sr. Macklesworth, o que não chega a fazer muita diferença.

— O senhor sabe quem é o culpado?

— Acredito que sim. Por favor, sr. Macklesworth — disse Holmes, puxando um pedaço de papel amarelo do bolso interno do paletó —, poderia dar uma olhada nisto? Tirei de meus arquivos a caminho daqui e me desculpo por estar tão empoeirado.

Franzindo um pouco a testa, o homem do Texas pegou o papel dobrado e depois coçou a cabeça, meio confuso, lendo em voz alta:

— "Meu caro Holmes, muito obrigado por sua generosa ajuda na questão recente envolvendo meu amigo pintor... Desnecessário dizer que ficarei para sempre lhe devendo. Muito sinceramente..."

Erguendo os olhos e parecendo um tanto perdido, ele falou:

— Não conheço o papel de carta, sr. Holmes. Sem dúvida o Athenaeum é um de seus clubes. Porém, a assinatura é falsa.

— Eu imaginava que o senhor pudesse confirmar isso — falou Holmes pegando de volta o papel da mão de nosso convidado. Longe de se sentir incomodado pela informação, ela pareceu deixá-lo satisfeito. Fico pensando quão distante no tempo podem se encontrar as raízes desse crime. — Agora, antes que eu dê mais detalhes, sinto necessidade de demonstrar uma coisa. Pergunto-me se o senhor faria a gentileza de escrever um bilhete para a sra. Gallibasta em Willesden. Gostaria que o senhor lhe dissesse que mudou de ideia a respeito de voltar aos Estados Unidos e decidiu morar na Inglaterra durante um período. Nesse ínterim, sua intenção é guardar a escultura de Fellini no cofre de um banco até seu retorno à terra natal, quando, então, consultará um advogado para resolver o que fazer com a estátua.

— Se eu fizesse isso, sr. Holmes, não estaria honrando o compromisso com meu primo. E estaria contando uma mentira a essa senhora.

— Acredite, sr. Mackelsworth, eu lhe garanto que o senhor não estará quebrando sua promessa nem contando uma mentira a uma senhora. Na verdade, estará prestando a sir Geoffrey Mackelsworth e, espero, às duas grandes nações a que pertencemos, um serviço importante, se seguir minhas instruções.

— Muito bem, sr. Holmes — disse Macklesworth, retesando o queixo e assumindo expressão séria —, se essa é sua palavra, estou pronto para fazer o que me pedir.

— Perfeito, Mackelsworth! — Os lábios de Sherlock Holmes deixaram entrever parcialmente seus dentes, como um lobo que vê a presa se tornar, enfim, vulnerável. — Aliás, o senhor já ouviu falar em seu país de uma criatura conhecida como "Little Peter" ou, às vezes, "French Peter"?

— Decerto que sim. Ele foi popular na imprensa sensacionalista e continua sendo até hoje. Operava em Nova Orleans há uma década. Jean "Petit Pierre" Fromental. Um artista de variedades. Era em parte arcadiano e, diziam alguns, em parte algonquino. Um homem bonito e poderoso, famoso por uma série de assassinatos especialmente vis de dignitários ilustres nas salas privativas daqueles estabelecimentos pelos quais Picayune é famosa. Uma cúmplice participava dos crimes. Diziam que ela atraía os homens para suas mortes. Fromental acabou sendo capturado, mas a mulher jamais foi presa. Há quem acredite que foi ela quem o ajudou a fugir da prisão. Se bem me lembro, sr. Holmes, Fromental nunca foi pego novamente. Não surgiu alguma prova de que ele, por sua vez, foi assassinado por uma mulher? O senhor acha que Fromental e sir Geoffrey foram ambos vítimas da mesma assassina?

— Em certo sentido, sr. Mackelsworth. Como falei, reluto em lhe passar minha teoria antes de testá-la. Contudo, nada disso foi obra de uma mulher, eu lhe garanto. O senhor fará o que lhe pedi?

— Conte comigo, sr. Holmes. Vou redigir o telegrama agora mesmo.

Quando o sr. Macklesworth foi embora, eu me virei para Holmes, com a expectativa de que ele me esclarecesse o caso um pouco mais, mas ele embalava sua solução como se fosse um filho predileto. A expressão em seu rosto me irritou bastante.

— Vamos lá, Holmes, assim não vale! Você diz que eu ajudei a solucionar o problema, mas não me dá pista alguma da solução. A sra. Gallibasta não é a assassina; ainda assim, você diz que um assassinato provavelmente está na pauta. Minha teoria, a de que sir Geoffrey mandou sumir com a estátua e depois se matou para evitar que cometesse um crime, como aconteceria se tivesse a falência decretada, parece confirmar isso. Sua caligrafia o identificou como autor das cartas que diziam que o sr. Macklesworth era um parente, sendo que ele nada tem a ver com isso, e depois, de repente, você começa a falar de um bandido da Louisiana conhecido como "Little Pierre", que pareceu ser seu principal suspeito até o sr. Macklesworth revelar que ele morreu.

— Concordo com você, Watson, que tudo é muito confuso. Espero esclarecimentos esta noite. Você está com seu revólver, meu amigo?

— Não tenho o hábito de andar armado, Holmes.

Nesse momento, Sherlock Holmes atravessou a sala e pegou uma grande caixa de sapatos que também trouxera do 221B naquela tarde. Abrindo-a, tirou dela dois modernos revólveres Webley e uma caixa de munição.

— Talvez eles sejam necessários para defender nossas vidas, Watson. Estamos lidando com uma inteligência criminosa magistral. Uma inteligência ao mesmo tempo paciente e calculista, que planejou este crime durante anos e agora acredita que existe alguma chance de ser frustrado.

— Você acha que a sra. Gallibasta está em conluio com ele e vai alertá-lo quando receber o telegrama?

— Digamos apenas, Watson, que devemos esperar uma visita esta noite. Por isso a obra de Fellini está em nossa janela, a fim de ser reconhecida por qualquer um que tenha familiaridade com ela.

Falei a meu amigo que, em minha idade e posição, já estava perdendo a paciência para esse tipo de charada, mas com relutância concordei em me posicionar onde ele indicou. Apertando com força meu revólver, me acomodei para passar a noite.

A noite foi quase tão abafada quanto o dia, e eu começava a desejar ter vestido algo mais leve e providenciado um copo d'água quando ouvi um barulho estranho, rascante, em algum lugar na rua. Arrisquei-me a dar uma olhada do lugar onde estava em pé atrás da cortina e fiquei pasmo de ver uma figura, indiferente a qualquer observador, mas mesmo assim visível à luz amarelada dos lampiões, subindo pela trepadeira de glicínia!

Em segundos, o homem — pois era um homem, e gigantesco por sinal — tirara do cinto uma faca e estava abrindo a tranca da janela onde se encontrava a escultura de Fellini. Não sei como consegui manter minha posição. Temi que o sujeito se apossasse da estátua e a levasse com ele, mas o bom senso me disse que, a menos que ele planejasse baixá-la pela janela, precisaria entrar e tentar sair pela escada.

O audacioso ladrão continuou desatento a qualquer curioso, como se seu objetivo de tal forma lhe enchesse tanto a mente que qualquer outra coisa lhe era insignificante. Tive um vislumbre de suas feições à luz dos lampiões. Seu cabelo era grosso, ondulado e estava preso por uma faixa. O queixo não estava barbeado, e a pele escura, quase negra, me revelou na mesma hora que se tratava de um parente da sra. Gallibasta.

Então, ele arrebentou a tranca da janela e ouvi sua respiração sibilar em seus lábios quando ergueu o vidro e pulou para dentro do quarto.

No momento seguinte, Holmes saiu de seu esconderijo e apontou o revólver para o homem, que se virou com os olhos chamejantes de uma besta encurralada, com a faca na mão, buscando uma forma de escapar.

— Tenho um revólver carregado apontado para sua cabeça, homem — disse Holmes com frieza —, e você faria bem se largasse a faca e se entregasse.

Com um rosnado mudo, o intruso se atirou sobre a estátua, colocando-a entre si e nossas armas.

— Atire se tiver coragem! — gritou. — Você estará destruindo mais que minha vida sem valor! Estará destruindo tudo que conspirou para preservar! Subestimei você, Macklesworth. Achei que fosse um idiota deslumbrado pela noção de ser parente de um cavaleiro do reino, com quem mantinha correspondência íntima. Trabalhei diversos anos para descobrir o que fosse possível a seu respeito. Você parecia perfeito. Disposto a fazer qualquer coisa, desde que achasse que se tratava de uma questão de honra familiar. Ah, como planejei! Como me controlei! Como fui paciente. Como fui nobre em todos os atos! Tudo para que um dia eu não apenas possuísse o dinheiro do tolo sir Geoffrey, mas também seu tesouro mais precioso! Eu tinha o amor dele, mas queria o restante também.

Foi quando me dei conta do que Holmes vinha me dizendo. Quase engasguei quando entendi a verdade da situação!

Naquele momento, vi um brilho prateado e ouvi o som doentio de aço entrando na pele. Holmes caiu para trás, a pistola escapando de sua mão e, com um grito de raiva, descarreguei toda a munição de meu revólver, indiferente quanto ao destino do Fellini e de sua arte, acreditando que, mais uma vez, meu amigo havia sido tirado de mim, desta vez debaixo de meus próprios olhos.

Vi Jean-Pierre Fromental, aliás Linda Gallibasta, desabar para trás, de braços erguidos e se chocar com a janela pela qual entrara.

Com um grito terrível, ele titubeou, se agitou no ar e depois mergulhou em um silêncio chocante.

Nesse momento, a porta se escancarou, e por ela entrou John Mackelsworth, seguido de perto por nosso velho amigo, o inspetor Lestrade, a sra. Beck e um ou dois outros inquilinos do número 2 da Dorset Street.

— Tudo bem, Watson — ouvi Holmes dizer, um pouco débil. — Foi apenas um ferimento superficial. Foi estupidez de minha parte achar que ele não poderia atirar a faca! Venha cá, Lestrade, e veja o que pode fazer. Espero que o leve daqui vivo. Pode ser a única maneira de sermos capazes de localizar o dinheiro que ele vem roubando de seu patrono todos esses anos. Boa noite, sr. Mackelsworth. Tive a esperança de convencê-lo de minha solução, mas não esperava sofrer ferimentos durante o desempenho. — Seu sorriso era fraco e os olhos mostravam dor.

Felizmente consegui alcançar meu amigo antes que ele desabasse em meus braços e me permitisse guiá-lo até uma cadeira, onde dei uma olhada no ferimento. A faca atingira o ombro dele e, como Holmes sabia, não causara nenhum dano permanente, mas não invejei o desconforto que ele devia estar sentindo.

O pobre Macklesworth estava atônito. Toda sua noção das coisas virara de cabeça para baixo e ele estava tendo dificuldade para registrar tudo. Depois de tratar do ferimento de Holmes, falei ao americano para se sentar enquanto servia a todos um cálice de conhaque. Tanto o homem do Texas como eu estávamos nos coçando para descobrir tudo que Holmes deduzira, mas nos contivemos até ele melhorar. Agora que o choque inicial passara, porém, seu ânimo parecia ótimo e ele se divertia com nossas expressões.

— Sua explicação foi engenhosa, Watson, e passou perto da verdade, mas infelizmente não era a resposta. Se fizer o favor de olhar no bolso interno de meu paletó, há de achar dois pedaços de papel. Poderia fazer a gentileza de tirá-los daqui para que todos os vejam?

Fiz o que meu amigo pediu. Um pedaço continha a última carta que sir Geoffrey escrevera para John Macklesworth e, ostensivamente, deixara com a sra. Gallibasta. O outro, bem mais velho, continha a carta que John Macklesworth lera em voz alta mais cedo naquele mesmo dia. Embora houvesse uma ligeira semelhança na caligrafia, os autores com certeza eram diferentes.

— Você disse que essa era a falsificação — falou Holmes, segurando a carta na mão esquerda — mas, infelizmente, estava errado. Talvez seja essa a única amostra da caligrafia de sir Geoffrey que o senhor já viu, sr. Mackelsworth.

— Está dizendo que ele ditava tudo para a... para o diabo?

— Duvido, sr. Mackelsworth, que seu primo um dia tenha sabido de sua existência.

— Ele não poderia escrever para um homem de quem nunca ouvira falar, sr. Holmes!

— Sua correspondência, meu caro, não era com sir Geoffrey, mas com o homem estendido na calçada lá embaixo. Seu nome, como o dr. Watson já deduziu, é Jean-Pierre Fromental. Não há dúvida de que fugiu para a Inglaterra depois dos assassinatos Picayune e se juntou a uma turma boêmia que cercava o lorde Alfred Douglas e outros, acabando por encontrar precisamente o tipo de homem que procurava. É possível que tenha conservado seu disfarce de Linda Gallibasta esse tempo todo. Decerto isso explicaria por que sentia tanto medo de ser examinado por um médico. Foram essas as palavras da dona da mercearia que serve como correio. É difícil saber se ele andava sempre vestido de mulher. Era dessa forma, afinal, que ele atraía suas vítimas na Louisiana para a morte. Difícil também saber se sir Geoffrey conhecia muito a seu respeito, mas sem dúvida ele se tornou indispensável para o patrão e foi capaz, pouco a pouco, de esconder o que sobrara da fortuna Mackelsworth. Seu mais ardente desejo, contudo, era obter a escultura de Fellini e foi então que planejou as ações que levaram a calculadamente enganá-lo, sr. Mackelsworth. Ele precisava de alguém com o mesmo sobrenome que morasse não muito longe de Nova Orleans.

Como garantia extra, inventou um terceiro primo. Com a simples artimanha de escrever para o senhor no papel de carta de sir Geoffrey, ele criou uma série de mentiras, cada uma delas parecendo validar a outra. Como ele sempre pegava a correspondência vestido de Linda Gallibasta, sir Geoffrey jamais teve ciência do engodo.

Foi a vez de John Macklesworth sentar-se de repente quando registrou o que ouvira.

— Santo Cristo, sr. Holmes. Agora entendo!

— Fromental queria a escultura. Tornou-se obcecado com a ideia de possuí-la, mas sabia que, se a roubasse, dificilmente conseguiria tirá-la do país. Precisava de alguém para fazer isso por ele. E esta pessoa era o senhor. Sinto informar que provavelmente não é primo do assassinado. Nem sir Geoffrey temia pelo próprio tesouro. Parecia bastante conformado com sua pobreza e há muito se assegurara de que a estátua permaneceria a salvo para sempre para sua família ou para o público. A escultura ficou isenta de responder por qualquer dívida graças a um acordo especial feito com o Parlamento. A obra jamais correu perigo de ir parar nas mãos dos credores. Não havia, é claro, nessas circunstâncias, meio algum pelo qual Fromental pudesse obtê-la. Ele precisou engendrar primeiro um assalto e, então, um homicídio, que deu a impressão de ser consequência do assalto. O bilhete suicida foi uma falsificação, mas difícil de decifrar. O plano de Fromental era usar sua honestidade e decência, sr. Macklesworth, para transportar a estátua para os Estados Unidos. Então, ele planejou arrancá-la do senhor por quaisquer meios que fossem necessários.

Mackelsworth estremeceu.

— Fico feliz por tê-lo encontrado, sr. Holmes. Se não tivesse, por uma simples coincidência, escolhido aposentos na Dorset Street, eu poderia ter conspirado para realizar os intentos daquele vilão!

— Como fez, ao que tudo indica, sir Geoffrey. Durante anos ele confiou em Fromental. Chegou mesmo a admirá-lo. Estava cego quanto ao fato do pouco que sobrava de seu patrimônio estar sendo dilapidado. Atribuiu tudo à própria incompetência e agradeceu Fromental por ajudá-lo! O homem não teve dificuldade, claro, para matar sir Geoffrey quando chegou a hora. Deve ter sido bem simples. Aquele bilhete suicida foi a única falsificação no caso, cavalheiros. A menos, é lógico, que considerem o assassino em si.

E mais uma vez o mundo se tornara um lugar mais seguro e sadio graças aos incríveis poderes dedutivos de meu amigo Sherlock Holmes.

Pós-escrito

E foi esse o fim do caso Dorset Street. A escultura de Fellini foi levada para o Museu Victoria and Albert, que, durante alguns anos, a manteve em uma ala especial, a Ala "Macklesworth", antes de transferi-la, por acordo, para o Museu Sir John Soane. Lá, o nome Macklesworth continua vivo. John Macklesworth voltou aos Estados Unidos mais pobre, porém mais sábio. Fromental morreu no hospital, sem revelar o paradeiro da fortuna roubada, mas felizmente a caderneta bancária foi encontrada em Willesden, e o dinheiro, distribuído entre os credores de sir Geoffrey, motivo pelo qual a casa não precisou ser vendida. Ela está agora nas mãos de um primo verdadeiro de Macklesworth. A vida logo voltou ao normal e foi com certa tristeza que saímos da Dorset Street para voltar a fixar residência no número 221B. Vez por outra, até hoje, tenho a oportunidade de passar por aquela casa agradável e recordar com certa nostalgia os poucos dias em que ela se tornou o foco de uma extraordinária aventura.

A aventura do lagarto venenoso

BILL CRIDER

Nascido e criado no Texas, Bill Crider (1941-) é um prolífico autor de romances de mistério (bem como de vários *westerns*, romances de terror e livros infantojuvenis) há trinta anos. Afora *Blood Marks* (1991), um livro centrado em um violento serial killer, sua obra costuma ser tradicional e sentimental.

A série do xerife Dan Rhodes apresenta as aventuras de um xerife em um pequeno condado do Texas, onde, como escreveu Crider, "não existem serial killers onde um homem nu escondido em um contêiner de lixo é notícia de destaque e onde o xerife ainda tem tempo para investigar o roubo de uma dentadura". O primeiro livro da série, *Too Late to Die* (1986), ganhou o Prêmio Anthony.

O passado de Crider como professor de inglês pode ter lhe servido de pano de fundo para a série sobre Carl Burns, um professor em um pequeno colégio religioso, que é um relutante investigador diletante, bem como os livros sobre Sally Good, a diretora do Departamento de Inglês em uma universidade comunitária próxima à costa do golfo do Texas, que também é uma relutante investigadora diletante. O primeiro romance com o personagem Burns foi *One Dead Dean* (1988), e o primeiro com Good, *Murder is an Art* (1999). Crider também escreve uma série sobre um detetive particular de Galveston, Truman Smith, cuja primeira aventura foi *Dead on the Island* (1991), indicado para o prêmio Shamus pelo grupo Private Eye Writers of America.

"A aventura do lagarto venenoso" foi publicado pela primeira vez em *The New Adventures of Sherlock Holmes*, editado por Martin H. Greenberg, Jon L. Lellenberg e Carol-Lynn Rössel Waugh (Nova York, Carroll & Graf, 1999).

A AVENTURA DO LAGARTO VENENOSO

Bill Crider

Atualmente, sou um velho, mas em dias como o de hoje, no úmido finalzinho da primavera, quando a chuva gélida já está caindo por dias a fio, ainda sinto a dor da bala Jezail que me feriu na batalha de Maiwand, há tanto tempo que já nem me recordo onde fui atingido. Às vezes, a dor é na perna, em outras, no ombro, razão pela qual em mais de uma ocasião me perguntei se fui mesmo atingido ou se minha lembrança do acontecimento não passa de um sonho.

Contudo, não foi um sonho. Não. Estive mesmo em Maiwand, bem como em outros lugares, lugares que ajudei a tornar conhecidos para aqueles que foram gentis o bastante para ler meus relatos sobre meu grande amigo Sherlock Holmes. Assim, em dias como hoje, quando sair é uma ideia pouco atraente, embora ficar em casa esteja ficando cada vez mais insuportável, que me vejo sentado e mudo em uma cadeira, rememorando os casos registrados de Sherlock Holmes nos quais tive um papel relevante. Faço isso tanto para me assegurar de que aquilo que realizei não foi um sonho quanto, de certa forma, para reviver esses dias e vivenciar de novo um pouco da trepidação que sentia naquela época havia muito deixada para trás.

E vez por outra, conforme leio esses manuscritos amarelados, recordo outras aventuras, ainda não registradas, e me pego desamassando uma folha de papel e usando pena e tinta para anotar os fatos antes que eles sumam para sempre de minha memória. Como eu gostaria, nessas horas, de estar de posse do volume cuidadosamente indexado dos casos de Holmes, vez ou outra folheado por ele! Se assim fosse, eu teria ao alcance das mãos um genuíno tesouro de informações. Porém, concluo que não necessito dele. Conforme escrevo, esses dias me voltam à mente com a clareza de uma visão, me dando, se não a oportunidade de reviver minha vida de fato, uma chance de, ao menos, relembrar o que ela foi, na época em que Holmes e eu embarcamos na peculiar aventura do lagarto venenoso.

Foi em um dia muito parecido com o de hoje. O inverno parecia relutante em ceder seu domínio e pairou sobre a cidade durante várias semanas mais que o devido, enchendo o ar de bruma e chuva gélidas. A bala Jezail me incomodava. O calçamento estava escorregadio e brilhava à luz dos lampiões à noite. Gotas de chuva escorriam pelas vidraças do número 221B da Baker Street, enquanto Sherlock Holmes as contemplava sombriamente e fumava seu cachimbo, cuja fumaça subia em círculos, formando um nimbo em torno de sua cabeça. Ultimamente não vínhamos recebendo visitas de pessoas necessitadas dos serviços do único detetive consultor do mundo, e Holmes começava a ficar inquieto. Eu conhecia os sinais.

Porém, de repente, ele foi despertado de sua apatia. Apontando com o cabo do cachimbo para a rua, disse:

— Venha cá, Watson. Venha observar um homem desesperado.

Levantei-me da cadeira e fui até a janela. Lá fora, na chuva fina, um homem descia apressado a rua em direção à nossa casa.

— Como sabe que ele está desesperado, Holmes? — indaguei.

— Teste seus próprios poderes, meu caro — respondeu ele. — Trata-se de simples observação. Repare que não usei o verbo *ver*, pois a diferença entre *ver* e *observar* é vasta como a terra.

Com frequência, ele batia na mesma tecla; portanto, eu estava preparado, embora minha modesta habilidade de observação jamais tivesse chegado aos pés da dele.

— Para começar — falei —, ele está curvado para a frente e anda com rapidez. Com grande determinação, e... veja só! Escorregou porque posicionou mal o pé. Com certeza sua mente está ocupada com alguma coisa que não é a própria segurança.

— Muito bom, Watson — disse Holmes. — Tudo que disse é fato. Mas escapou-lhe o detalhe mais revelador. Às vezes, é o mais óbvio que nos escapa.

— E qual seria esse detalhe?

— Ele não está usando guarda-chuva — respondeu Holmes. — Quem se aventuraria a sair com um tempo desses sem guarda--chuva? Para um inglês, então, isso seria impensável, mas lá está ele, decerto um homem que saiu de casa com uma enorme pressa, sem pensar em qualquer outra coisa que não sua missão, seja ela qual for. Desconfio de que vá bater à nossa porta em poucos segundos, pois não há dúvida de que está necessitado de nossos serviços.

Quase em seguida, o palpite de meu amigo se revelou correto, pois ouvimos batidas na porta, e a sra. Hudson se anunciou. Abri a porta para deixar entrar nossa senhoria e o visitante ensopado, um de uma longa lista de personagens incomuns e, às vezes, infames que buscavam a ajuda de Sherlock Holmes.

— Peço humildes desculpas por qualquer dano — disse o homem, enquanto a água escorria de sua roupa para o chão. — Na pressa, devo dizer, no desespero para vir vê-lo, me esqueci de pegar um guarda-chuva. Espero que me perdoem.

— É claro — disse Holmes, mais que disposto a perdoar o que, na verdade, não passava de um ligeiro incômodo em vista da ansiedade de ouvir o que nosso visitante logo começaria a nos contar, já que era claro que o jovem, pois era um jovem, se mostrava não só desesperado, como também transtornado.

Seus olhos estavam esbugalhados e o olhar era incapaz de se fixar em uma pessoa ou um objeto na sala, vagando de um lado para o outro, de nossa bancada abarrotada para o patriótico R.V., de Rainha Vitória, que Holmes gravara à bala em nossa parede, do rosto de Holmes para o meu, das janelas para o tapete.

Por fim, o sujeito respirou fundo e perguntou:

— Qual dos dois é Sherlock Holmes?

— Sou eu — respondeu Holmes. — Watson, providencie uma manta para nosso visitante. Sra. Hudson, traga uma toalha seca, por favor.

Em segundos, aquela prestativa mulher voltou com uma toalha, que nossa visita usou para enxugar parte da água que ensopava tanto sua roupa quanto o chão, após o que ela pegou a toalha da mão dele e saiu do aposento. O jovem se enrolou na manta que eu trouxera e se sentou, tremendo de frio, em nosso sofá, começando a nos contar uma história das mais estranhas que eu já tivera o prazer de ouvir naquela sala da Baker Street.

— Meu nome — disse ele — é William Randolph e acredito que eu tenha matado minha irmã.

Pode-se facilmente imaginar o horror que senti ao pensar que um assassino confesso estava ali, sentado em nosso sofá, enrolado em uma manta de meu próprio quarto. Holmes, no entanto, permaneceu impassível. Muitas vezes ele me dissera que a capacidade de manter a própria objetividade era da maior importância no processo do raciocínio. Holmes não formulava teorias de antemão. Ouvia, em vez disso, e abordava cada caso com uma mente semelhante, na medida do possível, a uma tábula rasa.

— Quando isso aconteceu? — indagou o detetive.

— Acabei de fazer a descoberta — respondeu o infeliz. — E na mesma hora vim procurá-lo, porque o senhor estava próximo e porque já li a respeito de seus feitos.

Holmes assentiu ante o elogio implícito, embora, vez por outra, se queixasse de que minhas modestas tentativas para tornar públicas suas aventuras fossem exageradas.

— O senhor disse que "fez a descoberta". Isso não parece indicar qualquer ação de sua parte que possa ser interpretada como homicídio.

Randolph balançou uma das mãos.

— Acho que minha mente não está funcionando muito bem. Deixe-me organizar os pensamentos e recomeçar.

Emudeceu por um instante, enquanto Holmes fumava seu cachimbo. Observei os dois, ansioso e espantado.

Passados vários minutos, Randolph recomeçou a narrativa:

— Até um ano atrás, morei nos Estados Unidos, na Califórnia e na parte do país habitada pelos mórmons.

Holmes me lançou um olhar significativo, como se dissesse que sabia muito bem no que eu estava pensando: em um caso seu em que a palavra homicídio em letras vermelhas se destacava com nitidez.

— Morei lá por razões profissionais, não religiosas — prosseguiu Randolph, indiferente ao olhar trocado entre mim e Holmes. — A atividade não vem ao caso, mas enquanto estive naquele país, fui atraído pela fauna peculiar da região ao sul de onde eu vivia, em especial por um tipo de lagarto conhecido como monstro-de-gila.

— Ah! — disse Holmes. — O lagarto venenoso, *Heloderma suspectum*.

Randolph lançou um olhar estupefato para Holmes. Não estava tão familiarizado quanto eu com a amplitude dos conhecimentos de meu amigo quanto a tudo relacionado a veneno, ou, na verdade, a qualquer coisa letal ou perigosa, assuntos sobre os quais Holmes sabia tanto, ou mais, que qualquer outra pessoa.

— O senhor está certo — confirmou Randolph. — Quer dizer que conhece o monstro-de-gila.

Ele assentiu de forma quase imperceptível.

— Sei que o animal pode chegar a um tamanho bem grande, que é quase todo preto com áreas alaranjadas e rosadas na pele, e é capaz de armazenar comida no corpo durante longos períodos de tempo. Também sei, entre outras coisas, que sua mordida é considerada mortal. Contudo, jamais vi um em pessoa.

— Temo que logo verá — emendou Randolph, embora sem se explicar. — Quanto a mim, vi vários deles em uma coleção na casa de um homem que se tornou um amigo, e fiquei fascinado.

Cheguei a escrever para minha irmã e o marido dela falando sobre essas criaturas ímpares, o que levou à cena pavorosa que descobri há pouco.

— O senhor ainda não descreveu tal cena para nós — disse Holmes — nem nos disse por que veio nos ver.

— Chegarei lá. Prometo. Mas antes preciso lhes contar o que minha fascinação com estas criaturas me levou a fazer: trouxe uma de presente para a minha irmã e meu cunhado.

— E isso, presumo, levou à situação que o trouxe aqui — atalhou Holmes.

— Sim — respondeu Randolph, pondo a cabeça entre as mãos.

Holmes fumava e aguardava, enquanto eu continuava a esperar a revelação que se avizinhava.

Por fim, Randolph ergueu os olhos:

— Hoje mais cedo, poucos momentos antes de bater à porta dos senhores, fui visitar minha irmã. Foi lá que a encontrei morta, envenenada pelo mesmo lagarto que lhe dei de presente.

— Santo Deus! — exclamei. — Está dizendo que neste exato momento ela se encontra estirada no chão da casa?

— Sim — falou Randolph. — E vim procurar Sherlock Holmes para que ele descubra a coisa que a matou, pois não consigo.

— O lagarto está solto na casa? — indaguei, meu sangue gelando só de imaginar.

— Deve estar, porque a gaiola de vidro em que vivia se quebrou e ele não estava no cômodo onde minha irmã jaz morta.

Quando Randolph disse tais palavras, toda a cor que restara em seu rosto sumiu, enquanto os ombros estremeciam com seus soluços silenciosos.

A expressão de Holmes continuava impassível.

— Watson — disse ele —, acho melhor você pegar seu revólver e sua maleta de médico. É possível que tenhamos necessidade de ambos. Existem feitos escusos aqui, meu caro.

A chuva dera lugar a uma bruma espessa que criava anéis brilhosos e glaciais em volta dos lampiões da rua quando saímos do apartamento, e já não era mais necessário o uso de guarda-chuvas. Ansiosos, seguimos Randolph até a casa da irmã, um prédio georgiano localizado na Blandford Street, não muito distante de nossa residência.

Entramos por uma porta destrancada e atravessamos um corredor onde havia um pé de elefante que servia para colocar os guarda-chuvas. Holmes fez uma pausa breve quando passamos por ele e examinou os guarda-chuvas que ali estavam, um deles, reparei, ainda molhado. Então passamos por uma sala de estar escura na qual as brasas do fogo já extinto reluziam debilmente na lareira e por uma espécie de solário, onde uma das paredes era basicamente tomada por janelas, embora toda a claridade agora viesse de dois lampiões reticentes. Havia plantas de vários tipos em vasos, mas não lhes prestei atenção, pois meus olhos foram atraídos pelo que estava no chão.

Era o corpo de uma jovem, cuja semelhança com o irmão era evidente, mesmo sob a luz mortiça do cômodo. O cabelo escuro se espalhava sobre o assoalho e a pele parecia ter adquirido um tom azulado, sem dúvida devido ao veneno do monstro-de-gila. Pousando a maleta de médico a meu lado, tentei sentir algum sinal de pulsação, mas era tarde demais para falsas esperanças. Ela estava morta.

Holmes se ajoelhou perto do corpo a fim de examinar a pele do braço da moça, no qual havia furos profundos em vários pontos, onde o lagarto a mordera.

O monstro-de-gila, contudo, desaparecera. Havia uma gaiola grande, o chão forrado de areia, iluminada e aquecida por um dos lampiões. No entanto, uma de suas laterais estava estilhaçada, como se tivesse sido quebrada em meio a alguma luta. A areia escorrera para o chão.

Holmes e eu nos pusemos de pé. Randolph permaneceu onde parara, na entrada do aposento, como se fosse incapaz de entrar. O rosto era uma máscara de apreensão sofrida.

— Onde aquela coisa pode ter se metido? — indagou. — E pensar que eu a trouxe para esta casa, que sou a causa da morte de minha irmã! Assassino! Assassino!

— Um acidente não é homicídio — interveio Holmes. — O senhor sabe se sua irmã manuseava o lagarto com frequência?

— O nome dela era Sofia — disse Randolph, entristecido. — Sofia Randolph Bingham. Eu diria que poucas vezes, ou nunca, ela tocava naquela coisa. O animal não precisava ser alimentado com frequência e com certeza não era afetuoso. O senhor precisa achá-lo!

Holmes assentiu, preocupado.

— Não creio que vá ser difícil. Surpreende que o senhor mesmo não o tenha encontrado.

Randolph deixou a cabeça pender:

— Confesso que fiquei com medo. E nem saberia por onde começar.

— Eu começaria por um lugar quente — disse Holmes. — Um lar inglês no inverno dificilmente é o tipo de local que o monstro-de-gila considere uma moradia agradável. Estou surpreso que tenha sobrevivido por tanto tempo.

— Eu o trouxe para cá há apenas um mês — esclareceu Randolph. — No entanto, a viagem até aqui foi longa.

— O monstro-de-gila pode sobreviver bastante tempo sem comida, mas precisa de água de vez em quando e de calor com ainda mais frequência.

— Minha cabine no navio era bem quente — disse Randolph. — O senhor acha que a falta de um ambiente ameno pode ter levado aquela coisa a matar minha irmã?

— Parece improvável — respondeu Holmes. — Diga-me uma coisa: por onde anda seu cunhado?

— Foi ele que me encorajou a trazer o monstro-de-gila comigo — respondeu o jovem. — Ele parecia tão interessado na besta quanto eu. Contudo, assim que viu o animal, sentiu repulsa por sua aparência. Minha irmã, de natureza mais bondosa, teve pena do bicho e, por isso, ele ficou aqui.

Holmes olhou em volta:

— Seu cunhado deve ser um homem abastado para ter uma casa como esta.

Randolph esboçou um sorriso.

— Ele é médico, como seu amigo, o dr. Watson. Embora faça muito bem aos outros, não acho que ganhe muito com isso.

— A casa, então, é de sua irmã.

— Sim. Nossa família é muito bem-sucedida na atividade que mencionei antes.

— Não creio que o senhor tenha mencionado que atividade era essa — falei.

— Ela teve início com meu pai, que era um aventureiro e tanto. Envolve a mineração de bórax, e fui enviado aos Estados Unidos após a morte dele para aprender como gerir o negócio. — Baixando os olhos para o corpo no chão, o rapaz prosseguiu: — Agora, como resultado, Sofia se foi como meu pai, e a culpa é minha.

— Talvez não — disse Holmes.

— Claro que não — acrescentei. — O senhor não pode se culpar pelas ações de um animal que considerava inofensivo.

— Ah, mas eu sabia que ele era venenoso — protestou Randolph. — Enquanto morei no Oeste americano, ouvi vários relatos de sua potente mordida. Eles aumentaram meu fascínio com o lagarto e cheguei a apresentar vários casos em cartas para minha irmã. Os relatos eram muito vívidos e, segundo um deles, quando o monstro-de-gila se gruda a uma vítima, ele se recusa a soltá-la e precisa ser removido à faca — disse ele, estremecendo. — Ao menos minha irmã foi poupada desse horror.

— Sim — concordou Holmes. — Mas não outros.

Randolph aprumou os ombros.

— Não — concordou. — Porém, não podemos permitir que isso aconteça com mais ninguém. O senhor pode me ajudar a encontrar o monstro-de-gila?

Holmes assentiu:

— Como afirmei, não deve ser difícil localizá-lo. Venha.

— Espere, Holmes — falei. — Não deveríamos fazer alguma coisa com… com a srta. Sofia?

— É um infortúnio, mas acho que seria melhor deixá-la quieta no momento. Pode cobrir o rosto dela, se quiser.

Fiz o que Holmes sugeriu, usando meu lenço de linho limpo para esconder do resto do mundo aquele triste rosto.

Holmes, então, nos levou até a sala de estar penumbrosa e disse:

— Há alguma luz aqui?

— Claro — respondeu Randolph, e justo quando a luz avermelhou sua face, ouvimos o barulho de uma porta se abrindo e de alguém entrando no corredor.

— Sofia? — disse uma voz. — É você?

— Santo Deus! — exclamou Randolph. — É Bertie. Quero dizer, o dr. Bingham. O marido dela. O que vou dizer?

— Diga que estamos na sala — sugeriu Holmes.

Randolph assim fez, e o dr. Bingham entrou após tirar o casaco e deixar a maleta no corredor. Era um homem ainda jovem, não muito mais velho que o próprio Randolph e tinha um rosto redondo e sorridente, que devia prover grande consolo aos necessitados de sua ajuda.

— Ah, William — saudou o médico. — Que bom encontrá-lo. E quem são os cavalheiros que o acompanham?

Randolph me indicou com um gesto de mão:

— Esse é o dr. John Watson. E aquele — prosseguiu, virando-se para Holmes — é o sr. Sherlock Holmes.

O rosto agradável de Bingham se iluminou ante a menção de nossos nomes.

— Ora, já ouvi falar de ambos. Morando tão próximos, esperava ter o prazer de encontrá-los, e esse dia enfim chegou. Onde está Sofia? Ela já lhes ofereceu um xerez?

Randolph parecia não fazer ideia de como responder e se virou, impotente, para Holmes.

— Lamento informá-lo — disse Holmes — que sua esposa está morta.

Aquela me pareceu uma forma um bocado rude de fornecer a informação, mas suponho que não houvesse, na verdade, outra maneira. O sorriso de Bingham vacilou.

— Sem dúvida, isso deve ser algum tipo de piada — disse ele. — O senhor não pode estar dizendo...

O rosto de Holmes ficou sombrio.

— Lamento dizer que é isso mesmo que o senhor ouviu. Sua esposa está morta no outro aposento.

Com um grito estrangulado, Bingham saiu correndo até o solário. Randolph, após lançar um olhar em nossa direção, o seguiu.

— E agora, Holmes? — indaguei, totalmente perdido.

— Agora vamos achar o monstro-de-gila — respondeu ele. — Acredito que esteja por perto.

Pegou a lamparina que Randolph acendera e caminhou em direção à lareira. As brasas que antes ardiam incandescentes haviam quase virado cinzas. Holmes ergueu a lamparina na mão esquerda.

— Ali — falou, apontando com o indicador direito para um ponto na parte inferior da lareira.

E ali, de fato, estava ele.

Dava a impressão de ser uma criatura de outrora, compacta, entorpecida e negra, com manchas coloridas pouco visíveis à luz da lamparina. As patas com garras se agarravam aos tijolos da lareira onde o animal chegara atraído, sem dúvida, pelo calor do fogo moribundo. Os olhos semicerrados não estampavam expressão alguma.

— Não parece ser tão agressivo quanto imaginei — falei, segurando o cabo de meu revólver para o caso de a criatura tentar dar um bote em nós. Devagar, tirei a arma do bolso do casaco. — Acha que devo matá-la? — perguntei.

Holmes, sempre observador, sorriu diante de meu nervosismo.

— Não acho que tenhamos nada a temer quanto ao monstro-de-gila, que mal parece notar nossa presença.

E, de fato, assim era. O animal estava tão imóvel quanto a imagem gravada de um deus pagão. Não parecia sequer respirar.

— Mas como vamos colocá-lo de novo na gaiola? O vidro se quebrou.

— Veremos — disse Holmes. — Por enquanto, vamos nos juntar ao dr. Bingham e tentar amenizar seu sofrimento.

Não achei que seria possível. Perder uma jovem e linda esposa no auge da própria existência... Aquela era uma melancolia de cortar o coração, e eu a conhecia muito bem. Porém, guardei o revólver e segui Holmes até o solário, onde Bingham estava sentado em um sofá de vime, soluçando com o rosto escondido nas mãos, enquanto Randolph se mantinha, impotente, a seu lado.

Bingham ergueu o olhar quando entramos, os olhos vermelhos e fundos.

— Não culpo meu cunhado por isso — falou. — Embora ele tenha tentado assumir a culpa, ela é apenas minha, pois fui eu que permiti que minha esposa mantivesse um monstro daqueles em casa.

— Acredito que o senhor esteja certo — concordou Holmes. — A culpa é só sua, pois foi o senhor quem matou sua esposa.

O rosto de Randolph refletiu meu espanto, embora nenhum de nós se mostrasse tão surpreso quanto Bingham.

— O que está dizendo? — indagou ele. — Como pode me acusar de homicídio nessas circunstâncias?

Sua dor me pareceu tão genuína que me impeliu a falar em sua defesa:

— Holmes, não me parece adequado invadir o luto de um homem com tal acusação.

— É mais que uma acusação, meu caro Watson — disse ele. — Trata-se de um fato.

Bingham se pôs de pé.

— Ouvi dizer que poucas vezes erra, sr. Holmes, mas desta vez está cometendo um erro grave.

— Não, não estou. Os erros, e foram muitos, são todos seus. Acho melhor o senhor procurar a polícia agora, sr. Randolph. Haveremos de querer que ela esteja aqui quando eu confirmar o que acabo de dizer.

Randolph se virou com uma expressão de apelo mudo para o cunhado, que grunhiu, empurrou-o para o lado e passou por nós correndo, em direção à sala.

— Pare! — gritei, sacando o revólver que levava no casaco e atirando na viga da parede.

O som do tiro ecoou pelo aposento, e Bingham congelou.

Holmes deu um sorriso sombrio.

— Essa foi uma reação rápida, Watson. Ainda bem que estava preparado.

— Conheço você há mais tempo que o dr. Bingham — falei. — E nunca vi você errar.

— Mesmo assim, duvidou por um instante.

— Por um instante — admiti, mantendo uma vigilância cerrada sobre o médico, que, no entanto, dava a impressão de ter perdido a vontade de fugir. — Mas apenas por um instante.

— Não tem problema — disse Holmes.

Os olhos de Randolph alternavam entre mim e Holmes e depois se fixavam em Bingham, de pé, atento, as mãos pendendo ao lado do corpo.

— Não entendo — começou Randolph. — Se o lagarto venenoso matou minha irmã, como a culpa pode ser de meu cunhado? Parece impossível o senhor saber disso.

— Eu soube enquanto ainda estávamos na Baker Street que havia algo de errado em sua história. Bastou chegarmos aqui para que eu confirmasse minhas suspeitas.

Aquelas palavras me confundiram:

— Sempre achei que você não teorizasse até ter todos os fatos.

— Eu tinha os fatos, e eles apontavam para homicídio — disse Holmes. — Para começar, nunca se ouviu falar que o monstro-de-gila atacasse seres humanos, salvo em casos de extrema provocação. Não me pareceu provável que uma mulher sozinha em casa fosse tão obtusa a ponto de provocar a criatura a atacá-la. Além disso, embora a mordida do lagarto seja de fato venenosa, não existe, pelo que sei, um único caso em que essa mordida tenha matado alguém.

— E as histórias que ouvi? — protestou Randolph.

— Não passam de histórias. Os mineiros costumam exagerar, embora possa muito bem ser verdade que um deles tenha provocado um monstro-de-gila a ponto de ser mordido. Pode até ser verdade que a mordida da criatura seja tão tenaz que precise ser removida à faca do corpo da vítima. Contudo, ela não mata.

— E quanto à mordida em minha irmã?

— Esse é um dos motivos por que não podemos nos dar ao luxo de matar o animal e nos arriscarmos a destruir sua estrutura dentária ímpar. Tentaram fazer as marcas no braço de sua irmã se assemelharem à mordida de um réptil, uma cobra, talvez, mas os dentes do monstro-de-gila não são nada parecidos com presas, como um simples exame demonstrará. Eles chupam a pele da vítima e abrem um orifício para introduzir o veneno em lugar de injetá-lo.

Randolph ainda estava confuso:

— Porém, Sofia está morta, e aparentemente o que a matou foi veneno.

— Sim, mas a cor da pele dela indica que é mais provável que o veneno foi *curare* e não o do monstro-de-gila. E *curare* é um veneno que um médico pode obter com facilidade. Observei uma mancha no braço de sua irmã, sem dúvida causada por uma injeção, uma injeção que o dr. Bingham aplicou nela depois de deixá-la inconsciente por outros meios. Então, ele quebrou a gaiola e libertou o monstro para fazer parecer que a morte da esposa tenha sido resultado de um acidente.

Randolph, agora quase convencido, encarou o cunhado:

— Por quê?

— Dinheiro — respondeu Holmes — quase sempre é a resposta. Sua irmã tinha a fortuna, não ele. Talvez seu cunhado estivesse pensando em trocá-la por outra, mas não podia fazer isso sem deixar para trás o dinheiro da esposa. Ou talvez apenas tivesse cansado de Sofia. Vamos ouvi-lo.

Bingham permaneceu calado.

— Se a polícia examinar sua maleta e encontrar o *curare*, você poderá provar que o está usando neste momento em algum paciente? — indagou Holmes.

Mais uma vez, Bingham saiu correndo para o outro aposento. Só que eu me aproximara sutilmente dele e consegui agarrar seu braço com firmeza com uma das mãos e lhe mostrar o revólver com a outra. Foi o suficiente para freá-lo. Sob o comando de Holmes, Randolph foi chamar a polícia e encerrar nossa aventura.

Ainda assim, tais aventuras jamais se encerram por completo. Enquanto estou aqui sentado escrevendo sobre os acontecimentos daquele dia tão distante e os lampiões da rua se acendem, lá fora, sob a chuva, posso ver o monstro-de-gila agachado na lareira quente quase com a mesma clareza como se ele estivesse presente nesta sala. A dor surda da bala Jezail esmorece. E eu me sinto vivo e jovem de novo, de um jeito que não me sentia desde que vi o rosto de Sherlock Holmes pela última vez.

Refém do destino

ANNE PERRY

Uma autora reconhecida internacionalmente por produzir ficção histórica de mistério, com mais de 26 milhões de exemplares vendidos, Juliet Marion Hulme (1938-), sob o pseudônimo Anne Perry, escreveu mais de setenta livros, a maioria centrada em Thomas e Charlotte Pitt ou William Monk. Além desses romances de detetive no estilo vitoriano clássico, é dela também uma novela de sucesso com tema natalino veiculada desde 2003, cinco romances ambientados durante a Primeira Guerra Mundial, dois romances de fantasia, quatro livros YA e vários romances autônomos. Além disso, ela já editou cinco antologias.

O primeiro livro de Hulme como Perry foi *The Cater Street Hangman* (1979), protagonizado por Thomas Pitt, um policial vitoriano e sua esposa nascida em berço de ouro, Charlotte, que ajuda o marido a solucionar mistérios para driblar o tédio. Ela é de imensa ajuda, pois consegue abordar pessoas da elite, o que seria bastante difícil para um policial comum fazer. A série tem trinta livros, ambientados na década de 1880 e 1890.

A série sobre Monk, com vinte romances, se passa nas décadas de 1850 e 1860. Monk, um detetive particular, é auxiliado em seus casos pela agitada enfermeira Hester Latterly. Os acontecimentos no primeiro livro do detetive particular (precedendo Sherlock Holmes, com frequência descrito como o primeiro detetive-consultor do mundo, em um quarto de século) foi *The Face of a Stranger* (1990).

Após ganhar o Edgar em 2000 pelo conto "Heroes", ambientado durante a Primeira Guerra Mundial, Perry deu início a uma série de cinco romances centrados no protagonista, o capelão do Exército Britânico Joseph Reavely, cujas proezas e temperamento foram sugeridos pelo avô da autora; o primeiro deles foi *No Graves as Yet* (2003).

"Refém do destino" foi publicado pela primeira vez em *The New Adventures of Sherlock Holmes*, editado por Martin H. Greenberg, Jon L. Lellenberg e Carol-Lynn Rössel Waugh (Nova York, Carroll & Graf, 1999).

REFÉM DO DESTINO

Anne Perry

Holmes e eu tínhamos acabado de voltar ao número 221B da Baker Street após uma caminhada acelerada no mais ameno clima de primavera. Eu pegara o jornal para ler, e ele andava para lá e para cá no aposento tão conhecido, tocando uma coisa ou outra de um jeito insatisfeito, quando a sra. Hudson bateu à porta.

— Pois não? — perguntou Holmes, a esperança lhe iluminando o rosto de que a interrupção viesse a lhe trazer algum interesse em um momento em que seu tédio só fazia crescer.

— Um cavalheiro deseja vê-lo — respondeu a senhoria, franzindo a testa para indicar que havia na visita ao menos um traço que desaprovava. — Disse que é um caso de vida ou morte.

Seu tom deixou clara sua incredulidade, já que deplorava exageros, salvo quando vinham dela mesma. A sra. Hudson também não apreciava quem aumentava os próprios infortúnios, e confesso que havíamos tido uma boa cota disso nos últimos tempos. Como me falou Holmes, de forma levemente malcriada, tais infortúnios não passavam de questões domésticas, triviais, coisas que a polícia comum teria resolvido de forma mais que adequada, nada que merecesse o emprego dos talentos de Sherlock Holmes.

— Ora, mande-o entrar! — ordenou. — Traga-o logo!

A sra. Hudson se retirou com um farfalhar da saia.

— Estou otimista, Watson — disse Holmes animado. — Nosso visitante pode ao menos nos trazer um desafio mental, uma missão que mereça ser cumprida. Tudo que vimos no último mês se adequa apenas a Lestrade! Roubos e falsificações tão óbvias que não enganariam nem mesmo uma criança. Ah!

Essa última exclamação coincidiu com a entrada no cômodo de um sujeito grandalhão, forte, cujos olhos se fixaram em Holmes na mesma hora. Tinha uma vasta barba e uma basta cabeleira escura, mas, mesmo assim, a expressão de ansiedade aguda era clara, e tudo nos movimentos e na postura de seu corpo denunciava o fato de se encontrar sob grande emoção.

— Sr. Holmes! — saudou, estendendo a mão, que recolheu logo depois, como se não tivesse tempo para cortesias. — Estou à beira de um colapso nervoso, meu senhor. Caso contrário, não irromperia aqui desta forma, sem sequer pedir licença.

Comecei a examiná-lo com mais atenção, como havia aprendido com meu amigo. As roupas eram de ótima qualidade, tanto em relação ao tecido quanto ao corte, mas não estavam no auge da moda. Seus pés eram grandes, mas as botas pareciam confortáveis. Atrevo-me a dizer que ele as mandara fazer sob medida. Em vista de tudo isso, duvidei de que seu problema fosse financeiro.

— A sra. Hudson disse que seu problema era caso de vida ou morte — falou Holmes. A impaciência já se fazia notar em seu rosto e na brusquidão de seu tom. — Sente-se e me diga o que posso fazer pelo senhor.

Nosso visitante se sentou na beirada da cadeira, como se restrições a seus movimentos fossem uma agonia para ele.

— Meu nome é Robert Harris — disse ele, se apresentando. — Não sei se começo minha história pelo início ou pelo fim.

— Preciso saber o início? — indagou Holmes, uma leve ruga se insinuando entre as sobrancelhas. Ele odiava ser indulgente com irrelevâncias.

— Acredito que sim.

— Então conte-me do início. Não omita qualquer detalhe que tenha a ver com a catástrofe que o ameaça.

— Catástrofe, com efeito, é a palavra certa, sr. Holmes. Trata-se do sequestro de minha única filha, Naomi, a jovem mais encantadora e boa que já pisou nesta terra. — Sua voz era tensa devido ao estresse de reprimir o próprio terror.

Holmes se inclinou um pouco para a frente. Pude ver nas linhas acentuadas de seu rosto que o sr. Harris tinha sua total atenção. A sra. Hudson poderia desabar escada abaixo com toda a louça da casa e meu amigo sequer perceberia.

— Conte-me tudo, não omita nada. Não sabemos ainda o que poderá se revelar crucial — disse ele, olhando para mim. — Pode confiar por completo no dr. Watson, um homem da maior discrição e lealdade.

Pela primeira vez, Harris se virou para mim. Seu sorriso era charmoso.

— Peço desculpas, meu senhor. Meus modos são abomináveis. A única justificativa que posso lhe oferecer é meu desespero. Ouvi falar do senhor, é claro, e estou ciente de que é tudo isso que o sr. Holmes acabou de dizer. Jamais me passou pela cabeça não considerá-lo parte da ajuda que ele possa me dar.

Assim, Harris voltou o olhar para Holmes e começou a relatar sua história.

— Naomi tem 23 anos e é casada com um excelente rapaz que tem toda a minha aprovação. Ele a tem feito muito feliz. No entanto, sou viúvo há muitos anos, e Naomi e eu somos bastante próximos. Ela vem me visitar, com o consentimento do marido, várias vezes por ano. Tinha acabado de chegar ontem...

A voz do homem falhou, tamanho seu nervosismo. Foi necessário um momento para que ele se recompusesse.

Percebi pela expressão de Holmes que ele se esforçava para não demonstrar impaciência.

— Fomos juntos a um concerto, já que ela adora música, sobretudo quando executada por um bom quarteto de câmara, no Prince's Hall, na Trafalgar Road. Uma maravilha. Jamais vi minha filha tão animada. — Harris inspirou e expirou devagar antes de prosseguir: — O concerto terminou pouco antes das 22 horas. Saímos do teatro juntos, mas, a poucos passos da escadaria, fui parado por amigos que Naomi não conhecia. Falei com eles o mais rápido que pude, tentando me desculpar, mas, quando me virei para falar com ela, minha filha tinha sumido. Supus que também tivesse encontrado velhos amigos, e aguardei no local por uns cinco minutos. Quando ela não apareceu, perguntei às poucas pessoas que ainda se encontravam por perto se a tinham visto. Todos responderam que não. Então, imaginei que ela tivesse voltado para casa.

— Isso seria provável? — indagou Holmes.

— Não, porém nada me ocorreu além disso — respondeu Harris, a voz se tornando mais aguda ante a lembrança do pânico. — Moramos em Groom's Hill, bem próximo ao teatro, o que torna a caminhada a pé um exercício ameno. Eu ansiara por aquele momento. As ruas são agradáveis e tranquilas. Seria uma boa oportunidade para conversarmos.

— Contudo, ela não voltara para casa sozinha — concluiu Holmes. — O senhor a viu de novo, sr. Harris?

— Não! Não, não vi, sr. Holmes. Caminhei cada vez mais apressado, esperando a cada esquina vê-la andando à frente. Mas nada. Menos de vinte minutos depois de chegar em casa, ouvi batidas à porta. Eu mesmo fui atender, convencido de que era ela, pronto para repreendê-la pelo susto que me dera, mas, acima de tudo, aliviado por ver seu rosto.

Mais uma vez, o sr. Harris precisou de um instante para se acalmar, mas o fez de forma admirável. Admito que senti o coração doer por ele.

— Quem era? — perguntou Holmes, inclinando-se para a frente, o olhar fixo no de Harris.

— Um garoto, sr. Holmes, um garoto, com um bilhete para mim — respondeu o visitante, metendo a mão no bolso interno do paletó e dele tirando um papel, que entregou a meu amigo.

Holmes leu o bilhete em voz alta, para me pôr a par do conteúdo:

— "Estamos com sua filha. No momento, ela está ilesa. O senhor pode tê-la de volta por dez mil libras. Se não pagar, nós a manteremos para nosso divertimento até nos cansarmos dela. Então, os ratos de esgoto poderão ficar com ela. Eles comem qualquer coisa. Leve o dinheiro na quarta-feira ao pátio atrás do Duck and Dragon na viela de paralelepípedos na saída da Tench Street, junto ao rio, à meia-noite em ponto. Qualquer problema e ela some. Entendido? Prefiro o dinheiro, mas a escolha é sua."

"Que coisa pavorosa", disse Holmes baixinho, manuseando o papel entre seus dedos longos, examinando a textura e a qualidade. De onde eu estava sentado, pude ver que as palavras não haviam sido escritas, mas recortadas de um jornal e coladas.

Harris observava Holmes com crescente desespero.

— Que coisa curiosa — falou meu amigo com expressão pensativa. — Ele se deu ao trabalho de tornar este bilhete o mais anônimo possível, como se achasse que o senhor fosse reconhecer a caligrafia ou mesmo que talvez o levasse à polícia…

— Não! — exclamou Harris com veemência. — Qualquer problema e ele a machucará! Pelo amor de Deus, o sujeito deixou isso bem claro! Tenho de pagar pelo resgate! A questão é que não posso! Não tenho como levantar essa quantia.

— O senhor faz ideia de quem lhe mandou esse bilhete? — indagou Holmes. — Pense com cuidado. Você é um homem próspero, que conhece seu negócio muito bem. Teve sucesso em um mercado competitivo. Deve haver muita gente que o inveje, talvez até acredite que o senhor enriqueceu às custas delas.

Harris assumiu uma expressão de espanto:

— O senhor conhece minha reputação?

O fantasma de um sorriso curvou os lábios finos de Holmes.

— Não. Porém, observei suas roupas e sua educação. A soma que lhe exigem é a que outros supõem que tenha. Já me disse em que lugar vive. Está habituado a comandar e a ser obedecido. Mora em Londres, mas não parece se expor muito ao sol e ao vento. Existem velhas cicatrizes em suas mãos e o que aparentemente é a sombra de uma tatuagem que foi removida do pulso. Eu diria que, na juventude, o senhor foi um homem do mar. Agora é um importador de certa envergadura.

— Eu sabia que tinha vindo ao homem certo! — disse Harris, com aquele notável sorriso lhe iluminando de novo o rosto. — Com efeito, tudo isso é fato! — Então, a alegria sumiu e seu semblante ficou sombrio. — Mas não posso levantar dez mil libras, sr. Holmes! Passei o dia todo, desde que os bancos abriram, fazendo o possível, tudo que me foi humanamente possível! Não posso levantar mais de 6.400 libras e alguns trocados. Eles exigem o dinheiro amanhã à noite. É aqui que necessito de sua ajuda.

Sua voz ficou mais firme e sua determinação, absoluta.

— Preciso que alguém com reputação ilibada, alguém que não possa e não venha a ser enganado ou usado, a persuadir esses homens, sejam eles quem forem, que esse é todo o dinheiro que tenho. Eu o darei a eles se me devolverem Naomi ilesa. Caso se recusem, não posso dar o que não possuo, e se a machucarem, ainda que minimamente, passarei o restante da vida caçando-os. Nada mais há de me interessar até que eu me sinta vingado... E minha vingança será tão terrível quanto a ameaça que fizeram a ela. E creia, sr. Holmes, aprendi na época em que vivia no mar e no Oriente como fazer isso!

Olhando para aqueles ombros avantajados, bem como observando a intensidade do brilho em seus olhos negros, acreditei nas palavras dele. Vi que Holmes também não duvidou delas.

— Investigue meus negócios, sr. Holmes! — pediu Harris. — Meu negócio é um livro aberto para o senhor. Convença a si mesmo de que estou dizendo a verdade quando afirmo que não posso levantar mais que a soma que lhe informei. Depois, imploro: vá em meu lugar à meia-noite e convença esses patifes a me devolverem Naomi em troca do dinheiro que posso lhes dar, descontado o valor que lhe devo por seu tempo e serviço. Peço desculpas, mas isso é tudo que possuo... E, então, nunca mais vou persegui-los.

— O senhor vai deixar que se safem? — perguntei. Fiquei horrorizado com aquilo. Tanta perversidade era uma afronta à decência. — Eles farão isso de novo com alguma outra jovem!

Harris se virou para mim:

— Talvez, dr. Watson, mas se eu lhes der minha palavra de que esse é todo o dinheiro que tenho, o que é fato, e usar a honra do sr. Sherlock Holmes como penhor da veracidade de tal afirmação, serei obrigado a cumprir o compromisso de não persegui-los. Estarei comprometido. O senhor entende?

Eu entendia. E encarava como peculiar o fato de Harris levar tão a sério a reputação de meu amigo a ponto de acreditar que ela salvaria a vida de sua filha. Confesso que senti orgulho por sua estima me incluir também.

— Claro — admiti. — No entanto, a perversidade de tudo isso me causa indignação.

— A mim também — disse ele com amargura. — Mas Naomi é tudo que me preocupa. Quando alguém nos é caro, dr. Watson, somos reféns do destino mais que em qualquer outra situação, e às vezes é preciso pagar o resgate. — Voltando a olhar para Holmes, Harris acrescentou: — O senhor vai me ajudar?

Meu amigo não hesitou. Creio que tanto por pena de Harris quanto por conta do desafio que recebera, embora jamais fosse dizê-lo. Decerto a recompensa financeira era o que menos lhe importava. Houve ocasiões em que temi que essa indiferença por tais necessidades lhe fosse fazer passar por dificuldades. O público em geral sequer imaginava a frequência com que Holmes assume casos sem aceitar qualquer recompensa que não a satisfação de ajudar alguém necessitado, e sempre, claro, o exercício de seu intelecto e sua ousadia.

Não me restava dúvida de que ele entenderia com clareza a situação difícil de um homem como Harris, visto por outros como muito mais abastado que em realidade era.

— Vou ajudá-lo — respondeu Holmes. — Começaremos esta tarde. Aceito o convite para me familiarizar com seus negócios e suas circunstâncias, para poder defender sua posição em detalhes e provar a eles, sem sombra de dúvida, que o senhor está oferecendo tudo que tem. Fique tranquilo, sr. Harris. Tudo será feito para lhe devolver sua filha ilesa, salvo pelo medo que ela com certeza está sentindo.

— Muito obrigado! — O alívio e a gratidão de Harris eram evidentes. — Para sempre estarei em débito com o senhor!

Não fui capaz de ver então quão proféticas viriam a se revelar aquelas palavras.

Harris nos deu toda a assistência, e Holmes e eu passamos aquela tarde e todo o dia seguinte examinando o negócio que o homem montara depois de se aposentar da vida no mar. Era de fato muito bem-sucedido. Seu sucesso fora alcançado de maneira honesta, e Harris angariara um respeito considerável. Porém, sem dúvida fizera inimigos e, com o passar das horas, tornou-se cada vez mais fácil ver que a inveja poderia muito bem ser a fonte de seu problema atual. Ele era um homem inteligente e criativo, com frequência derrotando seus concorrentes na obtenção de um bom negócio.

No entanto, dera à filha o melhor que seus recursos lhe permitiram, a melhor educação, inclusive viagens e o aprendizado de artes e línguas estrangeiras. Boa parte do dinheiro que ganhara, Harris também gastara, mas não podia censurá-lo pela maneira como fizera. Não enchera a filha de joias ou coisas mundanas sem valor. Comecei a imaginá-la em minha mente e me perguntei que tipo de jovem ela era, já que todos falavam tão bem de sua honra e bondade. Desejei com ainda mais fervor que conseguíssemos lograr êxito na tarefa de resgatá-la.

Refizemos também os passos de Harris até o teatro e verificamos tanto quanto possível o que ele nos contara. Claro que não pudemos encontrar pessoa alguma que tivesse estado no local na noite do sumiço de Naomi, mas quando Holmes confrontou Harris com tal fato, ele nos forneceu de boa vontade os nomes e os endereços de dois dos amigos que o haviam abordado. Nós os visitamos e ambos confirmaram o relato. Naturalmente, demos a mais inofensiva das desculpas para esse interrogatório. Que me lembre, falei algo no sentido de ter conhecido Harris quando estive no Oriente e de ter ido ao teatro, onde pensei tê-lo visto. Seria possível confirmarem se de fato se tratava da mesma pessoa?

Acho que, na busca da verdade quando auxilio Holmes em um de seus casos, me tornei bastante bom em inventar mentiras. É um hábito que preciso observar com muito cuidado.

Foi assim que, pouco após as onze horas, Holmes e eu partimos para o local do encontro no pátio atrás do Duck and Dragon. Holmes levava a quantia de 6.400 libras pertencentes a Harris. Sherlock havia se recusado a descontar um centavo para si, embora nada tivesse dito ao homem. Eu o admirei por isso, embora não me surpreendesse nem um pouco. Já havia antecipado essa recusa. Sua única preocupação era levar Naomi para casa. Depois disso, ele haveria de querer, de alguma maneira, ir atrás do vilão que a sequestrara. Seu objetivo seria alcançado apenas por isso. Holmes nunca valorizou o dinheiro. Dinheiro não podia comprar o desafio intelectual que ele adorava, a música, o aprendizado ou a excitação da caça ao bandido. Nem podia comprar a amizade.

Aquele era um lugar extremamente insalubre. Apesar da noite amena de primavera, uma bruma espessa enchia o ar e os odores de esgoto a céu aberto, lixo não recolhido e moradias apinhadas pairavam à nossa volta, sufocantes.

A escuridão longe das vias públicas era amenizada apenas por vislumbres de velas por trás das janelas imundas e, vez por outra, pelo reflexo de lampiões de gás a distância em muros úmidos. Achei ter ouvido o ruído de patas de ratazanas e, de vez em quando, uma pilha de lixo desabava quando alguma criatura em seu interior se movia.

— Que lugar abominável! — murmurei. — Quanto mais rápido concluirmos nossa a missão, melhor.

— Isso seria igualmente verdadeiro se estivéssemos caminhando pelas margens verdejantes do rio — retorquiu Holmes. — Sequestro é uma coisa terrível, Watson, vender a vida humana e fazer negócio com o amor de uma pessoa por outra. Supera o roubo de qualquer objeto, mesmo o de joias da Coroa.

Concordei piamente com ele, mas vi que não precisava pôr meu pensamento em palavras.

Andávamos com cuidado. As pedras estavam escorregadias sob nossos pés, e embora portássemos lampiões, não desejávamos chamar atenção usando-os. E admito que não me aprazia ver o que havia à volta.

O Duck and Dragon ficava trinta metros à frente, sua placa pouco iluminada por um lampião pendurado acima dela, porém de forma sombria o bastante para servir seu objetivo nefasto. Até então eu não vira alma alguma nas sombras abaixo.

— Será que chegamos cedo? — indaguei, pondo a mão no revólver que insistira em levar. Afinal, Holmes carregava um bocado de dinheiro e não era minha intenção vê-lo ser roubado antes de podermos resgatar Naomi.

— Eles decerto vão verificar quem somos antes de se deixarem ver — respondeu. — Estarão esperando Harris. É minha missão convencê-los de que eu o represento.

Eu tinha dúvidas consideráveis quanto à capacidade de meu amigo de fazê-lo, agora que estávamos ali. Olhei em volta. As sombras pareceram se mover. Tive uma visão apavorante de que estivessem todas vivas, os párias e os marginais da sociedade agachados em soleiras de portas, com frio e com fome, talvez vítimas de febre ou de tuberculose, aguardando que a morte os levasse.

Ouvi uma tosse rouca e levei um susto.

Em algum lugar, um copo ou garrafa caiu e se espatifou nas pedras. Como esse inferno na terra poderia existir tão perto do calor dos lares com lareiras, comida e risadas?

Holmes estava vários metros à minha frente. Apressei o passo para alcançá-lo. Não era hora de me permitir ter pensamentos mórbidos e deixá-lo desprotegido quando encontrasse o tipo de homem capaz de sequestrar uma jovem.

"Queira Deus que eles não a estejam mantendo prisioneira em um lugar como este", pensei. A jovem estaria enlouquecendo de medo a esta hora!

Aguicei o olhar para ver através na escuridão e discernir uma figura humana adiante, o tempo todo mantendo a mão firme sobre meu revólver.

Holmes caminhou calado até estar diretamente sob a luz mortiça acima da placa do Duck and Dragon, parando então e fazendo sinal para que eu ficasse alguns metros distante, quase escondido.

A umidade condensada pingava dos beirais. Eu conseguia ouvir o som constante em meio aos estalos de madeira podre e aos ruídos das patas de roedores. Nada no mundo me induziria a ficar ali além da consciência de que a vida de uma jovem dependia de nós.

Porém, nada se movia, salvo as sombras ondulantes quando o vento balançava o lampião.

Então eu o vi, uma figura avantajada nas sombras, surgindo do nada, o chapéu puxado para a frente a fim de esconder seu rosto, o casaco puído na barra, mas com a gola alta. O homem fez sinal para que Holmes se aproximasse, como se o conhecesse. Meu amigo caminhou em sua direção e eu também andei, sacando o revólver para me permitir atirar a qualquer momento, caso aquele homem decrépito se mostrasse violento.

Holmes o alcançou e os dois falaram tão baixo que não consegui ouvir o que diziam. Então, o sujeito assentiu, como se concordasse com alguma coisa, e ambos se dirigiram a um beco.

Fiquei apreensivo. Qualquer um poderia surgir na escuridão sob aqueles beirais gotejantes, mas não me restava alternativa senão seguir em frente, o tempo todo fazendo o possível para marcar o caminho trilhado, a fim de ser capaz de refazê-lo na volta.

Saímos do beco em uma rua transversal. Diante de mim, Holmes continuava falando baixinho com o grandalhão, inclinando-se na direção dele como se o escutasse.

A escuridão aumentou. Eu tateava, mantendo uma das mãos à frente. Desejei que Holmes obrigasse o homem a ficar parado até chegarem a um acordo, mas não interrompi a conversa por medo de romper a confiança que talvez tenha sido construída entre eles.

Mais uma vez, me vi sob alguma iluminação. Porém, não havia ninguém à frente. Olhei para a esquerda e para a direita, mas não vi sinal de Holmes nem de qualquer outra pessoa.

Dei meia-volta para olhar para o local de onde viera, mas vislumbrei apenas a entrada do beco. Decerto eu não os ultrapassara. Tornei a olhar para ver se existiam outras entradas que pudesse ter perdido, mas nada! O que acontecera a Holmes?

O pânico tomou conta de mim. Meu revólver era inútil contra uma pessoa que eu não podia ver! Será que deveria gritar por ajuda? Contudo, não havia ninguém ali que poderia me socorrer. No pequeno espaço à vista, aparentemente eu era a única alma viva.

Então, consegui enxergar as formas estiradas, imóveis, de homens adormecidos, amontoados junto às portas, tentando aproveitar alguns minutos de repouso, homens famintos e sem-teto que viviam dos restos que nem mesmo aquela vizinhança miserável queria. Não havia por que perturbá-los. Já sabia que, se estivesse suficientemente perto de Holmes, eu o teria visto, se ele ali estivesse. Ele e seu guia deviam ter entrado por alguma porta escondida na escuridão do beco.

Virei-me, acendendo meu lampião, agora sem me preocupar em ser visto, e comecei a fazer o caminho de volta.

Porém, não encontrei nem meu amigo nem seu companheiro. Havia portas, sem dúvida, e janelas quebradas e fechadas por tábuas, mas nenhum sinal que indicasse por qual delas eles poderiam ter entrado. Nada de pegadas nas pedras reluzentes, nenhuma trilha óbvia em meio ao lixo espalhado nem pessoa alguma a quem perguntar.

Teria ele se perdido de mim de propósito? Estaria agora mesmo dentro de um desses prédios úmidos e rangentes enquanto negociava a libertação e a segurança da filha de Harris?

Eu não tinha como saber.

O que deveria fazer? Esperar que Holmes reaparecesse? Sair à procura dele? Mas onde?

O tempo se arrastava, cinco minutos, dez, quinze. Apenas o pinga-pinga incessante quebrava o silêncio e, vez por outra, o ranger de madeira podre, como se as casas alternassem o próprio peso de um lado para o outro. Comecei a tremer com violência. O frio penetrou meus ossos e, confesso, senti um medo crescente de que algo terrível tivesse acontecido com meu amigo.

Eu o decepcionara. O que fazer agora? Não fazia sentido esperar mais ali, e eu não sabia onde poderia começar a procurá-lo naquele lugar fétido. Ao menos eu sabia o caminho de volta e podia retornar a Baker Street.

Apressei o passo, na esperança de encontrá-lo em casa, em que riríamos um bocado juntos daquela aventura, e eu encararia, em retrospecto, meu medo atual como ridículo. Quando faltavam menos de cem metros para meu destino, eu estava correndo.

Porém, a casa estava em completa escuridão e não fui recebido por qualquer figura familiar. Acendi o aquecedor e me servi de uísque, que me aqueceu a garganta, mas em nada contribuiu para amenizar meus temores.

Andei de um lado para o outro sem rumo, refletindo sobre todas as possibilidades de ação, tanto as plausíveis quanto as absurdas, até me dar conta de serem todas ineficazes a menos que eu soubesse o que havia acontecido. Não adiantava entrar em contato com Harris. Isso apenas levaria o pobre coitado ao desespero e, talvez, fosse inútil. Nada havia que eu pudesse dizer a Lestrade, e a vida de Naomi poderia correr ainda mais perigo caso o sequestrador ficasse sabendo que procurei a polícia.

Eram 3h15 da manhã. Eu já não sentia mais frio, mas sob todos os outros aspectos, jamais me sentira pior. Tentei me recordar de todas as aventuras partilhadas com meu amigo, quantas haviam tido momentos em que tudo parecia perdido e, no entanto, ele sempre conseguira extrair a vitória da derrota. Holmes era brilhante, extraordinariamente perspicaz, criativo e possuía a maior das inteligências aliada à coragem que jamais vi em homem algum. Mesmo seu irmão, Mycroft, não lhe chegava aos pés em termos de vigor mental.

Assim que amanhecesse, ele retornaria com Naomi e me censuraria por minha falta de fé nele.

***

Com a manhã, porém, chegou um mensageiro trazendo um bilhete manuscrito endereçado a mim, que abri em um rompante:

Caro dr. Watson,

Lamento por tê-lo enganado. Não houve sequestro na segunda-feira. Naomi está segura e bem de saúde.

No entanto, houve um sequestro hoje. Se quiser voltar a ver Sherlock Holmes, o senhor terá de pagar dez mil libras por tal privilégio. Depois de ter conhecido a desagradável vizinhança do Duck and Dragon, não lhe restarão dúvidas de que um homem pode desaparecer ali para nunca ser visto de novo.

Darei dois dias para levantar o montante e trazê-lo a mim. Creio que, desta vez, poderemos nos encontrar na frente do Duck and Dragon. Novamente, não procure a polícia. Decerto não é necessário discorrer sobre as consequências de tal ato.

Incluo aqui uma autorização do punho do próprio sr. Holmes para que o senhor levante os recursos necessários.

O bilhete não estava assinado.

Dentro dele, dobrado, havia um pedaço de papel rasgado onde estava escrito, na caligrafia de Holmes:

Venho, por meio desta, autorizar o dr. John Watson a resgatar em meu nome os títulos e as ações de minha propriedade, perfazendo o total de dez mil libras a serem pagas a ele em moeda corrente, mediante sua solicitação.

Sherlock Holmes

A data era a daquele dia.

Percebi que estava tremendo quase sem controle. Quis sair correndo e encontrar aquele patife indizível do Harris e socá-lo com meus próprios punhos até que ele se arrependesse de ter nascido. Porém, percebi que isso só iria aumentar o risco que Holmes corria, talvez até mesmo causar sua morte.

Era preciso calma, uma mente fria e inteligente e raciocínio lógico, dedutivo.

Que canalha era Harris! Aproveitara-se da boa natureza de Holmes para lhe extorquir dinheiro! Suas palavras sobre o afeto por alguém nos fazer de reféns do destino me voltaram à mente com amarga ironia. Ele me havia posto na posição exata em que falsamente declarara estar.

Jamais me senti tão perdido ou impotente. E a vida de Holmes dependia de minhas habilidades!

Andei de um lado para o outro a fim de desanuviar a cabeça. Era cedo demais para entrar em contato com bancos e instituições financeiras com o propósito de levantar a soma exigida. Pensei por um instante em procurar Mycroft e pedir ajuda. Ele era o único homem esperto o suficiente para encontrar uma solução sem pôr em risco a vida de Holmes. Já ia me dirigindo à porta quando me lembrei de que Holmes me dissera que Mycroft estava na Itália, sem contudo especificar o lugar, e que não voltaria antes de, no mínimo, três semanas.

Dei-me conta, horrorizado, de que tudo dependia de mim.

Subi de volta a escada com uma sensação de tamanha desolação que mal sabia o que fazer comigo mesmo. O preço de meu fracasso era bem mais alto que a vergonha, a inadequação ou mesmo a censura e o desprezo do mundo: era a vida de meu melhor amigo e do homem mais formidável que já conheci.

Sentei-me em minha poltrona favorita e me obriguei a pensar de forma clara e racional. O que Holmes faria se nossas posições fossem contrárias?

Eu estava bastante familiarizado com seus negócios para saber que ele não possuía dez mil libras, ainda que estivesse disposto a pagar essa quantia como resgate a um vilão como Harris. Provavelmente assinara o bilhete com uma arma apontada para a cabeça.

Ele também sabia que Mycroft estava na Itália e não haveria ninguém a quem eu pudesse recorrer. Não consegui imaginar que mesmo o temor pela própria vida o faria perder o controle do intelecto a ponto de esquecer esses fatos.

Então, por que escrevera o bilhete?

Fiquei de pé e fui até onde colocara o bilhete para relê-lo. Então, virei o papel e olhei o verso. A folha havia, obviamente, sido arrancada de uma carta, da qual apenas algumas porções eram visíveis. Não havia data nem endereço do remetente. Tratava-se do canto superior esquerdo do papel. Decerto a missivista era a própria mulher que acreditávamos estar resgatando e sobre quem tínhamos concluído tanta coisa, independentemente do que Harris nos contara.

Querido papai,
Muito obrigada por seu
Estou tão feliz por você estar
Claro que a primavera aqui não é tão
no extremo sul onde você está. Mesmo assim
tulipas estão bonitas. Ontem, Ros
Donald disse que toda a ilha
eles vão alargar a estrada, mas
Por acaso lhe contei que nós
vimos os mais lindos golfinhos! Que
maior felicidade! Adoraria que você estivesse

Olhei com atenção, relendo várias vezes. Era tudo que eu tinha! Será que Holmes me enviara aquilo pretendendo que eu descobrisse ali algum fato que o ajudasse?

A expressão "refém do destino" não me saía da cabeça. Harris a usara em alusão ao amor que nutria pela filha. Eu pensara então ter ouvido angústia em sua voz. E também sinceridade.

Fui pego na mesmíssima armadilha em que ele nos fizera crer estar. Só que eu não dispunha de um Sherlock Holmes a quem recorrer!

Contudo, não era verdade. Sem dúvida, eu, mais que qualquer outro indivíduo, poderia recorrer aos anos de amizade e às experiências partilhadas no passado, não? O que diria Holmes, se estivesse comigo? Use o que tiver à mão. Veja as pistas e interprete-as!

Tornei a virar o pedaço de papel. Aquela só podia ser uma carta de Naomi! Eu não sabia em que data fora escrita, mas era seguro supor ser recente, ou Harris não estaria com ela. Se fosse antiga, mas valiosa do ponto de vista sentimental, ele não se disporia a rasgá-la para que Holmes a usasse.

Será que ele amava Naomi como nos dissera? Talvez ela fosse sua única vulnerabilidade. Nesse caso, eu precisaria fazer uso disso. Não senti remorso. Acaso Harris se importava com o que a filha pensava a seu respeito? Com certeza. Todas as ações dele em relação a ela o comprovavam.

Onde estaria a moça? Se eu me concentrasse, sem dúvida teria informações a meu dispor. Ela sugerira estar no norte, mas isso podia incluir a maior parte da Inglaterra e toda a Escócia. As tulipas estavam florindo e ela mencionara algo como "ros". Seriam rosas? Porém, ela usara letra maiúscula. Possivelmente, então, era uma pessoa chamada Rose.

As tulipas há muito haviam florido em Londres. Talvez o clima do lugar onde Naomi estivesse fosse mais frio, e a primavera chegasse mais tarde.

E deveria ser no campo ou em uma vila, pois ela dissera que uma estrada seria alargada, coisa impossível em uma cidade, pois as casas impossibilitariam tal ação.

Ainda assim, restava metade do país. Comecei a perceber a inutilidade de minha proposta.

Porém, Holmes enviara essa mensagem sem sentido. Ele devia ter querido que eu lesse o verso e deduzisse alguma coisa! Só podia ser o lugar onde estava Naomi. Talvez, em sua arrogância, Harris tivesse permitido a meu amigo ver ainda mais claramente o quanto prezava a filha, supondo que Holmes nada pudesse fazer para tirar vantagem dessa informação.

Golfinhos. Criaturas lindas e alegres. Eu admirara sua graça e seu humor em águas estrangeiras várias vezes. Contudo, era raro vê-los perto das costas britânicas.

No entanto, Naomi contara tê-los visto. Fui até a estante e peguei uma enciclopédia de história natural. Meus dedos tremiam enquanto eu virava as páginas à procura de referências a golfinhos. Folheei a história desses animais e seus atributos e li com atenção sobre onde podiam ser vistos. Havia dois lugares na Grã-Bretanha: a baía Cardigan, no País de Gales, e Moray Firth, situado entre o condado de Inverness e a ilha Negra.

Ilha Negra! Seria essa a "ilha" na carta de Naomi?

Então, peguei um detalhado atlas da estante. Examinei a ilha Negra com muita atenção, sem saber exatamente o que esperava encontrar, exceto um lugar onde alguém podia observar golfinhos. Aquilo era absurdo! Uma ilha não tinha nada além de água por todos os lados.

Entretanto, não se tratava de uma ilha de verdade. Na verdade, era um longo istmo com água ao norte, ao sul e ao leste. A costa norte ficava defronte ao quase fechado Cromarty Firth, lugar improvável para essas criaturas marinhas. A costa sul era mais aberta, e, circulando-a, vi a pequena cidade de Rosemarkie. Ali estava minha "Ros".

Fiquei zonzo de esperança. Agora enfim tinha algo a fazer! Um plano já começava a se formar em minha cabeça. Era fruto do desespero, mas não me restava alternativa. O próprio Harris indicara a arma. Se ele falara a verdade sobre Naomi, e agora eu acreditava que sim, porque convidara Holmes a comprová-la, todas as provas demonstraram sua dedicação à filha.

Peguei pena e papel e escrevi para Harris:

Recebi sua carta e a autorização de Holmes para levantar os recursos necessários. No entanto, terei de acrescentar parte de meus próprios recursos a fim de alcançar a soma da forma como é seu desejo. Assim, preciso de mais tempo. Será necessário no mínimo mais um dia, talvez dois.

Entrarei em contato quando tiver conseguido chegar a essa soma. Se algum dano sobrevier a Holmes enquanto estiver sob seus cuidados, você não receberá dinheiro algum e terá minha eterna inimizade. Imagino que há de entender as consequências disso muito bem.

John Watson

Senti certa satisfação. A carta continha uma ironia que me agradou. Eu a enderecei e postei sem demora, arrumando em seguida uma maleta para três dias de viagem, que era tudo que eu tinha, e parti para a estação ferroviária de Euston para pegar o primeiro trem para Inverness.

Era uma longa viagem, que levava cerca de onze horas e meia. Observei impaciente o campo, sentado dentro do trem. Paramos em York, Durham e Edimburgo. Estava impaciente para seguir em frente, mas o tempo me fez tentar definir com mais clareza o que eu faria ao chegar a Rosemarkie.

Fomos em direção ao norte e, depois de Stirling, entramos nas Terras Altas escocesas, atravessando a região campestre mais bela que já vi na vida. Porém, mesmo a grandiosidade das montanhas e a luz refletida nos rios e lagos não conseguiram animar meu coração nem prender minha atenção.

Assim que chegamos a Inverness, saltei correndo do trem. Eram agora 21h30 e estava bem escuro, mesmo tão ao norte, onde o sol no meio do inverno mal brilha até a metade do dia, mas, no verão, se põe em toda sua glória no céu, deixando um rastro de fogo acima das montanhas que permanece ali até altas horas.

Foi com dificuldade que me contive, encontrando pouso para a noite, onde pude indagar sobre uma barca ao nascer do sol e algum meio de transporte quando chegasse a North Kessock na ilha Negra. Eu já me decidira quanto à história que contaria. Eu estava à procura da filha de um amigo que passava pelas maiores dificuldades, o que tornava urgente minha necessidade de encontrá-la. Se algum mal se abatesse sobre Holmes, pretendia tornar aquela história verdadeira.

Recebi toda a ajuda de gente muito hospitaleira. Não digo que tenha dormido bem, mas não foi por falta de conforto ou calor, foi apenas devido a meus crescentes temores quanto à segurança de Holmes e à minha própria capacidade para resgatá-lo.

Acordei cedo, tomei um excelente café da manhã de arenque fresco empanado em aveia, uma especialidade local, e torradas com geleia. Depois, agradecendo a meu hospedeiro, me pus a caminho conforme suas instruções.

Já estávamos no meio da manhã quando entrei com minha carroça alugada na pitoresca cidadezinha de Rosemarkie. Fazia um dia bonito, claro e agradável, com a luminosidade peculiarmente brilhante do norte tornando os contornos dos telhados de duas águas e das árvores em floração muito nítidos de encontro ao céu azul. Não me sobrava tempo para sutilezas, porém, pois precisava encontrar Naomi o quanto antes. Minha grande dificuldade era não saber seu nome de casada, mas não havia como dar jeito nisso. Ative-me à minha história. Eu procurava uma jovem inglesa chamada Naomi, cujo pai enfrentava sérios problemas que ela desconhecia.

Indaguei na mercearia local, onde encontrei uma reticência cortês. Não tive mais sorte na farmácia ou na loja de ferragens. Decidi, então, em um momento de desespero, me aproveitar de minha profissão. Perguntei pelo consultório do médico da cidade, e, após repetir minha história, fui bem-sucedido. Corei por usar um colega dessa maneira, mas a vida de Holmes estava em risco e nada me impediria de usar qualquer artifício.

Ela morava com o marido um pouco distante da costa, em Upper Eathie, e seu endereço me foi dado de boa vontade. Agradeci e tomei meu rumo.

A manhã já estava no fim quando enfim conheci Naomi MacAllister, uma mulher encantadora, sensível, dona de uma linda cabeleira e apenas levemente parecida com o pai no tom de pele e no jeito de falar.

Eu já resolvera continuar usando a história que tão bem me servira.

— Bom dia, sra. MacAllister. Meu nome é John Watson, dr. Watson — falei, apresentando-me. — Vim o mais rápido que pude de Londres.

Notei sua preocupação instantânea, e admito que senti uma punhalada de culpa. Contudo, não havia alternativa, nenhum jeito mais delicado de usá-la conforme eu pretendia.

— Meu pai está doente? — indagou ela em uma voz já cheia de ansiedade.

— Ele não está doente — respondi. — Mas passando por dificuldades sérias... Que, se a senhora me ajudar, podem não resultar no pior.

— Farei qualquer coisa! — exclamou ela, me interrompendo, angustiada. Havia carinho em seu rosto e doçura em seus lábios, características que somente poderia ter herdado da mãe. Perguntei-me por um momento como seria essa senhora, e se Robert Harris teria afundado tanto caso ela ainda estivesse viva. Mas o instante passou. Não havia tempo para especulações.

— Creio que devemos retornar a Londres — respondi, preparado para oferecer todo tipo de salvaguardas à sua reputação e mesmo admitir que o marido nos acompanhasse como último recurso, embora a presença dele pudesse atrapalhar meu plano de resolver a questão sem prejuízos à moça. Então, outra ideia me ocorreu. — O sr. Sherlock Holmes está envolvido no caso, e ele e eu estamos nos esforçando para evitar que seu pai se torne vítima de um crime terrível que devastaria a vida dele e talvez pudesse até colocar um fim a ela.

Aquela era a verdade, embora não exatamente do jeito que eu sugeria. Se Holmes viesse a morrer nas mãos de Harris, eu mesmo me asseguraria de que o vilão terminaria seus dias na forca.

Ela ficou muito pálida e se apoiou na porta, mas decerto não lhe faltava coragem.

— Eu o acompanharei, dr. Watson. A reputação do sr. Holmes é inquestionável. Mesmo aqui no norte já ouvimos falar dele. E é claro que costumo ir a Londres visitar meu pai com frequência. Temos de pegar o trem em Inverness. Por favor, entre. Devemos tomar todas as providências. Diga o que quer que eu faça.

— Basta ir até lá, sra. MacAllister. Se nosso plano for bem-sucedido, sua presença já será suficiente — respondi.

Ela não fez mais perguntas, dedicando-se a encher uma pequena valise com itens de toalete e roupas de baixo a fim de me acompanhar. Avisou à vizinha sobre a necessidade de partir e escreveu uma carta para o marido, que só chegaria em casa no dia seguinte da viagem a trabalho para a Ullapool na costa Oeste.

Saímos à tardinha, com a esperança de conseguir assentos no trem noturno para Euston e tivemos sorte com isso.

Diversas vezes, ela expressou preocupação e me pediu para revelar mais sobre a natureza das mazelas do pai e do perigo que ele corria, o que me obrigou a pensar muito rapidamente. Confesso que odiei ter de mentir para ela. Quanto mais ficava em sua companhia, maior se tornava minha consideração pela moça, que era inteligente, generosa de espírito e, creio eu, dona de um afiado senso de humor em circunstâncias que não aquela. De vez em quando, esquecida da situação, esse humor transparecia em comentários jocosos sobre as pessoas na estação enquanto embarcávamos no trem. Em um momento constrangedor, ela parou para ajudar uma mulher idosa com bagagem demais e uma criança chorosa, um ato muito simples de bondade, feito por ela com a maior naturalidade.

Foi, porém, minha crescente convicção de sua integridade o que mais me comoveu. Era esse o atributo do qual meu plano dependia, mas me magoava saber que me aproveitaria dela daquela forma.

Felizmente para meus sentimentos, e talvez para meu sistema nervoso, o trem era noturno, e a maioria dos passageiros se esforçava para dormir. Achei difícil, mas mantive os olhos fechados como se dormisse profundamente para evitar a necessidade de voltar a falar com ela. Acho que foi covardia de minha parte. Minha desculpa é que também precisava de tempo para pensar.

Chegamos à estação de Euston por volta das oito horas e imediatamente desembarcamos e fomos procurar um cabriolé para nos levar até Baker Street. Os aposentos ficavam estranhos quando vazios. Encarei o silêncio e o ar inodoro sem o cheiro do fumo de Holmes como pura desolação.

Eu não podia mais adiar meu plano. Olhei-a com franqueza:

— Sra. MacAllister, seu pai está prestes a praticar um ato que o levará, muito possivelmente, a um prejuízo físico, quase com certeza à destruição moral. Os motivos dele podem ser válidos...

— uma mentira que eu estava disposto a dizer em benefício dela — mas o ato em si não é. Acredito que o amor que ele sente pela senhora é grande o suficiente para impedi-lo, bastando para isso que a senhora lhe escreva implorando que não siga adiante. Eu redigirei uma carta e colocarei-a com a sua no envelope e a entregarei onde for preciso. É perigoso e desagradável, e não posso pedir que a senhora me acompanhe.

Na verdade, eu achava que, com a coragem que tinha e dedicada como era ao pai, ela não hesitaria em fazê-lo.

E não me enganei.

— Certamente vou acompanhá-lo, dr. Watson.

Honesta até o fim, ela não disse que não estava com medo.

— Obrigado — agradeci com total sinceridade.

Enviei uma mensagem para Harris, dizendo que já tinha toda a quantia e que o encontraria em frente ao Duck and Dragon, mas que somente lhe entregaria o dinheiro se Holmes estivesse junto, vivo e ileso. Então, aguardei sua resposta.

Ela veio pelo mesmo mensageiro. Harris estava de acordo. Quase dava para sentir sua ansiedade nos rabiscos do papel.

Foi assim que Naomi e eu partimos antes da meia-noite sob aquele clima úmido e borrascoso, ambos mantendo um silêncio tenso. Não havia qualquer outro som senão o do chacoalhar das rodas sobre as pedras da rua e o barulho dos cascos dos cavalos enquanto passávamos de um débil anel de luz de um lampião para o outro, por ruelas cada vez mais estreitas e soturnas.

Naomi estava preocupada. Eu via o medo em seu rosto e os lábios comprimidos sempre que atravessávamos algum trecho iluminado. Mas como poderia ser diferente? Ela estava no mais assustador dos lugares com um homem que conhecia apenas de reputação, e o pai corria perigo iminente. Como admirei sua coragem e como quase perdi o controle sobre minha raiva por saber que todo seu amor era dedicado a alguém tão indigno quanto Harris. Peguei a mim mesmo profundamente decidido a não apenas resgatar Holmes são e salvo, mas talvez ser capaz de forçar Harris a adotar um caminho mais honroso.

Finalmente chegamos ao Duck and Dragon e, confesso, meu coração veio à boca quando ajudei Naomi a saltar do cabriolé e paguei o condutor. Pedi-lhe que esperasse por nós, mas não tive esperanças de que ele atendesse meu pedido.

Tratava-se de um lugar soturno e sinistro, ainda que a chuva tivesse parado e o vento não fosse frio. Tudo à nossa volta parecia pingar e ranger, como se a rua estivesse desmoronando. O fedor de madeira podre e cerveja choca permeava o ar, e o grito ou gemido ocasional que se fazia ouvir sequer parecia humano.

Peguei a jovem pelo braço.

— Venha — falei, com uma animação que não sentia. — São apenas alguns passos, e temos o tempo necessário.

Segurei-a com firmeza para o caso de, ao ver o pai, ela correr a seu encontro. Eu pretendia usá-la como moeda de troca, se assim fosse preciso.

Os segundos passaram devagar. Procurei entre as sombras um sinal da presença de Harris ou de Holmes. De repente, fiquei com medo de que Harris me achasse um homem demasiado honrado ou bondoso para usar a filha dele daquela forma. E se ele tivesse certeza de que eu jamais a machucaria e faltasse ao encontro?

Então, me acalmei. Machucá-la jamais fora meu intento. Minha arma contra o patife era permitir que a filha soubesse exatamente o tipo de homem que era seu pai. E eu ainda tinha comigo o bilhete do resgate, escrito com a letra dele. Eu o mostraria a Naomi e explicaria tudo, se precisasse.

Eu a conduzi para mais perto da luz mortiça do lampião acima da porta da taverna, de modo a permitir que Harris a visse, caso estivesse em algum lugar nas sombras.

Funcionou. Uma figura grandalhona se adiantou. Senti Naomi retesar o corpo, apavorada, mas depois relaxar quando reconheceu algo familiar no indivíduo.

Eu a segurava com tanta firmeza que ela piscou com a dor.

— Onde está Holmes? — indaguei em tom duro.

Harris parou. Pareceu estar me avaliando, talvez julgando até que ponto eu seria capaz de chegar, até onde estaria disposto a ir, ou mesmo se eu já não arruinara a reputação dele para a filha de forma irreversível.

Então, me ocorreu precisamente o que dizer.

— Conseguiu salvar Holmes? — perguntei, minha voz tão segura e clara quanto possível.

Ele hesitou apenas por um instante antes de ceder.

— Sim. — Aquela única palavra soou rascante com toda a raiva e frustração que o homem não ousou revelar.

— Mostre-me — exigi.

Ele fez um gesto com um dos braços.

Holmes deu um passo à frente. Fiquei horrorizado com a aparência dele: a roupa estava suja de lama e havia hematomas e sangue coagulado em seu rosto. Sem dúvida ele obrigara seu algoz a lutar, mas fora pego de surpresa por um oponente mais forte.

Meu coração ficou apertado ao vê-lo. Também senti vontade de gargalhar de alívio. Porém, Holmes ainda não estava totalmente livre.

— Ótimo! — falei, quase sem fôlego. — Então podemos ir embora, nossa missão foi cumprida. Como o senhor disse, sr. Harris, sua filha é uma mulher tão corajosa quando honrada, e é compreensível que se orgulhe dela. Foi um prazer conhecê-la.

Quis que ele soubesse que eu não dissera nada de ruim a seu respeito, que ainda havia tudo a ganhar por nos deixar partir em paz.

Ele me entendeu. Vi à luz mortiça o ódio em seu rosto, bem como uma espécie de alívio, como se a derrota não fosse tão amarga.

Então Holmes veio em minha direção e soltei o braço de Naomi, que se dirigiu ao pai.

— Bom trabalho, Watson — disse Holmes baixinho ao meu lado. — Nunca senti tanta vontade de ir para casa.

— Não foi nada — falei, de forma casual. — Apenas um pequeno exercício de dedução lógica e uma compreensão de valores. Quando gostamos de alguém, somos reféns do destino, não importa quem sejamos.

— De fato — murmurou meu amigo. — Mas você se saiu muito bem.

A aventura de Zolnay, o trapezista

RICK BOYER

O primeiro romance de Richard Lewis Boyer (1943-) foi *The Giant Rat of Sumatra* (1976), um pastiche de Sherlock Holmes, porque, como afirmou o autor, era seu desejo aprender com o melhor. Ele partiu, então, para escrever uma série sobre Charlie "Doc" Admans, um cirurgião-dentista com consultório na Nova Inglaterra.

Boyer nasceu em Evanston, Ilinois. Formou-se em Língua Inglesa na Universidade de Denison e obteve um mestrado em Escrita Criativa na Universidade de Iowa, estudando com o renomado autor de ficção científica Kurt Vonnegut. Trabalhou como representante de vendas para a editora Little, Brown, foi professor do ensino médio e ensinou inglês na Western Caroline University.

O primeiro mistério centrado em "Doc" Adams foi *Billingsgate Shoal* (1982), com o qual ganhou o Edgar pelo melhor romance do ano. Adams é uma figura insípida, um sujeito comum a quem as pessoas levam seus problemas para que ele tente ajudá-las. Em uma entrevista, Boyer declarou: "Adams sou eu mesmo em circunstâncias mais extraordinárias (...) Eu estava fingindo ser outra pessoa (...) Tentei colocar um sujeito sem nada de excepcional, basicamente um suburbano, enfrentando circunstâncias extraordinárias."

Além dos nove romances "Doc" Adams, Boyer escreveu o bizarro *Mzungu Mjina: Swahili for Crazy White Man* (2004), e *Buck*

Gentry (2005). *The Giant Rat of Sumatra* foi relançado em *A Sherlockian Quartet* (1998), ao qual ele acrescentou três novos contos.

"A aventura de Zolnay, o trapezista" foi originalmente publicado em *A Sherlockian Quartet* (Alexander, Carolina do Norte, Alexander Books, 1998).

A AVENTURA DE ZOLNAY, O TRAPEZISTA

Rick Boyer

— Seja quem for nosso misterioso visitante, o sujeito é sem dúvida um espécime de físico impressionante — observou Sherlock Holmes enquanto tirava o sobretudo.

— Que diabos está querendo dizer? — perguntei. Era uma tarde primaveril de ventos fortes em meados de maio. Holmes e eu tínhamos acabado de voltar de uma caminhada acelerada no Regent's Park; nossas bochechas estavam coradas da exposição ao ar fresco. Seu comentário me pegou de surpresa.

— Ora, Watson, não está vendo o par de luvas novas que ele esqueceu na almofada do sofá? Cá estão, mas deixe-me mostrar a você outra coisa...

Assim dizendo, ele pegou a direita e enfiou nela a mão em um abrir e fechar de olhos. Em seguida, dobrou e desdobrou os dedos dentro da luva, girando seus dedos finos de um lado para o outro.

— Grande, certo? *Bem grande*, eu diria. Mas minhas mãos são muito finas. Vamos tentar em uma das suas. Experimente para testar o tamanho.

Fiz o que ele mandou e fiquei pasmo com a facilidade com que minha mão entrou. Uma vez dentro da luva, ainda sobrava uns dois centímetros de dedo vazio.

— Humm! Incrível, Watson. Você é um perfeito mesomorfo no auge da vida e, ainda assim, parece uma criança experimentando a luva do pai, não é mesmo?

— Sim, sem dúvida é grande. O homem deve ser um gigante.

— Vejamos o que mais ele é. Pegue a outra luva, por favor, e leve o par até a janela. Vamos ver o que estes itens esquecidos revelarão sobre o homem que nos procurou em nossa ausência.

Holmes examinou o par de luvas durante algum tempo, verificando a etiqueta no interior e, por fim, virando cada uma do avesso. Ao ver manchas vermelhas desbotadas ao longo da extremidade superior da palma da luva direita, um grito de satisfação lhe escapou dos lábios.

— Ah! Viu isso, Watson? Sem dúvida essas manchas nos dizem um bocado sobre nosso amigo ausente.

— Isso é sangue? Não vejo como...

— Vamos começar do princípio. Primeiro, como pode ver, as luvas são novas, não têm mais que alguns dias de uso. Posso afirmar pelo odor e pela textura da flanela que não foram limpas, uma vez que a numeração do tamanho ainda está aqui. Porém, não mostram sinais de sujeira, logo são bem novas. Existe, porém, um resquício de cera ao longo do indicador da luva esquerda, o que nos leva a crer que nosso homem usa um bigode. Observe também a etiqueta: E.J. Stanhope, Ltd., uma das lojas mais exclusivas da Bond Street, chique demais para tipos como nós, certo? Assim, o homem é rico ou leva uma vida boa, ao menos. É aqui que uma anomalia curiosa se apresenta...

— Que anomalia? Até agora, todas as observações fizeram sentido. Parece que você está montando um bom retrato do sujeito.

— A questão é a seguinte: ele é bem-sucedido financeiramente e anda com roupas boas, mas *não* é um cavalheiro. Na verdade, pelo que posso ver, ganha a vida realizando feitos físicos do tipo mais incrível...

— Um operário?

— Não. Lembre-se de que ele é, no mínimo, um tanto abastado. Chamo sua atenção mais uma vez para as manchas de sangue no avesso da luva direita. É óbvio que são resultado de um trauma extremo à palma da mão logo abaixo dos dedos. Você sabe que esse é o lugar da mão mais sujeito a abrasões e calosidades...

— O que, de novo, sugere que o homem seja um operário que lida com um martelo ou maneja uma pá.

— Não sejamos tão apressados. Por acaso um operário ganharia dinheiro suficiente para comprar luvas como essas? Decerto que não. Ademais, como demonstrei no caso do aprendiz Smythe, a mão de um operário logo fica toda cheia de calos grossos e lustrosos, além de muito duros. No entanto, essas manchas de sangue mostram que a pele foi rasgada por um trauma extremo, uma força grande o suficiente para ser capaz de destruir até mesmo calos endurecidos. Que tipo de atividade causaria esse tipo de tensão tenebrosa na mão? E enquanto reflete sobre essa pergunta, consideremos outra possibilidade: a de que o homem normalmente não use luvas, ao menos não luvas elegantes de camurça cinzenta como essas.

— Como sabe disso?

— Não sei. Posso *inferir* como probabilidade. Primeiro, ele esqueceu as luvas. Ora, podia muito bem estar agitado, mas um cavalheiro que tem o hábito de usar luvas elegantes o tempo todo não as esqueceria, e ele esqueceu. Ao mesmo tempo, o fato de serem novas também é sugestivo. Talvez ele as tenha comprado para uma ocasião especial ou devido a...

Holmes ponderou os fatos e as possibilidades que se apresentavam a ele durante alguns minutos, antes de pegar o jornal vespertino e se acomodar no sofá com um cachimbo. Eu me sentara confortavelmente com um charuto e o número mais recente da *Lancet*, quando ouvimos uma série de passadas pesadas subindo as escadas, seguidas de uma robusta batida à porta. Holmes, deixando de lado o jornal com um brilho no olhar, levantou-se e foi até a porta. Antes de abri-la, porém, virou-se para mim e anunciou bem alto:

— Ah, Watson, vejo o que o *sr. Gregor Zolnay* voltou. Entre, sr. Zolnay, e seja bem-vindo!

Com isso, escancarou a porta, revelando um personagem com o físico mais extraordinário que eu já vira. Uma cabeça mais alto que nós, espadaúdo, com um rosto perspicaz em que brilhavam olhos verdes e um gigantesco bigode castanho. No todo, sua aparência era bastante chamativa e ele transpirava força e vitalidade. Quando falou, foi com uma voz trovejante de barítono, modulada, de certa forma, por uma fala hesitante e um sotaque acentuado.

— Sr. Holmes, não? — indagou, adentrando a sala e estendendo uma das mãos enormes envolta em bandagens.

— Sim, sr. Zolnay, e esse é meu amigo, o dr. John Watson. Diga, o que o traz de volta do circo tão rápido?

Nosso visitante ficou tão impressionado que quase tropeçou em minha poltrona. Devo confessar que, mesmo habituado como estava aos feitos de observação e dedução de meu amigo, minha surpresa quase igualou a dele.

— Sr. Holmes, o senhor é um *bruzô*...

— Um bruxo, o senhor quer dizer?

— Sim! Um mago, sr. Holmes! Já esteve no Chipperfield's? Não? Então como me conhece? Não deixei cartão, não falei com ninguém! Gregory Zolnay entra, sai e, *pluft!*, Sherlock Holmes sabe quem eu sou mesmo antes de me ver! *Bruzô!*

— Ora, meu caro, na verdade não foi tão difícil assim. Certo, Watson? — explicou meu amigo, enchendo o cachimbo.

Anuí, mas juro que estava perdido quanto aos processos de raciocínio de Holmes.

— Veja, sr. Zolnay, o senhor esqueceu as luvas aqui mais cedo, e elas funcionaram muito bem como seu cartão de visita.

— Sim, deixei elas. Esqueço. Zolnay não usa luvas a não ser no inverno...

— Ou para esconder a mão ferida — prosseguiu Holmes, com uma piscadela para mim.

O gigante recuou, pondo a mão debaixo do paletó.

— Zolnay não está ferido! — exclamou, acrescentando depois, pensativo: — É apenas para *mim mesmo* que estou ferido, não para outros.

— Acho que entendemos, não é mesmo, Watson? O senhor tem uma reputação a zelar. Contudo, adivinhar sua identidade não foi difícil. Watson e eu estávamos falando das possíveis ocupações do dono das luvas. Concluímos que o homem era bem pago, mas é claro que também tinha muita força, força que ele *usava*, como provam essas manchas de sangue. Agora, que tipo de emprego pagaria um bom salário por exercícios físicos? Só existe um: o de artista de algum tipo. Concentrando meu esforço nessa linha de pensamento, lembrei-me de um anúncio do circo no *Telegram* desta manhã. Ao encontrá-lo, procurei uma pista. Sem dúvida, o artista era um atleta ou acrobata, mas apostei no acrobata, sobretudo um trapezista que sujeitaria as mãos a uma abrasão intensa. Sabe, sr. Zolnay, pratico boxe em meu tempo livre no ginásio Sullivan's, e estou familiarizado com as mãos laceradas dos ginastas que ali treinam…

O homenzarrão olhou boquiaberto para Holmes, transbordando admiração e espanto.

— Com destaque no anúncio havia uma referência a "Gregor, o grande, o trapezista supremo", ou seja, Gregor Zolnay.

— Mas como soube que era ele atrás da porta fechada? — perguntei.

— É mesmo, *herr* doutor — interviu Zolnay, apontando um dedo enorme na direção de Holmes. — O senhor tem olhos mágicos também?

— São dezessete degraus que conduzem a nosso apartamento — retorquiu Holmes. — O senhor os galgou em quatro passadas. Um homem comum conseguiria subir quatro degraus de uma vez? Não. Um acrobata conseguiria? Com facilidade, como você mesmo provou. Agora, em que posso lhe ajudar?

Recordando-se do motivo para buscar assistência, o rosto forte de Gregor Zolnay adquiriu uma expressão desamparada. Ele afundou cansado em minha poltrona e deu um suspiro profundo.

— Sr. Holmes, *herr* doutor… Tenho muita tristeza no coração. Minha querida Anna está aleijada, ela…

Nisso, aquele homem tão forte escondeu a cabeça nas mãos e se balançou para a frente e para trás, desolado. Holmes, depois de aguardar por algum tempo para que ele prosseguisse, começou a lhe fazer perguntas.

— A situação dela resultou de doença ou ferimento?

— Ela caiu. Anteontem à noite, durante nosso ensaio. Fazíamos a pirueta tripla, muito difícil e perigosa, além de exigir bastante atenção. E também, sr. Holmes, a rede estava baixada, como tem que estar durante o espetáculo.

— Entendo que o número falhou e, em consequência, ela caiu no chão.

— Sim, de uma altura de doze metros. Quando vi a queda, agarrei um cabo e desci até ela. Foi a razão *disso* — completou, erguendo a mão enfaixada.

— Entendi. Uma reação natural. Anna é sua esposa?

— Não, estamos para nos casar, quer dizer, tínhamos planos de nos casar. Talvez ela nunca mais consiga andar. Mal consegue falar. É muito triste.

— Ela está inconsciente? — indaguei.

— Às vezes, acorda; às vezes, dorme. A maior parte do tempo, dorme...

— Ela está hospitalizada?

— Sim, *herr* doutor, no London Hospital. Quando acorda, fala bobagens. Sempre a mesma coisa. Segura minha cabeça e cochicha no ouvido: "Gregor, o homem-elefante, *é o homem-elefante*!"

Holmes e eu trocamos olhares, aturdidos. Supus que a expressão bastante enigmática de Zolnay se devesse ao pesado sotaque e ao pouco domínio do inglês.

— Certamente — disse Holmes — Anna está se referindo ao homem que cuida dos elefantes; o treinador, não é isso?

O gigante balançou a cabeça, perplexo.

— Não, sr. Holmes. Perguntei: "O Panelli, que alimenta os animais?" Ela diz que não. Não sei o que está tentando dizer, cavalheiros. Até hoje de manhã, eu achava que ela estava delirando de febre e falando bobagens, mas hoje de manhã me lembrei de uma coisa estranha e vim procurá-los.

Holmes se inclinou, ansioso, para a frente.

— Lembrei que, pouco antes da queda, ela também falou "o *homem-elefante*". E que soltou um grito pouco antes...

— Pouco antes do acidente?

— Sim, *herr* doutor. Deixe explicar, por favor. Sou o apanhador que fica na barra central...

— No trapézio?

— Isso, fico de cabeça para baixo, pendurado pelas pernas, balançando. Anna salta da plataforma segurando a barra dela. Larga a barra, faz três piruetas rápidas e estende as mãos para eu pegá-la pelos pulsos.

— E você a segura.

— Sim, e depois de uma ou duas balançadas, ela me solta para pegar de novo a barra que Vayenko está segurando. Então, ela vai para a outra plataforma.

— Quem é Vayenko?

— O terceiro homem da equipe. Um russo, de Kiev. Está há muito tempo no Chipperfield's. Velho demais para se apresentar em números difíceis. Por isso segura a barra para Anna. Quando estamos no ponto correto do balanço, ele a solta lá da plataforma mais distante para Anna pegar. Não somos amigos. Ele amava Anna antes de eu entrar no Chipperfield's, em Budapeste, há três anos.

Holmes lançou um olhar penetrante em minha direção.

— Naturalmente, o homem ficou decepcionado e com raiva por ter sido trocado por você — sugeri.

Zolnay permaneceu calado por alguns instantes antes de responder. Baixou os olhos para as mãos, adotando um olhar quase culpado.

— Ele não fala de sentimentos, *herr* doutor. Mas acho que é assim como o senhor falou. Ele propôs casamento a Anna depois que nos conhecemos, e ela recusou.

— O senhor pode relatar os detalhes do acidente? — pediu Holmes, mudando de assunto.

— Foi como falei: Anna na plataforma, eu no centro, pendurado pelas pernas na barra, Vayenko na plataforma mais distante segurando a outra barra...

— Sim — falei —, e Anna salta da plataforma, largando a barra no auge do balanço...

— Isso, e depois faz uma pirueta assim...

Nesse momento, o grandalhão se levantou de um pulo da cadeira e girou três vezes com uma rapidez e uma delicadeza incríveis.

— Então ela deveria estender os braços para mim, e eu devia agarrá-la pelos pulsos, mas ela não fez isso. Enroscou-se como uma bola e caiu.

— E o senhor se lembra de ela ter gritado?

— Sim, gritou alguma coisa sobre o homem-elefante... acho que disse "horrível" ou "terrível"... mas não tenho certeza, porque já estou vendo a queda dela, se afastando rapidamente de mim, e não consigo pensar...

Aqui o trapezista fez uma expressão de dor ao relembrar a tragédia.

— E Vayenko jamais saiu do lugar na outra plataforma?

— Não, sr. Holmes. Ele não se mexeu desde a hora em que começamos o ensaio até Anna cair... E depois surgiu a meu lado quando me abaixei junto dela.

Holmes refletiu sobre o que ouvira durante algum tempo antes de reagir.

— E o senhor veio me procurar somente por causa da conversa estranha de Anna sobre o homem-elefante.

— Talvez não seja muito, sr. Holmes, mas Anna era uma grande trapezista. Não iria falhar em um salto triplo. Se enroscar, como um bebê, que nem uma bolinha... Foi alguma coisa... alguma coisa horrível que a assustou tanto que ela não pensou no salto.

— E não havia nada de incomum no picadeiro ou na tenda? Nada estranho lá embaixo?

Zolnay balançou a cabeça.

— Não. Na verdade, Vayenko fechou a tenda para não deixar ninguém entrar durante o ensaio, para não haver interferência.

— E suponho que esse seja o procedimento habitual.

— Não. Só aconteceu naquele dia.

— Interessante... muito interessante. Que tal darmos uma olhada no circo, Watson? Que tal deixarmos de lado nossa pose de meia-idade e voltarmos a ser crianças?

Holmes pegou o paletó e jogou o meu para mim, na poltrona.

— Vamos lá, homem! Não está ouvindo o som do apito a vapor? O circo está armado no terreno das feiras em Wimbledon, não é, sr. Zolnay? Ótimo. Vamos dar uma olhada no terreno antes de visitarmos Anna no London Hospital.

Uma hora depois, estávamos de pé na periferia da *tober* (como Zolnay chamava), ou terreiro, em Wimbledon. No centro se erguia uma imensa tenda, uma montanha elíptica de tecido com mais de cem metros de comprimento. Bandeirolas tremulavam alegres no topo, enquanto, como previsto por Holmes, os tons robustos do calíope podiam ser ouvidos de longe. Compridas filas de gente ansiosa se dirigiam para a tenda central, e multidões de transeuntes curiosos se apinhavam diante de atrações paralelas que circundavam o terreno do circo. Em volta do espetáculo, como que a formar uma cerca natural em torno dele, havia um monte de carroças e trailers, tudo pintado de vermelho com o nome "CHIPPERFIELD'S" em enormes letras prateadas nas laterais. Quando nos aproximamos mais, o odor dos animais e o cheiro de feno nos atingiu, e uma onda de nostalgia me assaltou.

Logo estávamos no interior do círculo de carroças e nosso famoso companheiro foi cercado por inúmeros admiradores. Zolnay nos informou que essa área era o "quintal", onde os artistas se reuniam entre os números e onde ficavam os apetrechos e guarda-roupas. Muita gente apareceu para lamentar o acidente e desejar que Anna se recuperasse depressa. Entre as figuras interessantes que encontramos estava Bruno Baldi, o artista capaz de levantar um cavalo e "Black Jack" Houlihan, que podia engolir uma cimitarra, curvando seu tronco para acomodar a lâmina curva. Vários palhaços se aproximaram e também desejaram melhoras para a trapezista. Foi estranho ouvir vozes normais e sóbrias saírem daqueles rostos grotescos. Zolnay chamou um sujeito, um homenzinho franzino com o corpo atrofiado que mancava sobre o chão de serragem como um ouriço.

— Sidney, Sidney Larkin! — chamou o trapezista, e a figura atrofiada parou, se virou e veio em nossa direção. Zolnay que precisava se preparar para o espetáculo vespertino, pediu-lhe que nos levasse até a diligência de Panelli. O homem obedeceu na mesma hora, em uma demonstração óbvia de seu afeto pelo acrobata. Levou-nos, caminhando com seu andar coxeante, até uma diligência que lembrava a de ciganos e funileiros itinerantes. Ficou claro que alguém estava lá dentro; vimos um rolo de fumaça cinzenta subindo da chaminé de lata que se projetava do teto da diligência. Quando chegamos mais perto, o delicioso aroma de cebola e alho sendo fritos em azeite nos assaltou, vindo da janela aberta.

Larkin subiu vacilante a escada e bateu à porta.

— Ei, Panelli, uma dupla de forões quer falar com você...

— Que diabo é um "forão"? — perguntei a Holmes.

— Acho que é o jargão circense para "forasteiro".

— Está tirando uma soneca? Tudo bem, amigo, a gente espera.

Pouco depois, o dono da diligência apareceu na minúscula porta dos fundos e fez sinal para entrarmos. Panelli era um sujeito baixo e forte, com um enorme bigode e expressão soturna. Usava um chapéu surrado e o mais estranho e inédito de tudo era que trazia um pequeno mico empoleirado no ombro. O mico também usava um chapéu em miniatura e um paletó vistoso, o que lhe dava uma aparência quase humanoide. Senti-me satisfeito por ter acompanhado Holmes nesta missão, já que sempre tivera muita curiosidade para ver o interior de uma diligência de circo. Entramos, baixando a cabeça, e fomos surpreendidos ao encontrar não só Panelli, mas também sua esposa e os cinco filhos! Como conseguiam sobreviver em espaço tão exíguo era inexplicável, porém o lugar, abarrotado como seria de esperar, decerto passava a impressão de aconchego. A sra. Panelli mexia algo na panela de ferro no fogão e nos ofereceu chá.

Panelli, esparramado em um catre alimentando o mico (cujo nome era Jocko), se mostrou muito prestativo e respondeu a nossas perguntas. Foi uma experiência curiosa sentar em um baú de navio na casinha móvel minúscula, ouvindo o alarido da multidão lá fora entrar pelas janelas alegremente decoradas com cortinas de tecido azul.

— Por favor, venham comigo, cavalheiros — disse Panelli, que se despediu da família e desceu a escada diante de nós, tomando a direção de uma tenda grande.

Erguendo a aba para nos deixar entrar, o homem nos fez circundar a arena coberta de feno. Deparei-me com algo que quase me deixou sem fôlego e me obrigou a recuar vários passos.

— Não tenham medo, cavalheiros, eles não vão lhes fazer mal — disse o italiano, caminhando devagar entre um pequeno grupo de elefantes que comia a menos de três metros de nós. Um deles, enorme, chamou minha atenção ao balançar com a tromba a corrente pesada que o prendia, como se ela fosse um pedaço de corda. Os animais abanavam as orelhas e se balançavam ritmicamente enquanto comiam. Dava para ouvir o ruído de seus molares mastigando.

— Sr. Panelli, pelo que entendi, quando o acidente ocorreu, o senhor estava aqui mesmo nesta tenda com os animais, certo?

— Sim, o ensaio aconteceu tarde. Lembro que já estava escuro. Os elefantes estavam do jeito que estão agora. Sidney me viu aqui, e Rocco, o palhaço. Panelli estava aqui o tempo todo.

— E todos os elefantes também? Sem exceção?

— Todos aqui, os doze, como podem contar.

Nesse instante, o maior dos animais, balançando a cabeça, recuou três passos e teria pisado em Holmes, caso este não tivesse saído do caminho.

— Hannibal! — gritou Panelli, e o animal voltou ao lugar em que estava. — Eles são dóceis, como podem ver. Posso ir almoçar, cavalheiros?

— Claro. Agradecemos sua ajuda — respondeu Holmes.

Observamos os animais durante mais uns dez minutos talvez, mas então o grandalhão mostrou sinais de inquietação de novo e saímos da tenda, voltando a caminhar pelo terreno do circo.

Holmes, como de hábito, andava um pouco curvado, de cabeça baixa, pensando, as mãos entrelaçadas às costas.

— Muito bem. Você viu algo digno de nota em Panelli ou nos elefantes?

— Acho que não, Holmes. Tudo me pareceu em ordem. Além disso, o cuidador tem várias testemunhas capazes de atestar sua presença na tenda.

— De acordo. Acho que podemos deixá-lo de fora... E os animais também.

— Mas então por que a constante referência de Anna ao homem-elefante?

— Não sei. Por isso precisamos vê-la pessoalmente. Ainda bem que você é médico, Watson, já que assim será mais fácil visitá-la no London Hospital. Claro que isso significa que vamos perder o espetáculo. Vamos procurar Zolnay e... Santo Deus, o que foi isso?

Ouvimos um grito lancinante que se sobrepôs ao barulho da multidão. Quando o som se repetiu, reconheci nele o grito de um elefante. Voltamos até a tenda de Panelli a tempo de vê-lo sair correndo da diligência, com um gancho de adestramento na mão. Jocko continuava empoleirado em seu ombro.

— É Hannibal mais uma vez — falou ele enquanto corria para a abertura da tenda dos animais. — Está perto do cio e inquieto, como viram. Preciso acorrentar ele longe dos outros.

Depois de dispersar a multidão que começava a se formar, seguimos o treinador de volta à tenda. Os animais pareciam nervosos. O movimento de balanço que faziam aumentara, e suas trombas em movimento criavam ruídos surdos e sibilantes. Hannibal, o grandalhão, ergueu a cabeça e a tromba e caminhou até o jovem elefante preso perto dele. O animal, por sua vez, trombeteou e se preparou para revidar. Foi quando me dei conta de como era frágil a tenda que abrigava os animais. Panelli corria entre as bestas enormes, com o gancho erguido. Admirei a coragem dele. O mico soltava gritinhos de raiva e satisfação. Os elefantes se afastaram uns dos outros e as correntes maciças se esticaram, se alçaram do chão, vibrando como cordas de violão. Holmes e eu contemplamos, fascinados, a força e a energia incríveis em exibição. Falando baixinho com os animais — cujo comportamento melhorara bastante desde sua chegada —, Panelli contornou Hannibal pelas costas e, em um piscar de olhos, prendeu outra corrente à pata direita traseira dele. Atou-a, então, a uma enorme estaca de ferro (cuja cabeça lembrava um cogumelo após incontáveis golpes de martelo) nos fundos da tenda. Passados vários minutos de manobras arriscadas, o treinador conseguiu isolar o brutamontes entre duas estacas — bem longe dos outros elefantes.

Tudo parecia em ordem, mas então, no instante seguinte, ocorreu o mais violento e horripilante espetáculo que eu já vira. Embora este não envolvesse vida humana, o incidente ficou gravado para sempre em minha memória.

Panelli terminara de apertar a corrente traseira e passava pelos animais em direção a nós, quando Jocko, vendo o rabo do elefante balançar a poucos metros de distância, foi assaltado pela tentação. Se foi porque o rabo imenso se assemelhava a uma corda ou trepadeira, não posso dizer, mas o mico pulou do ombro do treinador e se agarrou ao rabo, subindo depois pelas costas do animal. Ali ele brincou, deliciado, dando cambalhotas e espalhando a palha que cobria o lombo do elefante. Em um segundo, porém, os gritinhos de satisfação foram substituídos por um gemido sufocado quando a tromba do animal encontrou o intruso e se enroscou em seu corpo. Ouvi Panelli gritar uma ordem para Hannibal, mas era tarde demais. A tromba baixou de repente como um gigantesco mata-mosquitos e o mico foi jogado no chão. Ele ainda tentou fugir e se ergueu por um instante, mas então foi esmagado pela pata cinzenta da fera. Antes que o treinador pudesse impedir, o elefante já levantara de novo o corpinho inerte com a tromba e o atirara pela abertura da tenda.

Todos nós observamos boquiabertos durante alguns segundos, tamanho foi o choque e a violência do ocorrido. Então, recuperando o juízo, corremos para o lado de fora da tenda e encontramos uma multidão formando um círculo em torno da pequena carcaça peluda estirada sobre a serragem. O mico morto jazia de costas, com a boca cheia de sangue aberta em um sorriso zombeteiro que deixava à mostra suas grandes presas.

— *Hoodoo!* — gritou Rocco, o palhaço.

— *Hoodoo!* — ecoou Black Jack Houlihan.

— Minha nossa! É *hoodoo* mesmo! — gritou Sidney Larkin, olhando horrorizado para o pequeno animal morto.

— Holmes! *Hoodoo?* O que é *hoodoo*?

— Imagino que seja um mau presságio, uma maldição — respondeu ele.

— Isso mesmo, senhor, uma maldição! E do pior tipo — esclareceu Larkin, recuando apavorado. — O pior tipo de sinal que existe, pois um macaco ser morto significa que *três pessoas vão morrer*!

— Arre! — exclamei, descrente, enquanto víamos o treinador de elefantes pegar no colo o amigo que partira e voltar cabisbaixo para a carroça. A despeito de minha incredulidade, porém, reparei no olhar de medo e incerteza nos rostos do pessoal do circo, bem como ouvi um comentário que seria repetido algumas vezes: "Espero que não seja eu!"

Paramos no pátio das tendas tempo suficiente para um cachimbo. Ao final, Holmes admitiu que o caso parecia confuso. Como chegáramos a um beco sem saída ali, ele achou melhor irmos visitar Anna e nos encontrarmos com Zolnay no final do espetáculo.

— Talvez acabemos por descobrir mais coisas no hospital, Watson, embora me caiba dizer que este não é um começo auspicioso.

O trajeto até o London Hospital não era longo, e antes de meia hora já havíamos chegado. Eu conhecia sir Frederick Treves, o brilhante médico e cirurgião que era um dos diretores do hospital. Por isso, abordei a enfermeira-chefe e a informei de meu relacionamento com Treves, dizendo que desejávamos visitar alguém no hospital.

— Lamento, doutor, ele não pode receber visitas, salvo se levadas em pessoa pelo dr. Treves. Já estamos fartos dos curiosos…

— Peço desculpas, senhorita — insisti —, mas a pessoa que desejamos visitar é do sexo feminino: a srta. Anna Tontriva…

— Ah, sinto muito. Achei que fosse… Fosse algo totalmente diferente. Por aqui, por favor.

Entrei no quarto sozinho enquanto Holmes aguardava do lado de fora. Havíamos combinado que, se ela estivesse suficientemente bem, ele entraria para fazer as perguntas comigo. Porém, depois de examinar a moça por alguns segundos, dei um suspiro de desânimo, porque vi que ela não sobreviveria. Chequei seus sinais vitais uma segunda vez para ter certeza, mas não me enganara: a mulher estava em coma profundo e com febre alta. Além disso, depois de examinar sua ficha e apalpar-lhe o abdome, pude ver que a peritonite se instalara. Nada havia a fazer…

— E então, meu amigo? — perguntou Holmes quando saí do quarto, abalado. — Vamos lá, homem, ânimo…

Balancei a cabeça com tristeza.

— Mande chamar Zolnay. Creio que muita tristeza nos espera. Vou procurar o médico encarregado ou seu assistente. Porém, acredite em mim, Holmes: ela não tem nenhuma chance.

Holmes nada disse, mas sua expressão deu a entender que ele também estava pensando no macaco.

— *Hoodoo*, não é, Holmes?

— Tolice! Bobagem! — exclamou ele, dando meia-volta para ir buscar o acrobata.

Não preciso relatar a você, caro leitor, os dolorosos acontecimentos que se seguiram. Vimos o gigantesco húngaro, Gregor, o grande, reduzido a um arcabouço choroso quando o corpo de sua amada Anna foi transportado em uma maca. Chamamos vários artistas do Chipperfield's para consolá-lo e providenciar o enterro. Ao deixarmos o hospital para dar prosseguimento à investigação, passamos por Treves no corredor. Ele falava com um atendente quando nos aproximamos, e ouvi um trecho da conversa:

— … tanta sorte de ter aposentos *aqui*, porque não precisará tolerar o olhar de gente boquiaberta o tempo todo. Sim, já soube de mulheres que desmaiaram… Ora, Watson, o que o traz aqui?

Fiz um resumo de nossa triste missão para Treves que ofereceu suas sinceras condolências, e Holmes e eu voltamos ao circo. Não tivemos dificuldade para encontrar Sidney Larkin e Rocco, pois ambos estavam na diligência do palhaço, as cabeças baixas, desgostosos. O consenso era de que o *hoodoo* estava em ação, e todos estremeceram ao pensar nas duas mortes que viriam a seguir. Panelli, sentindo que de certa forma a culpa era sua, não queria ver ninguém. O espetáculo terminara havia várias horas e pudemos examinar a tenda principal. Entramos e, na mesma hora, ficamos pasmos com sua enormidade.

Com a ajuda de Larkin e Rocco, Holmes acendeu várias das lâmpadas de carbono que funcionavam como holofotes e dirigiu seus focos para cima, para as barras e plataformas dos trapezistas. Então, para espanto dos presentes, aproximou-se da escada de corda que descia até o picadeiro central e começou a subir por ela.

— Pare! — gritou alguém. — O que está fazendo?

Olhamos para trás e vimos um homem de aparência poderosa surgir no centro do picadeiro e olhar para Holmes, que já estava quase no topo.

— Vayenko, este homem é Sherlock Holmes, um detetive que está ajudando Gregor a descobrir a causa da queda de Anna... — disse Rocco, mas foi interrompido.

— Desça agora! — gritou o russo, agitando o punho.

— Sr. Vayenko, estou aqui a pedido do sr. Gregor Zolnay. Eu apreciaria muitíssimo sua ajuda nesta questão — disse Holmes, com frieza. — No entanto, se não quiser cooperar, peço que não interfira.

Holmes continuou subindo em direção à plataforma do trapezista. Já quase a alcançara quando Vayenko, soltando um palavrão, começou a subir com uma velocidade inacreditável. Em pouquíssimo tempo, alcançara meu amigo e lhe segurava o tornozelo.

— Ora essa! — gritei e corri para a escada, com Larkin e o palhaço atrás de mim.

Holmes enfrentou com calma a situação e pediu ao acrobata para soltar seu tornozelo. Fiquei espantado com a atitude de Vayenko, que, de todos nós, devia ser o mais consciente do perigo a que estava sujeitando Holmes. Ainda assim, observei, apavorado, o russo começar a puxar a perna de meu amigo e remover seu outro pé do patamar em que se apoiava. Meu amigo ficou pendurado ali, a doze metros de altura, não apenas sustentando o próprio peso como também o do outro sujeito. No entanto, justo quando achei que ele não aguentaria mais, vi o pé livre fazer um movimento e a bota se chocar de encontro à mão do russo. O homem deixou escapar um uivo de dor e permitiu que Holmes alcançasse a plataforma.

— O que está acontecendo aqui? — gritou uma voz grave. Vimos um homem elegante se aproximar do picadeiro e olhar para cima. — É você, Vladimir? Quem diabos está aí com você?

O homem se apresentou como Lamar Chipperfield, proprietário e administrador do circo. Ao se inteirar da natureza de nossa missão, o sr. Chipperfield consentiu com ela de boa vontade e instruiu Vayenko a descer naquele instante. Ao receber tal ordem, a postura do acrobata mudou radicalmente. Ele assumiu um jeito humilde e obediente e se esforçou para garantir ao sr. Chipperfield que só agira por preocupação com o circo, para impedir que um invasor estranho danificasse os aparelhos.

— O senhor sabe, sr. Chipperfield, que nossas vidas dependem dos aparelhos. Se eles forem danificados...

— Entendo perfeitamente, Vladimir. Você cometeu um erro honesto. Por favor, aguarde em sua caravana até que esses cavalheiros terminem, pois eles podem querer lhe fazer perguntas. Boa noite.

O russo saiu humildemente, chegando a me cumprimentar de cabeça. No entanto, minha intolerância por ele permaneceu, e senti que sua atitude servil era falsa, pois o vi lançar um olhar de fúria para Holmes pouco antes de deixar a tenda.

Posicionei-me direto sob a plataforma e passei vários minutos ali, apontando os holofotes nas direções indicadas por Holmes.

— Um pouco para a esquerda e para cima — dizia ele, examinando o entorno de seu poleiro elevado. — Não, não tão longe... Aí, mantenha firme neste lugar um instante.

Aparentemente cansado disso, ele nos espantou ao puxar a barra central para a plataforma por meio de uma corda leve. Em poucos segundos, vimos Holmes descrever um arco aberto acima de nossas cabeças. Todos ficamos assustados, mas meu amigo mostrou aquela frieza notável que era sua marca registrada; sentou-se na barra como se aquilo fosse uma grande diversão, observando tudo e gritando instruções para nós.

— Não seja idiota, Holmes! — avisei. — Vai quebrar o pescoço! Trate de descer daí agora mesmo!

Contudo, ele ficou lá em cima mais uns dez minutos antes de voltar, os olhos brilhando, ao picadeiro cheio de serragem.

— Diga-me, Larkin, o que é aquilo? — indagou, apontando para uma capota de lona que podia ser vista entre as fileiras de bancos de madeira.

— Aquilo, meu senhor, é o *corredor*.

— O *corredor*?

— Sim, senhor. Os animais fazem a entrada por ali. É um túnel de lona que dá no quintal e nas carroças com jaulas. É mantido trancado até a hora do espetáculo, porque as crianças gostam de passar por ele para evitar pagar o ingresso.

Nós três examinamos a entrada coberta de tecido. Tinha cerca de 1,2 metro de diâmetro. Entramos no túnel, quase agachados ao andar, até chegarmos a uma parede de lona fortemente amarrada. Larkin desfez o nó e saímos para o ar noturno. Como previsto, estávamos no meio do aglomerado de carroças. Leves rosnados e o fedor acre indicavam a presença de leões.

— E isso fica sempre fechado?

— Sim, senhor. Até a metade do espetáculo. Como pode ver, não há ninguém por aqui na maior parte do tempo, já que os artistas se reúnem na tenda lá da frente para tomar chá e conversar...

— Entendo. E não só esta área fica deserta, como também muito perto da cerca externa — observou Holmes enquanto andava devagar pelo local, os olhos grudados no chão. — Talvez lhe interesse saber, Watson, que a entrada do corredor é visível da plataforma, mas não da barra central.

— Não diga — retorqui, incapaz de seguir sua linha de raciocínio.

— Larkin, as abas do corredor também ficam fechadas?

— As internas? Sim, senhor. Isso permite que os treinadores levem seus animais para o corredor sem serem vistos.

— E como as abas são erguidas?

— Por meio de cordas grossas, seguras pelo mestre do picadeiro, ou seja, o sr. Chipperfield, o cavalheiro que conheceram. Depois de anunciar o número, ele puxa com força as cordas que erguem as abas, sinalizando para que os animais entrem. É bonito de ver, não é, Rocco?

— Entendo — resmungou meu amigo, antes de retornar pelo túnel de lona ao pátio.

Lá, ele pediu uma lanterna, trazida de pronto por Rocco. Passou a meia hora seguinte, de lanterna na mão, fazendo semicírculos abertos sobre o terreno. Sentei-me em um enorme rolo de corda e fumei três cigarros durante esse processo. Por fim, ouvi um grito de satisfação que anunciava uma descoberta.

— Como um cão de caça, não? — comentei com meus companheiros. — Seus gritos nos dizem que ele farejou alguma coisa.

Holmes, a trinta metros de distância, estava ajoelhado na terra, os olhos e o rosto brilhando de excitação.

— Está vendo aqui, Watson? Está *vendo*? — gritou, tenso, apontando para o chão.

Não vi coisa alguma, salvo um rastro desigual na terra que parecia se repetir a intervalos regulares. Sem dúvida não se assemelhava a pegadas de tipo algum que eu conhecesse. No entanto, a repetição regular do estranho padrão indicava um movimento de locomoção, embora fosse esquisito.

— Ah, veja isso também — disse Holmes, apontando para uma pequena depressão circular na terra, que também se repetia.

— Uma bengala?

— Ou uma muleta. Então é um ser humano... Ou será que não? Sem dúvida deixa pegadas incomuns. Vamos segui-las.

A trilha nos levou até a cerca externa e ali, amarrado a uma ripa de madeira que formava a cerca, estava um objeto de tecido que Holmes removeu e examinou com grande interesse.

— O que é, Holmes?

— Ainda não sei ao certo, mas me parece algum tipo de vestimenta...

Segurando o objeto esdrúxulo sob a luz da lanterna, resmungou para si mesmo. Então, fez mais um esforço para retomar a estranha trilha do outro lado da cerca, mas, devido à escuridão, foi obrigado a desistir da caçada.

— A trilha era clara o suficiente na terra e na serragem do interior da cerca, mas será demasiado difícil segui-la na campina que a circunda. É um espanto que sequer a tenhamos encontrado, considerando-se o enorme tráfego de pessoas no terreno. No entanto, como viu, eu a descobri apenas descrevendo círculos em direção à cerca. Quem, ou *o que*, era se dirigia para a cerca e para o outro lado. Não, Watson, perderíamos nosso tempo se continuássemos procurando agora à noite. Melhor voltar amanhã à luz do dia. Por enquanto, acho que descobrimos tudo que podíamos com nossas inspeções. Diga, Larkin, é verdade que os trapezistas estavam sozinhos na tenda principal na noite do acidente?

O homem atrofiado caminhou mancando a nosso lado na escuridão durante vários minutos antes de responder.

— Sim, senhor. Até onde sei, estavam, sim. Acho que todos nós ficamos na tenda lateral ou cuidando de nossas vidas nas caravanas. Como o senhor sabe, eu estava com Panelli e Rocco.

Holmes passou mais meia hora inquirindo o restante do pessoal do circo. Teria algum deles estado na tenda principal durante o malfadado ensaio? As abas do túnel estavam de fato lacradas de modo que ninguém pudesse entrar? Acaso alguém vira um animal estranho entre as jaulas ou espreitando próximo à tenda grande? A resposta a todas essas perguntas foi negativa. Por isso embarcamos em um cabriolé e, uma hora depois, nos vimos de novo em casa. Entristecidos com a morte de Anna, ficamos algum tempo sentados em silêncio diante da lareira. Então Holmes pegou o estranho pedaço de vestimenta que encontrara na cerca do circo. Dava a impressão de ser uma luva enorme, mas um extremo estava remendado com uma lona pesada, enegrecida de sujeira e macadame. Ele a pôs sobre o braço. A mão foi então circundada pela extremidade de lona, que Holmes inspecionou com cuidado, auxiliado por sua lente de aumento e a claridade da lamparina. Passados vinte minutos de exame, interrompido apenas por eventuais suspiros e grunhidos, ele jogou a coisa em meu colo.

— O que acha que é?

— Para mim, parece algum tipo de pantufa — respondi, finalmente —, já que dá para ver pelas condições da lona que teve repetidos, para não dizer constantes, contatos com a terra.

Ele assentiu enquanto extraía baforadas do cachimbo, expelindo nuvens de fumaça em direção à luz da lamparina.

— O estranho é que não tem o formato de algo que se ajuste a uma perna e um pé — prossegui. — Na verdade, com tais dimensões, eu diria que foi feito mais para uma nadadeira que para um membro humano.

"Se tivesse sido feito para um pé humano normal, mesmo descontando o tamanho descomunal e o formato grotesco, eu poderia supor que a *pegada* na lona, ou seja, a mancha escura produzida pelo membro que estava aqui dentro fazendo pressão sobre o chão, teria mais ou menos o formato alongado comparável ao de um pé. Haveria uma série de borrões em um dos extremos correspondentes às plantas dos pés e talvez os dedões..."

— Sim! — interrompeu Holmes —, e um borrão um pouco menor no outro extremo, que corresponderia ao calcanhar...

— É claro. Mas, no caso em questão, vemos que a mancha é um borrão irregular. Em vez de delinear um pé, ainda que de forma tosca, não delineia coisa alguma.

— Ou algo que não seja um pé — corrigiu Holmes.

— Então, o *que* é? — indaguei, sentindo o pavor crescer dentro de mim.

— Não sei, Watson, salvo que talvez seja humano ou semi-humano, conforme o caso. Posso dizer pelos vestígios de serragem grudados no breu que estava no membro inferior, ou melhor, em um dos membros, que desenhou aquela trilha estranha próximo à tenda.

— O homem-elefante... — murmurei.

— Exatamente. Será possível? Que tipo de homem, se é que pode ser chamado assim, precisaria de uma bota como esta? Ele teria de ser bastante...

— Deformado?

— *Sim!* Só que... Espere um instante! Acho que me lembro de ter lido algo no jornal há cerca de um mês... Vejamos...

Ficando de joelhos, Holmes começou a remexer como um rato de esgoto nas pilhas de jornais espalhados pelo chão de nossa sala.

— Diabo, Watson! Vejo que você andou fazendo faxina de novo. Que vergonha! Como vou solucionar esse quebra-cabeça se insiste em invadir meus estoques de informações? Organização é um traço abominável, Watson. Jamais se esqueça disso!

Levei quase uma hora para convencê-lo de que, se não fosse por minhas "faxinas", nosso apartamento logo se transformaria em um ninho de ratos. Como consolo adicional para seu desespero, me ofereci para pagar nosso jantar, e, pouco tempo depois, saímos para o Morley's Chop House. Ao longo de toda a refeição, ele me encheu de perguntas. Como médico, estaria eu a par de alguma doença ou mazela que resultasse em deformidades pavorosas? Respondi que havia algumas, como a *elefantíase*, capaz de causar um inacreditável inchaço do corpo e das glândulas linfáticas com a correspondente ulceração e escamação da pele.

— Ora essa! E o nome certo também! Sem dúvida essa é a resposta, mas ainda assim...

Holmes se calou de novo, e concluímos o jantar falando de outros assuntos.

— Diga-me, Watson — prosseguiu, quando saímos do restaurante —, a elefantíase, por mais danosa que seja para os tecidos e as glândulas, afeta os ossos?

Quando respondi negativamente, Holmes comentou que seria melhor descartarmos a doença.

— Como você mesmo declarou depois de examinar a estranha pantufa que encontramos, os *membros* estão deformados, não apenas o tecido, certo?

Assenti.

— Devo dizer que estou perdido, Holmes. Se, de fato, trata-se de um ser humano vitimado por uma doença, tal mazela me escapa por completo. Não vejo como você possa esperar descobrir a resposta para esse quebra-cabeça, a menos que planeje continuar a seguir aquela trilha estranha à luz do dia amanhã.

— Talvez haja um jeito mais fácil, Watson. Amanhã de manhã, vou ao escritório do *Times*. Tenho quase certeza de que li nesse jornal a notícia há um mês. Bem, quer voltar para Baker Street ou fazer uma parada no Drury Lane?

Eu mal me vestira na manhã seguinte, quando Holmes irrompeu em meu quarto esbanjando excitação.

— Seu amigo cirurgião no London Hospital, Watson... O nome dele é *Treves*, não?

— Isso. Sir Frederick Treves. Você o viu ontem no corredor do hospital, lembra?

— Claro que sim — retrucou ele —, mas, embora o nome me fosse familiar, não cheguei a juntar as peças...

— Como? Que peças?

— Suponho que antes do dia de ontem, você não falava com Treves há algum tempo, não? Isso é plausível, já que vocês trabalham em hospitais diferentes. Por isso seria improvável que soubesse do recente paciente dele.

— É verdade.

— Um paciente ímpar, para dizer o mínimo. Venha comigo, um cabriolé nos espera lá na rua. Não! Não haverá tempo para o chá, caro amigo, essa é sua punição por ser dorminhoco!

Ele praticamente me arrastou escada abaixo e me jogou dentro do cabriolé que nos aguardava. Saímos a toda em direção ao London Hospital.

— Watson — disse ele, tamborilando os dedos no joelho com impaciência —, você se lembra de que ontem, quando se apresentou como amigo de Treves, a enfermeira-chefe achou que queríamos visitar outro paciente...

— Sim, acho que sim... Ela disse que já estava farta de curiosos...

— Isso! — exclamou ele, agitado. — E talvez lembre também que o próprio Treves, enquanto conversava com um colega no corredor, mencionou *mulheres que desmaiaram*!

— Ora, isso ocorre desde tempos imemoriais!

— Francamente, Watson, como você às vezes é lerdo!

— Como assim?

— Primeiro, achei que fosse coincidência o fato de Anna Tontriva estar internada na mesma instalação que contém a solução de nosso problema. Porém, após refletir um pouco, concluí que faz sentido, já que o London é o hospital mais próximo de onde o circo está montado...

— De que diabos está falando, Holmes? — perguntei com um bocejo, pois não ficava em minha melhor forma quando privado de meu chá matutino.

— Não importa, Watson, veremos pessoalmente a resposta em pouco tempo. Chegamos. Encontro você lá dentro assim que pagar o condutor.

Pouco depois, Holmes se encontrou comigo no posto de enfermagem principal, onde perguntamos por Treves.

— Sr. Holmes? O dr. Treves está esperando por você. Sim, ele recebeu seu telegrama. Por aqui, por favor.

Ela nos conduziu à ala dos fundos do hospital, onde, separada por dois conjuntos de portas do restante do hospital, ficava uma suíte que dava vista para um pátio gramado e cercado. Por estar vagamente familiarizado com o hospital, eu sabia que chamavam aquele lugar de Praça do Estrado. Era uma ala isolada, em geral usada para abrigar lunáticos antes que fossem transferidos para hospícios. A enfermeira fez sinal para que nos sentássemos no primeiro dos quartos e, após vários minutos de espera, Treves entrou e puxou uma cadeira para se sentar de frente para nós.

— Olá, Watson. Sr. Holmes, recebi seu telegrama urgente hoje de manhã. Sem dúvida seu poder de perspicácia é precisamente conforme diz Watson, pois fizemos o possível para manter em segredo a internação de Merrick aqui.

— Não duvido, dr. Treves. E me permita expressar minha sincera admiração pelo senhor e pelo sr. Carr Gomm. O anúncio publicado no *Times*, suponho, surtiu efeito.

— Sim. Merrick agora dispõe de recursos para se sustentar confortavelmente aqui pelo resto da vida, graças à generosidade do público britânico. Ele não tinha ciência da própria sorte até ontem, pois não queríamos que ficasse decepcionado caso as coisas não saíssem da forma esperada. Contudo, agora, ele sabe que pode permanecer aqui para sempre e está contentíssimo. E você, Watson, ouviu falar de John Merrick?

— Não até este exato minuto.

Treves fez uma pausa antes de prosseguir:

— Está familiarizado com a *neurofibromatose*?

— O mal de Recklinghausen?

— Exato! É conhecida por ambos os nomes. Como sem dúvida você sabe, ela causa uma proliferação de células em torno do delicado tecido conectivo que circunda as terminações nervosas. Em geral, afeta apenas os nervos e a pele.

Assenti. Era, de fato, uma doença rara; durante meus doze ou mais anos de prática da medicina, não vi mais que meia dúzia de casos, se tanto.

— Porém, no estranho e trágico caso de John Merrick, a doença atacou com violência o corpo todo, com consequências alarmantes. Não apenas isso, mas afetou também os *ossos*, com resultados monstruosamente deformantes...

— Dr. Treves, Merrick tem liberdade para ir e vir como lhe aprouver? — indagou Holmes.

— Em que sentido? Sem dúvida, no sentido jurídico ou médico, ele é livre para ir aonde quiser a qualquer hora. Não está preso aqui. No entanto, levando-se em conta sua aparência assustadora, ele se comporta como um recluso voluntário nesses aposentos, já que um mero vislumbre de sua figura causa choque nas pessoas.

— Merrick estava aqui há três noites? — insistiu Holmes.

— Agora que mencionou, sr. Holmes, naquela noite, ele deu uma de suas raras saídas. Ele sai depois que escurece, usando as roupas mais esdrúxulas que já vi.

— Esta peça faria parte de seu guarda-roupa? — indagou meu amigo, mostrando a estranha pantufa que encontrara na noite da véspera.

— Minha nossa, sim! Onde o senhor a encontrou? Merrick ficará muito agradecido, tenho certeza. Venham comigo, os senhores poderão vê-lo agora, se é que têm nervos e estômagos fortes para tal.

Ele nos levou até uma porta fechada e girou a maçaneta. Estava prestes a abri-la quando hesitou, virou-se para nós e disse:

— Sei que os dois cavalheiros, levando-se em conta as muitas aventuras perigosas que partilharam, têm nervos mais fortes que a maioria das pessoas. Ainda assim, preciso alertá-los, mesmo a você,

Watson, que já viu tantas esquisitices médicas e mazelas lastimáveis, que decerto nem um nem outro jamais pôs os olhos em um ser humano tão terrivelmente desfigurado quanto o homem que está atrás desta porta. Da mesma forma, sr. Holmes, ainda que consideremos a miríade de cadáveres destroçados que já examinou, os incontáveis indivíduos aleijados e feridos de ambos os lados da lei, a pessoa que o senhor está prestes a conhecer é ainda mais horrenda e patética porque está *viva*, presa em seu próprio corpo monstruoso.

Ele, então, abriu a porta e entrou conosco. No centro do quarto, havia uma cama com um biombo hospitalar em volta. Chegamos perto e Treves puxou parte do biombo, revelando um pé tão apavorante que, apesar de meu controle e das palavras de alerta de Treves, me deixou incapaz de suprimir uma breve exclamação de susto.

O pé não se parecia nem um pouco com um pé humano, como Holmes e eu havíamos inferido a partir do exame da pantufa que o cobrira. Era um pedaço plano de carne granulosa. A pele tinha uma textura verrugosa, lembrando uma couve-flor.

— Os senhores podem ver, cavalheiros, a extensão do drama do pobre Merrick. Quando o internamos aqui, a enfermeira encarregada, que não havia sido avisada sobre sua aparência, desmaiou ao vê-lo.

Com isso, Treves afastou devagar o biombo, revelando o pobre infeliz deitado na cama. A pele toda tinha a mesma aparência fibrosa, encaroçada, que observáramos no pé. No entanto, além disso, os membros em si eram grotescamente retorcidos.

As costas se curvavam como uma corcunda, e do peito, do pescoço e das costas pendiam grandes massas de carne grumosa. A cabeça era o pior de tudo, pois tinha o dobro do tamanho normal e dela se projetavam — no lugar onde deveria estar o rosto — várias massas ósseas com formato de broas e cobertas com a mesma pele repulsiva, como que atacada por fungos. A protuberância junto à boca era enorme e se projetava como um coto cor-de-rosa, que revirava o lábio superior, fazendo da boca uma fissura cavernosa. A deformidade singular criava a aparência de uma tromba rudimentar. Combinada à pele semelhante a uma couve-flor, aquela tromba deveria ser responsável pelo epíteto "homem-elefante".

— Santo Deus... — murmurei sem querer, e, também sem querer, me peguei desviando o olhar. No momento seguinte, contudo, observei Sherlock Holmes e senti vergonha de mim mesmo. Meu amigo, embora obviamente tomado de repugnância ante um espécime humano tão repulsivo, não exibia qualquer expressão de repulsa no rosto, nada além de pena. Sem dúvida, qualquer reação pessoal à aparência de Merrick fora superada pela pena em relação ao pobre infeliz. Mais uma vez, fiquei pasmo com a compaixão e a solidariedade tão pertinentes à natureza dele e que residiam tão próximo à superfície de seu exterior glacial.

Treves nos pediu para trocarmos apertos de mão com Merrick, que, ele nos garantiu, a despeito da aparência estranha, apreciava encontrar pessoas de fora, sobretudo quando estas não demonstravam medo ao vê-lo. Holmes, calmo, avançou e estendeu a mão em cumprimento. Para meu espanto, percebi que uma parte, ao menos, do corpo de Merrick, estava a salvo do flagelo que o transfigurara. Era o braço esquerdo, que ele, na mesma hora, estendeu na direção de meu amigo.

O braço não era apenas normal, mas bonito. Muito bem torneado e coberto por uma pele de textura delicada e sedosa, o membro despertaria inveja em qualquer mulher. O outro braço, em contraste, se assemelhava ao restante do corpo. Na verdade, não havia como distinguir a palma das costas da mão. O polegar lembrava um nabo atrofiado, enquanto os dedos pareciam cenouras retorcidas.

Holmes segurou o braço normal e apertou com efusão a mão de Merrick. O doente balbuciou algumas palavras ininteligíveis, mas ficou claro pelo tom da resposta e o movimento animado do corpo prostrado, que ficara encantado de conhecer o detetive. Fiz o mesmo que Holmes, descobrindo que, uma vez habituado à aparência tenebrosa do sujeito, estar em sua companhia não era, de forma alguma, insuportável.

— Como sem dúvida os senhores imaginam, as deformidades faciais o impossibilitam de falar. Sua fala é arrastada e parece saída de uma caverna profunda, e não de uma boca. Sendo assim, traduzirei suas respostas para o senhor, sr. Holmes, pois já estou habituado e posso entender o que ele diz.

Durante a hora seguinte, Holmes encheu o homem de perguntas. Merrick respondeu de boa vontade, com um entusiasmo infantil e um desejo de agradar (na verdade, ele era um homem bem jovem, embora isso fosse impossível, é claro, de definir visualmente).

— John, quero que você se lembre de tudo que puder a respeito dos últimos dias — começou Holmes. — Primeiramente, onde esteve na segunda-feira à noite e por que foi até lá?

O infeliz balbuciou uma resposta ininteligível que Treves logo traduziu.

— Ele foi ao local onde o circo está montado à procura de emprego. Ah, sr. Holmes, isso faria sentido. Veja, até bem recentemente, John era obrigado a ganhar seu "sustento", se é que podemos chamar assim, exibindo-se como bizarrice em feiras e circos locais, não é, John?

O homem assentiu de forma lenta e triste.

— Mas agora, graças à preocupação e à generosidade do público, ele não precisa mais suportar ser alvo de espanto e zombarias. É claro que ele esteve no circo ainda sem saber das doações, e não queria ter ido, mas achava que era isso ou morrer de fome. Ora, meu amigo, não precisa mais se preocupar…

Nesse ponto, Holmes e eu observamos, boquiabertos, o sujeito baixar a cabeça sobre o peito deformado e chorar de alegria e alívio, enquanto as lágrimas cobriam seu rosto monstruoso. Eu mesmo quase chorei, tão patética era a visão da infeliz criatura que tanto sofrimento suportara sem um amigo no mundo. Ainda assim, se meus olhos tivessem marejado, essas lágrimas seriam de alegria e uma renovada fé no coração humano, pois agora estava claro que John Merrick *tinha* amigos, e sua vida como abominação pública chegara ao fim.

— Ele foi até o circo naquela noite — disse Treves — sozinho e em segredo, conforme foi instruído pelo representante do circo.

Holmes e eu trocamos olhares. Pouca dúvida nos restava quanto à identidade do "representante".

— E você se encontrou com esse homem nas cercanias do circo? — indagou Holmes.

— Sim — falou Treves. — Foi ajudado a escalar a cerca e levado até um túnel estreito na tenda. Ali, foi instruído a permanecer, agachado e protegido pelo imenso casacão que o esconde do olhar do público, até receber um sinal.

— E qual era o sinal?

— Quando as abas fossem abertas, Merrick arrancaria o casaco, ficaria de pé e agitaria os braços e as pernas. Em seguida, segundo lhe disseram, as abas se fechariam de novo, e ele voltaria a vestir o casacão e sair correndo no mesmo instante, retornando ao hospital em segredo sem contar a pessoa alguma sobre o seu "teste".

— Ele foi pago ou lhe ofereceram algum emprego? — indaguei.

— Pagaram-lhe duas libras pelo desempenho, o que, como sabemos, é um salário muito bom. Se os proprietários decidissem contratá-lo, ele seria notificado dentro de uma semana. Do contrário, deveria manter silêncio sobre o ocorrido, aceitando o pagamento e esquecendo o assunto.

Merrick respondeu todas as perguntas de forma objetiva. Sem dúvida ele desconhecia o propósito nefasto a que servira sua "apresentação".

— Por fim, John, pode descrever esse representante que o procurou?

Quando ouvimos a descrição, que correspondia à de Vladimir Vayenko em todos os detalhes, vimos que a última peça do quebra-cabeça se encaixara. No entanto, a fim de não perturbar Merrick, Holmes e eu partimos sem mais perguntas.

— Ora, de fato conhecemos um *monstro* nesse caso, Watson — observou meu amigo, enquanto chamava um cabriolé —, embora não seja o pobre homem deitado naquele quarto.

— Que covarde! Em lugar de enfrentar o rival diretamente, optou por se vingar matando a mulher amada!

— Sim, mas tenho certeza de que a vingança foi *direta* também. O amor pode se tornar ódio em pouco tempo, como você sabe. Ele jamais perdoou Anna por trocá-lo por Zolnay.

— E usar o pobre Merrick como instrumento... depois de tudo que o infeliz sofreu...

— É horrível sob todos os aspectos, Watson. Da mesma forma, considerando suas recentes ações contra mim, estou convencido de que, como a maioria dos covardes, Vayenko é um agressor.

— Sorte a dele você não ter decidido enfrentá-lo no chão!

— Pensei o mesmo. Como a maioria dos homens musculosos, ele seria lento com socos e golpes. Contudo, estamos nos desviando do assunto. A questão é: o que fazer agora?

— Ora, chamar a polícia, é claro! Está evidente que Vayenko causou a morte de Anna: de alguma forma, ele adaptou as abas para que pudessem ser abertas da plataforma onde estava. Então, justo quando Anna começou seu difícil número, ele as abriu rapidamente, revelando uma visão tão tenebrosa que a fez perder o controle...

— Sim, é claro. *Nós* sabemos o que aconteceu. Mas quem mais acreditaria? Zolnay, de sua posição lá no alto na barra central, nada viu. Anna está morta. Temos o pobre Merrick que mal consegue falar. Dá para imaginá-lo em um tribunal depondo contra Vayenko? Com quem ficaria a simpatia do júri? Ademais, quem acreditaria em uma história tão bizarra? A única prova da ligação direta de Vayenko a um ato *planejado* foi ter fechado a tenda antes do ensaio. Não, Watson, não vai funcionar. Vayenko é um covarde e um facínora, mas um facínora esperto. De alguma forma, talvez devido à própria carreira, ele tomou ciência do paradeiro de Merrick, o *homem-elefante*, e usou esse sujeito desafortunado em um homicídio muito inteligente.

— Não há nada que possamos fazer, então? — indaguei, soltando um palavrão.

— Há — respondeu Holmes, depois de refletir durante vários minutos. — Por isso estamos a caminho do Chipperfield's.

Mais uma vez encontramos o pessoal do circo, em geral alegre e sociável, abatido e envolto em nuvens de temor e pessimismo. Para piorar tudo, o tempo ficara frio e chuvoso e ventava bastante. Esse é o pior tempo para um circo, e a plateia minguara. Assim, ninguém pareceu surpreso — na verdade, a sensação foi de alívio — quando Lamar Chipperfield anunciou que o espetáculo vespertino seria suspenso. Holmes e eu saímos caminhando pelo terreno dos fundos, patinando em poças d'água e vendo os artistas vagarem ociosos. A maioria se fechara em suas diligências, e pelo ruído que emanava de várias, dava para saber que bebidas alcoólicas estavam sendo consumidas livremente. Passando perto de algumas delas, ouvimos mais conversas sobre o *hoodoo* e como o mau tempo seria uma manifestação da maldição do mico morto.

Encontramos Zolnay em sua diligência, dedicado a uma garrafa de aguardente. Ele nos recebeu calorosamente e conseguiu manter a compostura durante vários minutos até cair em um choro convulsivo. Nós o consolamos como pudemos. Então meu amigo, fixando o olhar no gigante húngaro, disse em um sussurro:

— Sr. Zolnay, o dr. Watson e eu estamos próximos de descobrir por que sua amada Anna morreu. Entretanto, resta um assunto de que precisamos cuidar. Poderia nos ajudar?

Como esperávamos, Zolnay concordou plena e ansiosamente.

— Ótimo — prosseguiu Holmes. — Hoje à noite, o doutor e eu voltaremos a nos encontrar aqui com você. Chegaremos tarde, quando todos já estarão dormindo. Não conte a ninguém sobre essa visita, nem mesmo a Larkin. Entendido?

— Sim, sr. Holmes. Mas não há mais nada que o senhor possa me dizer sobre minha pobre Anna?

— No momento, não, lamento. Esteja aqui à uma hora, pronto para sair. *Adieu.*

Para minha surpresa, voltamos ao London Hospital. Lá, Holmes desceu a toda do cabriolé me dizendo para aguardá-lo. Em menos de dez minutos, com uma saca de roupa suja do hospital pendurada no ombro, ele reapareceu.

— Sujeito formidável esse Treves. Muito prestativo também — disse, antes de dar ao condutor o endereço da Baker Street.

— Para que a sacola, Holmes?

— Calado! Você há de descobrir logo, caro amigo. Acho que encontrei um jeito inteligente para fazer Vayenko confessar a própria culpa, como verá esta noite. Agora, que tal jantarmos? Dessa vez, é por minha conta.

Pouco depois da meia-noite, Holmes me despertou de meu cochilo pesado em frente à lareira.

— Devo dizer que, às vezes, invejo sua natureza letárgica, Watson — disse ele, vestindo o paletó. — Você parece capaz de dormir em qualquer lugar a qualquer hora, independentemente do que o aguarda. Bom, trate de se levantar, pois precisamos ir. Mas primeiro: poderia me emprestar sua moedeira de couro?

Chegamos ao circo pouco antes da hora marcada. Fiquei pasmo ao ver que Holmes levara com ele a sacola do hospital, bem como uma bengala. Isso decerto aguçou minha curiosidade. Estávamos prestes a escalar a cerca quando o som de passos calculados chegou a nossos ouvidos.

— O vigia! — exclamou Holmes em um sussurro rouco. — Acabei me esquecendo dele!

Contudo, nos escondemos atrás de uma carroça até o homem passar, e depois escalamos a cerca sem dificuldade. Indo de uma sombra para a outra, alcançamos a diligência de Zolnay. Tomamos cuidado para evitar as jaulas dos animais, pois, se fossem acordados, os leões decerto trairiam nossa presença.

Entramos na diligência de Zolnay, e Holmes o instruiu a acender uma única vela, mantendo as cortinas fechadas. Então, ficou de pé diante do catre do trapezista e esvaziou a sacola em cima dele. Lá estava uma pilha de farrapos, inclusive o boné mais estranho e volumoso que eu já vira.

— Santo Deus, Holmes, que diabos…

— O figurino de John Merrick para suas saídas, Watson. Treves tem razão, é a mais incrível, para não dizer *esdrúxula*, coleção de miudezas, não? Vê quanta esperteza? Nem um pedaço da pessoa pode ser visto. Repare no boné. Está vendo esse visor de tecido que cai como uma cortina pelas laterais? O rasgo nos olhos é a única abertura. Agora, a capa, como pode ver, parece mais uma tenda. As mangas compridas escondem os braços. Essas luvas lembram a "pantufa" que examinamos lá em casa…

Zolnay contemplou, em silêncio e pasmo, Holmes erguer cada artigo esquisito.

— Finalmente — prosseguiu o detetive —, temos essa calça folgada, que agora vou vestir em cima da minha...

Comecei a entender o esquema de Holmes e a fazer ideia da finalidade que ele daria à minha moedeira de couro.

— Os dois precisam me ajudar. Por mais perito em disfarces que eu seja, encarnar o "homem-elefante" será, sem dúvida, meu número mais ambicioso até então. Watson, me alcance aqueles dois rolos de esparadrapo, por favor. Zolnay, por gentileza, amasse esse jornal e encha com ele o chapéu, uma tarefa indigna da sua força, eu sei... Ah, muito bem.

Em seguida, ele tirou do paletó uma latinha de rapé. Percebi que o fundo havia sido removido, de modo que, sem a tampa, o que víamos era um tubo de metal com cerca de dez centímetros de comprimento. Para minha surpresa, Holmes colocou o tubo de encontro à boca e, com minha ajuda, prendeu-o com o esparadrapo. Quando voltou a falar, foi com uma voz oca, distorcida, bastante semelhante à de Merrick!

— Este megafone em miniatura é um bom truque, não? E a viseira do boné o esconderá direitinho.

Então, pegando as grotescas pantufas e luvas, enfim arrematou o disfarce com o enorme boné com viseira, do qual pendia, de todos os lados, a cortina de tecido. E quando ele andou pelo trailer com a bengala, curvado e com aquela vestimenta estranha e balbuciando incoerentemente por trás do visor, a transformação em Merrick, o "homem-elefante", ficou completa. Zolnay continuou boquiaberto até que Holmes, incapaz de mantê-lo mais tempo na ignorância, explicou nossa missão: Holmes, encarnando Merrick, iria até a diligência de Vayenko — no meio da noite, como Merrick seria obrigado a fazer — e pediria mais dinheiro por ter feito sua "apresentação". Esperava-se que a reação de Vayenko o incriminasse. Como previsto, o húngaro estremeceu de fúria e quase saiu correndo ensandecido em busca do russo. Holmes e eu o refreamos com dificuldade.

— Calma, calma, meu amigo! Tive muito trabalho para organizar esta visita noturna. Se for bem-sucedida, Vayenko será enforcado.

Busque vingança agora, e *você* pode acabar recebendo a pena capital, e o assassino de Anna sair impune.

O homem entendeu nosso raciocínio e se refreou, mas pude perceber que a respiração dele era pesada e acelerada e ouvi quando ele jurou qualquer coisa entredentes quando saímos da diligência.

Vagamos no escuro com Holmes como guia. Fiquei surpreso quando o vi se dirigir à cerca, e não à diligência de Vayenko. Porém, suas intenções ficaram claras quando uma figura que esperava próximo à cerca se aproximou. Em um instante, Lestrade estava conosco.

Tomamos o rumo da diligência de Vayenko. Lá, Holmes nos fez entrar de gatinhas sob ela e nos sentarmos atrás do eixo traseiro. Dali podíamos ver nitidamente Holmes de pé diante da escada. Senti minha excitação crescer e notei que a agitação de Zolnay aumentara mais ainda: ele abria e fechava os punhos enormes e rangia os dentes de raiva. Não precisamos esperar muito. O "homem-elefante" subiu claudicante a escada e bateu com a bengala na porta. Seguiu-se um longo silêncio, e Holmes bateu de novo. Então ouvimos movimentos pesados acima de nós e a porta foi aberta com um palavrão.

— Quem está aí? — gritou uma voz, ainda pesada sob o efeito do álcool. — O que quer?

Holmes desceu a escada de costas e ergueu minha moedeira. Pudemos ouvir os grunhidos ocos e ininteligíveis que saíam de sua máscara.

— Ah, é *você*? — indagou Vayenko em um tom ameaçador. — Voltou por quê? Eu lhe disse para não voltar!

Holmes, contudo, não se abalou, segurando a moedeira e grunhindo.

— Seu monstro! Você é muito ousado, besta horrível! O que está tentando me dizer, hein? O quê?

Holmes estava ocupado gesticulando com os braços, balbuciando. Dava para ver que ele tentava mostrar uma queda de um lugar alto.

— Ah, então sabe o *que* aconteceu? — disse Vayenko em um tom baixo. — Então você a viu cair. Descobriu meu esquema, não foi? E agora quer mais dinheiro para ficar calado...

Houve um período de silêncio. Holmes permaneceu parado, como a indicar que era isso mesmo que queria. Quando Vayenko voltou a falar, a voz veio carregada de deslealdade.

— Olhe aqui, homem. As pessoas vão nos ouvir conversando. Por que não entra? Podemos tomar uma bebida e discutir o pagamento...

Holmes recuou, ainda segurando a moedeira na direção de Vayenko, que começou a descer a escada a seu encontro.

— Não precisa ter medo, Merrick. Vou lhe dar cinco libras para não contar a ninguém sobre a morte de Anna...

Nesse instante, o russo se atirou sobre Holmes, que teria erguido a bengala para se defender não fosse pelo tecido que lhe cobria o rosto e, assim, lhe comprometia a visão. A noite estava escura e o pequeno rasgo nos olhos o deixava quase cego. Da mesma forma, as roupas folgadas atrapalhavam suas pernas em geral ágeis, e Holmes caiu sob o impacto do pesado homem.

Vayenko sem dúvida ficou surpreso ao ver que o homem que supunha atrofiado e desajeitado era, na verdade, um boxeador experiente com uma tremenda força. Depois de se recuperar de sua desvantagem momentânea, Holmes desferiu no adversário dois golpes rápidos no rosto. Os golpes desestabilizaram o acrobata, que agarrou a bengala que meu amigo deixara cair. Embora nós três já tivéssemos saído do esconderijo e estivéssemos correndo em direção aos dois lutadores, chegamos tarde demais para impedir Vayenko de golpear Holmes na lateral da cabeça e atirá-lo ao chão. O homem se virou a tempo de nos ver e ficou pálido de terror quando Zolnay caiu em cima dele.

Ajoelhei-me ao lado de Holmes, que não fora ferido com seriedade, embora exibisse um feio vergão na maçã do rosto. Ouvimos o ruído de passos apressados e gritamos enquanto Holmes tirava o estranho disfarce e se juntava a mim na perseguição. Antes que déssemos dez passos, porém, ouviu-se um grito que congelou o sangue em minhas veias. O grito era cheio de terror e agonia e terminou em um som sufocado e rouco.

Devido à escuridão, vários minutos se passaram até encontrarmos o corpo. A essa altura várias pessoas já se encontravam no local em que jazia uma figura retorcida inclinada para trás sobre o engate de uma diligência. Os olhos de Vayenko estavam abertos e mostravam a fantasmagórica alvura da morte. A cabeça encontrava-se jogada para trás em um ângulo grotesco, a parte de trás do pescoço sobre o barrote de madeira. Uma rápida inspeção revelou o que supus desde o início: o pescoço se quebrara. Pedimos o lampião, e à luz dele, Holmes apontou quatro hematomas na testa do morto. Cada um tinha o tamanho de uma moeda. Holmes tentou pôr os dedos sobre eles, mas estavam por demais afastados. Mentalmente, me recordei das luvas grandes que eu experimentara e tive certeza de como Vladimir Vayenko encontrara a morte. Holmes me lançou um olhar que disse tudo.

— Sabe, Watson — sussurrou baixinho —, usando esse engate da diligência como apoio e espalmando a mão na testa de Vayenko, ele empurrou a cabeça do russo para trás...

— Sim, eu sei — falei. Sem dúvida, apenas um homem com força sobre-humana poderia ter quebrado o volumoso pescoço de Vayenko. Mesmo assim, não senti remorso pelo canalha que jazia a nossos pés. Ademais, minha preocupação era com o gigante húngaro, que naquele instante devia estar fugindo pelos campos de Wimbledon.

Percebi um movimento a meu lado e vi Lestrade chegando e contemplando o cadáver.

— Como foi que este sujeito morreu? — perguntou. — Ele caiu no escuro e quebrou o pescoço?

Holmes e eu nos entreolhamos.

— Isso certamente parece possível — admitiu Holmes, sem se comprometer.

— E o outro, onde está?

— Não faço ideia — respondi. — Veja, Lestrade, não devíamos chamar uma ambulância? Farei isso agora mesmo, enquanto você e Holmes cuidam das coisas aqui.

Quando a ambulância chegou, Lestrade, ainda supondo que a morte de Vayenko tivesse sido um acidente, perdera todo o interesse em Zolnay. Holmes e eu imaginamos que ele estivesse escondido em uma das muitas diligências pertencentes a seus amigos ou então que tivesse fugido de Londres e dos acontecimentos terríveis de que fizera parte, a bordo de um trem expresso.

— Onde quer que ele esteja — murmurou Holmes enquanto voltávamos para o apartamento com o raiar da aurora —, eu lhe desejo sucesso.

Epílogo

No final, porém, o *hoodoo* reivindicou sua derradeira vítima.

Pouco mais de dois meses após nossa aventura com Zolnay, o trapezista, Holmes interrompeu nosso café da manhã com o anúncio de que Merrick morrera. A matéria no *Telegraph* era curta e obviamente desprovida da dor e da compaixão que marcara a trágica vida do jovem John Merrick:

"HOMEM-ELEFANTE" MORRE DORMINDO

Londres, 24 de agosto

John Merrick, a monstruosidade humana também conhecida como o "homem-elefante", morreu dormindo na noite de ontem em seu quarto particular no London Hospital. Segundo o dr. Frederick Treves, o médico que o atendia, o passamento ocorreu por volta das três da madrugada, causado por um deslocamento do pescoço. O dr. Treves explicou que Merrick estava habituado a dormir sentado, mas, talvez para realizar o sonho de uma vida inteira de "ser igual aos outros", tentou dormir deitado na noite em questão, o que fez com que sua cabeça enorme — com mais de três vezes o tamanho e o peso normais — caísse para trás no travesseiro macio, o que acabou deslocando as vértebras e rompendo vários nervos importantes. Todas as provas parecem apontar para uma morte tranquila, embora prematura, já que a coberta não mostrava sinais de inquietação. Segundo um acordo voluntário feito com o hospital, o corpo será doado para a Faculdade de Medicina da Universidade de Londres. Merrick tinha 27 anos de idade.

— Pobre coitado — comentei. — Ao menos a morte foi rápida e indolor.

— Suponho que isso aumente a ironia. O infeliz parece ter tido sorte apenas na morte. Quanto mais penso nisso, Watson, mais me convenço de que o verdadeiro herói dessa aventura foi Merrick. Ele suportou a dor e o sofrimento estoicamente, com força e coragem tremendas. Pense nisso! Pense na infância dele, Watson! Abandonado como um monstro pela mãe, vendido a uma feira local aos quatro anos. Tratado como um monstro vivo pela raça humana, gozado e desprezado pelas crianças de sua idade, trancado dias a fio nos piores armários e compartimentos gelados! E depois desse inferno em vida, ele surge não apenas incólume, mas *grato* pelos últimos meses na Praça do Estrado! Será que há na história humana relato de tamanha coragem?

Olhei pela janela e soltei um suspiro:

— Graças a Deus há pessoas como Treves e o público britânico — falei, enfim.

— Amém, Watson. E agora, para aliviar o clima, tenho uma surpresa para você que sei lhe agradará. Recebi este pacote ontem. Repare no selo postal...

— Salzberg.

— Abra, Watson — disse Holmes, esfregando as mãos satisfeito.

Rasguei o papel pardo e descobri no interior uma caixa de papelão contendo dois estojos de couro, cada qual do tamanho de uma broa de pão.

— Um é para você, o outro para mim — disse ele. — Você prefere o de cabo totalmente curvo ou o *bulldog*?

Sua pergunta chegou a meus ouvidos enquanto eu abria um dos estojos de couro, revelando o mais belo cachimbo de espuma do mar que eu já vira na vida. Seu fornilho cintilava com um lustre cor de creme, e a piteira âmbar tinha um radiante tom dourado.

— Holmes, um cachimbo desses vale uma fortuna! Quem nos daria presentes assim?

— Não faço ideia, Watson — respondeu ele com um brilho maroto no olhar —, mas a pessoa pôs seu cartão de visitas aí dentro. Olhe...

Ele atirou uma luva cinzenta de camurça em minha direção.

— Agora vamos ver se conseguimos identificá-lo: ele é rico, mas não um cavalheiro, e parece ganhar a vida realizando feitos físicos do tipo mais prodigioso…

Notas do autor sobre o conto "A aventura de Zolnay, o trapezista"

John Merrick, "o homem-elefante", de fato existiu. Sua doença e suas consequentes deformidades eram como descritas neste conto. Além disso, a história de sua vida foi, em sua maior parte, conforme relatada aqui. Frederick Treves era o grande médico londrino da época — com exceção, é claro, de John H. Watson. Foi Treves quem se tornou amigo de Merrick e, com a ajuda de Carr Gomm (o diretor do London Hospital), conseguiu aposentos particulares no hospital e subsídios para sustentar Merrick pelo resto de seus dias, que foram bem menos numerosos. Afora essa demonstração de filantropia, Treves talvez seja mais conhecido por remover o apêndice inflamado de Eduardo VII na véspera de sua coroação.

Para um relato detalhado da vida de Merrick, vale a pena ler o livro de Treves, *The Elephant Man and Other Reminiscences*, ou a excelente resenha do livro (e um resumo da desafortunada vida de Merrick), de autoria de Ashley Montagu, publicada no exemplar de março de 1971 da revista *Natural History*.

Escrevi este conto pensando em meu amigo Tom Zolnay. Ele conhece "Vayenko" bem até demais, tendo escapado da Hungria em 1956.

rlb

AS PEGADAS DE UM ESCRITOR GIGANTESCO

Terá Sherlock Holmes conhecido Hercule...?

JULIAN SYMONS

Além de escrever quase trinta romances policiais e meia dúzia de coletâneas de contos, Julian Gustave Symons (1912-1994) foi um importante estudioso da ficção policial, assim como um dos mais destacados autores do gênero. Além das biografias de Edgar Allan Poe, Arthur Conan Doyle e de um estudo crítico de Dashiell Hammett, ele escreveu uma excelente história do gênero, *Bloody Murder* (1972; intitulada *Mortal Consequences* nos Estados Unidos), em que também definiu a literatura policial, insistindo que devia se afastar da pura solução de enigmas para se concentrar mais nos elementos psicológicos do crime. Essa obra ganhou o prêmio Edgar. Symons foi honrado com prêmios da Mystery Writers of America, da Crime's Writers' Association (britânica) e da Swedish Crime Writers' Academy pelo conjunto da obra.

Symons, um grande admirador de Sherlock Holmes, tinha ainda maior estima por Arthur Conan Doyle e repreendia os sherlockianos pela brincadeira de tratá-lo como mero agente literário do dr. Watson. Além da presente história, ele escreveu dois contos-pastiche, "How a Hermit was Disturbed in His Retirement", publicado em *The Great Detectives* (1981), e "The Affair of the Vanishing Diamonds" (1987). Também escreveu dois romances sherlockianos ambientados nos dias de hoje: *A Three Pipe Problem* (1975), em que um ator de televisão, Sheridan Hayes, usa a máscara de Sherlock Holmes e assume sua personalidade. E, mais de uma década depois, o menos bem-sucedido *The Kentish Manor Murders* (1988), protagonizado pelo mesmo personagem.

"Terá Sherlock Holmes conhecido Hercule...?", originalmente publicado no número de abril de 1987 de *The Illustrated London News*, foi incluído na coletânea *The Man Who Hated Television and Other Stories* (Londres, Macmillan, 1995).

TERÁ SHERLOCK HOLMES CONHECIDO HERCULE...?

Julian Symons

Terá Sherlock Holmes algum dia conhecido Hercule Poirot? Essa não é uma suposição tão improvável quanto poderia parecer. O último caso de Sherlock Holmes de que se tem registro ocorre em 1914, nas vésperas da Primeira Guerra Mundial, após o qual ele se aposentou para criar abelhas em Sussex Downs. Nessa época, Poirot, segundo as melhores informações que temos, tinha cinquenta anos e ainda estava ativo, o relato de sua aposentadoria em 1904 (em *O misterioso caso de Styles*) sendo sem dúvida um erro de impressão.

É esta possibilidade que confere peculiar interesse à história que se segue, particularmente na medida em que não provém da maltratada caixa de documentos de folha de flandres do dr. Watson, que continha detalhes de vários casos importantes e que ele guardou "em algum lugar nas casas-fortes do banco de Cox & Co., em Charing Cross", onde presumivelmente permanece. Em vez disso, foi encontrada entre os papéis do amigo de Poirot, capitão Arthur Hastings, que registrou vários casos do grande detetive belga. Por que um caso narrado pelo dr. Watson, envolvendo Sherlock Holmes, estaria entre os papéis de Hastings? Talvez a própria narrativa responda à pergunta. Infelizmente, ela não está completa, mas não pode haver mais do que algumas linhas faltando no fim. É claro que não há qualquer garantia absoluta de sua autenticidade ou de sua relevância para os dois grandes detetives.

Sherlock Holmes balançava a cabeça quando eu mencionava o nome de Mulready e dizia que o mundo ainda não estava preparado para ouvir falar de um caso que envolvia um importante ministro da Coroa, documentos secretos e a ameaça de guerra. Mesmo assim, não pode haver mal algum em registrar por escrito a extraordinária série de acontecimentos envolvendo os moradores de Mulready House enquanto eles permanecem frescos na minha mente.

Era uma manhã de outono uns dois anos antes da aposentadoria de Holmes, e eu tinha passado a noite com meu velho amigo em Baker Street. O desjejum terminara, ele acabara de ler os jornais e estava vagando pela sala, falando discursivamente como era seu costume, quando parou à janela.

— Ei, Watson. Nossa humilde morada está prestes a ser extraordinariamente honrada.

— Holmes, se você vai me oferecer alguma daquelas deduções inverossímeis sobre...

Holmes riu.

— Não, não, meu caro amigo. É verdade que quando vejo um homem num automóvel Rolls-Royce do último modelo e esse veículo tem um brasão no painel da porta, sei que uma pessoa de alguma distinção provavelmente descerá dele. Mas de fato reconheci o homem. É lorde Rivington.

No momento seguinte, nosso secretário da Guerra estava na sala. Seus traços me eram familiares através de muitas fotografias e cartuns, mas nenhum fizera plena justiça à força presente em suas rugas, à intensidade dos olhos fundos atrás das bastas sobrancelhas. Ele nos olhava, de um para o outro.

— Sr. Holmes, vim pedir sua ajuda num assunto de grande importância e de natureza absolutamente confidencial.

Levantei-me, mas Holmes me deteve.

— Pode falar na presença do dr. Watson tão livremente quanto o faria se eu estivesse sozinho.

— Ainda assim...

Sherlock Holmes estava enchendo seu cachimbo. Não disse nada. Lorde Rivington fitou-o intensamente, depois deu de ombros.

— Muito bem, não há tempo para discussão. O senhor tem conhecimento de que estão ocorrendo negociações entre este país e a França envolvendo um plano para ação conjunta caso as ameaças do Kaiser se transformem num conflito?

— Sei o que é dito nos jornais, nada mais.

— As negociações chegaram a um estágio extremamente delicado. Pode imaginar meus sentimentos quando descobri, através de nosso Serviço de Inteligência, que tudo que discutimos era conhecido em Berlim, até o último detalhe. E me foi incontestavelmente demonstrado que a informação deve ter chegado à Alemanha através do gabinete do homem encarregado das negociações, sir Charles Mulready. Ele é um de meus mais velhos amigos, frequentamos a escola e a universidade juntos. Eu poderia jurar que é um homem honrado. No entanto, esses papéis não passaram pelas mãos de mais ninguém senão as suas. O senhor pode perguntar como posso ter tanta certeza, sr. Holmes. A resposta é simples. Ouvi isso ontem dos lábios do próprio sir Charles.

— Ninguém no gabinete dele teve acesso a eles?

— Ninguém. Eles estavam guardados num cofre e permaneceram trancados quando ele os levou para casa. E não houve nenhuma traição do lado francês. — Lorde Rivington tossiu. — Os aliados devem ter seus próprios segredos. Certos assuntos mencionados nos memorandos que acompanham os documentos não foram discutidos com os franceses e, no entanto, também são do conhecimento de Berlim. Eles não foram roubados. Portanto devem ter sido copiados ou fotografados.

Holmes estivera ouvindo com a mais aguçada atenção.

— Acaso sir Charles tem alguma relação de parentesco com a Alemanha?

— Acertou na mosca, sr. Holmes. Ele se casou com uma senhora alemã que havia sido deixada viúva com um filho pequeno quando seu marido, conde von Brankel, foi morto num acidente de caça. O menino, Hans, foi criado como se fosse filho do próprio Charles. Ele é inteligente, mas receio que não seja viril. Foi expulso da escola privada, tenho certeza de que não preciso entrar em detalhes. Depois estudou medicina durante um ano, mas desistiu e expressou o desejo de se tornar ator de teatro, algo que evidentemente não podia ser consentido. Assim, não tem profissão, mora com a mãe e vive à custa da família. Eles têm uma filha dos dois, Lilian, que alimenta a ideia absurda de que as mulheres deveriam ter o direito de votar e de que as armas de assassinato, como ela chama, deveriam ser abolidas. Meus amigos não tiveram sorte com os filhos.

— Mais uma pergunta. Estou certo ao pensar que nossos aliados franceses teriam interesse nos memorandos que não viram?

Por um instante o secretário da Guerra pareceu surpreso.

— Possivelmente, mas as relações entre nossos países são inteiramente amistosas. Monsieur Calamy, que conduz as negociações, está em Londres, hospedado na Mulready House.

Holmes assentiu com a cabeça.

— E agora chego ao clímax trágico. Foi preparado o rascunho de algo conhecido como Plano X, expondo em detalhes nossos compromissos militares e navais com a França na eventualidade de uma guerra. Junto com ele estava um memorando sobre a defesa da Grã-Bretanha que m. Calamy não deveria ver. Sir Charles estava de posse desses dois documentos. Ontem, quando as suspeitas se tornaram certezas, pedi-lhe que fosse falar comigo. Ele passara uns dias afastado dos corredores de Whitehall com um ataque de gota, mas foi ao meu encontro mancando, e contei-lhe o que ficara sabendo. Ele se comportou como eu esperava, incrédulo a princípio e depois horrorizado. Protestou sua inocência, e acreditei nele.

A grande cabeça baixou por um momento, depois ele nos olhou de um para o outro, em desespero.

— No entanto, ontem à noite ele fez uma confissão de culpa, não com palavras, mas com ações. Tomou uma dose excessiva de um dos medicamentos que usava para aliviar as dores da gota. E, para piorar, tanto o Plano X quanto o memorando estavam com ele, que os levara para casa para estudá-los. Ambos desapareceram.

Alguns minutos depois estávamos sentados no Rolls-Royce, a caminho da casa de Mulready em Mayfair.

As persianas estavam fechadas sobre as longas janelas e dentro da casa sentimos a atmosfera sombria de uma morte repentina. Lorde Rivington nos conduziu até a suíte de sir Charles, separada da de sua mulher por um quarto de vestir.

— Lady Mulready o encontrou sentindo dores em algum momento durante a noite e imediatamente chamou seu médico, dr. Cardew. Ele disse que sir Charles deve ter sofrido um ataque agudo de gota e tomado uma dose excessiva de seu medicamento, mas temo que tenha sido algo deliberado.

— Conheço o dr. Cardew — eu disse. — Um médico muito confiável. — Aproximei-me da cama onde o corpo jazia, decentemente coberto com um lençol, e olhei para as feições distorcidas. Havia um copo vazio na mesa de cabeceira, com um frasco ao lado, talvez um terço cheio, rotulado *Colantium*. — Este é um medicamento usado com frequência para tratar gota. Contém *Colchicum*, que alivia a dor. Não vejo nenhuma circunstância incomum aqui.

— Não vê, Watson?

Holmes estivera andando a esmo entre o quarto e o quarto de vestir, examinando quadros, enfeites, um porta-cachimbos, usando sua lente de aumento para observar atentamente uma escrivaninha no quarto de vestir. Em seguida também levantou o lençol, depois olhou cuidadosamente para o copo e o frasco, inclinando este último e segurando-o contra a luz.

— *Colchicum* é um veneno, como muitas das plantas e flores que aliviam a dor. Jasmim-amarelo, cicuta-manchada, dedaleira, fava-de-calabar e ervilha-do-rosário podem ser são mortais quanto a papoula ou as sementes de laburno. Estou preparando um pequeno folheto chamado *O jardim venenoso*, que será útil para todo médico. E *Colchicum* pode atenuar a dor em pequena quantidade, mas, em doses maiores, pode matar. Observou a quantidade de precipitação neste frasco, Watson? Isso não deveria estar aqui. E há marcas de sedimentação no copo. Alguém acrescentou mais *Colchicum* ao frasco e transformou esse remédio para gota em veneno.

Olhei de novo para o frasco.

— Holmes, você está certo. Mas como...

— Isso é o que devemos descobrir. E *Colchicum* é amargo, o primeiro gole deveria ter alertado sir Charles. — Ele se voltou para lorde Rivington. — Deduzo que o Plano X e o memorando estavam guardados na escrivaninha do quarto de vestir. A fechadura foi habilmente forçada, mas posso ver arranhões sob a lente de aumento. Talvez possamos conversar com lady Mulready agora.

A viúva era uma senhora grisalha alta e imponente. Lorde Rivington a chamava de Ilse e ela o tratava por Gerald. Ela cumprimentou Holmes calorosamente.

— Sr. Holmes, sei o que lorde Rivington acredita, mas posso lhe assegurar que ele está errado. Sou alemã, tenho orgulho de minha ancestralidade e conheço o igual orgulho de meu marido por ser britânico. Houve algum erro terrível.

— Acredito que encontraremos uma explicação inteiramente honrosa para o nome dele. Se a senhora puder me contar o que aconteceu ontem depois que ele voltou de Whitehall, eu ficaria agradecido.

— Meu marido praticamente não falava de questões políticas comigo. Quando ele voltou para casa, pude ver que estava aborrecido, mas ele não disse nada sobre a causa e eu sabia que era inútil perguntar. Ele permaneceu em seus aposentos privados até a hora do jantar. Éramos cinco à mesa, nossos filhos, Hans e Lilian, e m. Calamy completando o grupo. Não foi uma refeição alegre. A gota de meu marido o incomodava e ele mal falou, exceto quando Lilian o provocou falando de uma reunião de *sufragettes* a que tinha comparecido. Hans parecia preocupado e m. Calamy estava interessado na própria comida, como sempre. — Um sorriso fugaz cruzou seu rosto. — Vivemos com simplicidade aqui. Meu marido não se importava com o que comia e os anos me reconciliaram com a culinária inglesa, mas m. Calamy não consegue suportá-la. Ele trouxe seu cozinheiro e seu camareiro, mas, embora suas refeições sejam preparadas especialmente, ele ainda resmunga. Foi o que fez ontem à noite. Depois do jantar, meu marido me chamou de lado e disse: "Tenho decisões dolorosas a tomar, Ilse, e temo que os resultados a façam sofrer." Essas foram as últimas palavras que me dirigiu.

— Quando a tragédia foi descoberta?

— Às três horas da manhã. Ouvi gritos vindo do quarto do meu marido. Entrei e o encontrei com dores terríveis. O dr. Cardew foi chamado imediatamente, mas, quando chegou, Charles já estava em coma e não havia nada que ele pudesse fazer. O fim chegou logo depois das sete.

— Seu filho e sua filha estavam presentes?

— Lilian, sim. Hans... — Ela hesitou. — Provou-se quase impossível acordá-lo e, quando a criada finalmente conseguiu, ele estava cambaleando como se estivesse sob a influência de bebidas. Indo de seu quarto para o de seu pai, escorregou, caiu da escada e, como se verificou, quebrou o tornozelo. Teve de ser carregado de volta para a cama. O dr. Cardew diz que ele deve permanecer em seu quarto.

— Uma última pergunta e terei terminado. A senhora disse que seu marido não se importava com o que comia. Havia alguma razão especial para isso?

— Sim. Uma operação nasal alguns anos atrás quase o deixou sem paladar nem olfato, de modo que ele mal podia distinguir frango de carne ou clarete de conhaque. Certamente isso não pode ter importância.

— É uma peça no quebra-cabeça, nada mais.

Na porta da sala de visitas, uma jovem foi ao nosso encontro. Era fácil ver que se tratava da filha de Ilse Mulready, embora houvesse uma luz em seus olhos e uma elasticidade em seus passos que a mãe não possuía. Ela estendeu um envelope.

— Qual dos cavalheiros é o sr. Sherlock Holmes? Aqui está uma carta para o senhor.

Holmes olhou o envelope, abriu-o, leu a carta e a passou para mim. Havia algumas palavras escritas em letras maiúsculas numa única folha de papel:

SENHOR HOLMES VÁ EMBORA
SUA PRESENSA AQUI É DESNECESSÁRIA

— Escrito com uma pena Waverley num papel Ranelagh-weave padrão — disse Holmes. — Isto foi entregue em mãos, srta. Mulready?

— Não, um dos lacaios o encontrou na mesa do saguão. O que diz? — Holmes mostrou-lhe o papel, e ela corou. — Acho que ele tem razão. Claro que lamento a morte de meu pai, mas deveríamos permitir que descanse em paz. Sei que morreu porque era um homem da guerra, como o senhor, lorde Rivington. Ele odiava o pobre Hans porque ele não tinha qualquer interesse em lutar e matar pessoas. Eu os ouvi discutindo ontem à noite no quarto de meu pai.

— E qual era o motivo?

— Não sei. E se soubesse, não lhe diria — disse ela, antes de nos dar as costas e correr para o andar superior.

Lorde Rivington tossiu, murmurou algo baixinho e não disse mais nada.

— Com certeza este bilhete é importante, Holmes — falei. — Obviamente foi escrito por alguém que mal sabe ler.

— Ou alguém que quer que pensemos isso. Ou...

Ele foi interrompido pelo surgimento de um cavalheiro vestido com uma elegância um tanto óbvia demais, o cabelo lustroso, a barba maravilhosamente bem aparada. Minha impressão de que há algo pouco viril nos franceses é reforçada por seu uso de pomadas e perfumes. Esse, é claro, era m. Calamy, que agora expressava suas desculpas a lorde Rivington, sorrindo enquanto o fazia.

— Talvez depois desta tragédia nossas negociações devam ser suspensas, adiadas, como dizem os senhores.

— De maneira alguma — disse lorde Rivington rispidamente. — Elas são mais urgentes que nunca e vou me encarregar delas em pessoa.

— Isso me agrada. Devemos, é claro, conduzi-las de ambos os lados com completa franqueza. — O sorriso do francês talvez tenha se alargado um pouco. — Hoje mesmo, mais tarde, me mudarei desta casa triste para a nossa embaixada.

— Com sua equipe? — perguntou lorde Rivington com ironia.

— Meu camareiro e meu chef. O que eu faria sem eles?

Ele se curvou ligeiramente e se afastou. O secretário da Guerra murmurou algumas palavras, entre as quais pensei ter ouvido algo como "almofadinha convencido".

Holmes observou-o com uma expressão intrigada, depois mergulhou em profunda reflexão. Lorde Rivington disse com impaciência:

— Sr. Holmes, não é hora para ruminação.

— Perdão. Concordo que o Plano X deve ser devolvido ao senhor de uma vez por todas.

— Sabe onde ele está? — perguntou o secretário da Guerra com perplexidade.

— Era um problema elementar.

Holmes pediu a uma criada para nos levar ao quarto do sr. Hans. Enquanto subíamos a grande escadaria e percorríamos um longo corredor, Holmes murmurou para mim:

— No entanto, Watson, há algo que não entendo.

Encontramos o filho da casa num sofá, um pé todo enfaixado. Era um rapaz de boa aparência, com feições delicadas, quase bonitas, mas naquele momento elas estavam retesadas pela inquietação. Um jarro de flores se encontrava no peitoril de uma janela ao lado dele e Holmes o pegou.

— Açafrão-de-outono — disse ele, pensativo. — Uma flor encantadora, mas perigosa.

O rapaz ficou sobressaltado, depois disse:

— Por Deus, sr. Holmes, nunca tive a intenção de...

— Estou disposto a acreditar em você, mas não sou seu juiz. Deixe-me lhe dizer o que penso que aconteceu e você pode dizer o quanto se aproxima da verdade. — Ele se virou para nós. — Hans aqui é uma dessas pessoas infelizes com um forte traço feminino que as leva a associações suspeitas, até criminosas. Esses desvios atingiram nossa própria família real... vocês devem se lembrar da necessidade de abafar o escândalo das visitas de nobres ao bordel masculino em Cleveland Street. O departamento de Inteligência alemão deve ter tomado conhecimento das inclinações de Hans e começou a chantageá-lo. Ele retirou documentos da escrivaninha do pai, copiou-os e depois os devolveu. Quando o senhor, lorde Rivington, disse a sir Charles o que havia acontecido, ele sabia quem devia ser o culpado.

O rapaz torceu as mãos.

— Eles ameaçaram me desmascarar. Eu teria ido para a prisão. O que mais podia fazer?

— Devia ter contado ao seu padrasto — disse Holmes severamente. — Chego aos acontecimentos da noite passada. Sir Charles o chamou ao quarto dele. Não sei o que disse, talvez que você deveria deixar o país, mas isso o desesperou. Você tinha suficiente conhecimento médico para saber que havia *Colchicum* no remédio do seu pai e que ele pode ser facilmente destilado do açafrão-de-outono. Talvez o tenha preparado nesse momento, talvez já tivesse um pouco para uma emergência desse tipo. Você o acrescentou ao medicamento.

— Era para assegurar que ele dormisse profundamente. Juro que nunca quis que ele morresse.

— Não suponho que quisesse. Um pequeno conhecimento médico pode ser não apenas perigoso, mas fatal. Sob os demais aspectos, seu plano funcionou muito bem. Você pegou os documentos, suponho que pretendendo copiá-los e devolvê-los. Por que não o fez?

— Porque eu fui drogado. Tudo que o senhor diz é verdade, sr. Holmes, mas é capaz de explicar o que aconteceu comigo? Quando sabia que meu padrasto estaria dormindo, fui a seu quarto de vestir e peguei o plano e o memorando. Foi fácil abrir a gaveta da escrivaninha. Já tinha feito isso antes. Trouxe-os para cá para copiá-los e devolvê-los. Depois iria enviar a cópia pelo correio imediatamente. Mas estava muito sonolento, meus dedos se recusavam a se mover sobre o papel. Pus os documentos de lado e adormeci. Quando me acordaram, eu me sentia tão tonto que mal consegui me levantar. Foi por causa da tonteira que caí e quebrei o tornozelo. — Ele fez um gesto em direção às ataduras. — Depois o dr. Cardew me deu um narcótico e dormi até as dez horas da manhã de hoje. Agora tenho ordens de não me mexer.

— Os documentos ainda estão aqui!? — exclamou lorde Rivington. — Se você quer uma chance de salvar sua maldita pele, diga-me onde eles estão.

— Naquela estante — disse o jovem, taciturno. — Atrás da fileira superior de livros, à direita.

Lorde Rivington foi até a estante, retirou alguns livros da fileira de cima, enfiou a mão no espaço, retirou mais livros e se virou com uma expressão furiosa:

— Não há nada aqui! Você está tentando nos pregar uma peça?

— Nada? — Nunca vi uma expressão mais horrível de medo e apreensão no rosto de um homem. — Impossível.

Ele se encolheu quando lorde Rivington se aproximou dele de forma ameaçadora.

— Esperem — disse Sherlock Holmes num tom imperativo. — Alguma coisa está errada aqui, há algo que não compreendi. — Ele andava de um lado para outro no quarto enquanto o observávamos. — Você escreveu um cartão dizendo que minha presença aqui era desnecessária? Achei que não, no entanto ele veio de dentro da casa. Ontem à noite todos vocês comeram a mesma comida no jantar?

— Exceto m. Calamy. A comida dele é especialmente preparada por seu chef.

— E depois?

— Meu padrasto nos deixou. Foi servido café, mas tenho má digestão. Sempre tomo uma xícara de chocolate.

— Uma xícara de chocolate, sim. E m. Calamy estava muito satisfeito. Fui estúpido, Watson.

— Holmes, não sei do que você está falando.

Era possível ver pela expressão de lorde Rivington que ele estava igualmente perplexo.

— O cartão, Watson, o cartão. Eram erros de ortografia de um francês. Mas, rápido, não há um momento a perder, ele está indo embora.

— M. Calamy?

— O homem que pôs a droga na xícara de chocolate... o tal chef.

Nós o encontramos num quarto de dormir de criados, sob os beirais, arrumando sua mala para partir. Não pareceu surpreso ao nos ver.

— Ah, monsieur Holmes. Aqui está o que procura. — Havia um grande envelope sobre a cama. — O excelente Plano X e o outro documento.

— Que você copiou.

— Precisamente, *mon cher*. Agora a Grã-Bretanha e a França não têm mais segredos uma com a outra, podemos ser completamente francos nas discussões.

— Foi você que me mandou o cartão-postal.

— Minha ortografia não é das melhores, mas foi.

— Você pôs a droga no chocolate e depois pegou os documentos.

— Em nome de *la belle France*. Sou chamado de chef do bom m. Calamy, mas ele tem indigestão com minha comida. — Deu uma risadinha. — Faço minha investigação e logo compreendo que o jovem Hans é... como seu Oscar Wilde, podemos dizer?... E é responsável pelo que aconteceu. E vejo que as coisas estão, como vocês dizem, chegando a um ponto crítico, assim providencio para que o jovem Hans durma um soninho inofensivo enquanto me aposso do Plano X e do memorando. Nenhum mal é feito, exceto pelo nosso amigo sir Charles. Uma grande tragédia.

Ele era um homenzinho de aspecto estranho, muito baixo, a cabeça com o formato perfeito de um ovo. Seu cabelo era muito preto e repartido no meio, o bigode longo e pontudo. Usava sapatos de verniz. Parecia um perfeito francês de comédia musical.

— Você é um agente do governo francês? — perguntou Holmes um tanto severamente.

— No momento, sim, mas sou, como o senhor, um detetive particular. É verdadeiramente uma honra conhecer o maior detetive da Grã-Bretanha.

Holmes raramente sorria, mas o fez naquele momento, embora seu sorriso tenha desaparecido com as palavras seguintes do homenzinho.

— Eu mesmo sou o maior detetive da Europa. Meu nome é...

A narrativa termina aqui, de modo que a identidade do pseudochef permanece incerta. O escândalo da morte de sir Charles foi evidentemente abafado. Mais tarde, Hans Mulready teve uma bem-sucedida carreira como travesti no teatro.

Um caso insignificante

H.R.F. KEATING

Um prolífico romancista, com mais de cinquenta livros na carreira, bem como autor de grande número de contos, Henry Reymond Fitzwalter Keating (1926-2011) também trabalhou como jornalista até 1960, quando se tornou escritor de ficção e crítico em tempo integral, alcançando o sucesso com *O assassinato perfeito* (1964). Introduzindo seu personagem mais famoso, o inspetor Ganesh Ghote (pronuncia-se GO-tei), do Departamento de Investigação Criminal de Mumbai, o livro ganhou a Adaga de Ouro da Crime Writers' Association (CWA) como o melhor romance do ano; foi também indicado para um prêmio Edgar pela Mystery Writers of America. Considerado um dos grandes escritores da chamada "*fair-play detective fiction*",[1] Keating ocupou o cargo de presidente do prestigioso Detection Club (1985-2000) e foi agraciado com uma Adaga de Diamante Cartier pelo conjunto de sua obra pela CWA, em 1996.

Além de ter sido crítico de ficção policial para o *Times* de Londres durante 15 anos, escreveu muitos livros de não ficção dedicados a histórias policiais, *Murder Must Appetize* (1975), *Great Crimes* (1982), *Writing Crime Fiction* (1986; 2ª ed. revista 1994), *Crime and Mystery: the 100 Best Books* (1987) e *The Bedside Compa-*

---

1 Ficção policial que, obedecendo a uma série de regras, dá ao leitor uma razoável oportunidade de solucionar o crime. (N.T.)

nion to Crime (1989). Como um dedicado aficionado de Sherlock Holmes, produziu *Sherlock Holmes, The Man and His World* (1979) e vários pastiches do grande detetive.

"Um caso insignificante" foi publicado pela primeira vez em *John Creasey's Crime Collection*, organizado por Herbert Harris (Londres, Gollancz, 1980).

UM CASO INSIGNIFICANTE

H.R.F. Keating

Ninharias, Sherlock Holmes costumava observar, podem ter uma importância completamente contrária a seu valor aparente, e arrisco-me a pensar que não pode ter havido caso mais insignificante em todas as aventuras de Holmes que o do incidente do poeta da infância e o volume de versos manchados de tinta. No entanto, por mais sem importância que fosse, ele encerrou para mim uma lição que espero não esquecer.

Era um dia de primavera em 1898, quando, entre a correspondência matinal, Holmes selecionou uma carta específica, ainda em seu envelope, e jogou-a para mim sobre a mesa do café da manhã.

— Bem, Watson — disse ele —, diga-me o que acha disto. Uma missiva um tanto incomum para um detetive consultor receber, penso.

Peguei o envelope e virei-o uma ou duas vezes nas mãos. Não pareceu ter nada de especial. O papel não era barato nem muito caro. Vi que o carimbo do correio era o de Brighton e Hove para a tarde anterior. A caligrafia do endereço, "Sr. Sherlock Holmes, 221B Baker Street, Londres", era claramente a de um cavalheiro, embora as letras talvez não tivessem sido formadas de maneira tão confiante quanto poderiam. A única peculiaridade que pude observar era que o nome do remetente havia sido colocado no verso do envelope, "Sr. Phillip Hughes".

— Possivelmente um americano que escreve — arrisquei por fim, quando me dei conta da impaciência de Holmes pelo tamborilar de seus dedos magros sobre a toalha de mesa. — Acredito que o costume de pôr o nome do remetente no lado de fora de uma carta é mais praticado do outro lado do Atlântico. E certamente a letra não é a de um continental.

— Bom, Watson. Excelente! Claramente meu correspondente não vem do continente europeu. Mas não há mais nada que você possa me dizer a partir dos abundantes sinais que qualquer pessoa endereçando um envelope certamente deixa para trás?

Olhei mais uma vez para a carta, um pouco mortificado por Holmes ter acrescentado um adendo depreciativo ao seu elogio à minha primeira dedução.

— Talvez o remetente estivesse num estado de certa perturbação — sugeri. — A formação de algumas letras é certamente um tanto irregular, embora a caligrafia em si mesmo não seja de maneira alguma inculta. É exatamente do tipo que aprendi a duras penas na escola.

Holmes bateu palmas, encantado.

— Sim, sem dúvida, Watson. Você foi ao cerne da questão com sua perspicácia de sempre.

Ocupei-me em me servir de um pouco de geleia de laranja. A verdade é que eu era absolutamente incapaz de perceber o que havia de tão perspicaz no que dissera, embora não lamentasse ter ganhado o irrestrito louvor de Holmes.

Houve um silêncio. Lançando um olhar ao meu companheiro enquanto passava manteiga na minha torrada quente, talvez com excessiva diligência, constatei que ele estava reclinado para trás em sua cadeira, uma xícara de café abandonada pela metade, olhando-me com incansável interesse.

Fui obrigado a olhar de volta para ele.

— Não tem nenhum comentário adicional a fazer? — perguntou-me ele por fim.

Peguei o envelope novamente.

— Não, não, meu caro, não o envelope. Devo supor que você extraiu há muito tempo toda a informação que provavelmente obterá daí. Perguntei se não tem nenhum comentário a fazer sobre minha observação acerca de sua perspicácia ao ressaltar o estilo da caligrafia de meu correspondente.

— Ora, não, Holmes. Não. Acho que não. Não, não há nada mais a ser dito sobre isso. Eu acho.

— Nem mesmo que o autor da carta é sem dúvida um colegial?

— Um colegial? Mas como...

— Essa caligrafia tão culta e, no entanto, com muitas das letras curiosamente disformes. Ora, basta você comparar o H maiúsculo de Holmes com o de Hughes para observar as diferenças significativas. Não, indubitavelmente meu correspondente ainda está no colégio e, de fato, não em qualquer uma de nossas grandes escolas privadas, sendo um mero garoto de não mais de 12 anos. E, como você deve saber, o litoral sul é enormemente favorecido por estabelecimentos educacionais privados. Abra a carta, Watson, e vamos ouvir por que um colegial deseja consultar Sherlock Holmes.

Obedientemente, peguei uma espátula e abri o envelope, esperando, devo confessar, que apenas uma vez as confiantes deduções de Holmes se provassem falsas. Mas um único olhar para o cabeçalho na carta confirmou exatamente sua suspeita. "St. George's School, Hove", dizia.

— Leia, Watson.

"Caro sr. Holmes", li. "Todos nós meninos da St. George's somos muito interessados em seus casos, só que o dr. Smyllie, nosso diretor, nos proíbe de ler sobre o senhor. Mas, sr. Holmes, uma terrível injustiça foi cometida. Ele disse que nosso feriado no Dia de São Jorge, que é nosso direito desde a criação do mundo, será cancelado a menos que alguém se acuse. Mas, sr. Holmes, não foi ninguém. Todo mundo na escola tem certeza disso. Ninguém fez isso de maneira alguma, e ainda assim ele diz que nosso feriado será cancelado. Com o maior respeito, Phillip Hughes. P.S. Foi derramar tinta em seu precioso livro. E por que algum camarada faria isso?"

Pousei a carta do senhor Hughes na mesa com lágrimas nos olhos, de tanto rir.

— Por Deus, Holmes — eu disse. — Eis um caso que vai colocar seus métodos a toda prova.

— Sim, realmente, Watson. Há algo nele de considerável interesse, não é mesmo? Penso que uma viagem ao litoral de Sussex poderia se provar sem dúvida estimulante.

Meu riso sumiu.

— Você não pode estar falando sério, não é?

No entanto eu já sabia pelo olhar de profunda preocupação de meu amigo que ele de fato tinha toda a intenção de ir a Hove investigar a queixa indignada de nosso jovem correspondente.

— Meu caro Watson — respondeu ele com alguma aspereza. — Se um conselho de garotos colegiais declara sob juramento numa comunicação puramente privada que certo evento não ocorreu entre eles, você pode tomar como praticamente um fato que esse evento não ocorreu. Eles sabem demais uns sobre os outros. Há apenas uma circunstância que a meu ver poderia se provar uma exceção.

— E qual é?

Ele me olhou com o cenho franzido por um instante.

— Ora, se o ato em questão tivesse sido cometido pelo próprio autor da carta, é claro. E só podemos nos certificar disso conversando com o rapaz face a face.

— Sim, suponho que sim — respondi. — Mas, de todo modo, uma visita a Hove nos tomará a maior parte de um dia, se não mais, e você tem a questão do jantar de ostras do Banco da Inglaterra ainda em mãos.

— Meu caro Watson, uma injustiça foi cometida. Ou quase certamente foi. Espero não ser homem de permitir que qualquer mera consideração pecuniária se interponha em meu caminho sob tais circunstâncias. O Dia de São Jorge será daqui a dois dias. Tenha a bondade de procurar um trem para Brighton. Iremos esta manhã.

Fui de imediato procurar o guia Bradshaw em seu lugar conhecido em nossas estantes.

Mas eu ainda não diria a Holmes quando poderíamos partir nessa extraordinária missão. Antes que eu tivesse tempo para correr meu dedo pela coluna de partidas para Brighton, entrou nosso moço de recados, Billy, trazendo sobre a salva que carregava um único grande cartão de visita.

Holmes pegou-o e leu em voz alta.

— Dr. A. Smyllie, M. A., ph.D., St. George's School para Educação Preliminar de Jovens Cavalheiros, Hove, perto de Brighton, Sussex. Ora, Watson, aqui está o próprio clérigo sob cujo severo édito nosso jovem amigo está sofrendo. Faça-o subir, Billy. Faça-o subir.

Em alguns instantes o diretor do senhor Hughes estava diante de nós. Não era o tipo de homem que eu imaginava que um diretor seria, mesmo o de um estabelecimento para meninos de 12 anos. Longe de ser uma figura imponente capaz de exercer autoridade com um olhar, era esbelto e sinuoso em certa medida. Corretamente vestido, com sobrecasaca e calças listradas, usava contudo uma gravata frouxamente atada ao pescoço. Seu rosto era muito pálido, e ele parecia bastante agitado.

— Sr. Sherlock Holmes? — perguntou com uma voz aguda, quase estridente, virando-se não para Holmes, mas para mim.

Corrigi seu erro, o que pareceu desconcertá-lo excessivamente, e apresentei o meu amigo.

O dr. Smyllie estendeu a mão um tanto flácida na extremidade de um braço extraordinariamente longo, e se encolheu um pouco quando Holmes a tomou em seu firme aperto.

— E o que posso ter a honra de fazer para o poeta da infância? — perguntou Holmes.

Sobre o pálido semblante do dr. Smyllie apareceu um débil rubor de prazer.

— Conhece minha obra, sr. Holmes? Eu mal ousaria esperar que uma pessoa da sua,... da sua... da sua direção na vida teria conhecimento de meus poucos, humildes esforços.

— Faz uma injustiça a si mesmo, dr. Smyllie — respondeu Holmes. — Quem não conhece aqueles versos do senhor, que se encerram de maneira tão tocante "Apanha a teia de palavras coberta de lantejoulas...".

— "E pousa-a suavemente sobre meu túmulo" — completei o poema, surpreso apenas pelo fato de Holmes, tão desdenhoso das coisas mais delicadas da vida, ser capaz de citar aqueles versos "Para meu filho infante", por mais que eles tivessem sido reproduzidos.

Agora eu compreendia por que Holmes tinha se dirigido ao dr. Smyllie como "o poeta da infância". Pois assim Algernon Smyllie fora apelidado cerca de trinta anos antes, quando seu volume de versos muito bem-sucedido fora publicado pela primeira vez, poemas que tratavam de todos os ternos aspectos da vida de uma criança, dos quais os versos "Para meu filho infante" eram o ponto alto.

Mas agora, ao que parecia, o jovem poeta Algernon Smyllie tornara-se o maduro diretor dr. A. Smyllie, M.A., ph.D. No entanto, pensei comigo mesmo, ainda parecia mais o poeta sensível que um impressionante diretor.

De fato, devendo contar a Holmes a razão de sua visita, ele positivamente deixou a cabeça pender e esfregou o lado de dentro de seu pé direito em nosso tapete turco, dando-me a oportunidade de ver que os botões da bota estavam descasados no alto.

— Então, senhor — disse Holmes encorajando-o.

O dr. Smyllie corou de novo.

— É um assunto insignificante, sr. Holmes.

Os lábios de Holmes estremeceram na mais leve insinuação de um sorriso.

— Mas assuntos insignificantes, como expliquei mais de uma vez ao meu amigo dr. Watson, podem por vezes ser da máxima importância — disse ele.

O dr. Smyllie recuou um passo e até olhou para a porta como se estivesse cogitando uma fuga imediata. Mas finalmente conseguiu manter sua posição.

— Não, não, sr. Holmes — disse ele, as palavras saindo com dificuldade. — Não, de fato, eu lhe asseguro, meu caro senhor, exatamente o contrário. Totalmente o oposto. Eu não o teria perturbado de maneira alguma, meu caro senhor, só que por acaso estava passando por aqui e pensei... pensei...

Holmes permaneceu em silêncio, sugando um cachimbo vazio que tinha pegado no consolo da lareira.

O dr. Smyllie engoliu fortemente em seco, o pomo de adão em seu comprido pescoço acima daquela gravata frouxamente atada subindo e descendo.

— Não, meu caro senhor — ele recomeçou — eu teria dispensado o assunto escrevendo um simples bilhete, talvez nem mesmo isso, só que aconteceu de meu compromisso me fazer passar... hum... por sua porta e... hum... me ocorreu visitá-lo e resolver tudo com algumas palavras.

— E o assunto é? — perguntou Holmes, seco.

— Oh, nada, senhor. Uma mera insig... Nada de qualquer importância, senhor.

— Mas, ainda assim, já que veio nos ver, o melhor seria se livrar do peso de seu conteúdo.

O magro diretor-poeta corou novamente diante da repreensão de Holmes. Mas desta vez encontrou uma maneira de expor o que o levara a nos visitar.

— Sr. Holmes — disse ele —, tenho motivos para acreditar que um de meus alunos... eu lhe asseguro, senhor, que eles em geral não se comportam tão vergonhosamente... que um de meus alunos pode ter tido a temeridade de enviar uma carta à sua boa pessoa. Uma carta a respeito de um caso insignificante... isto é, apenas uma questão disciplinar. E acontecendo, como disse, de estar passando, eu... hum... pensei que viria apenas visitá-lo para... para lhe assegurar, senhor, que não precisa fazer nada sobre o assunto. Absolutamente nada, senhor. Eu apenas desejei lhe oferecer um pedido de desculpas, por assim dizer. Um pedido de desculpas em nome da... hum... St. George's School.

Holmes recolocou o cachimbo sobre o consolo da lareira e fez um frio gesto de assentimento com a cabeça para nosso visitante.

— Se me der licença um momento, dr. Smyllie — disse ele. — Tenho um pequeno assunto doméstico para resolver. Uma palavra com nossa senhoria sobre meus planos para o dia. Ela precisa saber a tempo para fazer suas compras.

Ele saiu da sala, fechando a porta silenciosamente atrás de si. Dr. Smyllie e eu ficamos olhando um para o outro num silêncio um tanto embaraçoso. Fiquei um pouco aborrecido com meu amigo. Ele não costumava me deixar com um cliente dessa maneira, nem era seu hábito se preocupar tanto com a conveniência da sra. Hudson. Entretanto, ele voltou antes que eu tivesse tempo de oferecer ao nosso visitante mais do que alguns comentários sobre o tempo e recomeçou a consulta de imediato.

— Entendo então, senhor — disse ele ao dr. Smyllie —, que esta visita improvisada teve a intenção de simplesmente me reassegurar de que não preciso dar importância a qualquer comunicação que possa receber de qualquer um de seus pupilos?

— Exatamente isso, senhor. Exatamente isso.

Holmes olhou para o poeta-diretor com uma expressão da máxima seriedade.

— Então, senhor, pode considerar que o objetivo de sua visita foi plenamente alcançado — disse ele.

O dr. Smyllie se curvou e agradeceu a Holmes, mais efusivo do que o necessário, pensei, e dentro de alguns minutos tinha nos deixado.

— Bem, Watson — disse Holmes, quando os passos de nosso visitante podiam ser ouvidos descendo a escada —, tem alguma observação a fazer?

Refleti.

— Acho que não — respondi. — A não ser que o dr. Smyllie certamente não teria precisado nem se dar ao trabalho de parar seu cabriolé em frente à porta para nos dizer que a carta do jovem Hughes é, afinal de contas, insignificante... que não é um assunto de grande importância.

— É o que pensa? Mas, diga-me, notou mais alguma coisa sobre nosso poeta da infância?

— Bem, não. A não ser talvez que sua bota direita estava mal abotoada.

— Bom, Watson. Eu sabia que podia contar com você para tirar proveito do detalhe significativo.

— Significativo, Holmes?

— Ora, certamente. Quando uma pessoa faz todo o caminho desde o litoral de Sussex até aqui enquanto tomamos o café da manhã e, embora corretamente vestido, aparece com uma bota mal abotoada e com um pequeno corte na face direita feito ao se barbear, algo que receio que tenha lhe escapado, só há uma conclusão a ser extraída.

— E qual é?

— Que ele saiu de casa com muita pressa precisamente para me encontrar o mais cedo que pudesse.

— Mas, não, Holmes — não pude deixar de protestar. — Ele nos disse que tinha um compromisso na cidade. Sem dúvida era cedo, e ele já está a caminho de lá novamente.

— Acha isso? Bem, vamos ver em breve.

Nesse momento Billy voltou à sala, um olhar de intenso triunfo em seu rosto sempre ávido.

— Victoria Station, sr. Holmes — anunciou ele sem preliminares.

— Aí está, Watson.

— Mas não entendo. O que tem a estação de trem?

— Foi para lá que o dr. Smyllie mandou seu cabriolé seguir — respondeu Holmes. — Criei uma oportunidade de deixar a sala e instruí Billy a esperar nos degraus para ouvir o endereço que nosso visitante iria indicar. Você com certeza não pensou que eu estivesse tão preocupado com nosso jantar hoje à noite que saí com esse objetivo, não é?

— Não, não. Claro que não. Então o dr. Smyllie está voltando direto para Hove. Qual lhe parece ser o significado disso?

— Simplesmente que ele estava excessivamente temeroso de que eu tomasse alguma atitude em decorrência daquela carta. Ora, se o que pode parecer uma mera ninharia o levou a ter tanto trabalho, penso que deveríamos ter a máxima pressa em seguir seus passos. Você estava consultando o Bradshaw, creio eu.

Embora Sherlock Holmes seja um mestre do disfarce e com frequência eu o tenha visto transformado a ponto de levar um tempo razoável para reconhecê-lo mesmo de perto, era raro no curso de nossas aventuras que ele me pedisse para assumir uma aparência diferente da minha própria. Em Hove, contudo, depois de encontrarmos a St. George's School e examinarmos o bairro à sua volta, ele me pediu para adotar um disfarce. Foi assim que me vi na tarde daquele dia esperando na rua onde ficava a escola, envergando um casaco de cheiro não muito agradável pertencente ao dono de um carro de aluguel a quem Holmes persuadira mediante pagamento a nos emprestar tanto o veículo quanto a peça de roupa. De onde estava, no alto do assento do cocheiro, eu podia ver no jardim da casa vizinha à escola, uma residência que por um feliz acaso estava desocupada, a figura curvada de um jardineiro escavando um canteiro de flores perto da cerca que dividia os dois terrenos. Se não soubesse com certeza que esse homem era o próprio Holmes, não o teria reconhecido, mesmo com a distância relativamente pequena que nos separava.

Eu não estava posicionado havia muito tempo quando ouvi o toque estridente de um sino vindo de dentro da escola e, alguns momentos depois, vi um grande número de meninos ocupando o terreno para brincar. Acho que nenhum deles prestou qualquer atenção ao velho jardineiro que trabalhava do outro lado da cerca. Mas quando, após algum tempo, um dos meninos por acaso se aproximou, Holmes disse algo em voz baixa. Logo pude ver outro dos felizes meninos que corriam e brincavam por ali, um bonito rapaz ruivo, se aproximar e se apoiar na cerca exatamente no ponto em que o jardineiro trabalhava. Mas ninguém que não estivesse a um ou dois metros do garoto poderia ter visto que ele conversava com o homem do outro lado. A conversa durou um quarto de hora e, quando ela terminou, o jardineiro limpou cuidadosamente sua pá e foi embora, caminhando com dificuldade como se bastante cansado depois de um bom dia de trabalho.

Puxei as rédeas em meu colo e o velho cavalo do carro de aluguel partiu numa marcha tranquila. Ao virar a esquina seguinte, vi à minha espera uma figura alta, empertigada e vivaz que não se parecia em nada com o jardineiro ancião no jardim vazio, muito embora suas roupas não fossem diferentes.

Num instante Holmes estava sentado no carro atrás de mim e me contava o resultado de sua reunião nada convencional com o senhor Phillip Hughes.

— É bem como eu pensava, Watson. Parece que no saguão da escola, num lugar de honra, é mantido, numa caixa de vidro trancada, um exemplar do livro de Algernon Smyllie, *Poemas da infância*, junto com uma carta de Sua Majestade para o poeta. É costume que o primeiro aluno da escola, o Dux, como o chamam, vire uma página do livro todos os dias. Ora, apenas uma semana atrás, nosso amigo, o jovem Hughes, que deveria ter aprendido na noite anterior uma passagem de Horácio, mas não o fizera, desceu muito cedo para, como ele disse, "meter na cachola aquela coisa horrível". Olhando para a vitrine para ver quais em particular (novamente uso suas próprias palavras) "dos versos cruéis" estavam em exposição, já que se não conseguisse apresentar sua passagem de Horácio corretamente seu castigo seria, por tradição, aprender esse poema, ele viu, para sua consternação, que alguém havia derramado tinta com evidente liberalidade sobre a página toda, que calhava de ser aquela em que aparecem os quartetos que você mesmo tanto admira, aqueles intitulados "Para meu filho infante".

— Ah, sim: "Apanha a teia de palavras coberta de lantejoulas e pousa-a suavemente sobre meu túmulo."

— Exatamente. Embora eu receie que o jovem Hughes não compartilhe do seu entusiasmo. Contudo, esse não é o fim de seu relato. Mal havia assimilado o fato da profanação, contou-me, ouviu atrás de si a voz do diretor, que, um momento depois, quando este também percebeu o que acontecera, elevou-se na mais terrível ira. Uma raiva que persistiu quando nenhum culpado se apresentou e logo resultou no cancelamento do tradicional feriado do Dia de São Jorge.

— E você está convencido, Holmes, de que o jovem Hughes não cometeu ele mesmo o próprio ato que o convocou para investigar?

— Sim, tenho a presunção de acreditar que nenhum rapaz de 12 anos poderia me enganar por tanto tempo. Além disso, ele não teria qualquer vantagem em cometer esse crime.

— Suponho que não. No entanto, eu lhe peço, considere. Garotos são notoriamente audaciosos. Eles se divertem com toda espécie de travessuras. Ora, lembro-me de meus próprios dias de escola...

— Não duvido, Watson. E estou muito ciente da natureza dos meninos colegiais. Não teria sido inconcebível que um deles tivesse descido sorrateiramente no meio da noite e realizado essa proeza, não fosse por duas circunstâncias.

— Sim?

— Primeiro, como lhe expliquei no início do caso, o incidente teria certamente chegado ao conhecimento de pelo menos um de seus colegas, conhecedores dos hábitos e inclinações uns dos outros como invariavelmente são. E, em segundo lugar, a caixa em que o livro é mantido permanece sempre trancada e há somente duas chaves: uma guardada pelo próprio dr. Smyllie e a outra por seu filho, Arthur, um rapaz de 22 ou 23 anos que auxilia na administração do estabelecimento.

— Nesse caso me parece que devemos encontrar alguma maneira de conversar com o jovem Arthur Smyllie, se você está de fato convencido de que a vitrine não pode ser aberta de nenhuma outra maneira senão com as chaves.

— Watson, eu mesmo poderia ainda não estar convencido disso. Mas Phillip Hughes e seus colegas certamente estão, e estou disposto a acreditar no que dizem, já que são os mais interessados no caso.

Holmes tinha se certificado através do jovem Hughes de que o sr. Arthur Smyllie tinha o hábito de dar um passeio noturno.

— O garoto sugeriu, Watson, que o Lion Hotel poderia ser seu destino, sugestão que me senti no dever de verificar.

Mas foi do lado de fora do Lion Hotel que esperamos naquela noite na expectativa de abordar o filho do diretor da St. George's School. Eu mesmo estava um pouco apreensivo com a recepção que ele poderia nos dar quando revelássemos nosso motivo para procurar sua companhia. Mas eu não tinha o que temer. Assim que Holmes cumprimentou o rapaz, um belo e honrado espécime de virilidade britânica de rosto corado, e pronunciou seu próprio nome, a face dele se iluminou numa expressão de profundo prazer.

— Sr. Sherlock Holmes! — exclamou ele. — Ora, eu não desejaria mais sinceramente conhecer nenhuma outra alma na face da terra. E este é o dr. Watson? Senhor, li seus relatos dos casos do sr. Holmes com o mais ávido interesse. Devo lhe dizer, sr. Holmes, que eu mesmo tenho uma inclinação científica. Na realidade, espero partir para Londres no início do próximo ano universitário, para estudar, com intuito de obter um diploma nas ciências físicas.

— Uma ambição extremamente louvável — disse Holmes. — Mas não sentirá falta dos benefícios de dirigir uma escola?

O jovem abriu um sorriso forçado.

— De manter todos aqueles jovens demônios insolentes em ordem para meu pai? Bem, em geral não vou sentir falta disso, eu lhe garanto. No entanto, tem razão, sr. Holmes, é claro. Há recompensas para um diretor de escola. E ouso dizer que sentirei falta dos sujeitinhos no final das contas.

Holmes convidou o rapaz para tomar alguma coisa e nós três nos dirigimos para o hotel para compartilhar uma garrafa de vinho. Passou-se algum tempo antes que Holmes fosse capaz de conduzir a conversa para o caso da St. George's School, tão ávido estava Arthur Smyllie para aprender tudo que pudesse sobre os métodos científicos de detecção. Mas finalmente Holmes conseguiu fazer uma pergunta habilmente formulada acerca da vida atual de nosso convidado entre os "sujeitinhos" de seu pai.

— Bem, sim, sr. Holmes, eles podem ser mesmo umas pestes às vezes, admito, muito embora outras vezes estejam deliciosamente ávidos por aprender toda bendita coisa que eu possa lhes ensinar.

— Toda espécie de travessura, não tenho dúvida — disse Holmes.

Arthur Smyllie riu.

— Oh, sim, realmente. Pode adivinhar qual foi a última traquinagem deles?

— Com certeza não.

— Bem, um dos pestinhas derramou tinta sobre o precioso exemplar do livro de meu pai, *Poemas da infância*. Sabe que sou o único herdeiro do homem que escreveu "Para meu filho infante"?

— É mesmo, sr. Smyllie? E o senhor diz que um dos alunos do seu pai derramou tinta num exemplar desse livro?

— Um exemplar, senhor? Mais do que um mero exemplar, eu lhe asseguro. Um volume muito precioso, assinado por nada menos que Sua Majestade e encerrado numa caixa de vidro junto a uma carta da rainha para meu pai. Foi realmente lamentável da parte do pestinha que o estragou. No entanto... Bem, para lhe dizer a verdade, aquele poema tem sido um fardo durante toda a minha vida, e não estou completamente pesaroso por ter sido aquela página particular a receber o dilúvio de tinta.

— Estou surpreso ao saber que a vitrine foi deixada aberta, com tantos garotos colegiais em volta, sempre propensos a descuidos e travessuras.

— Oh, não, sr. Holmes, a caixa nunca foi deixada aberta. Uma vez por dia, é verdade, ela é destrancada pelo Dux da escola e a página é virada. Mas ele sempre precisa obter a chave de meu pai ou de mim e devolvê-la imediatamente.

— Mas talvez a vitrine possa ser aberta sem a chave?

— Não, novamente, sr. Holmes. Ela é fortemente trancada, posso lhe assegurar.

Holmes sorriu.

— Ora, nesse caso — disse ele — parece que o senhor produziu para mim um mistério digno de minhas melhores capacidades. Quem cometeu o crime dentro da caixa fechada? E como foi feito?

Arthur Smyllie riu alto, encantado.

— No entanto, o senhor sabe — interpôs Holmes um pouco mordaz —, se houvesse um problema de maior importância, mas com circunstâncias idênticas, eu não levaria muito tempo para desvendar seu ponto crucial. Se não fosse possível para uma sala ou caixa ser aberta a não ser com suas chaves, eu olharia de maneira bastante distinta para quem quer que as possuísse à procura do criminoso.

O jovem Smyllie perdeu sua aparência alegre num instante.

— Senhor Holmes — disse ele —, não está sugerindo que desfigurei o livro de meu pai, não é?

— Meu caro senhor, estou apenas perguntando se somente os detentores das chaves, e ninguém mais, podiam ter acesso ao volume.

O rosto de Arthur Smyllie, antes tão corado e alegre, estava agora branco com um lençol.

— Sr. Holmes — disse ele, levantando-se abruptamente da mesa —, desejo-lhe boa noite.

Saiu antes que qualquer um de nós tivesse tempo de protestar.

— Holmes — perguntei —, será que há alguma maneira de abrir aquela vitrine sem as chaves?

— Meu caro Watson, você mesmo ouviu Arthur Smyllie nos dizer que não.

— Será que não há outra chave, então? Uma que algum dos meninos pudesse ter obtido de outra maneira?

— Se houvesse tal coisa — Holmes me respondeu —, Hughes nos teria falado. Nada poderia manter sua existência em segredo dentro de uma escola, acredite.

— Mas então o próprio Arthur Smyllie deve ter desfigurado o livro, como de fato sua conduta agora há pouco só pode nos levar a crer. Mas por que haveria ele de fazer tal coisa? Isso me escapa.

— Ora, vamos — respondeu Holmes. — Você não ouviu Arthur contar que vai para a Universidade de Londres estudar para obter um diploma em ciências? Não ouviu como aquele poema do pai, com seu apelo público para que ele "apanhe a teia de palavras coberta de lantejoulas" para se tornar um poeta por sua vez, pesa como um fardo sobre ele?

Suspirei. As palavras de Holmes eram demasiado convincentes.

— Então suponho que amanhã devemos procurar o dr. Smyllie e lhe dizer que nenhum menino em sua escola cometeu o crime — falei.

— Sim, certamente devemos fazer isso.

Nossas aventuras em Hove, entretanto, ainda não estavam terminadas. Ficamos com o único quarto que o Lion tinha disponível para a noite, e sei que passei muito tempo inquieto, pensando na mensagem que tínhamos que entregar no dia seguinte, embora tivesse a impressão de que Holmes, na outra cama, dormia bastante profundamente. Assim fui eu que ouvi, bem depois da meia-noite, o insistente som de um rangido junto à janela, do lado de fora. A princípio tomei-o pela ação do vento nos galhos da árvore que crescia perto do edifício bem naquele ponto. Mas não demorei a me dar conta de que a noite, de fato, estava singularmente calma. No entanto, o rangido persistia.

Sem despertar Holmes, esgueirei-me da cama, calcei os chinelos, vesti um robe e olhei ao redor no quarto escuro à procura de alguma arma. Por fim me lembrei de que havia um bom conjunto de utensílios de ferro na lareira. Atravessei o quarto sorrateiramente e empunhei o atiçador de brasas.

Armado com isso, avancei para a janela, parei por um momento, ouvi o rangido continuar e escancarei a janela. Houve um rápido movimento entre os galhos da árvore. Dei um pulo para a frente, agarrando com a mão livre uma forma pálida que podia discernir vagamente. Ouviu-se um alto ganido. A forma se contorceu abominavelmente em minha mão. Levantei o atiçador para desferir um forte golpe.

— Ora, vamos, Watson, poupe a vara — disse a voz de Sherlock Holmes atrás de mim.

— Poupar a vara? — perguntei, deixando de desferir o golpe, mas continuando a segurar com força a roupa de meu oponente. — Holmes, temos um ladrão aqui. Por favor, ajude-me.

— Um ladrão, sim — respondeu Holmes. — Mas um bem pequeno, arrisco-me a pensar.

Ouvi o som dele acendendo um fósforo atrás de mim. A luz da vela que acendeu brilhou na noite. A essa altura vi que estava segurando ninguém menos que o jovem ruivo Phillip Hughes.

Puxei-o da árvore para o quarto.

— E agora, meu jovem — eu disse —, qual é o sentido desta sua nova travessura?

Mas Sherlock Holmes respondeu por ele:

— Nenhuma nova travessura, Watson, penso eu, já que acredito ter lhe dito que, na minha opinião, o rapaz não cometeu nenhuma velha travessura.

— Mas, Holmes, ele provou neste instante ser um gatuno noturno muito determinado. Não pode mais restar qualquer dúvida sobre quem manchou aquele livro.

— Não, Watson, nunca houve dúvida quanto a isso. Mas vamos ouvir o que levou nosso determinado pequeno aliado a vagar sorrateiramente até aqui.

O menino olhou para Holmes, seus olhos iluminados com admiração.

— Sabia então que vim para lhe contar alguma coisa, senhor?

Os lábios de Holmes se curvaram num leve sorriso.

— Não penso que você teria arriscado uma viagem tão perigosa para qualquer outro fim — disse ele. — Suponho que ficou sabendo pelo sr. Arthur Smyllie onde estávamos hospedados?

— Sim, senhor.

— Então conte-nos o que tem para nos contar.

— Senhor, acho que sei como aquele livro acabou coberto de tinta.

Os olhos de Holmes brilharam por um momento.

— Eu me pergunto se você sabe mesmo — disse ele. — Conte-nos.

— Bem, senhor, não é fácil de acreditar.

— A verdade muitas vezes não é. O ser humano é uma peça de maquinaria muito complicada, meu rapaz.

— Sim, senhor. Bem, senhor, eu estava deitado acordado hoje à noite, pensando sobre sua vinda de Londres até aqui e tudo, e pensando se o senhor solucionaria o mistério, senhor. Bem, não exatamente. Eu sabia que o senhor iria resolvê-lo, mas eu me perguntava qual poderia ser a solução. E então, senhor, eu me lembrei de Thompson Minor. Ele saiu no ano passado, senhor.

— Thompson Minor! — exclamei. — Então um menino voltou à escola e...

— Watson, deixe o jovem Hughes nos contar à sua própria maneira.

— É claro, é claro. Fale, meu caro rapaz.

— Sim, senhor. Bem, pensei em Thompson Minor e na maneira como ele costumava ter grandes acessos de fúria. E então, sr. Holmes, bem, ele fazia coisas que só machucavam a ele mesmo. Uma vez, quando estava especialmente irritado, jogou seu canivete suíço no fogo, senhor. Jogou mesmo.

Os olhos de Holmes brilhavam de um jeito sombrio agora.

— Então, jovem Hughes — disse ele —, tire a sua conclusão. Conduza seu relato a um fim apropriado e meu amigo Watson aqui haverá de registrá-lo para você.

O rapaz fitou-o de volta, pálido e decidido à luz da vela.

— Senhor, foi o próprio dr. Smyllie que fez isso, não foi, senhor? Só pode ter sido ele. O sr. Arthur é correto demais para jamais fazer uma coisa dessa, e a única outra chave era a do dr. Smyllie. Senhor, ele fez isso para fazer mal a si mesmo porque o sr. Arthur não quer ser um poeta, mas um cientista, senhor. Não é isso? Não é?

— Sim — disse Sherlock Holmes. — É isso, meu garoto. — Ele se virou para mim: — E como você sugeriu, Watson, de manhã deveremos procurar o dr. Smyllie e lhe contar o que seu filho descobriu hoje à noite, que nenhum menino cometeu nosso crime. E é "Hurra para St. George's" e um dia inteiro de feriado.

Raffles: o enigma do chapéu do almirante
e
Raffles na pista do cão de caça

BARRY PEROWNE

Com a possível exceção do professor Moriarty, que aparece muito raramente no cânone, o maior personagem criminoso na literatura é, evidentemente, A.J. Raffles, o cavalheiro ladrão de joias criado por E.W. Hornung no fim da era vitoriana, cuja primeira aparição em livro ocorreu em *The Amateur Cracksman* (1899). Alguns anos após a morte do autor em 1921, a popularidade do personagem permanecia tão grande que a revista britânica *The Thriller* pediu a Philip Atkey (1908-1985), um colaborador regular para suas páginas, que continuasse a escrever as aventuras do trapaceiro. Após um acordo com o espólio de Hornung, Atkey, usando o pseudônimo Barry Perowne, produziu muito mais contos e romances sobre Raffles do que seu criador original.

Atkey escreveu centenas de contos e mais de vinte romances, muitos protagonizados pelo afável arrombador de cofres e seu parceiro, Bunny Manders, incluindo *Raffles After Dark* (1933; título americano: *The Return of Raffles*), *Raffles in Pursuit* (1934), *Raffles Under Sentence* (1936), *Raffles and the Key Man* (1940) e as coletâneas de contos *Raffles Revisited* (1974), *Raffles of the Albany* (1976) e *Raffles of the M.C.C.* (1979).

Era inevitável, é claro, que o grande criminoso e o grande detetive se encontrassem, e o melhor exemplo da confrontação entre os dois está no conto de Perowne "Raffles: O enigma do chapéu do almirante", publicado pela primeira vez na edição de março de 1975 da *Mistério Magazine de Ellery Queen* e sua continuação, "Raffles na pista do cão de caça", publicada pela primeira vez no número de julho de 1975 da mesma revista. Esses contos fizeram parte da coletânea *Raffles of the Albany: Footprints of a Famous Gentleman Crook in the Times of a Great Detective* (Londres, Hamish Hamilton, 1976).

RAFFLES: O ENIGMA DO CHAPÉU DO ALMIRANTE

Barry Perowne

— Moral ou não, Bunny — disse Raffles —, é um fato da vida que o direito é quase inteiramente uma questão de posse.

Impecável num terno cinza, uma pérola na gravata, o cabelo escuro ondulado, o rosto forte bronzeado, ele jogou de lado o *Times* de Londres, em que uma correspondência vinha se prolongando havia meses sobre alguns baixos-relevos antigos, os Mármores Trácios, desenterrados por um arqueólogo numa expedição de campo e presenteados por ele ao Museu Britânico.

— Esse erudito — Raffles acrescentou, oferecendo-me um Sullivan de sua cigarreira — provavelmente espera ser recompensado com o título de cavaleiro pela rainha. Por falar nela, Bunny, esse evento real a que estamos indo deverá ser uma ótima semana, com sorte.

O trem em que viajávamos velozmente pela ensolarada zona rural dirigia-se para a cidade naval de Portsmouth, que Sua Majestade, fazendo uma de suas raras aparições públicas, estava visitando com a finalidade de declarar aberta a Semana Naval.

Entre as cerimônias oficiais e os eventos esportivos programados para a semana, havia uma partida de críquete de três dias entre a Marinha Real e o time dos Cavalheiros da Inglaterra capitaneado por A.J. Raffles.

Na estação de Portsmouth encontramos nosso anfitrião, o capitão do time da Marinha, tenente-comandante Braithwaite, num deslumbrante uniforme naval branco, esperando para nos receber junto ao trem.

— Você é o primeiro dos Cavalheiros a chegar, Raffles — disse ele, enquanto seguíamos um carregador que levava nossas malas e a bolsa de críquete de Raffles para o carro de aluguel aberto que Braithwaite deixara à espera. — A cerimônia de abertura da Semana Naval transcorreu muito bem hoje pela manhã. Venho direto de lá. A rainha parecia régia como sempre, embora ainda trajando luto. Você terá uma oportunidade de vê-la depois do almoço. Ela deve embarcar no iate real às duas horas, em Portsmouth Hard, e rumar para sua residência de verão, Osborne House, na ilha de Wight, bem do outro lado do canal. Para que possam vê-la passar, eu gostaria de colocá-los a bordo no *H.M.S. Victory*...

— O antigo navio capitânia de Horatio Nelson na Batalha de Trafalgar? — perguntei.

— Sim, de fato — disse Braithwaite enquanto nosso carro de aluguel retinia pelas ruas coloridas com bandeiras e retratos da rainha. — O *Victory* encontra-se, perfeitamente preservado, numa ancoragem permanente aqui em nosso porto, mas só figurões convidados têm permissão para embarcar nele hoje... inclusive um bando de milionários.

— Milionários? — perguntou Raffles.

— A alta sociedade internacional — explicou Braithwaite. — O comodoro Vanderbilt, o duque de Westminster, um dos Rothschilds, o príncipe de Mônaco, o sr. Leonard Jerome de Nova York com sua linda filha Jennie e o marido dela, lorde Randolph Churchill. Verdadeiros grã-finos! Eles chegaram em grupos em seus resplandecentes iates a vapor privados reunidos em Cowes, na ilha de Wight, para a regata.

Meus olhos cruzaram com os olhos acinzentados de Raffles. A regata de Cowes! Ele me lançou um olhar pesaroso. Havíamos esquecido completamente do evento mais magnífico da temporada social de verão. Em Cowes poderíamos ter encontrado alguma maneira lucrativa de aproveitar o tempo. Em vez disso, ele se comprometera com uma partida de críquete de três dias de duração exatamente do lado errado do canal.

— Tão perto, Bunny — ele murmurou para mim —, e, no entanto, tão longe!

— Por cortesia — dizia nosso anfitrião — do Museu Naval Real em Greenwich, um tesouro nacional foi emprestado a Portsmouth, em honra da visita da rainha: o uniforme, o chapéu e os calções manchados de sangue, o colete e o fraque azul com dragonas que Nelson usava quando caiu, mortalmente ferido, no tombadilho superior do *Victory* na hora exata de seu triunfo decisivo em Trafalgar. A partir de amanhã o *Victory* estará aberto para que o público veja o uniforme de Nelson, mas apenas figurões convidados estarão a bordo dele hoje. Ainda assim, posso colocá-los a bordo de um rebocador da Marinha, o *Gosport Jezebel*, para verem a rainha passar daqui a pouco no iate real.

Depois do almoço na antiga e excelente estalagem à beira-mar, The Lord Nelson, onde nossos anfitriões da Marinha tinham hospedado o time de críquete dos Cavalheiros comigo como supranumerário, embarcamos num rebocador que desfraldava a bandeira branca. Quando o *Jezebel* se afastou de seu ancoradouro, o grande porto, apoiado pelos fortes de Portsdown Hill construídos para repelir o Grande Exército de Napoleão, estava lotado de embarcações de todo tipo, repletas de turistas.

Além de Raffles e de mim, havia alguns outros civis privilegiados a bordo do *Jezebel*, e quando me apoiei com Raffles e Braithwaite contra o trepidante parapeito do rebocador, contemplando a cena espetacular sob o sol abrasador, pairou em minha direção uma nuvem de fumaça forte de tabaco picado do cachimbo de algum homem que surgira atrás de nós.

— Lá está ele, Watson — ouvi uma voz dizer —, o velho *Victory*, tão firme e em forma quanto no dia em que Nelson o levou, à frente de sua frota, rumo ao sangue e aos estrondos de Trafalgar.

— Um estudo em vermelho, aquele dia — disse uma segunda voz. — O sr. Sherlock Holmes é um homem patriótico?

— Inquestionavelmente. Veja, Watson, há um espaço vazio ali no parapeito. Vamos ocupá-lo.

Braithwaite, vendo-me voltar os olhos para os dois homens de sobrecasaca e cartola perambulando pelo convés, o mais alto lançando fumaça de charuto sobre seu ombro, disse-me quem eram:

— O sujeito mais baixo é o sr. James Watson, secretário da Sociedade Literária e Científica de Portsmouth e Southsea. O homem grande, corpulento, é o dr. A. Conan Doyle, médico em Southsea, a parte residencial de Portsmouth. Quanto ao sr. Sherlock Holmes — Braithwaite soltou uma risadinha —, vou lhe emprestar algo hoje à noite que o apresentará a ele, se vocês ainda não se conheceram. Mas veja! Por Deus, olhe para aqueles grã-finos no velho *Victory*!

Nosso rebocador tinha se aproximado o máximo que era permitido do navio capitânia de Nelson, em torno do qual baleeiros tripulados por remadores da Marinha usando fitas nos bonés com a inscrição *H.M.S. Victory* circulavam, preservando um espaço de água livre da aglomeração das embarcações de turistas.

As correntes do gurupés do velho navio de linha de 74 canhões brilhavam como prata. Seus mastros e vergas se elevavam acima de nós em direção ao céu azul. O casco de carvalho havia sido alcatroado recentemente. Através de suas canhoneiras abertas, emolduradas em tinta branca fresca, os canhões dos flancos pareciam prontos para ribombar com um rugido de leão à menor provocação.

Em seus conveses, os distintos visitantes formavam grupos, conversando. Outros se reuniam na galeria entalhada da popa do velho navio. Belas mulheres giravam suas sombrinhas languidamente. Joias cintilavam. Cartolas e correntes de relógio de ouro reluziam.

— Todos milionários — murmurou Raffles para mim. — Tão perto... e, no entanto, tão longe!

Braithwaite nos explicou que alguns dos uniformes navais desconhecidos a bordo do *Victory* eram de capitães de navios de guerra americanos, gregos, alemães, italianos e de outras nacionalidades, que, em visitas de cortesia pela Semana da Marinha em Portsmouth, estavam ancorados ao largo da ilha de Wight.

O estrondo de um canhão ressoou através do porto.

— O primeiro tiro da saudação real — disse Braithwaite. — O *Victoria-and-Albert*, o iate real, está zarpando de Portsmouth Hard.

Os canhões da bateria de saudação em Haslar Point continuaram a disparar a intervalos de um minuto em meio à tempestade de aplausos à medida que o iate da rainha, desfraldando o Estandarte Real escarlate e dourado, avançava por entre a multidão de pequenas embarcações que abriam caminho para seu majestoso avanço.

Por cima do cordame do *Victory*, à medida que o iate real se aproximava, corriam marinheiros descalços com o uniforme do tempo de Nelson, os dois mais altos correndo para as duas pontas da verga do mastro principal, para se postar rigidamente, lá em cima, enquanto toda a turma formava um gigantesco V — tanto de *Victory* quanto do nome da viúva real cuja pequenina figura, de xale preto e toucado com contas de azeviche, permanecia em régia solidão, afastada de seus auxiliares, no convés de seu iate que passava lentamente.

Enquanto a rainha passava e, em meio à contínua detonação dos canhões que atiravam de minuto em minuto, o iate real começava a recuar em direção à boca do porto, ouvi um grito desvairado e olhei bem a tempo de ver o homem que estava de pé na ponta de bombordo da verga do mastro principal do *Victory* oscilar em seu vertiginoso poleiro... e cair, girando descontroladamente no ar, para bater na água, que esguichou brilhando.

Eu mal ouvi os aplausos que continuavam, mais ao longe, e as detonações compassadas dos canhões da bateria de saudação, quando o sino do telégrafo do passadiço de nosso rebocador *Jezebel* soou e o barco trepidou, voltando à vida. Com uma dezena de outras embarcações variadas e baleeiros da Marinha, avançou para o socorro.

Um dos baleeiros da Marinha chegou mais depressa que nós. À medida que as hélices de nosso rebocador viravam ao contrário, diminuindo nossa velocidade a seu lado, vi marinheiros no baleeiro suspendendo o homem encharcado, inconsciente ou morto, por sobre sua amurada. Eles o deitaram sobre as tábuas do assoalho e, a uma ordem berrada por seu timoneiro guarda-marinha, curvaram-se sobre seus remos, avançaram sob as correntes do grande gurupés do *Victory* e, deixando uma dezena de coletes salva-vidas e uma confusão de outras embarcações que haviam saído para o resgate balançando na água, desapareceram da minha vista.

Não houve perda de tempo. Antes mesmo que o último disparo dos canhões de saudação marcasse a passagem do iate da rainha pela boca do porto, o incidente já estava encerrado.

Entretanto, se os rumores estivessem corretos, outra coisa havia acontecido a bordo do *H.S.M. Victory*. Não faço ideia de que fonte o boato surgiu, mas, quando desembarcamos do rebocador *Jezebel* em Portsmouth Hard, a multidão estava alvoroçada com a história de que o fuzileiro naval que vigiava sozinho o salão dos oficiais, onde o uniforme de Nelson estava em exposição, tinha sido encontrado dopado com clorofórmio pouco depois da passagem da rainha, e que, com exceção do chapéu, o uniforme de Horatio Nelson manchado em Trafalgar com seu sangue tinha desaparecido.

— Impossível! — disse Braithwaite, enquanto ele, Raffles e eu abríamos caminho às cotoveladas através da multidão que cercava alguns carros de aluguel à espera. — O uniforme de Nelson roubado? Isso simplesmente *não pode* ser verdade!

Um sopro da fumaça do cachimbo do dr. Conan Doyle, que, com o sr. Watson, estava logo à nossa frente, dirigindo-se para os carros de aluguel, flutuou até mim.

— Isso pode ser *verdade*? — ouvi o sr. Watson perguntar.

— A menção do chapéu, Watson, tem algo de circunstancial. Sim, temo que esse rumor possa, *sim*, ter alguma base factual.

— Nesse caso, doutor, ocorre-lhe algum ponto a que nosso amigo Holmes estaria propenso a dedicar particular atenção?

— O chapéu, Watson... o enigma do chapéu do almirante.

— Mas as pessoas estão dizendo que o chapéu *não* foi levado!

— Esse é o enigma, Watson.

Pessoas se acotovelaram entre nós nesse momento e perdi os dois homens de vista.

Raffles e eu jantamos no Quartel Naval Real. O resto do time dos Cavalheiros da Inglaterra tinha chegado ao longo do dia e todos nós éramos convidados do time da Marinha numa vasta sala com paredes das quais nos fitavam retratos com molduras douradas de antigos almirantes, do sr. Samuel Pepys, outrora secretário da Marinha, e do próprio Horatio Nelson, usando o que provavelmente era o próprio uniforme que agora havia sido roubado de seu velho navio capitânia.

No jantar, não se falou em outra coisa senão no crime cometido no *Victory*, que era realmente um fato. O marinheiro que caíra do lais de verga era um recruta chamado John S. Hayter. Dizia-se que sua queda se devera a insolação; ele estava agora no Haslar Naval Hospital com um ombro deslocado. Aparentemente, o vigia dos fuzileiros navais tinha sido atacado por trás e só era capaz de dizer que seu agressor era um homem de grande força.

— E quanto aos distintos convidados, Braithwaite? — perguntou Raffles.

— Eles tiveram de ser considerados acima de qualquer suspeita, é claro. Todos eles se dispersaram agora.

— Os milionários voltaram a seus iates a vapor em Cowes, não é? — disse Raffles. — Hum. Por acaso a Marinha chamou a Polícia do condado?

— É claro. Estão chegando reforços policiais em abundância de todos os lados.

— Inclusive da ilha de Wight?

— Naturalmente, com exceção dos guardas da rainha, que a protegem em Osborne House, haverá poucos policiais sobrando lá na ilha.

— Comissário — disse Raffles —, vou querer mais um gole desse vinho.

Enquanto deixávamos o quartel, Braithwaite entregou a Raffles um exemplar obviamente muito lido do *Beeton's Christmas Annual*.

— O que eu lhe disse que lhe emprestaria — disse Braithwaite. — É um volume policial publicado muito recentemente. O dr. Conan Doyle escreveu a história principal. Chama-se *Um estudo em vermelho*. Acho que ele não tem muitos pacientes.

— Ou não teria tempo para escrever histórias policiais — disse Raffles, pondo a revista sob sua capa forrada de vermelho. — Vou passar os olhos hoje à noite e vejo-o amanhã de manhã, às dez e meia no campo de críquete.

Por curiosidade, peguei *Um estudo em vermelho* emprestado de Raffles na manhã seguinte. Ele me contou que dera uma olhada antes de dormir. Quando chegamos ao campo de críquete, encontrei para mim uma cadeira ao sol na varanda e fiquei lendo a história enquanto o jogo prosseguia.

O sr. Sherlock Holmes que eu ouvira ser mencionado vinha a ser o personagem principal do livro. Investigador particular de crimes, que afirmava ter métodos próprios, ele prendeu meu interesse. Mesmo na vez de Raffles rebater, eu lia, cada vez mais absorto, até que um rumor coletivo dos espectadores, em sua maioria de uniforme naval branco, me fez levantar os olhos.

Lá fora junto à meta, na verde extensão de gramado impecável, Raffles tinha jogado longe seu taco e estava arrancando a luva de bater da mão direita. Pingava sangue de seus dedos.

— Má sorte, Raffles — ouvi Braithwaite gritar, enquanto Raffles enrolava seu lenço em volta da mão. — Isso vai deixá-lo fora da partida?

— Receio que sim, Braithwaite — disse Raffles. Ele foi até o pavilhão. — Uma bola arremessada com força, Bunny, cortou meu dedo indicador. Pelo jeito, vou precisar de um ou dois pontos. Vou me trocar e virei ao seu encontro.

Tive uma incômoda desconfiança sobre o acidente. Quando ele se juntou a mim, acusei-o de planejar o dano.

— Não inteiramente, Bunny — disse ele, enquanto deixávamos o campo. — Eu queria sair da partida, mas a bola estava muito rápida e calculei mal o tempo, foi pior do que tinha planejado. Mas não faz mal, estou fora do jogo. É só um amistoso, e você e eu temos uns peixes para fisgar na regata de Cowes, peixes grandes!

Ele fez sinal para um fiacre que passava e, quando o cavalo parou com um tinido, perguntou ao cocheiro:

— Sabe o endereço de um certo dr. Doyle?

— Sim, senhor. Bush Villas, número um, Elm Grove, Southsea.

— Não, Raffles — eu disse. — Não *esse* médico!

— Por que não? — perguntou Raffles, surpreso.

— Não posso dizer exatamente. Essa história dele... Eu apenas sinto, de algum modo...

— Tolice! Não há nada de errado com a história. É só um pequeno conto interessante. Além disso, Braithwaite disse que esse dr. Doyle não tem muitos pacientes. Provavelmente ficará contente por receber um pagamento. Vamos, suba, Bunny!

Bush Villas, na residencial e arborizada Elm Grove, vinha a ser um conjunto de quatro casas geminadas, altas e dignas, com cortinas de rendas nas janelas e degraus da frente de tijolos crus. Raffles deu um puxão na corda da campainha na casa número um com sua mão boa. A placa de latão polido na porta tinha aspecto de nova, como se o médico estivesse em atividade havia pouco tempo; e, de fato, quando ele mesmo abriu a porta, embora alto e digno, com um basto bigode castanho, pareceu não ter mais de trinta anos, sendo uns cinco anos mais velho que Raffles.

De constituição robusta, sobrecasaca e uma corrente de relógio de prata cruzando seu colete, o médico pareceu nos avaliar de uma só vez com seus olhos azuis argutos, diretos.

— Ah — disse ele —, um dos jogadores de críquete do time dos Cavalheiros levou uma pancada na mão, hein? Entrem.

— Esse foi um diagnóstico rápido — disse Raffles ao entrarmos.

— Marinha versus Cavalheiros é a partida da semana — disse o dr. Doyle, conduzindo-nos para um pequeno consultório. — O senhor não está de uniforme, logo não é da Marinha, e está usando uma gravata do Zingari Club, portanto é um jogador de críquete...

— Logo — disse Raffles com uma risada —, sou um dos Cavalheiros. Entendo. Doutor, meu nome é Raffles. Este é meu amigo Manders.

— Bem, vamos dar uma olhada nessa mão, sr. Raffles.

— Um estudo em vermelho — disse Raffles, desenrolando o lenço ensanguentado.

— Por essa observação — disse o dr. Doyle —, deduzo que é uma das dezenas de pessoas que leram meu pequeno romance policial. Humm! Quem fez isto com seu dedo? O lançador rápido da Marinha? Aquele sujeito sempre deixa um rastro de feridos ambulantes. A propósito — ele se pôs a trabalhar no dedo de Raffles —, não vi os senhores no rebocador *Jezebel* ontem?

— Estávamos lá — disse Raffles. — O que o sr. Sherlock Holmes diria sobre esse roubo do *H.M.S. Victory*?

— Ele ficaria interessado, imagino, nos canhões que disparavam a cada minuto.

— Nos canhões?

— Tudo indica que o crime foi um trabalho cuidadosamente planejado e coordenado de vários homens. Eles podem ter se organizado para cronometrar suas respectivas ações de acordo com os disparos de canhão da saudação real.

— Que uso original da saudação real! — exclamou Raffles.

— O crime tem várias características que despertariam o interesse de Holmes. — O médico enfaixou o dedo de Raffles, depois deslizou uma dedeira preta de pelica sobre ele. — Pronto, sr. Raffles.

— Muito obrigado, dr. Doyle. Quanto lhe devo?

— O senhor não poderá jogar — disse o médico —, mas creio que estará no campo de críquete, não? Muito bem. Falaremos sobre honorários quando eu retirar os pontos desse dedo. Passe aqui no fim da semana.

A porta da casa número um de Bush Villas, com o nome *Dr. A. Conan Doyle* na placa polida de latão, se fechou atrás de nós.

O final daquela tarde nos encontrou não no campo de críquete, mas na ilha próxima de Wight, observando os iates a vapor dos milionários ancorados ao largo de Cowes — entre eles o do comodoro Vanderbilt; o do duque de Westminster, com o sr. Leonard Jerome e lorde e lady Randolph Churchill em seu grupo; o veleiro *Achilleion*, propriedade do magnata grego da marinha mercante, sr.

Aristotle Andiakis; e o luxuoso iate que desfraldava a vívida bandeira listrada do rico regatista oceânico e ictiologista, o príncipe Alberto de Mônaco.

— Ótimo, Bunny — disse Raffles, enquanto o trem a vapor nos levava de volta estrepitosamente através dos prados de botão-de-ouro até Ryde, para embarcarmos na barca a vapor com rodas de pás que nos levaria ao Clarence Pier, Southsea. — Amanhã, como capitão do time dos Cavalheiros, preciso aparecer na partida de críquete por algumas horas. Enquanto eu estiver lá, você pode pegar algumas coisas de que vamos precisar e à noite voltaremos, adequadamente vestidos, para Cowes. Faremos nossa jogada quando a oportunidade se oferecer. Há uma pequena fortuna em diamantes na cabine das damas de qualquer um daqueles iates.

Na manhã seguinte, enquanto Raffles estava no campo de críquete, vasculhei Old Portsmouth à procura de um bazar de roupas de segunda mão para marinheiros e encontrei um em Landport Terrace, onde Charles Dickens morou na infância quando seu pai, imagem e semelhança do sr. Micawber, era um funcionário civil empregado pela Marinha. Comprei um par de camisas de malha azuis e bonés surrados com viseira do tipo usado por estivadores.

Quando estava prestes a deixar a loja, avistei o dr. Doyle e o sr. Watson. Eles estavam do outro lado da rua, olhando a vitrine de um pequeno restaurante de aparência estrangeira — The Corfu Restaurant, segundo o letreiro — onde lagostas agitavam lânguidas antenas entre barriletes de ostras e folhas de parreira em conserva sobre um leito de algas marinhas. Os dois homens entraram.

— O senhor pode conseguir bons mariscos do outro lado da rua — disse o homem do bazar, vendo a direção de meu olhar. — Pertence à sra. Miranda Hayter, viúva de um artilheiro da Marinha Real.

— Está muito cedo para almoçar — eu disse, o que de fato era tão verdadeiro que, ao sair furtivamente com meu pacote, me perguntei o que o dr. Doyle e o sr. Watson estavam fazendo no restaurante em frente.

De repente lembrei-me de uma coisa. Chamei um carro de aluguel, fui à estalagem The Lord Nelson, tranquei o pacote na mala em meu quarto e em seguida me dirigi ao campo de críquete. Encontrei Raffles assistindo à partida de uma espreguiçadeira no terraço do pavilhão. Disse-lhe que acabara de ver o dr. Doyle e o sr. Watson.

— O nome da dona do restaurante onde entraram é Hayter — falei. — Raffles, o nome do marinheiro que caiu do lais de verga do *Victory* é marujo John S. Hayter!

— Esplêndido, Bunny! — disse Raffles. — O dr. Doyle obviamente topou com algo relacionado ao crime do *Victory* e o está investigando. O jogo começou para ele. E, com a maior parte da Polícia de Hampshire inteiramente preocupada com o mesmo crime, nada poderia ser mais conveniente para nós! Como oportunistas, você e eu nunca tivemos uma chance como esta. Hoje à noite, na ilha de Wight, vai ser moleza. Você verá... alguma coisa vai surgir para nós.

— Isso — eu disse, pensando com apreensão na casa de Dickens em Landport Terrace — é o que o sr. Micawber costumava dizer.

Eu ainda estava apreensivo quando, vestindo camisas de malha como estivadores, descemos do trenzinho a vapor da ilha na Cowes Station naquela noite. A cidadezinha, cheia de estaleiros de construção de iates, galerias de velas, galpões de fabricação de cordas e lojas de suprimentos para embarcações, estava *en fête* para a regata.

Demos uma volta pelo porto. Os lindos iates de corrida, uma floresta de mastros nus, estavam atracados contra o muro do porto. Os iates a vapor dos milionários, ancorados ao largo, estavam iluminados, brilhando. Em vestidos de noite, mulheres cheias de joias e homens elegantes jantavam sob os toldos dos conveses. A música dos trios e quintetos particulares dos milionários flutuava até nós. Muito mais longe, no canal, piscavam as luzes de navios de guerra, couraçados britânicos e estrangeiros ancorados.

Bandos de marinheiros, muitos deles de folga dos navios de guerra estrangeiros, entravam e saíam ruidosamente das tabernas à beira-mar.

— Não estamos com sorte, Raffles — eu disse. — Há gente demais nos iates a vapor daqueles milionários.

Ele pôs uma das mãos no meu braço.

— Bunny, há um bote do *Achilleion* chegando ao píer e há uma carruagem parando no cais ali, com um grupo de marinheiros reunido em torno dela. Vamos ver o que está acontecendo.

Caminhamos pelo cais calçado com pedras, nos juntamos ao bando em volta da carruagem e vimos imediatamente por que ela tinha atraído tanto interesse. O cocheiro de cartola e o cavalariço na boleia usavam a libré real; na porta da carruagem estavam as iniciais V.R. encimadas por uma coroa.

— A rainha mandando uma carruagem para levar alguém a Osborne House? — murmurou Raffles. — Bunny, é extremamente inusitado que Sua Majestade receba um visitante em sua residência de verão.

O bote do veleiro *Achilleion* se aproximou dos degraus cheios de algas, lambidos pela água do muro do porto. Os remos foram fixados e o barco foi mantido firme para que um homem alto de aparência notável desembarcasse. De rosto escuro como couro, aquilino, com uma barba quadrada cor de ferro, e um monóculo, ele usava traje de noite completo, a fita de alguma Ordem de Cavalaria estrangeira enviesada sobre o peito da camisa; em sua capa forrada de vermelho brilhava uma estrela cravejada de joias.

Era o milionário grego da marinha mercante, sr. Aristotle Andiakis.

Com o porte de um rei, ele subiu os degraus e, com o cavalariço segurando a porta aberta para ele, subiu na carruagem. O cavalariço subiu de novo na boleia, para se sentar rigidamente de braços cruzados, enquanto o cocheiro tocava os dois magníficos cavalos pretos com seu chicote e a carruagem real partia com estrépito pelo cais.

A tripulação do barco do *Achilleion* amarrou sua embarcação e, como os marinheiros que tinham se juntado ali em volta, se dirigiu para a taberna mais próxima.

— Bunny — disse Raffles —, eu lhe disse que algo iria surgir. Olhe o *Achilleion*. Poucas luzes a bordo. O sr. Andiakis evidentemente não está recebendo convidados. O dono e metade da tripulação estão em terra. No iate haverá apenas um pequeno grupo em vigilância no convés. Agora é a nossa chance! Vamos pegar um bote emprestado. Há dezenas deles atracados em torno do muro do porto.

Confiscamos um bote numa parte pouco iluminada do porto. Peguei os remos e, com Raffles me instruindo de modo a evitar o reflexo das luzes que vinham dos iates a vapor dos outros milionários, parti em direção ao veleiro *Achilleion*. Quando nos aproximamos do iate grego, ouvi risos — e um súbito e nítido estouro.

— Rolha de champanhe — Raffles sussurrou para mim. — Há uns dois homens no passadiço do iate. Estão animados com alguma coisa, parecem estar fazendo brindes. Puxe seu remo direito um pouco. Agora, os dois juntos, suavemente, para nos pôr debaixo do painel de popa.

Quando a saliência do painel de popa assomou sombria sobre nós, Raffles saiu. Balançando o bote ao saltar, agarrou a borda do embornal e se içou silenciosamente para dentro da embarcação. Deixando meus remos pender nos escálamos, encostei o bote contra a popa do iate. E na profunda sombra projetada pelo painel de popa do veleiro *Achilleion*, as batidas abafadas de meu coração marcaram minha vigília.

Ela pareceu interminável. Fitas de luz refletida tremiam na água do porto. Música, risos, vozes chegavam debilmente até mim dos outros iates a vapor dos milionários. O suor fazia meus olhos arderem, salgava meus lábios. Minha garganta ficou seca. O que, em nome de Deus, Raffles estava fazendo? Apurei meus ouvidos. Nenhum som no *Achilleion*. Amaldiçoei Raffles. Ele estava demorando demais. Amaldiçoei-o de novo. Desejei nunca tê-lo conhecido. Mandei-o para o quinto dos infernos.

E, de repente, lá estava ele — não no inferno, mas uma figura de camisa de malha escura com um boné de viseira, balançando pendurado pelas mãos diante de meus olhos. Levei o bote para debaixo dele. Caiu quase sem qualquer ruído.

— Vamos logo, Bunny! — sussurrou ele. — Quanto mais depressa sairmos desta ilha, melhor!

Não fiz perguntas. Tudo parecia tranquilo no veleiro *Achilleion*, mas, pelo tom de Raffles, eu sabia que algo dera errado.

Amarramos o bote onde o tínhamos encontrado. A distância, um trem apitou, intrometido.

— O trem a vapor de Ryde — disse Raffles. — Vai partir dentro de alguns minutos. E estaremos nele!

Estávamos na plataforma de madeira da estação quando o pequenino trem se aproximou, fumegando e retinindo. Arrisquei-me a perguntar:

— O que aconteceu?

— A maioria das cabines parecia desocupada, Bunny. Mas encontrei o camarote do dia do sr. Andiakis... mobiliado como um gabinete, luxuoso. Havia um pequeno cofre ali... fechadura de combinação... muito simples. Eu o abri... — Ele se calou abruptamente, agarrou meu braço e me empurrou para dentro da minúscula sala de espera. — Olhe ali!

O trem havia parado. Saindo dele estavam o dr. Doyle, cachimbo na boca, e o sr. Watson. Eles se dirigiam para fora da estação a passos largos, com uma expressão decidida, determinada.

— Que diabos *esses dois* estão fazendo em Cowes? — sussurrei.

— Só pode ser uma coisa, Bunny: o conteúdo do cofre do sr. Aristotle Andiakis. Aquele médico de Southsea encontrou alguma pista.

— Alguma pista do quê?

— Do uniforme ensanguentado de Horatio Nelson, Bunny, no cofre do veleiro *Achilleion*.

Eu estava atordoado quando embarcamos no trem. Tínhamos uma cabine só para nós. Raffles acendeu um Sullivan enquanto o trem avançava com estrépito para Ryde e as barcas a vapor. Eu nunca o vira tão tenso.

— O que você fez? — perguntei.

— Fechei o cofre — disse Raffles —, refiz a combinação, limpei tudo em que havia tocado e saí daquele iate. Não sei o que está acontecendo, Bunny, mas você e eu não queremos ter nada a ver com o crime do *Victory*. Como capitão do time visitante de críquete, devo estar no campo quando a partida terminar, depois vamos embora de Portsmouth, acompanhar os desdobramentos do crime do *Victory* pelos jornais.

Na manhã seguinte, não havia uma palavra nos jornais sobre o crime do *Victory*. O súbito e completo silêncio sobre o assunto era sinistro, não parecia natural.

A partida de críquete terminou logo depois das cinco horas naquela tarde, a Marinha ganhando por seis metas. Raffles desculpou-se por não comparecermos à usual farra posterior à partida. Fomos direto para a estalagem The Lord Nelson e fizemos nossas malas.

Levei a minha para o quarto de Raffles, que juntei à dele e à bolsa de críquete sobre a cama de quatro colunas onde muitos antigos comandantes tinham dormido. De terno cinza impecável, uma pérola na gravata, Raffles estava parado na sacada da janela com seus batentes de vidro escancarados. Fumava um cigarro e contemplava o porto de Portsmouth lá fora.

— Olhe o velho *Victory*, Bunny — disse quando me juntei a ele à janela —, tranquilamente ancorado lá fora... guardando seu segredo.

Cascos de cavalo estalaram em pedras, arreios retiniram, rodas rangeram. Um fiacre parou embaixo. Dois homens de sobrecasaca e cartola desceram — o dr. Conan Doyle e o sr. Watson. Eles entraram na estalagem. Raffles e eu nos entreolhamos.

— Não pode ser nada relacionado a nós — disse Raffles.

Mas esperamos tensos. Uma batida firme soou na porta. Tive a sensação de que havia algo errado. Raffles exclamou:

— Entrem.

E a porta se abriu. Com a cartola — que ele não tirou — quase tocando as vigas do teto baixo, o médico de Elm Grove entrou, seguido pelo sr. Watson.

— Estão de partida? — perguntou o dr. Doyle, notando imediatamente nossa bagagem sobre a cama. — Sr. Raffles, há uma conta a ser paga.

— Doutor — disse Raffles, e senti e compartilhei seu alívio quando ele olhou para sua mão com a dedeira. — Eu tinha me esquecido inteiramente disso. Quanto lhe devo?

— Isso depende. Watson, verifique se a porta está bem fechada. — O médico corpulento, seus olhos azuis, diretos, fixos em Raffles, tirou o cachimbo e a bolsa de fumo do bolso. — Sr. Raffles, vamos discutir o crime do *Victory*. Primeiro, o enigma do chapéu do almirante. Por que ele não foi levado? A reflexão me sugeriu que o grande e rígido chapéu não era passível, como as roupas ensanguentadas, de ser firmemente enrolado para ser escondido em algum receptáculo, um receptáculo que teria que ser subtraído muito depressa do *Victory*, já que uma busca minuciosa do navio estaria em curso antes que os distintos convidados o deixassem. Forçosamente, esses convidados tinham que ser considerados acima de suspeita. Eles não foram interrogados nem revistados. No entanto, mesmo que um deles fosse culpado, em que receptáculo o uniforme poderia ter sido escondido?

— Na bolsa de uma das distintas damas? — sugeriu Raffles.

— Não seria grande o suficiente. No entanto, sr. Raffles, recorde a cena do salvamento do marinheiro caído. Quando nós o vimos ser puxado para o baleeiro, vários objetos balançavam na água por ali, objetos jogados do *Victory* e de várias embarcações de turistas, inclusive do rebocador *Jezebel*. Refiro-me aos coletes salva-vidas.

O médico acendeu seu cachimbo, exalando fumaça sob seu basto bigode, seus olhos firmes sempre em Raffles.

— Cheguei à conclusão de que o uniforme ensanguentado de Nelson deixou seu velho navio capitânia dentro de um de seus próprios salva-vidas, que fora preparado de antemão extraindo-se parte da cortiça, tornando assim o colete oco, depois tapando-se o orifício com parte da cortiça retirada e costurando grosseiramente a cobertura de lona de volta. O salva-vidas preparado foi então escondido no salão dos oficiais no *Victory*. A única coisa que o homem que dopou o fuzileiro naval que estava de vigia teve que fazer foi cortar os pontos da lona, puxar a tampa de cortiça, enfiar o uniforme firmemente enrolado no orifício e recolocar a tampa de cortiça. Nesse meio-tempo, todos os olhos a bordo do *Victory*, exceto os seus próprios, estariam observando a rainha passar. Mas, para que o salva-vidas fosse jogado pela borda do navio pelo homem, quase certamente algum membro da tripulação do *Victory*, era preciso que alguém caísse na água.

— Marujo John S. Hayter — disse o companheiro do dr. Doyle.

— Exatamente, Watson. O intrépido homem que ficou na gávea do traquete e seu cúmplice da tripulação coordenaram suas respectivas ações com os canhões da saudação real, que disparavam de minuto em minuto, enquanto outros cúmplices, numa das pequenas embarcações de turistas, aguardavam que seu companheiro conspirador, aquele que aplicara o clorofórmio, jogasse o salva-vidas pertinente na água, de modo que eles pudessem resgatá-lo e fugir com ele na confusão do salvamento.

— Muito simples, realmente — disse o companheiro do dr. Doyle.

— Quando analisado e explicado, Watson.

— Com minha observação inadvertida, eu não tinha a intenção de...

— De modo nenhum, Watson. — Mas os olhos argutos do médico de Elm Grove permaneceram fixos em Raffles. — A investigação no Departamento de Registros da Marinha forneceu-me o endereço residencial do marinheiro Hayter, um homem nascido em Portsmouth, como muitos marinheiros. O sr. Watson e eu visitamos o endereço, um pequeno restaurante pertencente à mãe dele, uma mulher da ilha grega de Corfu. De 1815 a 1863, Corfu ficou sob jurisdição britânica, e a mãe de Hayter, uma moça de lá, se casou com um marinheiro britânico, seu falecido pai. Nascido em Portsmouth, o marujo Hayter foi criado com lealdades divididas entre a Grã-Bretanha, a terra de seu pai, e a Grécia, a terra de sua mãe. Mas são gente simples.

O médico soprou baforadas de seu cachimbo, pensativo.

— O marinheiro Hayter ainda está no Hospital Naval de Haslar com um ombro deslocado. Poderia um homem que fica na gávea do traquete, certamente um tipo rude, ter concebido e coordenado o crime do *Victory*? Improvável. Poderia seu cúmplice na tripulação, sem dúvida um homem do mesmo tipo e, como o evidencia o marinheiro dopado com clorofórmio, notavelmente forte, ter concebido o crime? Improvável. Não, sr. Raffles, esses homens foram *pagos* por alguém. De quem era a *mente* por trás do crime do *Victory*?

Tanto Raffles quanto eu sabíamos. Mas nenhum de nós se moveu nem disse nada.

— Nosso jornal local, o *Portsmouth and Southsea Chronicle* — disse o dr. Doyle —, publicou uma lista das distintas pessoas convidadas para estarem presentes a bordo do *Victory* no Dia da Marinha. O jornal também publicou uma segunda lista, dos convidados que realmente estiveram a bordo do *Victory* naquele dia. Comparando as listas, notei que, dos donos de iate em visita a Cowes que tinham sido convidados para o *Victory*, somente um não se beneficiara do convite.

— O sr. Aristotle Andiakis — disse o sr. Watson —, do veleiro *Achilleion*.

— Precisamente, Watson. O sr. Andiakis. Uma mente poderosa, uma mente grega. Além disso, um homem com marinheiros à sua disposição, a tripulação do *Achilleion*, para se passarem por turistas e, em algum barco alugado, manobrar para uma posição conveniente para recolher o salva-vidas jogado do *Victory* para eles.

O dr. Doyle calcou o fumo em seu cachimbo.

— Por que o sr. Andiakis não estava a bordo do *Victory*? Teria sido por temer qualquer envolvimento pessoal no crime que ele possivelmente tinha planejado? Eu me perguntei. Notei a ausência de violência no crime. O ombro deslocado do marujo Hayter era imprevisível. O fuzileiro naval que estava de vigia não foi brutalmente derrubado com um golpe, como teria sido mais rápido e mais fácil. Foi inofensivamente dopado com clorofórmio. Seria então o sr. Andiakis, se era de fato a sua mente por trás do crime, um homem de alguma delicadeza de escrúpulos, delicadeza suficiente, talvez, para se recusar a ser um convidado a bordo de um navio que planejava roubar? Na sua opinião, sr. Raffles, tal delicadeza seria compreensível?

Não gostei da pergunta. Podia sentir problemas se aproximando. Mas Raffles respondeu com calma:

— Sim, dr. Doyle, seria.

— Mas se o sr. Aristotle Andiakis — disse o médico de Elm Grove — fosse um homem escrupuloso, que motivo poderia ter para cometer um ato tão drástico quanto a aquisição ilícita de um tesouro nacional da nação britânica?

— Não posso imaginar — disse Raffles. — A menos... — E se calou.

— Algo lhe ocorre? — perguntou o dr. Doyle.

— Os Mármores Trácios — disse Raffles.

— Ah! — disse o dr. Doyle. — O senhor lê o *Times* de Londres. Eu também. E quando me lembrei da prolongada discussão em suas colunas de correspondência sobre o direito moral do Museu Britânico sobre esses antigos baixos-relevos que comemoram uma batalha tão importante na história da Grécia quanto é a batalha de Trafalgar na história britânica, senti que estava no caminho certo.

— Então o dr. Doyle — disse o sr. Watson — me convidou imediatamente para acompanhá-lo à ilha de Wight.

— A Cowes, Watson, para ser mais preciso. Milionários! Há milionários por toda a parte lá. Mas há algumas coisas — disse o dr. Conan Doyle — que o dinheiro não compra. Encontramos o sr. Andiakis ausente de seu iate, pois estava gozando do privilégio extremamente incomum de ser recebido em audiência por nossa rainha em sua residência de verão, Osborne House. O sr. Watson e eu fomos convidados a embarcar no iate para esperar seu retorno. À sua chegada, acusei-o imediatamente de estar de posse do uniforme em que Horatio Nelson morreu em Trafalgar.

No quarto, na antiga estalagem à beira-mar, por um momento não houve nenhum som.

— Compreendendo — continuou o dr. Conan Doyle em seguida — que eu o descobrira, o sr. Andiakis imediatamente, sob sigilo, confidenciou-me o resultado da audiência com Sua Majestade. Sr. Raffles, o uniforme de Nelson deverá, a seu devido tempo, ser devolvido ao Museu da Marinha Real em Greenwich. Em troca, a seu devido tempo, os Mármores Trácios serão devolvidos à Grécia, a antiga terra de sua origem. Por ordem de sua Sua Majestade, nenhuma explicação jamais será oferecida. Mas, quanto a isso... bem, existe um perigo.

Meu coração bateu devagar, opressivo. Eu não conseguia respirar.

— Sr. Raffles — disse o médico de Southsea —, a posse do uniforme de Nelson pelo sr. Andiakis tornou-se conhecida, ontem à noite, por um intruso. O cofre do veleiro *Achilleion* foi aberto.

Olhei para o chão. Raffles estava imóvel como uma estátua.

— Perguntei ao sr. Andiakis — prosseguiu o dr. Doyle — se o sr. Watson e eu podíamos ver o uniforme. Como me contou, o senhor leu minha história, *Um estudo em vermelho*. O sangue de Nelson não é mais vermelho. O tempo enegreceu aquelas honradas nódoas. Mas notei uma débil mancha vermelha no fraque com dragonas de Nelson. Sangue, sr. Raffles. O sr. Andiakis me assegurou que, quando ajustara a combinação do cofre pouco antes de partir para sua audiência com a rainha, essa mancha de sangue fresco não estava no fraque.

— Em seguida — disse o companheiro do grande médico —, o dr. Doyle fez um atento exame do exterior do cofre...

— E encontrei no tapete debaixo dele algo que me levou à conclusão de que o intruso estivera usando uma dedeira. — Friamente azuis como um iceberg ártico, os olhos do dr. Doyle estavam fixos em Raffles. — Para ter maior sensibilidade tátil na manipulação daquela fechadura de combinação relativamente simples, o invasor tirou sua dedeira. Para ter ainda mais sensibilidade, também removeu de seu dedo, provavelmente com os dentes, dois pontos cirúrgicos e cuspiu-os no chão. Eu os tenho, junto com minha conta, sr. Raffles, neste envelope.

Então havia acontecido. Raffles tinha sido desmascarado. Estávamos liquidados. Não consegui engolir, com um bolo preso na garganta.

— O marinheiro Hayter — disse Doyle — e o contramestre que foi seu cúmplice na tripulação do *Victory* não serão acusados perante um Tribunal do Almirantado. Eles não estão mais na Marinha Naval. Foram contratados pelo sr. Andiakis e serão empregados em sua frota mercante. Além disso, como uma condenação de silêncio foi imposta sobre todas as facetas do crime do *Victory*, o intruso de ontem à noite no veleiro *Achilleion* não pode ser acusado no Tribunal do Condado de Winchester. Não sei por que o senhor deixou o uniforme de Nelson onde o encontrou, sr. Raffles. Talvez o diabo zele pelos seus. O senhor continua livre para pegar o seu trem. Mas eu, pessoalmente, tenho uma conta a apresentar. Vou mantê-la pendente. Se algum dia chegar aos meus ouvidos qualquer menção atribuível ao senhor ou ao seu amigo Manders sobre o que sabe acerca do sr. Andiakis, hei de procurá-lo, sr. A.J. Raffles, e infalivelmente lhe apresentar minha conta... a um preço muito maior do que o senhor estará disposto a pagar.

O médico de Bush Villas, Elm Grove, bateu seu cachimbo num cinzeiro sobre a penteadeira.

— A cada um — disse sua forte voz — o que lhe é devido. A cada nação, o mistério de sua própria alma, que nasceu de seu passado. Nossa rainha está envelhecendo. Seu coração conheceu a dor, mas naquele coração está o orgulho de reis. E o homem que se apresentou diante dela em Osborne House ontem à noite é um rei entre os homens: um aristocrata que venceu por seu próprio esforço, um Odisseu de seu próprio século. Ele estava confiante na dama com quem falou e soube como lhe apresentar seus argumentos. Ele citou quatro versos de um dos poetas favoritos dela, lorde Macaulay:

Pois como pode o homem morrer melhor
Que enfrentando terríveis percalços
Pelas cinzas de seus pais
E os templos de seus deuses?

"E aquele excelente cavalheiro grego, sr. Aristotle Andiakis, contou-me que a pequena, idosa e indômita rainha olhou longamente para ele. Depois se voltou para seu secretário particular e disse: "Neste assunto dos Mármores Trácios, transmita isto ao número 10 de Downing Street, Nossa Ordem Real: *Que a justiça seja feita.*

Encarando cegamente o chão, ouvi a porta se abrir.

— Venha, Watson.

O trinco da porta estalou, fechando-se.

Nem Raffles nem eu nos movemos.

Pelos caixilhos abertos da janela, a brisa do mar soprava fresca e salgada sobre nós. Debilmente sobre o porto de Portsmouth flutuavam as notas de clarim do toque final do dia, "Recolher". O disparo do canhão do pôr do sol estrondeou sobre a água. Do topo do mastro do *H.M.S. Victory*, assim como em todos os navios da rainha ancorados, a bandeira de seu Reino desceu tremulando.

Ouvi Raffles suspirar profundamente.

— De agora em diante, Bunny — disse ele —, uma conta a pagar paira sobre nós.

— Com o dr. A. Conan Doyle — murmurei.

— Ou com o outro nome que ele adota... nas páginas daquela história — disse Raffles, num tom estranho.

Na cama de quatro colunas, com nossas malas e a bolsa de críquete de Raffles, jazia o exemplar de *Um estudo em vermelho.*

Nota histórica

A narrativa precedente, agora finalmente disponível ao público, parece não apenas explicar o silêncio oficial que por tanto tempo envolveu as circunstâncias do crime do *Victory*, como também corroborar uma arguta observação feita pelo sr. John Dickson Carr na página 194 de seu *Life of Sir Arthur Conan Doyle* (Harper & Row, 1949).

"Quando consideramos", observa o sr. Carr, "o trabalho de investigação de Conan Doyle no caso de George Edalji, podemos fazer a nós mesmos uma pergunta cuja resposta será evidente: quem *era* Sherlock Holmes?"

No livro de Carr aparece uma fotografia do dr. Conan Doyle feita aproximadamente na época do crime do *Victory*, junto com uma fotografia da letra e assinatura do sr. James Watson, secretário da Sociedade Literária & Científica de Portsmouth & Southsea.

O *H.M.S. Victory*, hoje preservado em doca seca, ainda pode ser visitado no porto de Portsmouth, e o uniforme manchado com o sangue do almirante Horatio Nelson pode ser visto atualmente no Museu da Marinha Real em Greenwich.

Em razão, presumivelmente, do sequestro oficial de documentos relacionados ao crime do *Victory*, nenhuma menção a ele aparece no livro do sr. Carr, mas pode ser de interesse notar que os Mármores Trácios foram silenciosamente devolvidos à Grécia não muito depois dos acontecimentos descritos pelo sr. Manders em seus escritos privados sobre a carreira de seu amigo, A.J. Raffles.

RAFFLES NA PISTA DO CÃO DE CAÇA

Barry Perowne

— Eu me pergunto: por acaso, o senhor seria uma dessas pessoas perspicazes que podem ser descritas, talvez, como sherlockianas?

A pergunta foi lançada subitamente para A.J. Raffles pelo sr. Greenhough Smith, eminente editor do mais importante periódico mensal da Inglaterra, *The Strand Magazine*.

Era uma manhã de duvidosa primavera e um sol intermitente entrava pelas janelas do escritório do sr. Smith em Southampton Street, bem próxima à agitada Strand de Londres.

O sr. Smith tinha convidado Raffles, o mais renomado jogador de críquete da Inglaterra, para escrever um artigo sobre o jogo. Dando uma passada pelo escritório do sr. Smith para discutir o assunto, Raffles me levara consigo.

Sabendo o que eu sabia sobre o lado menos suspeitado da vida de Raffles, o lado criminoso, fiquei incomodado quando o sr. Smith, tendo chegado a um acordo com Raffles para o artigo sobre críquete, fez sua inesperada pergunta.

— Ora, sim, sr. Smith — respondeu Raffles, à vontade numa poltrona, de terno impecável, uma pérola na gravata, o cabelo escuro ondulado, o rosto forte bronzeado. — Penso que Bunny Manders e eu podemos dizer que somos, digamos, sherlockianos amadores. Não é, Bunny?

— Certamente, Raffles — murmurei constrangido, tomando sua deixa e aceitando um Sullivan da cigarreira que me oferecia.

— Devem estar interessados, então — disse o sr. Greenhough Smith —, em observar este grande cesto repleto de cartas em minha escrivaninha. Elas são apenas uma pequena parte da correspondência que vem chegando em grande quantidade, enviada pelos leitores da última história do dr. Conan Doyle, *O cão dos Baskerville*. É a 26ª aventura de Sherlock Holmes publicada. Seu primeiro fascículo apareceu ano passado, no número de agosto de 1901 da *Strand Magazine*. O oitavo e último está no número atual, que praticamente já desapareceu das bancas. Talvez estejam lendo a história?

— Bunny Manders e eu a consideramos — disse Raffles — a mais fascinante aventura de Holmes publicada até agora.

— Uma opinião, a julgar por estas cartas — disse o sr. Smith —, com que a maioria dos leitores concorda. Com uma curiosa exceção.

O tilintar de fiacres que passavam na Southampton Street era debilmente audível quando o sr. Smith, polindo seus óculos de homem culto, franziu a testa para uma carta aberta diante de si sobre seu mata-borrão.

— Sabe, sr. Raffles — ele continuou —, perguntaram recentemente ao dr. Doyle se ele baseou o personagem de Sherlock Holmes em alguém da vida real. Ele respondeu que tinha em mente um professor de seus dias de graduação na Universidade de Edimburgo, um certo dr. Joseph Bell. Quando lhe contaram isso, o sr. Bell sorriu. Disse que a gentil recordação da parte do dr. Doyle de seu velho professor era exagerada e que o Sherlock Holmes da vida real é, de fato, o próprio Conan Doyle.

Minhas palmas ficaram úmidas de embaraço porque Raffles e eu sabíamos, por experiência própria, que o comentário do dr. Joseph Bell era demasiado verdadeiro. Na época em que o dr. Conan Doyle era um médico obscuro na cidade naval de Portsmouth e publicara, sem muito sucesso, *Um estudo em vermelho*, a primeira de suas histórias de Sherlock Holmes, Raffles e eu tivéramos um encontro com ele e quase fomos para a prisão como resultado.

Agora no escritório do sr. Greenhough Smith 25 histórias de Sherlock Holmes depois, com o grande detetive e seu criador conhecido no mundo todo, a conversa tomara um rumo que eu achava claramente inquietante.

Mas Raffles apenas bateu a cinza de seu cigarro com indiferença e disse:

— Para sherlockianos amadores, o comentário do dr. Joseph Bell dá o que pensar, sr. Smith.

— Ultimamente — disse o sr. Smith —, a grande capacidade investigativa do próprio dr. Doyle esteve concentrada num desafio do tempo em que vivemos. Como talvez saibam, com o sucesso das histórias de Holmes, ele abandonou a medicina pela literatura. No entanto, quando a recente e lamentável guerra com os bôeres eclodiu, ele abandonou a literatura pela medicina, para servir na África do Sul, no Langman Field Hospital. Aquela fotografia dele foi tirada nessa época.

Entre os desenhos e fotografias assinadas nas paredes do santuário do sr. Smith estava o original, eu via agora, de uma ilustração para *O cão dos Baskerville*, mostrando Sherlock Holmes com chapéu de caçador e capa Inverness, disparando seu revólver à aparição de um gigantesco cão de caça, que atacava com olhos cintilantes e mandíbulas gotejantes de baba, saindo do nevoeiro de uma noite de Dartmoor.

Ao lado dessa ilustração do Holmes ficcional pendia uma fotografia de seu criador, o Sherlock Holmes da vida real. Grande, corpulento, basto bigode, usando roupa militar cáqui e um capacete, fumando um cachimbo curvo bôer, ele era mostrado de pé, uma figura firme, inflexível, contra um pano de fundo de barracas da Cruz Vermelha na ressecada savana sul-africana.

— Talvez tenham conhecido o dr. Doyle lá? — perguntou o sr. Smith.

— Como subalternos do corpo de cavalaria na época, Manders e eu servimos num setor diferente — disse Raffles, naturalmente deixando de fazer qualquer menção a nosso encontro com o dr. Doyle em Portsmouth, ocorrido anos antes da Guerra dos Bôeres.

— Agora que a paz foi restaurada — disse o sr. Smith —, o dr. Doyle sentiu que era seu dever investigar alegações estrangeiras, feitas não pelos próprios bôeres, de que os britânicos usaram balas dundum e cometeram outras transgressões. Como um médico que viu muitos prisioneiros bôeres, feridos e doentes, passarem por suas mãos, ele não viu nenhum indício que apoiasse essas alegações. Considera que elas emanam de fontes contaminadas, pessoalmente interessadas em manter a discórdia entre as nações.

— Os traficantes de armas — disse Raffles.

— Exatamente! E como nosso governo — prosseguiu o sr. Smith — aparentemente considera indigno de sua posição dar ouvidos a essas alegações, o dr. Doyle empreendeu a tarefa de investigá-las ele próprio, com grande dispêndio pessoal de tempo e dinheiro. Ele tem, hoje em dia, um público mundial. Ele sente que tem um dever para com esse público e a causa da paz, porque sabe que, quando fala, é com uma voz conhecida pelo mundo: a voz de Sherlock Holmes.

— Exatamente — comentou Raffles.

— O dr. Doyle reuniu suas evidências documentadas em refutação — disse o sr. Smith — num livro que ele intitulou *A guerra sul-africana: sua causa e conduta*, escrito sem remuneração e publicado muito abaixo do custo por um editor simpatizante. Com o objetivo de financiar a tradução do livro para muitas línguas e sua impressão e distribuição gratuita no mundo todo, foi criado um fundo para receber contribuições...

— Um fundo? — perguntou Raffles, seus olhos acinzentados alertas.

— Um "Fundo do Livro da Guerra" — respondeu o sr. Smith —, administrado pelo banco do próprio dr. Doyle e também, como os senhores sherlockianos talvez se lembrem, de Holmes: o Capital and Counties, agência de Oxford Street. É claro que essa grande tarefa que o dr. Doyle tomou sobre seus próprios largos ombros não lhe deixa nenhum tempo para a ficção. De fato, ele me contou que *O cão dos Baskerville* será sua última história de Holmes, o que é uma má notícia, é claro, para os autores de todas essas cartas. Por estranho que possa parecer, não ouso incomodá-lo com elas em sua presente disposição de ânimo, o que é uma pena, porque há uma aqui em particular que...

Ele se interrompeu e exclamou:

— Entre!

A porta se abriu para deixar entrar um rapaz alto, meticulosamente vestido numa sobrecasaca, com um colarinho alto e traços bem definidos, intelectuais.

— Meu editor assistente — disse o sr. Smith, apresentando o recém-chegado e entregando-lhe um maço de provas de página. — Você está precisando enviar isso para o sr. W.W. Jacobs? Muito bem, pode enviar agora. Não devemos deixar humoristas esperando. A propósito, eu estava pensando em ver qual é a impressão do sr. Raffles sobre aquela carta vinda de Dartmoor.

— É um embuste, sr. Smith — afirmou o editor assistente com firmeza. — É mais um humorista em ação, um humorista não licenciado. Seria um erro incomodar o dr. Doyle com isso, especialmente neste momento. Um embuste descarado iria não apenas irritar o dr. Doyle, mas reforçar sua determinação de não escrever novas histórias de Holmes. Cavalheiros, se me dão licença...

Com um enérgico aceno de cabeça para Raffles e eu, o editor assistente, obviamente ocupado, nos deixou.

— Ele provavelmente está certo sobre esta carta — disse o sr. Smith quando a porta se fechou. — Ela chegou hoje de manhã num envelope com o carimbo de Bovey Tracey. É uma cidadezinha, a "Coombe Tracey" de *O cão dos Baskerville*, na periferia de Dartmoor. Lançar um olhar novo sobre esta carta não fará nenhum mal. Como um homem do mundo, sr. Raffles, como o senhor interpretaria isto?

Li a carta — amadoristicamente datilografada numa máquina com fita azul desbotada — sobre o ombro de Raffles.

Dartmoor,
Devonshire.
27 de março de 1902

O Editor,
The Strand Magazine,
Londres

Senhor,

Como residente da área de Dartmoor, cenário de O cão dos Baskerville, *agora concluída no número atual de sua revista, li a narrativa com particular interesse.*

Seu autor, A. Conan Doyle, baseou sua história no caso, bem conhecido nesta área desde 1677, de sir Richard Cabell, senhor do Solar de Brooke na paróquia de Buckfastleigh. Esse baronete de vida calamitosa, no ato de estuprar uma virgem, teve sua garganta rasgada por um cão vingador que, depois, segundo a lenda, assumiu a forma de um fantasma, para vagar eternamente por Dartmoor.

Seu autor adaptou a lenda a seu próprio modo, transformando o Cão Fantasma na "maldição dos Baskerville" e usando habilmente a topografia e certos fenômenos de Dartmoor para dar verossimilhança à sua história. Entre tais fenômenos mencionados por ele estão estranhos uivos noturnos ouvidos por vezes, como fossem de fato de algum enorme cão latindo para a lua. Céticos atribuem esses sons a causas naturais — o vento nas pedras dos picos rochosos da charneca ou a lenta ascensão e escapamento de gases vegetais das profundezas dos traiçoeiros brejos de Dartmoor, como o pântano do Pico Rochoso da Raposa que seu autor escolheu chamar de "grande charco de Grimpen".

Esses sons, e outros fenômenos mencionados em sua história, nunca foram de fato satisfatoriamente explicados. Eu esperava que seu autor pudesse propor alguma teoria para explicá-los. Vejo agora, contudo, que ele se contenta em encerrar sua história com o sr. Sherlock Holmes matando o "cão fantasma" com cinco tiros de revólver, provando que a besta era mortal e estava besuntada com pasta fosforescente para que um malfeitor obtivesse uma herança por meio de trapaça.

Senhor, devo confessar uma ligeira decepção e sinto-me obrigado a lhe descrever uma recente experiência que tive.

Como uma espécie de folclorista, cultivei a familiaridade, devido a seu conhecimento único da charneca, com certo caçador de veados, ladrão de ovelhas, um completo vagabundo. Sinto-me francamente envergonhado por minha associação oculta com o homem. Entretanto, ele se aproximou furtivamente de minha porta dos fundos uma noite, não muito tempo atrás. Sua espingarda de caça de cano curto tinha sido confiscada.

Ele suplicou que lhe emprestasse minha espingarda calibre 12 e um punhado de cartuchos. Havia algum tempo, entendi, uma cadela mestiça que ele tinha, um animal esguio, acinzentado, que ele chamava de Skaur, estava solta na charneca. Agora estavam surgindo problemas por causa de ovelhas cruelmente estropiadas e outras depredações. A polícia procurava o culpado — Skaur, meu conhecido tinha certeza, embora tivesse se convencido havia muito tempo de que a cadela estava morta e enterrada. Se a polícia a capturasse e provasse quem era o seu dono, isso significaria cadeia para ele, pois não poderia pagar as multas e indenizações.

Ele estava em tal pânico, querendo localizar Skaur antes que a polícia o fizesse, que lhe emprestei minha arma. Cerca de uma semana depois, ele apareceu à minha porta, um homem profundamente abalado. Ele tinha avistado Skaur e atirara nela, aleijando-a. Seguindo seu rastro de sangue, ele a encontrou, entocada entre as rochas. Ela arquejava, sangrando, com três filhotinhos acinzentados sugando tão selvagemente suas tetas que parecia que seria devorada enquanto ainda estava viva.

Enquanto ele estava agachado, olhando para a toca na claridade do fim do dia, sob um vento uivante, algum instinto o fez olhar em volta. Ele jura que, movendo-se furtivamente em direção a ele, havia um animal, grande como um cavalo, espectral — alguma espécie de enorme cão de caça. Ele atirou nele, freneticamente — e a aparição sumiu.

O sujeito estava em tal estado quando foi me procurar que o máximo que pude fazer foi conseguir, no dia seguinte, que ele me conduzisse na longa e árdua caminhada através de algumas das piores partes de Dartmoor até a suposta toca.

Ela existe. Skaur jazia lá, morta, rasgada e despedaçada por seus próprios filhotes. Senhor, nunca vi em pele de animal marcas tão curiosas quanto aquelas nessas criaturas selvagens. Eu as encurralei dentro da toca e, com considerável dificuldade, mantive-as vivas. Curioso em relação a seu pai, fiz longas vigílias na toca durante dia e noite, mas não tive nenhum vislumbre do animal descrito por meu conhecido vagabundo, embora tenha ouvido, em duas ocasiões, um uivo distante, doloroso, como o de um cão de caça — mas nenhuma conclusão, é claro, pode ser extraída desse fenômeno noturno.

Não posso dedicar mais tempo a este assunto. Pretendo atirar nos filhotes. Não tenho nenhum desejo, como haverá de compreender, de que minha associação com esse repulsivo conhecido venha à luz. Devo zelar por minha boa reputação local — e, por isso, manter meu anonimato neste assunto. Farei, entretanto, esta concessão: Se seu autor desejar ver os estranhos filhotes, ele deve publicar imediatamente, na coluna Pessoal do diário Devon & Cornwall Gazette, *um anúncio nos seguintes termos: "Sirius — aguardam-se instruções."*

Será então enviado para seu escritório um mapa de Dartmoor em que estará claramente marcada a localização precisa da toca dos estranhos filhotes. O que seu autor poderá então escolher fazer a respeito deles, caso investigue a questão, será de responsabilidade dele, não minha.

Caso nenhum anúncio apareça, como especificado acima, até o dia 7 de abril, colocarei em prática a intenção que expressei nesta notificação.

Nesse ínterim, com meus cumprimentos,

Sirius

— Então, sr. Raffles? — perguntou o sr. Greenhough Smith quando Raffles lhe devolveu a carta.

— Um embuste, obviamente — disse Raffles. — Não é, Bunny?

— Sem dúvida, Raffles — respondi.

— Quão bem, sr. Smith — perguntou Raffles, dando uma olhadela na ilustração do Sherlock Holmes ficcional e na fotografia do Sherlock Holmes da vida real na parede —, o dr. Doyle conhece Dartmoor?

— Ele passou alguns dias lá, pesquisando para *O cão dos Baskerville* — retrucou o sr. Smith —, exatamente nesta época ano passado. Estava com seu amigo, sr. Fletcher Robinson, de Ipplepen, Devonshire, que conhece bem Dartmoor e falou ao dr. Doyle sobre a lenda do Cão Fantasma que inspirou sua história dos *Baskerville*. Sabe, lamento, em certo sentido, que o senhor considere esta carta um embuste. Tinha uma leve esperança de que, se eu deixasse o dr. Doyle vê-la, ela pudesse acender uma centelha em sua mente criativa e resultar talvez numa continuação de *O cão dos Baskerville*.

— Receio — disse Raffles com um sorriso — que mais provavelmente fosse irritá-lo, como observou seu editor assistente.

— O bom senso me diz que o senhor está certo, é claro. Ah, bem! — o sr. Smith pôs a carta, com certa relutância, numa gaveta de sua escrivaninha e adotou um tom de negócios. — Agora, sr. Raffles, sobre a data de entrega para seu artigo sobre críquete...

Com uma data prontamente aceita por Raffles, despedimo-nos.

— Suponho que, como é costume quando você recebe um convite para escrever sobre críquete, Raffles — falei, enquanto flanávamos por Southampton Street —, você espera que eu, como ex-jornalista, escreva esse artigo para você.

— Por que outra razão, exceto para que ouvisse as instruções do sr. Smith sobre o artigo, eu teria levado você comigo esta manhã, Bunny? Aparições inocentes na imprensa são um útil disfarce para minhas, digamos, atividades menos inocentes. Mas o ofício literário é mais da sua seara que da minha, embora não fosse prudente mencionar sua função espectral para o sr. Smith.

— Entendo — respondi. — Não estou me queixando. Sinto apenas, vendo que as dores do parto da composição caem sobre mim, que você poderia ter insistido numa data de entrega mais tardia.

— Você se arranjará, Bunny — disse Raffles, distraído. — O ar de Dartmoor vai estimular sua musa.

— Ar de Dartmoor? — parei de súbito. — Por que iríamos para Dartmoor?

Raffles lançou-me um estranho olhar.

— Para falar com um homem sobre um cachorro, Bunny... se conseguirmos encontrá-lo!

No compartimento de primeira classe para fumantes em que viajávamos no trem que seguiu para o Devonshire no dia seguinte, Raffles me explicou seu raciocínio:

— O dr. Doyle provavelmente já se esqueceu há muito tempo de nosso encontro com ele em Portsmouth, Bunny, mas eu nunca. Cometi um erro humilhante naquela ocasião. Ele o detectou. Respeito aquele homem. A imagem que ele fez de mim daquela vez em Portsmouth é algo que não posso esquecer até ter acertado as contas com ele. Se eu pudesse lhe prestar um serviço, ainda que ele possa nunca ficar sabendo, eu sentiria, em minha própria mente, que saldei uma dívida pendente há muito tempo com meu amor-próprio. E poderia virar a página e esquecer.

Uma forte pancada de chuva açoitava as janelas do trem.

— Raffles — eu disse, incomodado —, certamente não deveríamos mexer com isso e deixar esse cão dormir em paz.

— A intuição me diz, Bunny, que o cão naquela carta de "Sirius" já está completamente acordado. Penso que a carta é uma tentativa de montar uma armadilha. Que "Sirius" é um homem com uma missão. Acho que ele é um lacaio daquelas "fontes contaminadas" que gostariam de impedir a tradução e a distribuição gratuita no mundo inteiro do livro do dr. Doyle refutando suas alegações nocivas. Ele carrega todo o projeto em seus próprios ombros. Remova o dr. Doyle da equação de alguma maneira que parecesse um mero acidente, e seu projeto de alcance mundial fracassaria prematuramente, levando com ele a carreira do Sherlock Holmes ficcional, que terminaria junto com a carreira daquele da vida real.

— Sendo ele quem nós sabemos que é, o dr. Doyle não seria tão rápido quanto você para suspeitar uma armadilha naquela carta?

— Claro que seria, Bunny. E, sendo o homem que é, ao ver a carta poderia decidir rastrear "Sirius" ele mesmo. Foi por isso que eu disse ao sr. Greenhough Smith que achava que a carta era um embuste. "Sirius" pensou, é claro, que ela seria imediatamente encaminhada ao dr. Doyle, mas não podia saber o que nós sabemos: que o sr. Smith estava indeciso com relação a ela, num dilema editorial. Nós não queremos que o dr. Doyle veja aquela carta, Bunny, porque queremos *nós mesmos* recolher "Sirius" ao canil!

— Como?

— Ele tem um ponto fraco, Bunny. Toda a sua carta deixa evidente. Ele é um sherlockiano!

Olhei bem para ele. O trem seguia com estrépito, vibrando, através da chuva e do vento. Raffles ofereceu-me um Sullivan de sua cigarreira.

— Considere o que provavelmente aconteceu, Bunny. Suponha que "Sirius" tenha sido instruído a frustrar os planos do dr. Doyle. Procurando uma maneira de se aproximar dele, "Sirius" lê *O cão dos Baskerville*, com suas vívidas descrições dos riscos naturais de Dartmoor. Onde seria mais provável que o dr. Doyle se deparasse com um acidente fatal, pensou "Sirius", do que entre os cenários de sua própria história... se fosse possível atraí-lo para lá de alguma maneira?

Meu coração começou a bater com força.

— Se eu estiver certo — continuou Raffles —, a ideia de uma armadilha provavelmente começou a ganhar forma na mente de "Sirius" quando ele terminou sua leitura de *O cão dos Baskerville*, cujo final, ele diz, o "decepcionou". É extremamente improvável que o homem seja, de fato, um residente de Dartmoor. Então o que ele poderia fazer?

— Um reconhecimento da área — respondi — para decidir exatamente onde e como poderia melhor planejar uma armadilha.

— Além disso, Bunny, ele quereria descobrir exatamente quão familiarizado com a região o dr. Doyle realmente é. "Sirius" provavelmente faria uma pergunta aqui e outra ali para descobrir se ele tinha explorado Dartmoor pessoalmente e, se for o caso, quão extensamente. Sendo assim, o que você e eu devemos procurar?

— Um estranho questionador!

— Fazendo perguntas, Bunny, provavelmente nas duas últimas semanas, porque o número atual de *The Strand Magazine*, contendo o fim da história dos *Baskerville*, só foi lançado recentemente. Não deverá ser difícil encontrar "Sirius". Ele é como você e eu: um sherlockiano desviante.

— Desviante?

— Sherlockianos reconhecidos, Bunny, estão interessados no Sherlock Holmes *ficcional*. Você e eu estamos interessados em seguir os passos do Sherlock Holmes da vida real: dr. Doyle. Assim também está "Sirius", suspeito. Ora, como o sr. Greenhough Smith nos contou, o dr. Doyle *de fato* visitou Dartmoor quase exatamente um ano atrás. Se pudermos descobrir quem andou farejando, mais recentemente, para descobrir uma pista de Doyle em Dartmoor, teremos descoberto o cão de caça vira-lata, o sherlockiano desviante: "Sirius". E aqui, ao que parece — ainda acrescentou Raffles —, eis que surge nosso primeiro vislumbre da charneca.

A tarde estava chegando ao fim. Colinas áridas varridas pelo vento e a chuva assomavam a distância — os bastiões remotos de Dartmoor com seus sombrios picos rochosos e pântanos trêmulos, seus círculos neolíticos de pedras e sua famigerada prisão. Quando olhei pela janela do trem para aquelas melancólicas colinas de sentinela, minha própria leitura de *O cão dos Baskerville* me trouxe uma sensação perturbadora de já ter estado ali — na companhia de Sherlock Holmes, dr. Watson e o ameaçado sir Henry Baskerville.

Depois de fazer baldeação para um trem local, Raffles e eu chegamos a Lydford Station à noite e nos hospedamos numa estalagem abaixo de Black Down na periferia da charneca.

— Dr. Conan Doyle? — perguntou a proprietária em resposta à indagação de Raffles. — Por aqui nesta época ano passado? Não, senhor, não me lembro de nenhum dr. Doyle.

— Teve algum visitante durante as duas últimas semanas?

— Não, os senhores são os primeiros em muitos meses. Dartmoor recebe mais visitantes no verão. Em geral eles gostam de ver o Sepulcro, que é o túmulo de sir Richard Cabell, aquele que era Senhor do Solar, que na flor da idade frequentava prostitutas e criava baderna por toda Buckfasleigh. Terminou com a garganta rasgada pelo cão que virou fantasma, como é bem sabido nestas partes.

Raffles e eu trocamos um olhar.

— Há um buraco de fechadura na porta do túmulo de sir Richard — disse a estalajadeira — e, até hoje, se você enfiar o dedo ali, o esqueleto se levanta e vem dar uma mordida nele.

— Há mistérios em Dartmoor, senhora — concordou Raffles. — Vai nos acompanhar num drinque para relaxar? O que vai tomar?

— Apenas um pequeno porto com hortelã — disse a estalajadeira com elegância.

Durante todo o dia seguinte Raffles esteve pela charneca num cavalo de caça alugado, procurando alguma notícia da visita do dr. Doyle à região no ano anterior. O tempo estava horrível, e não lamentei que meu dever como "ghost-writer" de Raffles me mantivesse dentro de casa junto à aconchegante lareira, trabalhando em seu artigo sobre críquete, enquanto o vento uivava nos beirais de colmo gotejantes.

Quando a pálida luz do dia desapareceu e a estalajadeira trouxe o lampião, o acendeu e puxou as acolhedoras cortinas contra a escuridão uivante, ainda não havia sinal de Raffles. Era uma noite em que se podia acreditar no Cão Fantasma, uma noite para ele estar à espreita na desolada charneca. Comecei a ficar ansioso. Mas, finalmente, Raffles voltou, ensopado até os ossos. Depois que trocou de roupa e a senhora pôs na aconchegante mesa, diante de nós, uma grande carne assada e uma jarra espumante de cerveja de barril castanho-clara, fui deixado sozinho com ele e lhe perguntei como se saíra.

— Nada mal, Bunny — disse ele. — Comecei em Bovey Tracey, do outro lado da charneca. É a "Coombe Tracey" de *O cão dos Baskerville*, e topei com o que estamos procurando: a pista por trás da história. — Obviamente faminto, ele começou a trinchar o suculento filé, perfeitamente assado. — Dr. Conan Doyle é lembrado em Bovey Tracey, tanto ele quanto seu amigo sr. Fletcher Robinson. Dois grandes e afáveis cavalheiros, de bigode, se divertindo em suas explorações em Dartmoor para a história do dr. Doyle sobre o Cão de Caça.

— E quanto a Sirius?

— Por enquanto, nem sinal desse sherlockiano intrometido. Com sorte, vou encontrar a pista dele amanhã. Por favor me passe o rabanete, Bunny.

Mas foi somente em nossa quarta noite na estalagem Black Down que Raffles voltou de suas próprias explorações com um brilho nos olhos que eu conhecia bem.

— Peguei-o, Bunny! Encontrei sua pista em Widecombe-in--the-Moor. Tive a sorte de entabular conversa com o vigário de lá, um homem idoso, ele mesmo um devotado sherlockiano. Ele me contou sobre um homem que visitou a casa paroquial há cerca de dez dias, um indivíduo alto, magro, de olhar malicioso, um estranho para o vigário, que disse haver algo no sujeito que o fez pensar em alguns versos que o poeta Shelley escreveu certa vez. O velho vigário recitou-os para mim:

Encontrei o Assassinato no caminho.
Ele usava uma máscara como Castlereagh.
Parecia muito encanecido e soturno.
Sete cães de caça o seguiam.

— Meu Deus, Raffles! — sussurrei.

— Aparentemente — disse Raffles — ele disse ao vigário que era um livreiro que visitava casas de campo e daria uma boa quantia por qualquer primeira edição de que estivessem dispostos a se desfazer, como primeiras edições de livros do dr. Conan Doyle, por exemplo. Um bom estratagema, Bunny, para começar a perguntar se o dr. Doyle tinha visitado a área.

— É "Sirius", certamente!

— Não tenha dúvida. Mas há somente *dois* cães de caça seguindo-o: você e eu, Bunny. E a pista está quente e fétida agora, porque o velho vigário me disse que reconheceu o cavalo que o sujeito montava, um animal alugado de uma estalagem chamada Rowe's Duchy Hotel, em Princetown.

— É onde fica aquela odiosa prisão, Raffles.

— O ponto mais alto de Dartmoor, Bunny: Princetown. Vamos transferir nossa base para lá amanhã de manhã.

À noite o vento diminuiu. O tempo mudou. Alugamos uma charrete da estalajadeira. Raffles tomou as rédeas. Sob um céu carregado, avançamos estrepitosamente pela estrada esburacada para Princetown. Uma estranha calma pairava sobre a charneca, sua desolação aliviada aqui e ali por grandes e lisas manchas de verde em meio às pedras e a urze — o verde enganoso, convidativo, dos charcos mortíferos. Os distantes picos rochosos assomavam, estranhos e irregulares na distância, emergindo de uma neblina cada vez mais densa.

De repente, naquela estrada solitária, topamos com uma assustadora procissão — uma fileira de presidiários que se arrastavam vestindo calções e túnicas estampadas com largas pontas de flecha, como tudo que era propriedade do governo britânico. Sob uma forte escolta de guardas civis uniformizados de azul e armados com carabinas e baionetas, os perdedores nascidos na Grã-Bretanha se arrastavam penosamente com picaretas e pás nos ombros, suas cabeças sombrias, raspadas, afundadas no peito.

— Olhe ali, Bunny — Raffles murmurou —, pela graça de Deus...

Bati na madeira enquanto nossa charrete passava chacoalhando. E, por volta da hora do almoço, surgiu à nossa frente a casa de mil ódios, a mais famigerada das penitenciárias, seu grande e lúgubre complexo de edifícios elevando-se duramente sobre o pequeno e atarracado aglomerado de habitações, Princetown, isolada sob o céu cor de chumbo.

— Cautela é nosso lema, Bunny — disse Raffles ao frear nosso cavalo diante da comprida estalagem de pedra que dava frente para a prisão do outro lado de uma profunda depressão na charneca. — Vamos sondar o terreno.

Encontramos o estalajadeiro atrás de seu balcão no salão do bar. Um homem robusto em mangas de camisa com um topete ensebado, ele estava polindo o tabuleiro de *shove ha'penny*.[2] Ele nos deu bom dia e Raffles pediu um uísque com soda para cada um de nós.

— Viram algum detento na estrada? — perguntou uma voz.

Demos as costas ao balcão. Havia outro freguês presente, sentado num banco de madeira junto à janela. Esguio, alto, forte, rosto macilento com uma boca maliciosa, apertada, sob um bigode pequeno, de pontas enceradas, do tipo sargento-mor, ele usava uma sobrecasaca abotoada até em cima e um chapéu-coco.

— Sim — disse Raffles —, vimos um grupo.

— Saindo das pedreiras, hum? A esta hora? Isso significa que o nevoeiro está avançando.

O homem esvaziou sua caneca, enxugou o bigode com uma bandana vermelha, levantou-se e, com um seco aceno de cabeça para o estalajadeiro, retirou-se.

— Tome alguma coisa o senhor também — disse Raffles ao estalajadeiro.

— Obrigado, senhor. Apenas um pequeno trago de gim, para me abrir o apetite. Os senhores estão de férias?

— Furtando alguns dias da rotina de trabalho — disse Raffles. — Talvez como aquele cavalheiro, que acabou de sair?

— Bem, não, senhor, esse é... Mas é melhor não mencionar seu nome, ele gosta de mantê-lo em segredo. — O estalajadeiro lançou um olhar à sua volta e baixou a voz. — Cá entre nós, cavalheiros, ele é o Homem do Gato.

Olhei para ele. Tínhamos vindo a Dartmoor para procurar um homem a propósito de um cão.

— O Homem do Gato? — perguntou Raffles.

O estalajadeiro assentiu com a cabeça.

— Não é como nos maus tempos de antigamente, senhor, quando isso era feito de qualquer maneira. Estamos num novo século agora. Hoje em dia, quando um detento é condenado a levar

---

2 Jogo tradicional dos *pubs*. (N.T.)

açoites, isso tem que ser feito de forma civilizada. Por isso o Homem do Gato é enviado pela Comissão Penitenciária de Londres para aplicar a punição. Ele traz um açoite, o chamado "gato de nove caudas", embalado com a devida higiene. Tem que fazer seu serviço dentro de um tempo prescrito depois de o detento ter sido sentenciado, para evitar angústia mental, e aplicar os golpes da maneira mais eficiente, científica. Ele fica hospedado comigo por uma ou duas noites quando vem a trabalho. Quando se hospeda na prisão, os detentos parecem farejar sua chegada. Eles fazem barulho a noite toda, uivando *miau* como um milhar de gatos lascivos no telhado, para não deixá-lo dormir. Eles armam uma algazarra infernal para solapar suas forças. O homem é apaixonado demais pelo trabalho para o meu gosto. Recebo uma diária da Comissão por lhe fornecer alojamento, mas não posso dizer que gosto dele.

— Tenho certeza disso — concordou Raffles. — Senhor, acho que tomaremos outro drinque. Esse cavalheiro é seu único hóspede no momento?

— Não, senhor, temos outro na casa. Um cavalheiro livreiro. Percorre as casas de campo para comprar livros antigos, não que pareça ter muita sorte. Perguntou-me, quando chegou, mais ou menos há uma semana, se por acaso eu tinha lido a história sobre o Cão Fantasma numa revista. Bem, não tenho tempo para ler, mas o autor dela ficou hospedado aqui cerca de um ano atrás, um tal de dr. Doyle, que tinha um sr. Robinson e um sr. Baskerville com ele.

— Sr. *Baskerville*? — exclamou Raffles.

O estalajadeiro deu uma risadinha.

— Mostrei nosso Livro de Hóspedes ao livreiro para prová-lo. — Ele tirou um volume com capa de couro de baixo do balcão, consultou as páginas, depois virou o livro para Raffles e para mim. — Vejam por si mesmos, senhores.

Sob a data 2 de abril de 1901 estavam duas assinaturas, uma firme e clara, a outra em grossos garranchos:

A. Conan Doyle, M.D., Norwood, Londres.

Fletcher Robinson, Ipplepen, Devon (e cocheiro, Harry M. Baskerville).

— O sr. Robinson trouxe sua própria carruagem e um cocheiro, vejam — disse o estalajadeiro. — O sr. Baskerville conduzia os dois cavalheiros para cá e para lá na charneca, depois esperava na carruagem enquanto os dois cavalheiros caminhavam para pontos onde só podiam chegar a pé. O sr. Baskerville fazia suas refeições na cozinha, comigo, minha família e o pessoal. Ele estava muito satisfeito porque o dr. Doyle lhe perguntara se se importaria de ser tornado cavaleiro e posto numa história como sir Henry Baskerville. Rimos muito.

— Ora, ora! — disse Raffles. — Há mais do que parece por trás dessas histórias. O seu hóspede livreiro ainda está aqui?

— Sim, senhor. Apenas está fora agora. Passa o dia todo fora, a maior parte dos dias, num cavalo que lhe alugo. Se não voltar bem antes do anoitecer, ao que parece, vai ser apanhado pelo nevoeiro e obrigado a se abrigar num casebre de pastor. Dartmoor é perigosa no nevoeiro.

— Então talvez seja prudente passarmos a noite aqui, nós mesmos — disse Raffles. — Tem dois quartos vagos?

— Certamente, senhor.

Assim que fomos levados a nossos quartos, juntei-me a Raffles no seu.

— O tal livreiro é o nosso homem, Bunny. Ele é "Sirius", com certeza. Quero encontrar o quarto dele e dar uma olhada enquanto está fora. — Raffles abriu uma porta, escutou na fresta, depois se virou. — Sons de refeição vindos de baixo, Bunny. O pessoal da estalagem está na cozinha, comendo. Agora é a minha chance. Vigie daquela janela. Se um homem de rosto acinzentado num cavalo chegar, abra esta porta e comece a assobiar *Bebe, cãozinho, bebe.*

Ele desapareceu. Olhei pela janela. Pensei na carta de "Sirius" que sugeria a existência de "filhotes de Baskerville", e a velha cantiga de caça de Whyte-Melville passou sinistramente pela minha cabeça:

Bebe, cãozinho, bebe, e deixa beberem todos
que têm idade bastante para lamber e engolir,

Pois cão de caça vão virar, então, de boca em boca,
vamos a garrafa passar,
E alegremente ulular e gritar!

Lá fora, uma névoa sorrateira começava a escurecer ligeiramente os lúgubres edifícios da prisão do outro lado da funda depressão na charneca. Nossa charrete continuava parada em frente à estalagem, o cavalo mascando em seu embornal. Nenhum homem a cavalo surgiu misteriosamente da névoa. E de repente, silenciosamente, Raffles estava de volta ao quarto.

— Peguei-o, Bunny! Identifiquei seu quarto porque é o único em que há alguns livros. Havia uma mala trancada. Abri-a com o pequeno instrumento que carrego. Há uma pequena máquina de escrever Blick com uma fita desbotada lá dentro.

— Isso resolve a questão — eu disse.

— Não completamente, Bunny. Há também um envelope contendo cinco maços de notas de dinheiro, cada maço com cem libras. Não ousei pegá-las, é claro. Há um mapa Ordinance Survey, a agência cartográfica nacional da Grã-Bretanha, de Dartmoor na mala. Dei uma olhada no mapa. Pude discernir as marcas de pressão quase indistintas deixadas por um lápis quando uma cópia do mapa foi feita, com um pequeno *x* marcado nela.

— A suposta "toca dos filhotes", Raffles!

— Não só isso, Bunny. Havia também uma cópia do diário *Devon & Cornwall Gazette* na mala, com um pequeno anúncio na coluna Pessoal circulado a lápis: "Sirius — aguardam-se instruções."

Meu coração parou.

— A coisa que menos queríamos deve ter acontecido, Bunny — disse Raffles, seus olhos acinzentados duros. — O sr. Greenhough Smith *mostrou* a carta de "Sirius" para o dr. Doyle, e esse Sherlock Holmes da vida real farejou a armadilha nela. Maldição! Ele certamente fez isso, sabendo o que *nós* sabemos sobre ele! Se ele inseriu esse anúncio no jornal é porque decidiu pegar "Sirius" ele mesmo, conhecendo as "fontes contaminadas" para as quais o sujeito provavelmente está trabalhando. Mas, Bunny, esse exemplar da *Devon & Cornwall Gazette* é de quatro dias atrás! Verifiquei a data. — Enquanto falava, Raffles vasculhava as coisas em sua própria maleta. — Entende o que isso significa, Bunny? Se a cópia do mapa mostrando a suposta toca dos filhotes foi enviada a *The Strand Magazine* no dia em que o anúncio apareceu na *Gazette*, ela pode ter chegado ao dr. Doyle anteontem, supondo que o correio tenha funcionado normalmente. Ele pode estar na charneca agora, o Holmes da vida real! Pode já ter apanhado "Sirius" numa contra-armadilha.

— Ou — eu mal ousava dizê-lo — "Sirius" o apanhou.

— Minha aposta, lembrando de Portsmouth, vai para o Holmes da vida real — disse Raffles sombriamente. Ele estava estudando seu próprio mapa Ordinance, desencavado de sua maleta. Fez um pequeno *x* no mapa com um lápis. — Aqui estamos, Bunny. Aqui está ela, lá na charneca, a suposta "toca dos filhotes", nas fileiras de pedra, perto do pico rochoso Higher White. Foi ali que "Sirius" armou sua armadilha e onde tem ficado de vigília todos os dias, até que Doyle caminhe cegamente para ela... Isso é o que "Sirius" *espera*!

— Por tudo que sabemos — eu disse — ele pode estar lá neste momento.

— Bunny — disse Raffles sombriamente —, *os dois* podem estar lá neste momento, um seguindo o outro neste nevoeiro que se aproxima. Pode haver *apenas* uma chance para intervir e acertar uma antiga conta. A charrete está lá fora. O mapa mostra que o pico rochoso Higher White e as fileiras de pedras estão situados mais ou menos ao norte a partir daqui de Princetown. Vamos!

Raffles segurando as rédeas, o cavalo seguia tilintando, ora num trote, ora num meio galope, por uma trilha difícil através da charneca, as rodas da charrete sacolejando e rangendo. A névoa, adensando-se lentamente sobre a charneca, começava a ganhar a cor cinzenta que pressagiava a ameaça do denso nevoeiro de Dartmoor.

Logo depois, a trilha tornou-se impossível para a charrete. Saltamos e seguimos a pé. Urze, esparsa e rija, crescia entre sílices espalhados, soltos, que se tornavam mais abundantes à medida que avançávamos.

— Lascas de sílex pré-históricas, Bunny — disse Raffles —, obras de nossos ancestrais vestidos com peles, os Primeiros Homens. Devemos estar chegando perto de seu povoamento, as fileiras de pedras.

Subitamente, ouviu-se um grito, fino e desumano, vindo de algum lugar à frente. Detivemo-nos, ouvindo. Novamente veio o grito, elevando-se num guincho relinchado, desesperado, e cessou abruptamente.

— Lá se vai um cavalo de Dartmoor — disse Raffles — atolado em algum pântano, não longe daqui.

Senti o vapor insidioso, como suor desagradavelmente frio em meu rosto à medida que caminhávamos — cegamente, da minha parte — por uma encosta acima que agora era praticamente uma ladeira de lascas de sílex, vestígios dos Primeiros Homens.

— Abaixe-se! — sussurrou Raffles. — Ouça!

Deitado de bruços ao lado dele, discerni um espessamento na névoa à frente. Um pouco acima do nosso nível, era provavelmente um dos círculos da Idade da Pedra, lá em cima sobre um pequeno platô. Ouvi um ligeiro som de alguém pisando em folhas secas. Alguém andava por ali entre as ruínas.

Raffles ergueu-se ligeiramente, mantendo-se deitado. Acompanhei-o. A borda rochosa do platô avultava agora logo acima de nós. Distingui a forma vaga de um homem lá em cima. De nosso ponto de vista, de um ângulo inferior, ele parecia um mudo de funeral[3] muito magro e alto, de cartola e luto fechado.

— O livreiro — sussurrou Raffles em meu ouvido. — "Sirius".

As longas pernas do homem moviam-se como tesouras enquanto ele andava lentamente para cá e para lá entre a borda do platô e a parede arruinada de um círculo de pedra vagamente per-

3 O "*funeral mute*", que existiu na Europa de 1600 a 1914, era uma pessoa contratada para ficar por perto do caixão com semblante triste, consternado. (N.T.)

ceptível na névoa. Uma estranha figura, esse macilento assassino que tinha estado cavalgando por Dartmoor num cavalo alugado, farejando a pista do ano anterior do autor de *O cão dos Baskerville*.

O homem desapareceu de vista ao dobrar o ângulo da parede do círculo de pedra. Aproveitamos nossa chance para subir um pouco mais, depois nos imobilizamos quando ele reapareceu. Ele retomou sua marcha. Continuamos abaixados. Eu podia sentir as batidas do meu coração contra o chão. Pareceu que horas se passaram. Um homem de extrema paciência, esse "Sirius", que já devia ter passado dois, talvez três dias assim, vigiando sua armadilha, usando como isca filhotes que nunca existiram.

No mesmo momento que esse pensamento cruzou minha mente, enquanto eu estava lá agachado ao lado de Raffles na encosta íngreme, nessa solidão silenciosa, abafada pela névoa, o homem interrompeu seus passos e ficou parado, como se ouvisse atentamente. Em seguida fez algo que eriçou meus cabelos.

Uivou como um cão choroso.

O lamento se perdeu aos poucos na névoa. Tudo estava quieto, o homem uma longa sombra, ouvindo. Escutei debilmente, como se da ladeira mais distante do platô, o tinido das patas de um cavalo ferrado, que andava. Os sons pararam.

Um ganido soou, um súbito gemido como que de dor, um latido agudo, rosnados e resmungos. Se a fonte humana desses sons caninos não estivesse vagamente visível ali em cima, eu teria jurado que eles emanavam de uma ninhada de filhotes numa toca em meio às ruínas.

— É a isca — sussurrou Raffles. — Ele está com um revólver na mão agora. Segura-o como um porrete. Está atraindo seu homem à procura da toca. Quando ele se aproximar da parede do círculo, levará um golpe que o fará desmaiar e será arrastado para ser jogado no charco onde ouvimos o cavalo gritando ao ser sugado para baixo.

— Quem está vindo? — sussurrei. — O dr. Doyle?

Não obtive nenhuma resposta de Raffles, porque exatamente naquele momento, das ruínas obscurecidas pela névoa das moradias dos Primeiros Homens, uma voz ressoou, chamando:

— Há alguém aí?

Silêncio. Depois súbitos e agudos latidos, num tom de desafio e interrogação, com se viessem da toca oculta dos "Filhotes de Baskerville". E, antes que eu percebesse sua intenção, Raffles investiu para cima, agarrou pelos tornozelos o homem que ladrava e puxou seus pés de baixo dele.

Ele caiu de costas contra a parede do círculo de pedra, libertou seus tornozelos com um puxão, mirou um chute na cabeça de Raffles, depois deu um enorme salto por cima de nós dois com as abas do paletó esvoaçando. Pousou na ladeira, escorregou por ela numa cascata de lascas soltas de sílex e desapareceu na névoa.

— Quem está aí? — novamente a voz peremptória, acima de nós.

Levantamos os olhos. De nosso ângulo, o homem que estava parado agora acima de nós avultava na névoa — não uma figura corpulenta como o dr. Conan Doyle, mas um homem magro, um homem que usava chapéu de caçador e capa Inverness, uma figura conhecida no mundo todo, uma figura saída de *O cão dos Baskerville*.

Tive a impressão de ouvir o fino gelo da razão humana estalar.

Nem Raffles nem eu nos mexemos, olhando para cima.

— Quem são vocês? — perguntou o homem na borda, firmemente autoritário, muito visível em sua eminência. — Exijo uma resposta. Estão reconhecendo com quem estão tratando?

Ouvi Raffles inspirar lentamente ao meu lado, como se libertado de um cativeiro. Subindo com dificuldade até a borda, postou-se ereto ali.

— Sim, já nos conhecemos — disse ele cortesmente ao recém-chegado. — O senhor é o editor assistente da *The Strand Magazine*. Como vai?

Meu próprio transe encantado se dissolveu. Com a razão recobrada, apesar das reservas em relação às roupas do recém-chegado, subi até a borda.

Com desenvoltura, Raffles explicou que, como sherlockianos amadores, ele e eu tínhamos sido estimulados por nossa leitura de

O cão dos Baskerville a passar alguns dias em Dartmoor enquanto ele trabalhava em seu artigo sobre críquete. Ao visitar esse sítio pré-histórico, as fileiras de pedra, ele notara um homem ali, comportando-se de maneira estranha. Enquanto o observávamos, ele tinha começado de repente a soltar espuma pela boca e emitir sons caninos. Acreditando que ele fora acometido por um ataque de alguma espécie, tínhamos tentado socorrê-lo, mas ele eludira nossas prestimosas atenções e escapara.

—Tive a impressão de ouvir um cavalo se afastar galopando — disse Raffles. — Ele devia ter um amarrado em algum lugar ali embaixo, na névoa.

— Mas por Deus! — exclamou o editor assistente. — Não compreende, sr. Raffles? Aquele devia ser o próprio homem, "Sirius", o farsante dos *Baskerville*!

— Será verdade? — disse Raffles, assombrado. — Bunny, que pena que o perdemos!

O editor assistente, parecendo bastante irritado com nossa incompetência, explicou que havia se convencido desde o início de que a carta de "Sirius" era uma farsa. Para provar isso para o sr. Greenhough Smith, que ainda estava um pouco inclinado a deixar o dr. Doyle ver a carta, persuadira o sr. Smith a deixá-lo inserir a resposta — "Aguardam-se instruções" — no *Devon & Cornwall Gazette*.

Ao receber pelo correio o desenho de um mapa em que estava assinalada a toca dos supostos filhotes, ele viera de Londres de trem, passara a noite em Coryton, depois alugara um cavalo e partira através da charneca para encontrar o local marcado, as fileiras de pedras.

— Foi uma sorte encontrar o local, com essa névoa avançando — continuou ele, não sabendo a sorte que tivera por não ter tido o crânio fraturado, confundido com o dr. Doyle, e acabado no charco que engolira o cavalo. — Tomei emprestado este chapéu de caçador e a capa do estúdio do nosso artista, Sidney Paget, que ilustra as histórias de Holmes. Minha ideia era, caso o farsante se mostrasse, dar ao sujeito o maior choque de sua vida ao aparecer subitamente diante dele como Sherlock Holmes!

— O senhor *nos* deu um choque — disse Raffles pesarosamente. — Hein, Bunny?

— Sem dúvida, Raffles — respondi.

— Ouçam! — exclamou o editor assistente. — Que som é esse?

De algum lugar à distância na névoa vinha, debilmente, um prolongado e sinistro uivo. O editor assistente estremeceu, ouvindo, uma suposição insana em seus olhos.

— Está tudo certo — disse Raffles. — Isso, eu penso, vem da Prisão de Dartmoor. Os presidiários devem ter ficado sabendo que têm um certo visitante na vizinhança.

De tempos em tempos, naquela noite, ouvíamos urros e miados da prisão próxima.

Raffles mencionou isso quando partimos, muito cedo na manhã seguinte, para devolver a charrete à estalajadeira e pegar nosso trem em Lydford. O editor assistente, que também se hospedara no Rowe's Duchy Hotel e que iria para Londres no mesmo trem que nós, estava montado em seu cavalo alugado, trotando uma centena de metros à nossa frente na cinzenta e enevoada manhã.

— Os urros da prisão não mantiveram o Homem do Gato acordado, Bunny — disse Raffles. — Ele estava roncando quando fiz uma visita a seu quarto durante a noite. Dê uma olhada na minha maleta.

Perplexo, abri a correia de sua maleta e retirei, do embrulho higiênico que ostentava o selo da Comissão Penitenciária, o gato de nove caudas.

— Se a sentença deve ser executada dentro de um determinado tempo depois de sua emissão — disse Raffles —, há uma chance de que tenhamos livrado algum pobre-diabo de ser esfolado hoje. Há um lindo charco logo à frente à esquerda.

Ele freou o cavalo, olhou para os dois lados ao longo da estrada, tomou-me o açoite e, ficando de pé na charrete, arremessou-o para longe, por cima da cabeça. O objeto traçou um alto arco no ar, caiu na espuma verde, permaneceu algum tempo de pé como um sórdido Excalibur, depois foi dragado para o fundo pelo seu pesado cabo.

— A outra visita que fiz à noite, Bunny — disse Raffles, enquanto o cavalo voltava a tilintar —, foi ao quarto de "Sirius". Nós lhe demos um choque nas fileiras de pedra. Ele não tinha voltado à estalagem. Não estava em seu quarto. Acho que deve ter partido de Dartmoor. Por isso agora tenho em meu bolso as quinhentas libras de sua mala.

Mas Raffles estava enganado. "Sirius" não tinha partido de Dartmoor, como fiquei sabendo dois dias mais tarde, ao concluir o artigo sobre críquete a ser assinado "por A.J. Raffles" e levá-lo a seus aposentos no Albany, bem ao lado de Piccadilly.

Ele me mostrou uma curta notícia de jornal. O texto dizia que um cavalo sem cavaleiro fora encontrado e havia levado à descoberta, em Dartmoor, de um homem, um hóspede do Rowe's Duchy Hotel, cuja identidade não tinha sido satisfatoriamente estabelecida. O cavalo evidentemente sofrera uma queda. O pescoço do homem estava quebrado.

— É nisso que dá — disse Raffles — cavalgar a galope no nevoeiro de Dartmoor. Não era realmente um homem esperto, Bunny, certamente não o suficiente para apanhar o Sherlock Holmes da vida real numa armadilha, mesmo que a carta de "Sirius" tivesse sido mostrada ao dr. Doyle. Agora, sobre este dinheiro. Contaminada como é a sua fonte, vamos guardar cem libras para cobrir nossas despesas. Quanto ao resto, temos uma conta a acertar. Ela está pendente há 25 histórias de Sherlock Holmes, portanto está mais do que na hora de saldá-la, por amor à nossa autoestima.

Dirigimo-nos tilintando num fiacre, ao sol da primavera, ao banco que nos fora mencionado pelo sr. Greenhough Smith — o banco do próprio dr. Conan Doyle, a agência de Oxford Street do Capital & Counties, que ele citara em suas histórias como sendo também o banco de seu alter ego ficcional, sr. Sherlock Holmes.

— Aqui está — disse Raffles ao caixa no balcão — a soma de quatrocentas libras, uma contribuição para o fundo para a tradução para muitas línguas e a distribuição gratuita no mundo todo do livro do dr. Doyle expondo o mal da calúnia entre nações.

— Muito bem, senhor — disse o caixa, contando as notas de dinheiro com dedos hábeis. — A quem deseja que esta generosa contribuição seja atribuída?

— Como sherlockianos amadores, aguardando ansiosos a publicação, algum dia, de uma continuação de *O cão dos Baskerville*, meu amigo aqui e eu gostaríamos de homenagear o cavalheiro que inspirou a história do dr. Doyle do Cão Fantasma. Por isso atribua esta contribuição, por favor, a sir Richard Cabell, e enderece o agradecimento formal — disse A.J. Raffles — à sua vivenda rural: O Sepulcro, Paróquia de Buckfastleigh, Dartmoor, Devon.

A aventura da mensagem cifrada na areia

EDWARD D. HOCH

Embora a maioria dos autores de ficção policial tenha produzido contos, era praticamente impossível para eles ganhar a vida escrevendo exclusivamente nesse formato, mas Edward D. Hoch (1930-2008) foi uma rara exceção. Ele produziu mais de novecentas histórias em sua carreira, aproximadamente a metade delas publicada em *Mistério Magazine de Ellery Queen*, a partir de 1962. Em maio de 1973, Hoch iniciou uma notável série, publicando pelo menos um conto em cada número da *EQMM* até sua morte — e além, porque já tinha entregado contos adicionais.

Os leitores nunca foram capazes de decidir que personagem de Hoch era seu favorito, pois ele criou numerosos protagonistas — do bizarro Simon Ark, que afirma ter dois mil anos e foi o personagem central de sua primeira história publicada, "Village of the Dead" (1955), a Nick Velvet, o ladrão que só rouba objetos sem valor por natureza (cujo primeiro conto foi "The Theft of the Clouded Tiger", 1966), e ao dr. Sam Hawthorne, especializado em resolver crimes do quarto trancado e outros casos impossíveis, que fez sua primeira aparição em 1974 em "The Problem of the Covered Bridge".

Hoch também escreveu numerosos contos protagonizados por Sherlock Holmes e foi capaz de capturar o colorido do século XIX e os padrões de fala ingleses (em contraposição aos americanos), embora tenha nascido e vivido quase toda a vida na cidade muito americana de Rochester, Nova York. As histórias de Holmes foram reunidas em *The Sherlock Holmes Stories of Edward D. Hoch* (2013).

"A aventura da mensagem cifrada na areia" foi publicado pela primeira vez como um folheto limitado a 221 exemplares (Nova York, Mysterious Bookshop, 1999).

A AVENTURA DA MENSAGEM CIFRADA NA AREIA

Edward D. Hoch

Era uma bela manhã de outono, no fim de setembro de 1899, quando Sherlock Holmes e eu recebemos um visitante inesperado em nossos aposentos de Baker Street. Holmes estava acostumado a receber clientes pagantes, mas era realmente raro receber visitas do inspetor Lestrade.

— Trata-se de um assunto oficial? — perguntou Holmes, interrompendo o ato de encher seu cachimbo para estudar o semblante magro, de doninha, do inspetor da Scotland Yard.

— De fato é, sr. Holmes.

— Suponho que tenha a ver com o corpo descoberto à margem do rio Tâmisa, perto de Wapping, nas últimas três horas.

Lestrade pareceu surpreso com suas palavras:

— Meu Deus, Holmes! Um dos seus moleques da Baker Street já lhe trouxe essa notícia?

— Mal preciso disso — respondeu ele, com o ar de superioridade que eu vira tantas vezes. — Você conhece meus métodos, Watson. Explique ao inspetor como eu soube da localização do assassinato.

Estudei-o da cabeça aos pés por um momento.

— Bem, posso ver areia úmida presa aos joelhos de suas calças — sugeri com alguma incerteza.

Holmes terminou de acender seu cachimbo.

— É claro! Areia úmida na cidade, numa ensolarada manhã de setembro, muito provavelmente vem das margens do Tâmisa na maré baixa. Essa qualidade particular de areia é encontrada sobretudo perto de Wapping. Um homem da sua posição, inspetor, só teria sido chamado para o mais grave dos crimes. O fato de você ter se ajoelhado na areia úmida me diz que esteve examinando um corpo.

— Você nunca deixa de me surpreender, Holmes — disse o inspetor, espanando a areia de seus joelhos. — O corpo de um homem foi de fato encontrado perto de Wapping hoje de manhã. Uma espécie de mensagem foi deixada na areia perto do corpo. Parece ser uma mensagem cifrada, e ouvi falar do seu sucesso ano passado com o caso dos dançarinos. Espero que possa vir comigo para ver a mensagem antes que ela seja lavada pela maré que está subindo.

Holmes olhou na minha direção:

— O que você diz, Watson? Sua agenda está livre para as próximas horas?

— Certamente, Holmes.

A área de Wapping, perto das docas de Liverpool, era composta principalmente por prédios de quatro andares com lojas no térreo e moradias em cima. Olhando para o oeste, podia-se ver a Torre de Londres avultando à distância. Holmes e eu seguimos Lestrade até o trecho de areia úmida perto da margem do rio onde dois policiais estavam de guarda. Pude ver que a maré já tinha virado.

— O corpo foi removido — disse-nos Lestrade. — Ele foi avistado logo após o alvorecer pela Polícia Especial Metropolitana, a polícia do rio, e alguns agentes foram enviados para o local.

— Qual foi a causa da morte? — perguntou Holmes.

— Apunhalado uma vez nas costas. A faca ainda estava no ferimento. A vítima estava vestida como um marinheiro, com cabelo preto e barba curta. Talvez tenha saído de um dos navios mercantes nas docas de Liverpool. Não tinha dinheiro nem identificação nos bolsos, o que sugere roubo como o motivo. No entanto, o assassino perdeu isto.

Ele estendeu um disco branco aparentemente feito de marfim, sobre o qual estava impresso o número 5 em letra dourada.

Sherlock Holmes resmungou, sua atenção atraída por três fileiras de letras de imprensa no úmido solo arenoso a nossos pés.

YVIYAH
TOMIT
WAHTYH

— É alguma espécie de mensagem cifrada — concordei —, mas em quase nada parecida com o caso dos dançarinos. Talvez numerais romanos misturados com outras letras.

— As letras são regulares demais para terem sido feitas pelo dedo de uma pessoa — disse Holmes, pensativo —, certamente não pelo dedo de um moribundo. Mais parecem ter sido impressas. Onde o corpo foi encontrado, inspetor?

— Bem aqui junto da mensagem. Havia algumas pegadas, mas, quando o corpo foi descoberto e a polícia chegou, acho que as marcas originais não puderam mais ser determinadas com nenhum grau de precisão.

Homes balançou a cabeça, desesperançado, porém ainda se deu ao trabalho de se agachar e examinar as pegadas mais próximas com sua lente de aumento. Pediu aos dois policiais para levantarem os pés e examinou as solas de seus sapatos também.

— Posso encontrar muito pouco — admitiu. — A área está muito desordenada.

Holmes anotou a aparente mensagem cifrada em sua caderneta e deixamos a cena quando a maré já começava a cobrir algumas letras de água.

— Viu alguma coisa que me tenha escapado? — perguntou Lestrade.

— Muitas coisas, inspetor, mas nada que aponte diretamente para o assassino. Por favor, deixe-me examinar aquele disco que nos mostrou antes.

Lestrade entregou-lhe o objeto de marfim com o número 5 pintado.

— Poderia ser um tíquete de chapelaria? — sugeri.

Holmes balançou a cabeça:

— Tíquetes de chapelaria geralmente são furados. E não são feitos de marfim. Eu diria que isto é uma ficha de roleta de um cassino elegante, no valor de cinco libras.

— Foi exatamente o que pensei — disse o inspetor.

— Os cassinos para os ricos são encontrados no West End. Há algum lugar aqui perto, no East End, que poderia usar fichas assim?

Lestrade considerou a questão:

— Certamente não nesta área, com sua gente miseravelmente pobre.

— Ainda assim, uma bela fila de casas do século XVIII pode ser vista em Wapping High Street. Eu poderia facilmente imaginar uma delas como um estabelecimento de jogo ilegal.

— Ouvimos rumores — admitiu o inspetor.

Holmes assentiu com a cabeça:

— Vou examinar o assunto.

— Mas e quanto à mensagem cifrada?

— Tudo a seu tempo, inspetor.

Holmes falou muito pouco sobre o caso quando retornamos a nossos aposentos em Baker Street, mas notei-o mais de uma vez tentando decifrar a mensagem deixada na areia que copiara em sua caderneta. Depois do jantar, quando eu pensava em me recolher cedo, ele se levantou de repente de sua poltrona favorita e anunciou:

— Vamos, Watson, é hora de visitarmos Wapping High Street.

— Agora, Holmes? Já passa das nove horas!

— Esta é exatamente a hora em que a vida noturna de Londres começa a despertar.

Holmes ordenou ao carro de aluguel que seguisse para o quarteirão que estava procurando em Wapping High Street e, quando chegamos, fingiu ter esquecido o número que buscávamos.

— O que é que os senhores estão procurando, cavalheiros? — perguntou o cocheiro lá de cima.

— O cassino.

— O Parkleigh's?

— Esse mesmo.

O fiacre avançou algumas residências e parou diante de uma casa de tijolos de três pavimentos no estilo do século XVIII, onde dois cavalheiros acabavam de entrar à nossa frente. Holmes pagou ao homem e disse, enquanto descíamos:

— Lestrade deveria pedir informações aos cocheiros de fiacre.

Uma vez dentro do estabelecimento, Holmes e eu passamos por um cortinado de veludo vermelho para um corredor onde um porteiro nos aguardava.

— Bem-vindos ao Parkleigh's — disse ele, e nos introduziu num grande salão de baile que devia ocupar uma grande parte do térreo.

Uma loura atraente tocava piano numa extremidade e havia um bar na outra, com mesinhas e cadeiras ao longo das paredes. Cerca de uma dezena de pares dançava uma valsa, e expressei minha surpresa diante da presença de mulheres.

— Elas são acompanhantes fornecidas pelo estabelecimento — explicou Holmes.

Seguimos para a sala de jogo no andar de cima, que estava muito mais cheia. Talvez cinquenta homens jovens e de meia-idade estavam agrupados em volta das mesas de roleta, dados e *chemin-de-fer.*[4] Todos estavam bem-vestidos, alguns em traje de noite formal. Vi imediatamente que Holmes tinha razão. O disco de marfim no bolso do homem morto era realmente uma ficha de roleta. De fato, a ficha de cinco libras parecia ser o valor mais alto em jogo. Do outro lado da sala havia uma máquina de teletipo coberta com um vidro que fornecia resultados de corridas. Aparentemente

4 Versão inicial do bacará. (N.T.)

o estabelecimento ficava aberto durante as tardes para apostas em corridas de cavalos.

O murmúrio de conversa era baixo, quebrado apenas pelo grito ou xingamento ocasional de um jogador emotivo. Fumaça de tabaco pairava pesadamente no ar, embora não fossem servidas bebidas no segundo andar. Estávamos observando a cena havia algum tempo quando um homem baixo, atarracado, que poderia ter sido um ex-boxeador profissional, se aproximou para se apresentar:

— Sou Jerry Helmsphere, o gerente aqui. Posso ajudá-los com alguma coisa, cavalheiros?

Sherlock Holmes sorriu:

— Achei que eu pudesse ajudá-lo. Entendo que os senhores tiveram alguma atividade criminosa aqui ultimamente.

O homem pareceu abalado com suas palavras:

— Poderiam vir ao meu escritório, por favor?

Nós o acompanhamos até um pequeno escritório onde Holmes nos apresentou. Ficou óbvio de imediato que o homem reconheceu o nome:

— Sherlock Holmes, o detetive consultor?

— O próprio.

— Como soube do roubo de nosso teletipo?

— Talvez eu tenha uma pista de seu paradeiro — disse Holmes, ignorando explicitamente a pergunta. — Gostaria de me contratar em caráter oficial?

O homem baixinho estava hesitante:

— Quanto está cobrando? — Holmes mencionou uma cifra e o homem suspirou. — Sou apenas o gerente aqui. Não possuo tanto dinheiro.

— Mas o senhor não pode solicitar a ajuda da polícia, já que toda a sua operação é ilegal — observou Holmes. — E o senhor não se atreve a comunicar o fato ao proprietário.

— O proprietário reside em Paris. É melhor não perturbá-lo. — Helmsphere fez uma contraproposta. — Isso é o máximo a que posso chegar.

— Muito bem — concordou Holmes. — Agora, diga-me exatamente o que aconteceu com seu teletipo desaparecido.

— Talvez tenham notado uma máquina perto da parede oposta quando entraram. O teletipo registra os resultados de Epsom, Ascot e as outras pistas. Tínhamos duas dessas máquinas para acomodar um número maior de clientes que desejavam ler os resultados antes de serem oficialmente anunciados. Uma foi roubada durante a noite. Não preciso lhes dizer que os teletipos são caros e a posse ilegal de um deles poderia levar a toda espécie de chicanice.

Observei que gotas de suor tinham se formado no lábio superior de Jerry Helmsphere enquanto ele falava. Claramente o desaparecimento da máquina era uma questão de grave importância para ele. Holmes percebeu isso também, e perguntou:

— Que tipo de chicanice?

Ele enxugou os lábios com a mão.

— Muitas das casas de apostas menores não têm teletipos como esses. Quem quer que o tenha roubado poderia usá-lo para fazer apostas em cavalos vencedores antes que os resultados oficiais chegassem. Os outros agentes de apostas ilegais poderiam me considerar responsável por seu prejuízo.

O que ele queria dizer estava muito claro. O homem temia por sua vida, a menos que pudesse recuperar a máquina roubada.

— Quanto ela pesa? — perguntou Holmes. — Um homem poderia tê-la carregado sozinho?

— Não com facilidade. Dois o teriam feito de modo muito mais seguro.

— A que horas aproximadamente o roubo deve ter ocorrido?

— Fechamos às duas da manhã. Fico por aqui em geral até as três assegurando que o lugar seja limpo. Abrimos à uma da tarde em dias de corrida, de modo que isso deixa longas horas. — Ele fez uma pausa, depois acrescentou: — O roubo teria ocorrido entre três da manhã e meio-dia, quando o descobrimos.

— O corpo de um homem foi encontrado hoje de manhã perto do rio. Ele estava vestido como marinheiro e tinha uma das suas fichas de roleta no bolso. Lembra-se da presença de alguém assim aqui na noite passada?

Helmsphere balançou a cabeça:

— Geralmente atraímos uma clientela melhor. Um homem com traje de marinheiro não teria sido admitido no segundo andar. No entanto, ele poderia ter permanecido no térreo para socializar com as garotas. Deixe-me perguntar a Frances.

Ele mandou alguém descer para chamá-la e após um momento a pianista loura se juntou a nós. Seu nome era Frances Poole e ela parecia ter quase trinta anos. Olhou para Sherlock Holmes e para mim com certa apreensão. Meu amigo sorriu, tentando deixá-la à vontade:

— Não há nada a temer, srta. Poole. Estamos apenas investigando sobre um dos clientes da noite passada. Seria um homem com cabelo preto e barba, vestido como um marinheiro.

De imediato ela assentiu com a cabeça.

— Ele dançou com algumas das garotas, depois queria subir, mas Tim lhe disse que não estava vestido para isso.

— Tim?

— Deve ser Tim Thaw, um de nossos crupiês. Com frequência eles descem em seus intervalos — informou o gerente.

— Eu poderia falar com ele?

— Frances, arrume alguém para substituir Tim e diga-lhe para vir aqui.

Ela assentiu e saiu para cumprir a missão. Pela porta aberta vi-a aproximar-se de um jovem de cabelo claro à mesa da roleta. Logo ele veio ao nosso encontro, com outra pessoa tomando seu lugar à mesa.

— Como posso ajudá-lo, sr. Helmsphere? — perguntou ele.

— Convidei este homem para investigar o roubo de nosso teletipo.

Holmes apertou a mão de Tim e disse:

— A srta. Poole me diz que um marinheiro barbudo estava no térreo ontem à noite e falou com o senhor querendo subir para jogar.

— Eu lhe informei que era necessário estar com um traje apropriado para a sala de jogo e ele continuou lá embaixo com as moças.

— Ele mencionou seu nome ou seu navio?

— Seu nome era Drexel, acredito, de um dos navios de Liverpool. Não voltei a vê-lo depois que meu intervalo terminou.

— Ele partiu um pouco depois — confirmou Frances Poole.

— Sozinho?

— Acredito que sim.

Parecia que tínhamos nos inteirado de tudo o que havia para saber. Saímos do escritório com o jovem Thaw.

— Trabalha aqui há muito tempo? — perguntei-lhe.

Ele deu de ombros:

— Há alguns meses. Eu tinha um *pub* no campo, perto de Henley, mas não consegui fazê-lo dar certo. Acho que meu destino sempre foi morar em Londres. Este é um belo lugar para começar a vida.

Holmes e eu o observamos durante algum tempo à mesa da roleta, depois voltamos para o térreo. Frances Poole estava em seu piano. Algumas das moças tinham desaparecido da pista de dança e perguntei a mim mesmo, em voz alta, onde poderiam estar.

— Meu bom e velho Watson — disse Holmes —, isso não precisa nos dizer respeito. Já temos mais do que o suficiente, com o assassinato junto ao rio e o teletipo roubado.

— Acha que as duas coisas estão ligadas, Holmes?

— Quase certamente. O ladrão precisava de ajuda para levar a máquina roubada daqui e contratou o marinheiro. Eles tiveram uma discussão, sem dúvida por causa de dinheiro, e o ladrão o apunhalou.

— Mas se isso é verdade, Holmes, o que aconteceu com o assassino e a máquina roubada? E qual era o significado daquela mensagem cifrada?

— Creio que já sei, mas devemos esperar até a manhã.

Era muito incomum a sra. Hudson interromper nosso desjejum para anunciar um visitante matinal, mas ela o fez no dia seguinte, anunciando que o inspetor Lestrade viera nos visitar mais uma vez.

— Faça-o subir, naturalmente! — exclamou Holmes. — Ele pode ter novidades para nós, Watson.

O inspetor se desculpou por chegar tão cedo.

— Pensei que gostaria de saber, sr. Holmes, que o homem morto foi identificado. Ele estava desaparecido do cargueiro irlandês *Antrim*, e o capitão o identificou como um oficial de convés chamado Sean Drexel.

— Eu suspeitava disso — disse Holmes. — Watson e eu visitamos o *Parkleigh's* ontem à noite e seu nome foi mencionado. Ele esteve lá pouco antes de sua morte.

— O *Parkleigh's*! — repetiu Lestrade. — Como vocês conseguiram encontrar esse lugar?

— Não importa. Será que a Polícia Especial Metropolitana poderia nos fornecer um barco esta manhã?

— Isso pode ser providenciado, mas com que finalidade?

— Dê-me o barco e entregarei o assassino antes do meio-dia.

Dentro de uma hora terminamos o desjejum e Holmes vestiu o paletó de marinheiro e o cachecol vermelho que usara antes quando nos aventuramos no Tâmisa.

— Está com o seu revólver, Watson?

— Acredita que eu vá precisar dele?

— Talvez.

Lestrade insistiu em ir conosco na lancha e nos encontramos no cais de Westminster. Suas luzes verdes de navegação tinham sido removidas das laterais para que não fosse facilmente identificável como um barco da polícia e partimos rio abaixo em direção a Wapping. Uma névoa matinal ainda pairava sobre a água, mas o sol a dissipava pouco a pouco. Passamos por rebocadores que puxavam fileiras de barcaças carregadas, mas Holmes não estava prestando atenção ao tráfego no rio. Parecia sozinho com seus pensamentos até que chegamos abaixo da Tower Bridge. Então instantaneamente voltou à vida.

— Conduza-nos para a margem sul — ele instruiu o policial que estava no leme. Havia outro homem cuidando dos motores a vapor sob o convés. À medida que a lancha se aproximava da margem, Holmes examinava o solo úmido com seus binóculos. A maré ainda estava baixa, embora estivesse começando a subir como na manhã anterior.

— O que estamos procurando? — perguntou Lestrade. — E por que aqui? O assassinato ocorreu na margem oposta.

Sem baixar os binóculos dos olhos, Holmes começou a falar:

— Os fatos do caso parecem bastante simples. A ficha do cassino no bolso da vítima levou Watson e eu ao *Parkleigh's* em Wapping. Ali ficamos sabendo que uma valiosa máquina de teletipo, usada para receber resultados de corridas, tinha sido roubada durante a madrugada, depois das três horas. Trata-se de uma máquina relativamente pesada e, como algum tipo de caixa deve ter sido necessária para proteger o domo de vidro, o ladrão teria precisado de alguém para ajudá-lo a transportá-la para fora do cassino. O marinheiro Sean Dexter foi recrutado e recebeu uma ficha de cassino de cinco libras como adiantamento.

— Como você poderia saber disso, Holmes?

— Drexel foi barrado no andar de cima do cassino por causa de seu traje de marinheiro. Ele só poderia ter adquirido aquela ficha se alguém no térreo do cassino a tivesse dado para ele.

— Ora, vamos — contestou Lestrade. — Posso pensar em outra explicação. Um colega marinheiro, tendo visitado o cassino, podia tê-la levado para o navio e a dado para ele.

Mas Holmes balançou a cabeça.

— Não, inspetor. Se fosse o caso, o colega marinheiro certamente teria comentado a necessidade de traje apropriado para entrar no *Parkleigh's*.

A lancha da polícia estava chegando mais perto da margem. Estávamos exatamente em frente ao local da margem norte em que o corpo fora encontrado.

— Logo... — disse Holmes, quase para si mesmo.

— Acredita que o assassino atravessou o rio até esta área? — perguntou Lestrade. — Por que não na outra direção? Por que não o lado norte?

— Você está cheio de perguntas hoje — respondeu meu amigo, um ligeiro sorriso em seus lábios. — Ele obviamente deixou a cena do crime de barco. Trabalhando sozinho, teria sido necessário arrastar sua pesada caixa de volta para a rua se um veículo o esperasse e não há marcas no chão. O uso de um barco sugere um destino do outro lado do rio numa direção leste. Se ele estivesse indo para oeste, teria feito mais sentido alugar um veículo e voltar para atravessar a Tower Bridge. Em vez de arriscar uma longa viagem de carruagem e a desconfiança do cocheiro em relação à sua carga, ele adquiriu um pequeno barco, sem dúvida a remo, para transportar a si e a seu despojo através do rio. Seu destino era um lugar nesta área onde a máquina de teletipo pudesse ser instalada para fornecer resultados antecipados de corridas.

De repente ele agarrou o meu ombro.

— Rápido, Watson, olhe por estes binóculos e diga-me o que vê!

Fiz como ele pediu:

— Parece uma espécie de pequeno armazém, provavelmente abandonado.

— Não, não. Na areia que leva até ele!

— Marcas de que algo foi arrastado acima da linha de maré — confirmei. — Podem ser de um barco.

— Sem dúvida. E de mais alguma coisa.

Quando nos aproximamos pude ver que uma das portas estava aberta alguns centímetros para ventilação. Parecia provável que nossa presa estivesse lá dentro. Lestrade mandou o policial que estava no leme atracar a lancha num píer cerca de trinta metros rio abaixo. Quando Holmes e eu desembarcamos, o inspetor e os dois homens da tripulação estavam bem atrás de nós.

Quando nos aproximamos de nosso destino, puxei meu revólver.

— Não vai precisar disso — disse-me Lestrade.

— O homem é um assassino.

— Isso ainda está por ser provado.

Holmes escancarou a porta do armazém, revelando uma figura debruçada sobre uma máquina de teletipo idêntica àquela que tínhamos visto no *Parkleigh's*.

— Devo interromper seu trabalho — disse Holmes, com uma voz de julgamento. — A polícia está aqui para prendê-lo por assassinato, sr. Tim Thaw.

Quando viu o revólver em minha mão e os policiais atrás de nós, Thaw não ofereceu resistência. Em vez disso, tentou argumentar:

— Não sei nada sobre assassinato nenhum.

Enquanto os policiais o prendiam, Holmes se aproximou para examinar um barco a remo e um caixote de madeira. Este último fora obviamente pregado por Thaw a partir de tábuas usadas.

— Nesta investigação, suspeitei que sabia o nome do assassino antes mesmo de encontrá-lo. Thaw contou-nos que tinha sido dono de um *pub* perto de Henley e essa era a pista final de que eu precisava.

Ele nos mostrou de novo a aparente mensagem cifrada que tínhamos encontrado na areia molhada, só que ele a reescrevera, movendo a segunda linha para cima:

T O M I T
W A H T Y H
Y V I Y A H

— Estão vendo agora? — perguntou Holmes. — As letras estavam gravadas no fundo deste caixote improvisado com tábuas usadas. Na areia úmida, sua impressão ficou marcada ao contrário, como uma matriz de metal. Essas peças vieram da tabuleta do antigo *pub* de Thaw.

Ele virou o caixote de cabeça para baixo para que pudéssemos ver o fundo gravado em relevo:

T I M O T
H Y T H A W
H A Y I V Y

— *Timothy Thaw, Hay & Ivy*. Os senhores observarão o espaçamento entre o nome e o sobrenome e o símbolo "&" entre Hay e Ivy. Ambos estão pintados em vez de gravados, por isso não deixaram marcas no solo. Ele cortou a tabuleta, usando a madeira para o fundo do caixote onde não poderia ser vista. Por uma curiosa coincidência, todas essas letras são simétricas, sendo iguais mesmo de trás para a frente.

— Por que ele não percebeu a impressão na areia? — quis saber Lestrade.

— Estava escuro quando Drexel foi morto. Lembre-se de que a polícia avistou o corpo logo depois do alvorecer.

— E Thaw remou até aqui sozinho?

— Não é uma grande proeza para um jovem, especialmente de Henley, onde o remo é um esporte popular, pelo menos na época de regatas. Mas ele teve que arrastar o caixote até aqui e eu estava certo de que teria deixado marcas acima da linha da água.

Lestrade se virou para o cativo:

— Tem algo a dizer em sua defesa?

O homem sorriu com desdém:

— Ele queria mais dinheiro. Fez ameaças. Eu o apunhalei. Não há mais nada a dizer.

— Você devia ter continuado no ramo dos *pubs* — disse Holmes.

Fábrica de Sopa South Sea

KENNETH MILLAR

Muito mais conhecido sob o pseudônimo de Ross Macdonald, Kenneth Millar (1915-1983) há muito é reconhecido como um grande romancista americano, não apenas um escritor de ficção policial. Suas séries de romances detetivescos sobre Lew Archer são classificadas, ao lado de Raymond Chandler e Dashiell Hammet, como o ponto alto dos romances americanos de detetive particular mais fundamentais do século XX.

Millar teve problemas com os créditos de seus textos por algum tempo. Ele tinha se casado com Margaret Sturm, que adotou seu sobrenome e publicou obras notáveis de ficção policial como Margaret Millar, começando com *The Invisible Worm* (1941); ela finalmente ganhou o prêmio Grand Master pelo conjunto de sua obra da Mystery Writers of America, assim como seu marido. O sucesso dela no gênero reacendeu seu próprio interesse (ele havia sido um devotado leitor de policiais quando mais jovem), assim ele publicou seus quatro primeiros romances com seu próprio nome, a começar por *The Dark Tunnel* (1944). Mas quando alguns leitores confundiram os nomes do casal, ele adotou o pseudônimo John Macdonald, somente para, dessa vez, ser confundido com John D. MacDonald. Seu único livro sob esse *nom de plume* é *The Moving Target* (1949), que apresentou Archer, um investigador particular introspectivo na cidade californiana de Santa Teresa (uma ficcionalização de Santa Barbara, onde os Millars moravam). O romance serviu de base para o filme *Harper* (1966, lançado no Brasil como

O caçador de aventuras), estrelado por Paul Newman como o renomeado detetive. Newman voltou a viver o personagem Archer/Harper em 1975, em *The Drowning Pool* (*A piscina mortal*). Millar rapidamente passou a assinar suas obras como John Ross Macdonald, publicando cinco romances e uma coletânea de contos. Acabou adotando em caráter permanente o nome Ross Macdonald em 1956, com a publicação de *The Barbarous Coast*.

"Fábrica de Sopa South Sea" é a primeira obra ficcional de Millar, produzida em 1931 para *The Grumble*, a revista de sua escola do ensino médio em Kitchener, Ontário. Curiosamente, sua namorada da época, Margaret Sturm, também publicou sua primeira história no mesmo número. Ela foi publicada pela primeira vez comercialmente num folheto, *Early Millar: The First Stories of Ross Macdonald & Margaret Millar* (Santa Barbara, Califórnia, Cordelia Editions, 1982), que se limitou a 150 exemplares em brochura e quinze exemplares de capa dura.

FÁBRICA DE SOPA SOUTH SEA

Kenneth Millar

O jovem e ambicioso investigador, Herlock Sholmes, bocejou atrás de seu bigode falso e serviu-se de cocaína com soda. Em seguida bateu de leve com os nós dos dedos num *wacky-wara* birmanês, que ele conseguira num Templo dos Odd Fellows na Indochina Francesa. Era assim que chamava seu obtuso assistente, Sotwun. Sotwun se arrastou para dentro da sala, uma expressão idiota no rosto.

— Bem, Sotwun, lamento perturbar sua leitura do "Ju-Ju Journal" de 1º de março de 1927.

Sotwun ficou boquiaberto com a assombrosa perspicuidade e perspicácia de Herlock.

— Como soube que eu estava lendo isso, hum?

Sholmes sorriu e explicou.

— Bem, há uma pequenina mancha de gesso fresco em seu nariz. O único lugar em que há gesso fresco nestes aposentos é o nariz no busto de Júlio César no cômodo ao lado, que consertei hoje de manhã. Portanto seu nariz deve ter tocado o nariz do busto. Como notei muitas vezes sua semelhança física e mental com um macaco, Sotwun, pensei que você deve ter imitado alguma fotografia que viu. A única fotografia nesta casa de pessoas encostando os narizes está no Ju-Ju Journal de 1º de março de 1927, no qual passei os olhos vários anos atrás.

Quando Sotwun tinha superado seu espanto, Sholmes explicou a razão de seu chamado.

— Sotwun, a Fábrica de Sopa South Sea já aceitou minha candidatura para a chefia de seu contingente de detetives, cuja missão é descobrir ostras na sopa de ostras? Não? Que estranho!

Exatamente nesse momento Herlock espirrou.

— Arrá! — disse ele. — O telefone!

Em vez de tocar, seu telefone havia sido feito para soltar uma quantidade de gás sempre que havia uma ligação. Esse gás tinha a peculiar propriedade de provocar espirros. Assim Sholmes podia ser informado da ligação sem qualquer ruído indesejável.

Ele levantou o fone. Imediatamente reconheceu a voz de um homem, 63 anos de idade, usando um terno marrom e outras roupas, que tinha sido casado dezoito vezes.

A voz cansada disse:

— Sr. Sholmes? Oh! Venha depressa ao escritório da Fábrica de Sopa South Sea. O sr. Ox-Tailby foi assassinado!

Limpando despreocupadamente um grão de poeira imaginário em sua sobrancelha, Sholmes rapidamente se despiu e voltou a se vestir, mudando assim sua aparência de um jovem bonito e pensativo para a de um rapaz bem-apessoado e meditativo. Em seguida saiu pulando do quarto e escada abaixo, oito degraus de cada vez, amarrando o cadarço do sapato e acendendo seu cachimbo de ópio no caminho.

Então fez sinal a um carro de aluguel que passava e pedalou sua bicicleta, com Sotwun correndo atrás, até o escritório da Fábrica de Sopa South Sea.

Com um estouro de velocidade, ele estourou sala adentro, estourando os botões de seu colete.

Ali no assoalho jazia o cadáver de Oswald Ox-Tailby, o comissário de cascalho no departamento de cevada da companhia, um ferimento a bala em seu peito. O corpo, para o olho experiente de Herlock Sholmes, estava evidentemente bem morto.

Sholmes pensou incessantemente por um segundo inteiro. Em seguida:

— Arrá! Sotwun, vá e peça a Raring Riley, meu homem em Limehouse, para consultar Jamaica Jo.

Durante dezessete minutos e 45 segundos os ocupantes da sala, amigos e colegas do homem assassinado, fitaram o semblante pensativo de Herlock. Então Sotwun entrou na sala com alguém atrás de si.

Limpando despreocupadamente um grão de poeira imaginário em seu colarinho, Sholmes disse:

— Permitam-me, cavalheiros, apresentar-lhes a srta. Josephine Bartley, comumente chamada de Jamaica Jo!

Era uma mulher!

— Srta. Bartley — disse Sholmes —, alguém já lhe disse que é muito bonita?

A mulher corou:

— Ora, sim, senhor. Meu namorado disse isso muitas vezes.

Com um grito de triunfo, nosso herói agarrou-a pelo braço:

— Diga-me onde ele mora — bradou.

A mulher lhe deu a rua e o número e ele pedalou sua bicicleta loucamente até a residência designada. Correu até a porta, golpeou-a violentamente e habilmente algemou o homem que atendeu.

Antes de lhe dar tempo para falar, Sholmes jogou-o sobre o guidom de sua bicicleta e, recorrendo a seus vastos recursos de força hercúlea, pedalou de volta para o escritório.

— Aqui está o seu homem! — disse ele, limpando despreocupadamente um grão de poeira dos mocassins que ele conseguira quando caçava coleópteros na Antártida.

Todos gritaram:

— O quê?

— Suponho que desejam que eu explique — disse o detetive, enquanto pegava sua gramática para continuar seu estudo da língua lituana.

O consentimento foi evidenciado.

Sholmes começou:

— A primeira coisa que notei ao entrar nesta sala (além daquele dicionário acolá) foi que havia um ferimento a bala no cadáver. Isso me fez lembrar o famoso caso Ugga-Wulla de que todos os senhores devem se lembrar. Naquele caso o homem assassinado também apresentava um ferimento a bala. A similaridade desses dois crimes é assombrosa, como acabo de lhes mostrar, e consequentemente deduzi que o mesmo criminoso cometeu ambos. Eu já tinha solucionado esse mistério de Ugga-Wulla, embora tenha me esquecido de denunciar o assassino à polícia. O assassino era Black Bleerstone.

"Meu homem de Limehouse, Raring Riley, tinha me contado no mês anterior que Black Bleerstone era o amante desta mulher, Jamaica Jo. Black Bleerstone, tendo uma vez usado um par de óculos da Woolworth's, enxerga muito mal. Para confirmar a mensagem de que Bleerstone era seu amante, perguntei a Jo se alguém lhe dissera algum dia que ela era muito bonita. Ela respondeu que seu amante o fizera e, como só um homem que enxerga mal a chamaria de bonita, seu amante era um homem que enxergava mal. Aquele homem ali era seu amante e ele, como os senhores percebem por seus óculos poderosos, enxerga mal. E Bleerstone enxerga mal! A coincidência é grande demais, e o homem que matou Oswald Ox-Tailby encontra-se diante dos senhores na pessoa de Black Bleerstone, amante de Jamaica Jo."

Nesse momento, do círculo dos circunstantes, avançou Peter P. Soup, o superintendente do corte de carne de cavalo no departamento de canja de galinha, que disse:

— Herlock Sholmes, não posso deixar um homem inocente ir para o cadafalso. Eu sou o homem que matou Oswald Ox-Tailby, porque ele fez a vil insinuação de que eu não pus carne de vitela na produção de canja de galinha da semana passada. Mas eu pus! Muita carne de vitela! Não pus, meus amigos? — E ele virou um rosto suplicante para seus ex-colegas de trabalho.

— Não, você não pôs. Somente carne de cavalo — disseram eles.

A estas fatídicas palavras, Sholmes, limpando despreocupadamente um grão de poeira imaginário nas luvas de boxe que ele conseguira no Hindustão durante a Rebelião dos Boxeadores, lançou-se sobre Peter P. Soup, assassino confesso.

Mas Soup, com um golpe de seu poderoso punho, fortalecido por anos socando carne de cavalo para torná-la tão dura quanto a de frango novo, arremessou Herlock pela janela aberta.

Sholmes pousava ileso no gramado lá embaixo.

Limpando despreocupadamente os vários milhares de grãos de poeira reais em seu rosto, Sholmes correu de volta para o escritório, bem a tempo de ver Peter P. Soup pôr uma balinha branca na boca. Sholmes tentou tirá-la dele, mas chegou tarde demais, pois a bala de hortelã de máquina caça-níqueis tinha sido engolida. Em poucos segundos, começou a fazer seu trabalho mortífero. Soup caiu no chão, seus braços se enrijecendo lentamente. Com seu último suspiro, ele cantou aquela bela e antiga canção que tanto lembra balas de hortelã de máquinas caça-níqueis em geral, "Rock of Ages".

Depois dessas provas de suas habilidades como detetive, Sholmes foi aceito como chefe do contingente de detetives da Fábrica de Sopa South Sea.

Mas ele nunca conseguiu encontrar uma ostra na sopa de ostras, embora tenha encontrado vários botões de concha de ostra.

A aventura do varal

CAROLYN WELLS

Como é possível que uma pessoa tão imensamente popular e proeminente durante a vida esteja tão esquecida e seja tão pouco lida hoje? A bibliófila Carolyn Wells (1862-1942) escreveu e editou 170 livros, dos quais 82 são policiais, muitos dos quais tinham tramas excepcionalmente engenhosas e a maioria dos quais é terrivelmente enfadonha — razão suficiente para esquecê-los. Por mais famosa que fosse por seus romances policiais, 61 dos quais tiveram como protagonista o erudito e amante dos livros Fleming Stone, ela foi igualmente notada durante sua vida por antologias como *Nonsense Anthology* (1902), considerada um clássico do gênero, e sua *Parody Anthology* (1904), que continuou a ser editada por mais de meio século. Wells também escreveu o primeiro manual de instruções no gênero da ficção policial, *The Technique of the Mystery Story* (1913). Seu primeiro romance policial, *The Clue* (1909), foi escolhido para a "Haycraft-Queen Definitive Library of Detective-Crime-Mistery Fiction".

Sua afeição por sátiras e paródias levou-a a escrever muitas histórias do tipo, inclusive *Ptomaine Street* (1921), uma paródia completa de Sinclair Lewis, e várias envolvendo Sherlock Holmes, entre as quais "The Adventure of 'Mona Lisa'" (1912) e "Sure Way to Catch Every Criminal. Ha! Ha!" (1912).

"A aventura do varal" foi publicada pela primeira vez no número de maio de 1915 de *The Century Magazine*; sua primeira aparição em livro foi em *The Misadventures of Sherlock Holmes*, editado por Ellery Queen (Boston, Little Brown, 1944).

A AVENTURA DO VARAL

Carolyn Wells

Os membros da Sociedade dos Detetives Infalíveis apenas estavam por ali, sendo socialmente infalíveis em seus aposentos na Fakir Street, quando o presidente Holmes entrou. Estava muito mais sorumbático que de costume, e os outros deduziram de imediato que algo estava por vir.

— E é isto — disse Holmes, percebendo que eles tinham percebido. — Uma recompensa foi oferecida para a solução de um grande mistério, tão grande, meus colegas, que temo que nenhum dos senhores vá ser capaz de resolvê-lo ou mesmo de me ajudar no maravilhoso trabalho que farei ao averiguá-lo.

— Humpf! — resmungou o Máquina Pensante, cravando seus olhos cinza azulados no homem que falava.

— Ele expressa todos os nossos sentimentos — disse Raffles, com seu sorriso cativante. — Fale, Holmes. Qual é o problema?

— Explicar alguns acontecimentos extremamente misteriosos lá em East Side.

Embora fosse um homem exagerado, Holmes falou brevemente, pois estava aborrecido com a atitude desatenta de seu grupo de colegas. Mas evidentemente ele ainda tinha seu Watson, por isso suportava a indiferença do resto do mundo frio.

— Os acontecimentos em East Side não são todos misteriosos? — perguntou Arsène Lupin com um ar aristocrático.

Holmes passou a mão na testa com cansaço.

— O inspetor Spyer — disse ele — viajava de trem pela Elevated Road, por alguma das avenidas de numeração baixa, quando, ao passar por um bairro de cortiços, viu um varal esticado de uma janela alta a outra através de um pátio.

— Era segunda-feira? — perguntou o Máquina Pensante, que naquele momento pensava ser uma máquina de lavar.

— Isso não importa. Mais ou menos na metade do varal estava pendurada...

— Com pregadores de roupa? — perguntaram dois ou três dos Infalíveis ao mesmo tempo.

— Estava pendurada uma bela mulher.

— Enforcada?

— Não. *Escutem!* Ela estava pendurada pelas mãos e evidentemente tentava passar de um prédio para o outro. Por seu rosto exausto e angustiado, o inspetor temeu que ela não conseguisse se segurar por muito mais tempo. Ele saltou de seu assento para correr em sua ajuda, mas o trem já se movera e ele estava atrasado demais para sair.

— O que ela fazia lá?

— Ela caiu?

— Que aparência ela tinha? — E várias perguntas sem sentido semelhantes saíram dos lábios dos grandes detetives.

— Façam silêncio, e lhes contarei todos os fatos conhecidos. Ela era uma mulher da alta sociedade, está claro, pois usava um vestido de noite de chiffon, um desses de ombros caídos. Usava joias valiosas e delicadas sapatilhas com fivelas cravejadas de pedras. Seu cabelo, liberto de suas amarras, caía em massas pesadas até embaixo nas suas costas.

— Que extraordinário! O que significa tudo isso? — perguntou m. Dupin, sempre direto ao falar.

— Ainda não sei — respondeu Holmes, sinceramente. — Passei apenas alguns meses estudando a questão. Mas vou descobrir, ainda que tenha de arrasar todo o quarteirão. Deve haver uma pista *em algum lugar.*

— Maravilhoso! Holmes, maravilhoso! — disse no canto um fonógrafo que Watson tinha providenciado, pois tivera de sair.

— A polícia nos pediu para assumir o caso e ofereceu uma recompensa para sua solução. Descubram quem era a dama, o que fazia e por quê.

— Há alguma pista? — perguntou m. Vidocq, enquanto m. Lecoq dizia ao mesmo tempo:

— Alguma pegada?

— Há uma pegada; nenhuma outra pista.

— Onde está a pegada?

— No chão, bem embaixo do lugar onde a dama estava pendurada.

— Mas você disse que a corda estava muito acima do chão.

— Mais de trinta metros.

— E ela desceu e deixou uma única pegada. Estranho! Muito estranho! — E o Máquina Pensante balançou sua velha cabeça amarela.

— Ela não fez nada parecido — disse Holmes com petulância. — Se vocês escutassem, poderiam ouvir alguma coisa. Os moradores do quarteirão foram interrogados. O fato, porém, é que por acaso nenhum deles estava em casa no momento da ocorrência. Havia uma parada numa rua próxima e todos tinham ido vê-la.

— Caíra uma neve leve na noite anterior? — perguntou Lecoq, ansioso.

— Sim, é claro — respondeu Holmes. — Do contrário, como poderíamos saber de alguma coisa? Bem, a dama tinha deixado sua sapatilha cair e, embora a sapatilha não tenha sido encontrada, tendo sido anexada pelos moradores do cortiço que chegaram em casa primeiro, tive uma oportunidade de estudar a pegada. A sapatilha era tamanho 33. Pequena demais para ela.

— Como sabe?

— As mulheres sempre usam sapatilhas pequenas demais para elas.

— Então como veio a deixá-la cair? — Isso foi dito por Raffles, triunfante.

Holmes olhou para ele com pena.

— Ela a chutou porque estava apertada demais. As mulheres sempre chutam suas sapatilhas fora quando estão jogando bridge ou num camarote na ópera ou num jantar.

— E sempre quando estão atravessando um varal?

Essa foi a veia mais sarcástica de Lupin.

— Naturalmente — disse Holmes, com uma carranca taciturna. — A pegada denota claramente uma dama abastada e elegante, de estatura um tanto baixa e pesando cerca de 72 quilos. Ela era de temperamento animado...

— Animação suspensa — interveio Luther Trant, espirituosamente. Cientista Sprague acrescentou:

— Como o Caixão de Dâmocles, ou quem quer que seja.

Mas Holmes desaprovou a frivolidade deles.

— Temos de descobrir o que tudo isso significa — disse ele à sua maneira mais melancólica. — Tenho um desenho da pegada.

— Eu me pergunto se meu sismoespiógrafo trabalharia com ela — refletiu Trant.

— Sou o Príncipe das Pegadas — declarou Lecoq pomposamente. — *Eu* solucionarei o mistério.

— Façam o melhor que puderem, todos vocês — disse seu ilustre presidente. — Temo que possam fazer pouco; essas coisas são ininteligíveis para os ininteligentes. Mas pensem nelas e vamos nos encontrar aqui novamente dentro de uma semana, com suas respostas esmeradamente datilografadas em um lado da folha de papel.

Os Detetives Infalíveis começaram, cada um afetando uma conduta de sanguíneo otimismo, o que não impressionou em nada seu presidente, acostumado que estava a impressões sanguinárias.

Eles passaram os sete dias designados mergulhados no estudo do problema; e muitas das sete noites também, pois queriam se aprofundar no desconcertante segredo à luz do sol ou das velas, como a cara sra. Browning expressa tão poeticamente.

E quando a semana se esgotou, os Infalíveis se reuniram de novo no santuário de Fakir Street, cada rosto exibindo o presunçoso sorriso de quem havia empreendido uma busca bem-sucedida e estava prestes a aceitar sua justa recompensa.

— E agora — disse o presidente Holmes — como nada pode ser ocultado dos Detetives Infalíveis, suponho que todos nós descobrimos *por que* a dama se pendurou no varal sobre o profundo e perigoso abismo de um pátio de cortiço.

— Nós o fizemos — responderam seus colegas, em diferentes tons de orgulho, convencimento e falsa modéstia.

— Não posso pensar — disse a voz de falcão — que vocês, qualquer um de vocês, tenham topado com a real solução do mistério, mas ouvirei suas tentativas amadorísticas.

— Como o membro mais velho de nossa organização, direi minha solução primeiro — disse Vidocq, calmamente. — Não fui capaz de encontrar a dama, mas estou convencido de que ela era meramente uma exímia trapezista ou uma equilibrista, praticando um novo truque para assombrar suas plateias de Coney Island.

— Absurdo! — exclamou Holmes. — Nesse caso a dama estaria usando uma malha ou um collant. Fomos informados de que ela estava em traje de noite completo dos mais elegantes.

Arsène Lupin falou em seguida:

— É muito fácil — disse ele com enfado. — Ela era uma datilógrafa ou estenógrafa que se irritara com as atenções do patrão e estava tentando escapar do bruto.

— Mais uma vez chamo a atenção de vocês para os trajes dela — disse Holmes com uma expressão de intolerância em seu rosto finamente cinzelado.

— Não tem problema — retrucou Lupin, rapidamente. — Essas moças se vestem de todas as formas! Eu as vi. Não veem nada de mais em usar roupas de noite no trabalho.

— Humpf! — disse o Máquina Pensante, e todos os outros concordaram com ele.

— O próximo — disse Holmes severamente.

— Eu sou o próximo — disse Lecoq. — Sugiro que a dama fugiu de um sanatório de lunáticos ali perto. Ela tinha a ilusão de ser um velho sobretudo que as traças tinham atacado. Assim, é claro, pendurou-se no varal. Esta teoria de sua loucura também explica o fato de que o cabelo da dama estava solto, como o de *Ofélia*, vocês sabem.

— Teria sido mais fácil para ela engolir umas boas bolas de naftalina — disse Holmes, olhando para Lecoq em tempestuoso silêncio. — Sr. Gryce, você é experiente na arte da dedução; o que *você* conclui?

O sr. Gryce colou seus olhos na ponta de sua bota direita, de acordo com seu célebre hábito:

— Deduzo que ela estava visitando o cortiço. Você sabe, todas as melhores damas são ávidas por isso. E sinto que ela pertencia à Seita para o Melhoramento dos Varais. Estava fazendo o papel de testadora. Ela tinha de atravessá-los, uma mão após a outra, e se eles sustentassem seu peso, seriam aprovados pelo censor.

— E se não fossem?

— Ao que parece essa difícil situação não aconteceu no momento de nosso problema e por isso não pode ser considerada.

— Penso que Gryce está certo sobre a visita ao cortiço — observou Luther Trant —, mas a razão para que a dama se pendurasse no varal foi a necessidade imperativa que ela sentiu de um completo arejamento após suas visitas aos cortiços. Há um certo cheiro de cortiços, se posso dizê-lo, que requer ozônio em abundância.

— Você é materialista demais — disse o Máquina Pensante, com um olhar distante em seus débeis olhos azuis. — Essa dama era uma discípula do Novo Pensamento. Ela tinha de mergulhar no silêncio, se concentrar ou seja lá como chamem isso. E eles sempre escolhem lugares estranhos para esses períodos de reflexão. Eles precisam de solidão e, pelo que entendo, o varal não estava cheio, não é?

Rouletabille riu com franqueza:

— Você está completamente enganado, Pensante — disse ele. — O que incomodava aquela dama era exatamente que ela queria emagrecer. Li sobre isso nas revistas femininas. Todas elas querem emagrecer. Fazem toda espécie de exercícios malucos, e essa travessia de varais, uma mão depois da outra, é o mais recente. Aposto que ela perdeu aqueles dez quilos de excesso que o velho Sherly lhe atribuiu.

— Argh e alguns oras — observou Raffles em seu elegante jargão da alta sociedade. — Vocês não me enganam. Aquela esperta solitária estava inventando uma nova dança para arrebatar a sociedade no próximo inverno. Vocês verão. Manchetes dos jornais de domingo: ASSOMBROSA NOVA DANÇA! O SEGURA NO VARAL! ESPALHOU-SE RAPIDAMENTE! É apenas *disso* que se trata. O que vocês sabem, hein?

— Vá dar uma volta, Raffles — disse Holmes, sem indelicadeza —, ainda está com sono. Cientista Sprague, você às vezes propõe uma teoria abstrusa, o que diz?

— Não precisei da ciência — disse Sprague negligentemente. — Assim que soube que ela estava com o cabelo solto, cheguei de imediato à conclusão correta. Ela estivera lavando o cabelo e estava secando-o. Minha irmã sempre enfia a cabeça pela claraboia; mas o plano dessa dama é, eu diria, um sucesso mais completo.

Quando todos tinham expressado suas teorias, o presidente Holmes se levantou para lhes dar o inestimável benefício de suas próprias opiniões.

— Suas ideias não deixam de ter algum mérito — admitiu —, mas vocês deixaram de fora o eterno elemento feminino do problema. Assim que eu lhes disser a verdadeira solução, cada um de vocês se perguntará por que ela escapou à sua atenção. A dama pensou ter ouvido um camundongo, por isso saiu correndo pela janela, preferindo pôr a vida em risco no perigoso varal a permanecer na moradia onde o camundongo estava também. É tudo muito simples. Ela estava arrumando o cabelo, jogou a cabeça para a frente para torcê-lo, como elas sempre fazem, e assim avistou o camundongo parado no canto.

— Maravilhoso! Homes, maravilhoso! — exclamou Watson, que tinha acabado de voltar de sua diligência.

No mesmo momento em que todos ponderavam sobre a sabedoria superior de Holmes, a campainha do telefone tocou.

— Está aí? — perguntou o presidente Holmes, pois falava sempre à maneira inglesa.

— Sim, sim — respondeu a voz impaciente do chefe de polícia. — Chame seus detetives. Descobrimos quem era a dama que atravessou o varal e por que ela o fez.

— Não posso imaginar que realmente saibam — disse Holmes ao fone —, mas diga-me o que pensa.

— Arre! É claro que sim. Era apenas uma daquelas malditas cenas arriscadas de cinema!

— Realmente! E por que a dama chutou a sua sapatilha?

— Arre! Era parte do idiota do enredo. Ela é a srta. Flossy Flicker da Companhia Cinematográfica Flim-Flam, fazendo o thriller de seis rolos "No fim de sua corda".

— Ah — disse Holmes amavelmente —, meus cumprimentos à srta. Flicker por seu bom trabalho.

— Maravilhoso, Holmes, maravilhoso! — disse Watson.

Sherlock Holmes e o muffin

DOROTHY B. HUGHES

A subestimada Dorothy Belle Hughes (1904-1993) é historicamente importante por ser a primeira escritora a se inserir plenamente na chamada *hard-boiled school*, que é um tipo de ficção policial que se distingue por apresentar personagens emocionalmente endurecidos em um cenário de valores reversos. Ela escreveu onze romances nos anos 1940, começando com *The So Blue Marble* (1940) e incluindo *The Cross-Eyed Bear* (1940), *The Bamboo Blonde* (1941), *The Fallen Sparrow* (1942), *Ride the Pink Horse* (1946) e *In a Lonely Place*, os três últimos transformados em filmes *noir* de sucesso. *The Fallen Sparrow* (lançado no Brasil com o título *Beijo da traição*) foi distribuído pela RKO em 1943 e estrelado por John Garfield e Maureen O'Hara; *Ride the Pink Horse* (*Do lodo brotou uma flor*, 1947) foi estrelado por Robert Montgomery e Thomas Gomez; *In a Lonely Place* (*No silêncio da noite*, 1950) teve como protagonistas Humphrey Bogart, Gloria Grahame e Martha Stewart e foi dirigido por Nicholas Ray. Este último, um filme *noir* clássico, retrata um roteirista alcoólatra, propenso a explosões de violência, que é acusado de assassinar uma empregada de chapelaria. Sua vizinha, uma loura atraente, lhe fornece um álibi, mas logo começa a temer que ele tenha realmente cometido o crime e que ela possa ser a próxima vítima. No livro, o escritor é, de fato, um assassino psicopata, mas o diretor achou isso sombrio demais e suavizou o enredo.

No auge do sucesso, Hughes abandonou a escrita em grande parte por causa de responsabilidades domésticas. Ela fez críticas de romances policiais durante muitos anos, ganhando um Edgar por sua perspicácia crítica em 1951; em 1978, a Mystery Writers of America nomeou-a Grã-Mestra pelo conjunto da obra.

"Sherlock Holmes e o muffin" foi publicado pela primeira vez em *The New Adventures of Sherlock Holmes*, organizado por Martin Harry Greenberg e Carol-Lynn Rössel Waugh (Nova York, Carroll & Graf, 1987).

SHERLOCK HOLMES E O MUFFIN

Dorothy B. Hughes

i

Pingentes de gelo de fato podiam ser vistos junto à parede bem cedo naquela manhã de dezembro, conforme Sherlock Holmes cantarolava quando ia de seu quarto para nossa sala de estar:

Quando gelo pende junto à parede,
E Dick, o pastor, espera com paciência,
E Tom carrega troncos...

Uma batida no corredor o interrompeu. Eram seis e meia e nosso chá matinal tinha chegado. Como estava perto, Holmes abriu a porta. Vigorosamente retomou sua canção:

E a gordurenta Joan emborca a panela...

A pequena criada entrou, equilibrando a pesada bandeja de prata, com seus dois bules de porcelana marrom da melhor mistura para o Desjejum Inglês da Jackson's, um grande recipiente de água fumegante, duas xícaras e pires de porcelana Wedgewood, um açucareiro e uma jarra de leite, também de Wedgewood, e duas colheres de prata. Ela conseguiu pousar a bandeja com cuidado, sem derramar nada. Em seguida, levantou os olhos para Holmes:

— Meu nome não é Joan — declarou — e não sou gordurenta. Eu me lavo todas as manhãs e todas as noites, e no sábado tomo um banho completo na banheira da minha mãe. — E enfatizou: — Todo sábado.

Era uma criaturinha que não aparentava mais de dez ou onze anos. Sobre o vestido, usava um avental, evidentemente um dos da sra. Hudson, pelo modo como pendia quase até seus tornozelos. Seu cabelo castanho-claro estava cortado como o de um menino, uma franja lisa até as sobrancelhas e quadrado sob as orelhas. Os olhos eram tão acinzentados quanto aquela gélida manhã.

Várias criadas auxiliares passavam pela casa da sra. Hudson. Nossa exemplar anfitriã não era tão bondosa com seus subordinados quanto era para seus inquilinos. Eu frequentemente a ouvia repreendendo uma ou outra criança chorosa. Criadas auxiliares estavam no degrau mais baixo das domésticas e por isso eram as mais mal remuneradas. Nenhuma trabalhava por muito tempo para a sra. Hudson.

Mas esta tinha brio. E o próprio Sherlock estava de bom humor, pelo que supus que um novo caso lhe aparecera. Como ele dizia tantas vezes, “Dê-me problemas, dê-me trabalho. Abomino a estagnação”. Sem um problema, ele se apegava a seu plangente violino Stradivarius e seu cachimbo de solução a 7½ por cento.

Embora seus olhos estivessem sorrindo agora, seu rosto permanecia grave, assim como sua voz:

— Se você não é a gordurenta Joan — disse —, qual é o seu nome?

— Meu nome é Muffin.

— Muffin?

— Muffin — ela repetiu com firmeza, desafiando-o a desdenhá-lo.

— Bem, senhora Muffin — ele se curvou ligeiramente —, você pode me servir uma xícara de seu excelente chá. Primeiro um pouquinho de leite, depois o chá e finalmente dois torrões de açúcar.

Ela hesitou, como se não fosse serviço seu, como de fato não era, servir o chá. Eu já tinha enchido a minha xícara com uma generosa porção de leite e um torrão de açúcar, e mexido e mexido, como nos ensinavam no internato. Mas ela seguiu as instruções dele, quase como se estivesse acostumada a esse trabalho extra. Sabia fazê-lo, devo dizer. Provavelmente fazia o papel de mãe para sua mãe à noite.

— E onde você ganhou esse lindo nome, senhora Muffin? — indagou-lhe polidamente Sherlock, quando se aventurou a tomar um gole de seu chá escaldante.

— Mamãe me chamou assim — respondeu ela. — Antes de eu nascer, ela uma vez economizou meio *penny* de seu salário e comprou para si um muffin do Homem dos Muffins. Ela diz que foi a melhor coisa que comeu na vida. E quando eu nasci, me chamou de Muffin. — Ao concluir, ela se encaminhou para a porta. — Com sua licença, senhores, mas ela vai me acusar de ficar tagarelando se eu não pegar logo a escada de serviço. Volto para buscar a bandeja mais tarde.

E com isso ela desapareceu como um raio.

Quando ela já estava bem longe, Sherlock caiu na risada:

— Muffin. Porque foi a melhor coisa que ela já tinha comido. — Depois seu rosto ficou sério. — Pobre mulher. Esperando, por quanto tempo, até poder dispor de meio *penny* para sua iguaria especial? Aposto que esta criança nunca provou um.

— Não com um salário de criada auxiliar — concordei. Servi-me de mais chá. — Você se levantou cedo. Um novo caso?

— É o que parece. Um baú de joias enviado da Índia no navio *The Prince of Poona* desapareceu. Esta manhã vou me encontrar com o comandante do navio e representantes do vice-rei. Depois que eu souber mais detalhes, decidirei se desejo ou não me incumbir desse caso.

— Não podem ser as gemas do gaicovar de Baroda! — Eu tinha lido sobre seu valor na semana anterior nos jornais.

— De fato, sim. Pelo seu serviço na Índia, Watson, aposto que você sabe que o gaicovar recebe de seus súditos todos os anos seu peso em ouro e pedras preciosas. Sem dúvida é por isso que ele imita um ganso de Estrasburgo à mesa. — Pudemos trocar um sorriso, tendo visto novas fotografias do gaicovar atual. Holmes continuou: — Parece que ele decidiu ter parte de seu tesouro montada em peças, couraças, diademas, anéis e outras coisas, possivelmente como presentes para suas esposas e seus cortesãos favoritos.

— Mas por que Londres?

Os indianos orientais eram famosos por suas habilidades como lapidários.

— Realmente por quê? Porque os melhores cortadores de pedras estão agora em Londres, ao que parece. Ao menos o gaicovar considera que é assim. E não quer que ninguém mais corte essas gemas.

Debaixo de seu robe, Holmes estava vestido, exceto pelo sobretudo. Por um instante ele voltou ao seu quarto, somente para emergir com suas botas resistentes, sua capa Inverness, vários cachecóis de lã enrolados no pescoço, carregando suas luvas de inverno forradas de pele. Na cabeça usava uma pele que comprara na Rússia. Tinha abaixado as orelheiras.

Por causa do tempo, sugeri que tomasse um cabriolé de aluguel até seu local de encontro. Ele zombou disso:

— É de ar fresco e frio que meus pulmões estão precisando. — E saiu.

Invejei-o. Eu ainda estava mais ou menos confinado em casa, tratando dos ferimentos de meus serviços no Afeganistão. Encolhi-me junto ao fogo, instalando-me numa espreguiçadeira com meu cachimbo de urze e o *London Times* da manhã. Sherlock afirmava que o *Times* só era lido por intelectuais, classe a que não alego pertencer. Mas, para mim, o *Times* era o único jornal que dava notícias apropriadas.

Eu tinha me esquecido de Muffin até que ela bateu na porta mais tarde e reapareceu. Disse num só fôlego:

— A sra. Hudson diz que seu desjejum estará pronto em uma hora isso é tarde demais e o senhor vai descer?

Holmes e eu em geral tomávamos o desjejum na sala de jantar do térreo, sendo difícil, se não impossível, manter torrada, ovos e bacon adequadamente aquecidos quando uma bandeja tem de ser preparada e carregada por dois andares da cozinha ao primeiro andar, onde ficavam os nossos aposentos.

— Sim, vou descer — eu lhe disse. — E oito horas será conveniente para mim. E por favor informe à sra. Hudson que o sr. Holmes não descerá para o desjejum, pois já saiu.

Isso não era incomum quando ele estava trabalhando num caso. Houve vezes em que ele saiu realmente antes do chá matinal!

— Sim, senhor — disse Muffin.

Ela tinha estado enchendo a bandeja com os restos do chá daquela manhã. Fez menção de apanhá-la agora, mas eu a detive:

— Quero que saiba — disse —, que o sr. Holmes não estava falando de você quando disse gordurenta Joan. Estava apenas cantando uma das canções do sr. Will Shakespeare.

O rosto dela se iluminou:

— Oh, já ouvi algumas delas. Quando eu era pequena, mamãe me levou para ver algumas de suas peças na sala de espetáculos. Havia uma em que o fantasma do pai aparece para um príncipe chamado Hamlet. Muito assustador. E outra chamada *Noite de reis*, em que uma garota finge que é um rapaz e em que há dois velhos cavalheiros que cantam e dançam. Muito cômicas, essas peças.

— A sua mãe trabalha no teatro? — perguntei.

— Oh, não, dr. Watson, senhor. Isso foi quando ela era faxineira da sala de espetáculos. Não fica longe do cais, logo ao largo da Strand. O porteiro a deixava entrar comigo se eu ficasse sentada quieta nos degraus. — Ela balançou a cabeça. — Posso lhe dizer, apesar de ser muito nova, eu ficava muito mais quieta que as pessoas nas poltronas e no balcão. — Ela levantou a bandeja, que não estava tão pesada com os bules vazios. — É melhor eu me apressar antes que a sra. Hudson fique rabugenta de novo. — E saiu.

Naquela noite junto à lareira, regalei Holmes com as novas revelações sobre Muffin. Ele ficou tão impressionado quanto eu por ela ter conhecimento de Shakespeare.

— Eu me pergunto se ela saber ler e escrever — refletiu ele.

A educação para mulheres ainda era de escassa a inexistente, embora a Lei da Educação Nacional tivesse sido introduzida pelo Parlamento alguns anos antes. Em considerável medida, o Parlamento o fizera por causa do movimento de John Stuart Mill pela melhoria das escolas para mulheres, a que a srta. Florence Nightingale havia somado sua influência. Tanto Holmes quanto eu éramos firmes partidários da educação para todos.

Naquela noite Holmes não falou de seu novo caso, exceto para dizer que o aceitara e iria sair cedo de manhã rumo ao cais. Possivelmente os cais estão um pouco melhorados agora, no fim do século XIX, mas eles ainda eram repugnantes na melhor das hipóteses e perigosos além disso. Não que Holmes jamais tivesse medo de andar mesmo pelos mais sórdidos becos. Sua constituição esbelta não dava nenhum indício do poder muscular por trás dela. Holmes era um boxeador tão bom quanto qualquer profissional, e com exercício e dieta apropriada, mantinha-se em forma. Apesar disso, não se fiava apenas na força bruta. Ele preenchia a bengala que carregava com pesos, como mais de um malfeitor pôde atestar.

— Devemos esperar que o tesouro não esteja nas mãos de um dragador. Poderia ser bastante difícil recuperá-lo.

Na maioria das vezes, os dragadores eram homens perseverantes, trabalhadores da classe mais inferior, que procuravam objetos de possível valor em meio a destroços de naufrágios. Eles tinham também o dever de recuperar corpos afogados do rio. Por esta última atividade, recebiam "dinheiro de investigação". Lamentavelmente, contrabandistas se introduziam entre os dragadores honestos e eram mais ativos quando navios das Índias Orientais estavam ancorados no rio.

Holmes fumava placidamente seu tabaco forte de depois do jantar:

— Certamente, estando em jogo diamantes, o tempo é essencial.

— Diamantes!? — não pude deixar de exclamar.

— O tesouro contém diamantes, pesando mais de três toneladas.

— E você deve recuperá-los?

— Pretendo tentar. — Seus lábios não sorriam. — Não pretendo fracassar.

ii

Na manhã seguinte, Muffin não se demorou após levar nosso chá matinal. Aposto que a sra. Hudson a repreendera por seus lapsos da véspera. Holmes tomou seu chá com seu costumeiro cachimbo de antes do desjejum, cheio, como sempre, com os restos de tabaco semifumados da véspera, que ele secava em sua escrivaninha durante a noite. Enquanto fumava, bebeu suas duas xícaras habituais com dois torrões de açúcar, mas não se demorou com elas. Logo foi para o seu quarto se vestir, ansioso para ir ao cais.

Acendi meu cachimbo de urze e me servi de uma terceira xícara. Sem avisar, sem mesmo sua costumeira batida, Muffin irrompeu na sala. Em cada mão segurava uma bota de homem.

— O sr. Holmes não está aqui? — perguntou.

— Está. Em seu quarto, se vestindo.

Ela ofegou:

— Alguém jogou as botas dele na lata de lixo. Fui esvaziar as cestas da cozinha na lata e as vi sobre os restos. A carroça do lixo vai passar esta tarde, e elas teriam sido levadas para o depósito de lixo. — Ela balançou a cabeça. — Se o lixeiro não as guardasse para vendê-las.

Do vão de sua porta, Holmes bradou:

— O que vocês estão dizendo?

Muffin deu meia-volta e as botas caíram de seus dedos. Um instante depois ela arquejou:

— Ai, sr. Holmes. O senhor me deu um susto. — Expirou profundamente. — Eu o tomei por um lascar.

Agora Holmes estava disfarçado sob a aparência de um desses marinheiros durões das Índias Orientais. Uma cicatriz atravessava toda a sua face esquerda. Seu rosto estava tão marrom quanto café. Mesmo para mim, um médico, e vista tão de perto, parecia ser uma cicatriz verdadeira.

— Você conhece os lascars? — perguntou Holmes.

— Oh, sim, mamãe e eu moramos perto do cais. Meu pai era um homem do mar até seu navio se perder no oceano Índico, com todos os marinheiros a bordo. Eu nunca o conheci; eu era apenas um bebê. — Ela se livrou das lembranças e retornou ao presente: — Os lascars são malvados. Preferem lhe cortar com uma faca a lhe dizer que horas são.

Holmes se virou para mim:

— E estou aprovado na sua inspeção, doutor Watson?

— Você já foi aprovado num teste mais difícil — informei-o. — É mais difícil enganar crianças que os mais velhos. — Em seguida lhe expliquei: — Muffin resgatou suas botas da lata de lixo.

Depois de pegá-las do chão, ela as estendeu para ele.

— Que bondade a sua cuidar de mim, senhora Muffin. No entanto, estas são as botas que joguei fora.

— Mas, sr. Holmes — ela protestou. — O couro não está quebrado. Olhe. E as solas! Ainda fortes…

— Não preciso mais delas — disse-lhe ele. — Meu sapateiro de Jermyn Street entregou-me as novas esta semana. Estas você pode jogar novamente no lixo.

— Se o senhor quer assim. — Ela se virou com relutância para sair, ainda esfregando o polegar no couro macio. E então se virou para ele novamente, perguntando em voz baixa: — O senhor se importaria se em vez de lata de lixo eu ficasse com elas para mim?

Ele ficou surpreso por um momento:

— De maneira alguma. Mas receio que elas seriam grandes demais para você, senhora Muffin.

— Oh, não são para mim, senhor. Para a mamãe. Ela tem os pés tão frios quando chega em casa tarde da noite de suas faxinas, parecem pedras de gelo. Quando está chovendo, os sapatos dela ficam molhados até a pele. As solas dela são de papelão.

— Não serão grandes demais para ela? — intervim, duvidando. — O pé de uma mulher é diferente do de um homem.

— Não com novas meias velhas. Talvez dois pares para preencher os vãos.

— Novas meias velhas? — Era uma expressão que eu nunca ouvira.

— Todas as mães as fazem. Elas cortam fora o pé gasto e emendam o que sobrou. Depois elas cortam um pedaço de cima de outra meia velha e costuram isso ao topo para deixá-las compridas o bastante. E você tem uma nova meia velha.

Uma peremptória batida na porta silenciou-a. Era a batida da sra. Hudson. Notei apenas que Sherlock saíra discretamente enquanto Muffin e eu conversávamos.

Abri a porta para nossa senhoria. Ela me deu bom-dia, em seguida dirigiu seu olhar para Muffin:

— Precisam de você lá embaixo.

— Sim, senhora — disse a criança docilmente e escapuliu.

— Lamento tê-la segurado até agora. Estava me ajudando. — Assumi a culpa, esperando que isso fosse ser de alguma ajuda para Muffin. Notei que ela tinha conseguido esconder as botas sob seu avental antes de sair às pressas.

— Sempre que precisar de ajuda, dr. Watson — disse a sra. Hudson gentilmente —, basta me informar. Eu lhe cederei uma das criadas.

Com isso, ela saiu com um farfalhar de saias. Pela maneira como suas saias eram cheias, ela devia usar sempre várias anáguas, pelo menos uma de tafetá. Eu não tinha nenhuma dúvida de que, a essa altura, Muffin devia estar com as botas bem escondidas lá embaixo até a hora de ir embora naquela noite.

Escureceu antes que Holmes voltasse. Pelo seu semblante taciturno, o dia não correra bem e não fiz nenhuma pergunta. Só depois que tinha limpado todos os vestígios do lascar e estava confortavelmente instalado junto ao fogo, envolto em seu robe púrpura, ele discutiu a aventura.

— O cais estava repleto de lascars, Watson. Embora eu fale vários de seus dialetos, nenhum deles se dispôs a falar comigo. Quanto ao mais, a área estava quase deserta de seus residentes. Não pude apurar se era por medo deles ou por ordem de um tal Jick Tar.

— Jick Tar? — repeti. O nome não significava nada para mim.

— Ou Jicky Tar. Ele tem uma loja de suprimentos para navio lá e parece governar a vizinhança de maneira tão absoluta quanto um potentado oriental.

— Não Jack Tar? Jick Tar. — Continuei intrigado.

— Talvez antigamente ele fosse Jack Tar e mudou de nome quando deixou a Marinha Real. Por razões boas e suficientes, não duvido. Descobri que ele era dragador ou usava esse disfarce para suas operações. Pelo que sei, perdeu uma perna numa delas e não pôde mais trabalhar na água, por isso abriu a loja. Tentei entrar lá, mas fui rudemente colocado para fora por um dos valentões na sua porta.

— Não vai precisar voltar? — perguntei.

— Preciso voltar se quiser descobrir as joias. Mas mudarei de disfarce.

Nosso jantar chegou nesse momento. Eu pedira que fosse trazido para cima quando percebi que ele não chegaria a tempo de se vestir para a sala de jantar. Fiquei satisfeito ao ver que, longe de mergulhar na depressão, ele estava com bom apetite. Depois do doce, ele abriu uma garrafa de clarete e eu trouxe os havanas. Os contratempos do dia obviamente apenas aumentaram o desafio de solucionar o caso.

No dia seguinte, ele estava junto ao fogo em nossa sala de estar antes de eu me levantar. Até onde eu sabia, talvez tenha passado a noite toda sentado ali. Mas estava longe de parecer desanimado, o que tomei como um indício de que tinha pensado em um ou mais planos de ação.

Às seis e meia em ponto, Muffin chegou com sua bandeja do chá matinal. Ela parecia preocupada. Depois de pousá-la, aproximou-se de Holmes:

— Acho que lhe fiz um mal — disse ela, trêmula. — Foram as botas. Quando eu as estava levando para casa ontem à noite, encontrei com Jacky e Little Jemmy e eles disseram que eu as tinha roubado. Eu disse que realmente não tinha e que o sr. Sherlock Holmes as dera para mim.

Holmes estava fazendo força para não rir diante de sua agitação infantil:

— Não fale tão depressa — pediu ele.

Ela tomou fôlego:

— Eles disseram que iriam contar para Jicky Tar, mas quando eu disse o seu nome, fugiram como coelhos. Só que — ela tomou fôlego de novo — eles me seguiram hoje de manhã. Estou com medo de que queiram lhe fazer mal. E minha mãe ficou tão agradecida pelas botas, ela até chorou.

— Onde estão esses meninos — perguntou Holmes.

— Do outro lado da rua. — Ela nos levou às amplas janelas da frente e apontou para o outro lado. — Ali, junto da segunda casa parda. — Na escuridão da manhã, mal podíamos divisar as formas de duas figurinhas juntas no frio meio-fio.

— Eles são os meninos de Jicky Tar? — perguntou Holmes.

— Oh, não, eles são Cotovias da Lama. — Esse era o nome dado às crianças miseráveis que revolviam as margens lamacentas nas ribanceiras do rio à procura de garrafas, pedaços de carvão ou quaisquer artigos perdidos que pudessem vender por algumas moedas. Apesar das reformas modernas, ainda havia muitas crianças de rua em Londres, cujos pais, incapazes de cuidar delas, as haviam colocado para mendigar ou se virar por conta própria de outras maneiras. — Mas Jicky Tar compra alguns de seus achados — disse ela. — E eles têm medo de aborrecê-lo.

— Vou falar com eles — afirmou Holmes. — Vá dizer à sra. Hudson para mandar subir o rapaz da lareira para fazer um serviço para mim.

O rapaz da lareira vinha a ser um velho macambúzio que eu nunca vira antes, pois ele subia para acender nosso fogo antes de eu acordar. Ele subiu a escada com passos pesados e Holmes foi a seu encontro na porta:

— Há dois meninos do outro lado da rua. Quero que você os traga aqui para mim. Quero falar com eles.

Sem dizer uma palavra, o homem se afastou, descendo a escada com os mesmos passos pesados.

Holmes deixou a porta aberta e veio até a mesa:

— Hoje a gordurenta Joan de fato emborcou a panela.

— Vou tocar para pedir mais água.

— Esta será suficiente. Não é hora de ser exigente.

Enquanto ele ainda falava, pudemos ouvir vozes lá embaixo, e logo a porta se abriu mais e um moleque, enrolado em cachecóis e luvas de toda espécie deu uma olhada na sala. Era mais ou menos do tamanho de Muffin, mas mais bem alimentado, com um nariz redondo e redondos olhos azuis numa cara redonda. Suas bochechas estavam vermelhas de frio.

— Entre, garoto — disse Holmes. — Você é...

— Jacky, senhor. — Sua voz estava rouca com o frio.

— E onde está Jemmy?

— Meu irmão está lá embaixo — ele apontou. — Tomando conta da caixa.

Holmes conteve seu alvoroço:

— A caixa...

— É pesada demais para carregar para longe.

— O que há na caixa? — indagou Holmes.

— Pedras — disse o menino. — Nada além de pedras.

— Então por que a trouxeram até aqui? — O garoto percorreu a sala com os olhos, desconfiado, fixando-se particularmente em mim. — Por quê? — repetiu Holmes.

— Quero que o senhor a veja. Quero que veja que são somente pedras. Não quero que Jicky Tar fique dizendo que roubei alguma coisa da caixa.

— Vá buscá-la — ordenou Holmes. — Conseguem subir a escada com ela?

— Eu e Little Jemmy juntos conseguimos. Do jeito que a trouxemos até Baker Street.

Holmes esperou no topo da escada, para o caso de a sra. Hudson não deixar Jacky voltar com Jemmy. Não que ela não estivesse acostumada aos visitantes esquisitos que Holmes muitas vezes recebia. Fui até a porta e vi quando os dois meninos apareceram, içando uma caixa de madeira degrau por degrau até que Holmes a pegou no alto da escada. Little Jemmy mal chegava ao ombro de Jacky. Não podia ter mais de sete ou oito anos. Como Jacky, estava todo embrulhado, mas seu rosto magro parecia embranquecido e ressecado pelo tempo implacável. Todos nós entramos na sala de estar e Holmes mandou que os meninos fossem para junto da lareira. Ele pôs a caixa diante deles no chão.

— Querem abri-la?

A caixa ou arca parecia feita de ótima teca, embora muito estragada por ter ficado imersa na água do rio. Tinha talvez a metade do tamanho de um baú de viagem de criança. Jacky abriu o fecho e levantou a tampa.

Ela continha pedras. Nada além de pedras sujas. Algumas pequenas como cerejas, mas em sua maioria grandes como ameixas.

— Que querem que eu faça com isto? — perguntou Holmes aos meninos.

— Faça o que quiser — disse-lhe Jacky. — Mas não conte a Jicky Tar que nós as trouxemos para o senhor.

Little Jimmy advertiu, temeroso:

— Ele lhe dá um golpe com aquela bengala dele para derrubá-lo no chão e depois o esmaga como a um inseto.

— Não quero saber dele — assegurou Holmes.

Depois que os meninos tinham ido embora, cada um segurando uma moeda dentro da luva, Holmes se virou para mim:

— Vamos, Watson. Devemos nos vestir e sair imediatamente. Se estas pedras forem o que suponho, preciso de você como testemunha.

— E nosso desjejum? — lembrei-lhe.

— Nós o tomaremos mais tarde.

Não discuti com ele. Em tempo recorde ambos estávamos prontos para partir. Fui na frente, carregando sua bengala, enquanto ele desceu com a arca. Tive a sorte de conseguir um cabriolé de aluguel para nós quase imediatamente. Holmes instruiu o cocheiro:

— Para Ironmonger Lane.

Depois de estarmos a caminho, ele explicou:

— Estou levando a arca a um certo signor Antonelli, que é, como fui informado, o melhor lapidário em Londres. Durante séculos os indianos orientais foram os únicos lapidários no mundo civilizado. Como você certamente soube em seus anos na Índia, aquele país era a única fonte conhecida de diamantes até o início do século XVIII e a descoberta deles no Brasil.

— Sim, de fato — lembrei-me. — As melhores e mais famosas pedras vieram da área de Golconda, perto de Hyderabad. O Kuh-a-Nur, que foi um presente da Índia para a nossa Coroa real, é o maior diamante conhecido. O Darya-i-Nur, outra das pedras notáveis, está na Pérsia. Foi levado para lá junto com todas aquelas pedras conhecidos agora como Joias da Coroa Persa, pelo Nadir Xá quando ele saqueou Déli em 1739. Dizem que as joias persas superam todas as outras em vastidão de número, tamanho e qualidade, embora nossas próprias joias da Coroa contenham algumas das gemas mais preciosas, particularmente em diamantes. — A ponta de minha bota cutucou a arca. — Você acredita que estas pedras são diamantes?

— Acredito — respondeu Holmes. — Tanto na Índia quanto no Brasil, diamantes eram encontrados apenas em depósitos de cascalho. Como rochas sedimentares vêm de algum depósito mais profundo, obviamente essa não era a fonte original. Mas somente com a descoberta de diamantes na África do Sul, menos de vinte anos atrás, ficamos sabendo que eles ficam dentro de profundos veios cilíndricos de rochas ígneas. Em sua forma não lapidada, os diamantes não podem ser distinguidos de nenhuma rocha de bom tamanho.

Quando Holmes investigava um assunto, ele o fazia de maneira exaustiva.

— Diamantes são puro carbono. É verdade, algumas pedras mais pobres têm cristais de outros minerais incrustados, mas estes não são usados como pedras preciosas, somente para pó de diamante e outros propósitos inferiores. — Ele refletiu. — A história dos diamantes é fascinante, Watson. Sabe-se que já eram usados como pedras preciosas desde 300 a.C. Em documentos antigos está registrado que Alexandre, o grego macedônio que conquistou a Pérsia e acrescentou "o Grande" a seu título adornava-se com diamantes enquanto avançava para se apoderar de todo o Oriente Médio. O próprio nome provém do grego, *adamas* ou "invencível".

Holmes havia evidentemente encontrado tempo, entre todas as outras coisas com que estava envolvido, para visitar a sala de leitura do Museu Britânico. Ele continuou:

— O diamante é a pedra preciosa mais dura, por isso a mais difícil de cortar. Somente ele alcança o grau dez, o ponto mais elevado, na recente escala de Mohs. De especial interesse para mim são as diferenças na avaliação da beleza de um diamante. No Oriente, a beleza está principalmente no peso, ao passo que no Ocidente está na cor e na forma. Os lapidários indianos inventaram o corte da rosa, que melhor preservava o peso. Mas consideravam quase impossível polir esse corte para fazer aparecer seu fogo.

"Foi o lapidário veneziano Vincente Peruzzi que, no fim do século XVII, começou a fazer experiências com o acréscimo de facetas ao corte da mesa. O resultado foi o primeiro corte brilhante. Cortar é uma ciência. Peruzzi tinha estudado com lapidários das Índias Orientais. Como também signor Antonelli. E é por isso que estamos aqui", concluiu ele quando o carro de aluguel parou diante de uma oficina muito velha na Ironmonger's Lane.

Holmes saltou. Enquanto ele pagava o cocheiro, empurrei a arca para uma posição em que ele podia levantá-la mais facilmente. Em seguida saltei para a calçada e me dirigi à porta da oficina. Nesse instante vi um homem que se aproximava num passo rápido, apesar de sua perna de pau.

— Holmes! — adverti rapidamente.

Diante do alarme em minha voz, ele se virou e também reconheceu quem devia ser essa pessoa. Nada mais nada menos que Jicky Tar. Ele era grande, embora não fosse alto, e seu blusão de malha de marinheiro não podia esconder seus músculos salientes. O rosto era uma máscara malévola. Ele brandia um porrete, encaroçado como são aqueles cassetetes pesados que vêm da aldeia de Shillelagh.

Um olhar e Holmes me entregou a caixa. Ele puxou sua bengala de debaixo do meu braço, em seguida avançou alguns passos e ficou à espera. Só então vi os dois brutamontes que tinham dobrado a esquina na esteira de Jicky Tar. Um tinha Jacky imobilizado numa chave de braço, o outro tinha um punho como um torno apertado em volta do bracinho de Jemmy.

Holmes também os viu e gritou:

— Soltem esses meninos! Já!

— Só depois que você devolver minha propriedade — rosnou Jicky.

Ele tinha avançado até ficar a vários metros de Holmes antes de tomar posição. Era óbvio que estava acostumado a brigas de rua, em que é necessário manter a distância adequada para brandir um porrete com o máximo de impacto.

— Que propriedade sua afirma que tenho? — perguntou Holmes.

— A caixa. — Jicky lançou um rápido olhar para o lugar onde eu estava. — A caixa que essas pestes roubaram de mim e deram a você.

O menino Jacky gritou por sobre suas palavras:

— Ele está mentindo, sr. Holmes. Está mentindo! Não era dele, era nossa. Quem a encontrou fomos nós. Não ele.

Jacky estava se debatendo e se esforçando para se livrar de seu captor, dirigindo seus chutes para onde seriam eficazes. Um acertou o alvo. O brutamontes uivou e por um momento afrouxou o braço que segurava o garoto. Jacky se desvencilhou e saiu correndo a toda pela travessa.

— Jicky, ele escapou! O maldito desgraçadinho escapou. Vou atrás dele! — gritou o valentão.

— Não — ordenou Jicky. — Fique aqui! Eu o pego mais tarde. Ele não irá longe. Não sem seu irmãozinho chorão. — Em seguida ele voltou sua atenção para Holmes. — Você vai me dar a caixa ou terei de tomá-la?

— A propriedade pertence ao gaicovar de Baroda e eu a devolverei a ele — afirmou Holmes, com autoridade.

Sem aviso de "em guarda", Jicky Tar brandiu seu porrete, enquanto o valentão desocupado veio por baixo dele em direção a Holmes. A finta bem direcionada de Holmes para Jicky tornou-se um golpe na cabeça do valentão, derrubando-o. Ficaram então apenas os dois homens, ambos especialistas, nesse olho por olho, manobrando como espadachins, um para desarmar o outro. O valentão conseguiu se levantar cedo demais e avançou para se juntar à briga. Temi por Holmes, com dois contra um, mas não teria sido necessário. Com invejável destreza, a bengala de Holmes o atingiu e derrubou de novo. Holmes então a levantou para desarmar Jicky Tar quando o apito da polícia soou.

— É o Jacky — exclamou Jemmy. — Ele trouxe os tiras.

Era realmente Jacky, correndo à frente de um policial enquanto outro vinha atrás, soprando o apito. A polícia rapidamente se encarregou de Tar e de seu capanga. Aquele que agarrara Jemmy tinha desaparecido durante o tumulto, soltando o menino, que correu para o lado do irmão.

— Levem esses homens para o inspetor Lestrade. Estarei lá daqui a pouco para informá-lo de seus crimes. E levem os meninos com vocês — disse Holmes aos policiais.

— Cruz-credo! — exclamou Jacky, enquanto Jemmy se agarrava a ele. — Ele nos dedurou!

— De maneira nenhuma — disse-lhes Holmes. — Não é seguro para vocês voltar a seus antigos refúgios. Apenas fiquem com a polícia até eu chegar, e depois encontrarei um lugar melhor para vocês morarem.

Enquanto ele falava, o carro da polícia, chamado pelos apitos, desceu pela viela. Os bandidos foram rapidamente trancados dentro dele. Com grande relutância, os meninos foram alçados para o lado do cocheiro e os cavalos voltaram batendo os cascos pela rua. Holmes espanou sua capa e endireitou o chapéu. Em seguida pegou a caixa comigo e avançou para entrar na oficina do signor Antonelli.

Estava escuro e sombrio lá dentro. Havia apenas um cômodo; um balcão separava a frente do fundo mais amplo. Ali, as prateleiras estavam carregadas com toda espécie de pedras e, sobre uma mesa comprida, havia mais, em vários estágios de lapidação. A poeira de diamante recuperada nesse processo é a única substância dura o suficiente para produzir o alto polimento necessário a belas pedras.

À mesa, curvado sobre seu trabalho, estava um velho encarquilhado, seu rosto com cicatrizes sem dúvida causadas por fragmentos desgarrados de pedras preciosas. Seu escasso cabelo branco amarelado caía abaixo das orelhas e ele usava óculos com lentes de alta magnificação. Se estava ciente da recente comoção do lado de fora de sua oficina, não dava nenhuma indicação. Ignorou nossa entrada.

Após um momento, Holmes falou:

— É o signor Antonelli? — A pergunta foi ignorada. Holmes continuou: — Sou Sherlock Holmes e este é meu amigo, dr. Watson.

O velho não respondeu.

Quando o silêncio incômodo persistiu, Holmes levantou a caixa até o balcão e abriu-a. Pegou uma das pedras e estendeu-a para o signor Antonelli:

— Pode me dizer o que é isto?

Antonelli parou de trabalhar e caminhou devagar até nós. Tomou a pedra de Holmes.

— Vou ver — murmurou.

Observamos enquanto ele carregava a pedra de volta para sua mesa de trabalho. Com instrumentos que não tinham nenhum significado para Holmes ou para mim, começou a lapidar um pedacinho na borda. Logo levou-a de volta para o balcão.

— É um diamante — declarou.

— Do cargueiro *Prince of Poona* — disse-lhe Holmes.

— Eu vinha esperando por isto. Disseram-me que o senhor poderia trazê-las aqui — murmurou o signor.

— Então posso deixar a arca com o senhor? — Novamente não houve resposta. Mas Holmes continuou como se tivesse havido: — Consultarei o vice-rei nesse sentido. Ele o informará do que é desejado pelo gaicovar.

O ancião assentiu com a cabeça uma vez. Sem uma palavra de despedida para nós, ele levantou a arca como se ela não pesasse mais que um osso de cachorro e a carregou para sua área de trabalho. Holmes e eu, trocando olhares divertidos, nos retiramos.

Foi preciso andar até uma rua mais movimentada para encontrar um cabriolé de aluguel.

— Vou deixá-lo em casa — disse-me Holmes. — É possível que a sra. Hudson lhe sirva um desjejum tardio. Pelo menos ela arranjará alguma coisa para você comer até a hora do almoço.

— E você comerá...?

— Mais tarde — disse ele. — Primeiro tenho que ir à Scotland Yard para conferenciar com Lestrade. De agora em diante estou certo de que ele ficará de olho em Jicky Tar. Preciso também arranjar um lugar onde os meninos possam ficar em segurança. Graças a Muffin eles vieram a mim com seu achado. Se tivessem ido àquele bandido, aposto que a esta altura as "pedras" teriam sido todas jogadas no rio.

iii

A hora do jantar já se aproximava quando Holmes voltou.

— E você vai querer seu desjejum agora? — gracejei, imitando o sotaque escocês da cozinheira. — Ou vai esperar o jantar?

— Lestrade e eu almoçamos depois de prestar contas ao vice-rei — respondeu Holmes. — Talvez eu simplesmente dispense nosso jantar esta noite. Após a culinária preparada pelo chef do Savoy, a cozinheira da sra. Hudson não estimula meu apetite.

— Embora ela prepare um copioso desjejum escocês.

— É verdade — ele concordou enquanto tirava a capa e o chapéu.

— E quanto aos meninos? — indaguei.

— Entreguei-os a um par de meus Irregulares. Jovens camaradas leais que vão não só arranjar um lugar para Jacky e Jemmy morarem, mas iniciá-los nos costumes dos Irregulares. Vamos vê-los novamente, não tenho dúvida — respondeu ele com entusiasmo.

— Nem eu — concordei.

— Caso esteja intrigado querendo saber como Jicky Tar tinha conhecimento da oficina do signor Antonelli; ele tinha um informante no *Poona* que lhe avisou que a caixa acabaria indo parar lá. Depois que ele soube que eu estava no caso, Jicky me manteve sob vigilância. Por isso fomos seguidos. Tudo está bem quando termina bem — citou ele, antes de sugerir: — Talvez um copinho de *amontillado* viesse a calhar.

Ele andou até nosso aparador, pegou dois copos de vinho e a garrafa. Depois que serviu, ergui meu copo:

— A mais um sucesso.

Ele rejeitou o elogio:

— Pura casualidade desta vez.

— Mas baseada em conhecimento acumulado — corrigi.

— E numa pequena criada. — Agora ele ergueu seu copo. — A nossa senhora Muffin — brindou ele. — Sabe, John — disse ele se sentando —, não estou acostumado a receber remuneração pela ajuda que dou àqueles que precisam de soluções para seus problemas. De vez em quando, porém, faço um acordo. O que fiz nesta ocasião. O gaicovar tem meios para isso. — Ele tomou um gole de seu xerez. — Tenho a intenção de enviar Muffin para a escola, um bom colégio para meninas. Mas como providenciar isso? Está bastante óbvio que tanto ela quanto sua mãe são pessoas independentes que não aceitariam caridade ou nada que se parecesse com isso. — Ele balançou a cabeça. — No entanto, para sobreviverem, elas consideram necessário que ambas saiam para trabalhar.

— Com o custo de vida de hoje em dia, isso parece ser essencial — comentei.

— Estive refletindo sobre esse problema. — Ele voltou a encher nossos copos. — Pensei em algum tipo de bolsa de estudo. Não para cobrir apenas as mensalidades, mas com o suficiente para pagar ao menos o aluguel delas também. Dessa maneira a mãe dela poderia ter condições de permitir que Muffin se beneficiasse da educação. A criança com uma mente brilhante e um espírito incomum, seria um desperdício não permitir que ela se aperfeiçoe. Talvez para se tornar uma professora.

— Ou talvez uma cientista — sugeri.

— Uma doutora em medicina — contrapôs ele.

— Esse dia chegará para as mulheres — concordei. — E não vai demorar muito.

— Mas como criar uma bolsa de estudo? E como assegurar que Muffin fará uso dela? Este é o problema mais complicado que já encontrei.

— Você o solucionará — falei com segurança.

— Eu preciso — respondeu ele. — É, se posso inventar uma expressão, uma "remuneração para o descobridor".

A primeira campainha soou lá embaixo. Começamos a nos arrumar para estarmos prontos a descer antes da segunda. Holmes sorriu ao pousar seu copo de vinho:

— Estou com vontade de fazer o papel de Papai Noel para nossos jovens amigos. Um casaco quente e um chapéu de inverno para Muffin e o mesmo para os meninos. Talvez até um novo par de botas resistentes para cada um deles. — A segunda campainha soou. — Você não acha que eu seria capaz de convencer essas crianças sagazes com uma longa barba branca, um longo casaco vermelho e um gorro vermelho na cabeça?

Não respondi. Os meninos, sim, eu acreditava que ele poderia. Mas não nossa Muffin.

O homem da Cidade do Cabo

STUART M. KAMINSKY

A prolífica e variada carreira de Stuart Melvin Kaminsky (1934-2009) produziu várias longas séries policiais, roteiros de cinema, livros sobre escrita e trabalhos sobre a indústria cinematográfica.

Como professor de cinema na Universidade Northwestern por dezesseis anos e na Florida State por seis, Kaminsky estava bem qualificado para escrever sobre gêneros cinematográficos e para produzir biografias de figuras significativas como Don Siegel, Clinton Eastwood, Gary Cooper e John Huston. Ele também foi coautor do roteiro para *Era uma vez na América* (1984).

Kaminsky gozou de grande sucesso com sua série em 24 volumes sobre Toby Peters, um detetive particular ligeiramente desqualificado durante a idade de ouro de Hollywood que se envolveu com os grandes astros da época, inclusive Humphrey Bogart (*Bullet for a Star*, 1977), os Irmãos Marx (*You Bet Your Life*, 1978), Bela Lugosi (*Never Cross a Vampire*, 1980) e Mae West (*He Done Her Wrong*, 1983).

Igualmente bem recebida foi a série sobre Porfiry Rostnikos, um respeitável detetive da polícia russa em Moscou, que começou com *Death of a Dissident* (1981) e se alongou por dezesseis livros; *A Cold Red Sunrise* (1988) ganhou o prêmio Edgar de melhor romance.

Kaminsky produziu mais de sessenta livros durante a carreira, recebeu oito indicações para o Edgar e foi nomeado Grão-Mestre pelo conjunto de sua obra pela Mistery Writers of America em 2006.

"O homem da Cidade do Cabo" foi publicado originalmente em *Murder in Baker Street*, organizado por Martin H. Greenberg, Jon L. Lellenberg e Daniel Stashower (Nova York, Carroll & Graf, 2001).

O HOMEM DA CIDADE DO CABO

Stuart M. Kaminsky

Chovia. Não era a chuva habitual de Londres, lenta e fria, que respingava sobre guarda-chuvas e chapéus de abas largas, mas o pesado e implacável aguaceiro que vinha várias vezes por ano martelar os tetos dos carros de aluguel lembrando-me das monções mais brandas que eu tinha testemunhado em meus anos na Índia.

O tempo na Índia sempre se movia lentamente. O tempo no apartamento que eu compartilhava com Sherlock Holmes se movia no ritmo de um letárgico gato de Bombaim nas últimas duas semanas.

Mantive-me ocupado tentando escrever um artigo para *The Lancet* baseado nos achados de Holmes sobre as diferenças que ele havia descoberto entre o sangue de pessoas nativas de diferentes climas. A princípio ele dedicara a esse esforço com vigor e interesse, andando de um lado para outro, fumando seu cachimbo, parando para me lembrar de diferenças sutis e das implicações de sua descoberta tanto para a criminologia quanto para a medicina.

Vários dias depois de iniciar o empreendimento, contudo, Holmes passara a ficar à janela por horas a fio, contemplando a rua varrida pela chuva, com pensamentos que preferia não compartilhar comigo.

Duas vezes ele pegou o violino. A primeira acordou-me às cinco da manhã com algo que talvez fosse Liszt. A segunda foi à uma da tarde, quando tocou repetidamente uma música particularmente triste que não reconheci.

Nessa manhã específica, Holmes estava sentado em sua poltrona, cachimbo na mão, fitando o balde de carvão.

— Um item bastante interessante no *Times* desta manhã — aventurei-me ao me sentar à mesa de nossa sala de estar com o que restava de meu chá da manhã e torrada diante de mim.

Holmes emitiu um som a meio caminho entre um grunhido e um suspiro.

— Um tal sr. Morgan Fitchmore de Leeds — disse ele. — Foi encontrado num cemitério caído de barriga para cima com um cravo de ferrovia enfiado em seu coração. Ele estava segurando o cravo, aparentemente numa tentativa de removê-lo. A noite fora úmida e a polícia não encontrou nenhuma pegada na lama além das do falecido. A cerca de seis metros do corpo foi encontrado um martelo. A polícia está desconcertada.

Holmes grunhiu novamente e olhou para a janela onde a chuva batia com força no vidro.

— Sim — eu disse. — Essa é a história. Pensei que poderia lhe interessar.

— Minimamente — disse Holmes. — Leia o resto da matéria, Watson, como fiz. Fitchmore era um ladrão insignificante. Foi encontrado deitado de barriga para cima. O morto parece não ter deixado nenhum sinal de que tenha tentado se defender.

— Sim, estou vendo — falei, continuando a ler.

— Que fazia um ladrão insignificante num cemitério numa noite de chuva? — perguntou Holmes sugando o seu cachimbo. — Por que alguém iria atacá-lo com um cravo de ferrovia? Por que não havia nenhuma outra pegada? Por que ele não lutou?

— Eu não saberia dizer — respondi.

— Cravos de ferrovia dão formões razoáveis, Watson. Um ladrão poderia certamente entrar num cemitério à noite com um cravo e um martelo na mão para arrancar algum camafeu, pequeno crucifixo ou outro item que poderia vender por uma pequena soma.

Esses assaltos no lugar de descanso dos mortos não são incomuns. Uma noite chuvosa asseguraria que ninguém iria se intrometer.

— Não consigo entender...

— Não é uma questão de entender, Watson. É uma questão de juntar as peças do que foi visto com lógica simples. Fitchmore foi ao cemitério roubar os mortos. Ele escorregou na lama arremessando seu martelo longe quando caiu para a frente sobre o cravo que segurava nas mãos. Ele se virou de barriga para cima, provavelmente em grande agonia, e tentou puxar o cravo do peito, mas já estava morrendo. Não há nenhum mistério, Watson. Foi um fim acidental e, talvez, ironicamente oportuno para um homem que iria roubar dos mortos.

— Talvez devêssemos informar a polícia em Leeds — eu disse.

— Se você desejar — disse Holmes com indiferença.

— Posso lhe servir uma xícara de chá? Você não tocou no seu desjejum.

— Não estou com fome — disse ele, seus olhos agora voltados para a lareira onde chamas crepitavam e formavam padrões caleidoscópicos que pareciam hipnotizar Holmes, que não se dera ao trabalho de se vestir completamente.

Ele usava calça cinza, uma camisa sem gravata e um robe de seda que lhe fora dado vários anos antes por um cliente agradecido.

No mês anterior, três casos tinham sido oferecidos a Holmes. Um envolvia um colar de pérolas furtado. O segundo concentrava-se numa aparente tentativa de enganar um comerciante de peles russas e o terceiro num leopardo que desaparecera do zoológico de Londres. Holmes havia recusado bruscamente todos os três apelos por sua ajuda e encaminhara os clientes potenciais para a polícia.

— Se a imaginação não está envolvida — dissera ele quando o diretor do zoológico saíra —, e não há nenhum adversário digno, não vejo sentido em despender energia e desperdiçar tempo num trabalho que poderia ser feito por um inspetor iniciante razoavelmente treinado da Scotland Yard.

De repente Holmes olhou para mim:

— Você está com aquela carta à mão?

Eu sabia de que carta ele estava falando e, na esperança de despertar seu interesse, eu a tirara das malas próximas ao fogo, que estalava com chamas que projetavam perturbadoras sombras matinais na sala de estar.

A carta chegara várias semanas antes e, afora o fato de que trazia um carimbo da Cidade do Cabo, não me pareceu de maneira alguma singular ou mais interessante que qualquer uma da dezena de missivas a que Holmes não lançara mais que um olhar nas semanas anteriores.

— Poderia lê-la em voz alta mais uma vez, Watson, por favor?

"Sr. Sherlock Holmes", ela dizia:

> *Tenho um assunto da máxima importância para lhe expor. Tenho alguns negócios a que me dedicar aqui na Cidade do Cabo. Isso não deverá tomar mais que alguns dias. Partirei em seguida para a Inglaterra na esperança de vê-lo imediatamente após minha chegada. Preciso me apressar agora para enviar esta carta no próximo navio com destino a Portsmouth. É uma questão de dinheiro, amor e uma ameaça palpável à minha vida. Peço-lhe que me conceda uma consulta. O custo não é impedimento.*

A carta estava assinada *Alfred Donaberry.*

Dobrei a carta e olhei para Holmes, perguntando-me por que esta correspondência em particular, em meio às muitas similares que ele tinha recebido ao longo dos anos, deveria atrair seu interesse e por que ele escolhera esse momento para voltar a ela.

Como tantas vezes antes, Holmes respondeu às perguntas que eu não fizera:

— Observe a ordem em que nosso sr. Donaberry arrola suas preocupações — disse Holmes olhando na minha direção e apontando seu cachimbo para a carta em minha mão. — Dinheiro, amor e vida. O sr. Donaberry menciona a ameaça à sua vida em último lugar. Curioso. Quanto ao fato de por que estou interessado nessa carta agora, faço uma pergunta: você ouviu uma carruagem parar na rua um momento atrás?

Eu ouvira, e disse que sim.

— Se verificar a chegada dos navios no jornal que você acabou de ler, notará que o *Principia*, um navio cargueiro, chegou ontem a Portsmouth vindo da Cidade do Cabo. Se nosso sr. Donaberry está preocupado como sua carta indica, é bem possível que ele estivesse nesse navio e tenha enfrentado o tempo horrível para chegar até aqui.

— Poderia ser qualquer um.

— O veículo, a julgar pelo som de suas rodas nas pedras do calçamento, é grande, não um carro de aluguel comum, e é puxado não por um, mas por dois cavalos. Não ouvi nenhuma outra atividade na rua, exceto por esse carro. O momento é oportuno, e devo confessar certa curiosidade com relação a um homem que se aventuraria a vir da Cidade do Cabo para nos fazer uma visita. Não, Watson, se esse homem está tão ansioso para me encontrar quanto sua carta indica, ele deve ter desembarcado do navio e se posto a caminho no trem das sete horas da manhã.

Uma batida na porta e um sorrisinho de Holmes acompanhado por um levantar de sobrancelha de satisfação foi dirigido a mim.

— Entre, sra. Hudson — gritou Holmes.

Nossa senhoria entrou, olhou para o prato de comida intocado em frente a Holmes e balançou a cabeça:

— Uma senhora quer vê-lo.

— Uma senhora? — perguntou Holmes.

— Sem sombra de dúvida — respondeu a sra. Hudson.

— Por favor, diga à senhora que estou esperando um visitante e que ela terá de marcar uma hora e voltar num momento futuro.

A sra. Hudson estava à porta com a bandeja na mão. Sobre seu ombro, ela disse:

— A senhora pediu para eu lhe dizer que ela sabe que o senhor está à espera de um visitante da África do Sul. É por isso que ela precisa vê-lo imediatamente.

Holmes olhou para mim com as sobrancelhas arqueadas. Dei de ombros.

— Por favor, faça-a entrar, sra. Hudson, e tenha bondade, por favor, de nos preparar mais um bule de chá — disse Holmes.

— Não comeu nada, sr. Holmes — disse ela. — Talvez eu possa lhe trazer alguns biscoitos frescos e geleia?

— Chá e biscoitos será perfeito — disse Holmes enquanto ela fechava a porta atrás de si, a bandeja cuidadosamente equilibrada em apenas uma das mãos.

— Então nosso sr. Donaberry não é o único que estaria disposto a se aventurar a sair numa tempestade com esta — falei, fingindo retornar ao jornal.

— É o que parece, Watson.

A batida na porta foi suave. Uma única batida.

— Entre — gritou Holmes, e a sra. Hudson introduziu uma bela e enigmática criatura, com a pele alva e cabelo muito negro puxado para trás num coque apertado.

Ela usava um decoroso vestido preto abotoado até o pescoço. A mulher entrou, olhou de mim para Holmes e permaneceu em silêncio por um momento até que a sra. Hudson fechasse a porta.

— Sr. Holmes — disse ela numa voz baixa sugerindo um leve sotaque.

— Sou eu — disse Holmes.

— Meu nome é Elspeth Belknapp, sra. Elspeth Belknapp — disse ela. — Posso me sentar?

— Mas é claro, sra. Belknapp — disse Holmes, apontando uma cadeira perto daquela em que eu estava sentado.

— Eu vim... isto é muito delicado e embaraçoso — disse ela enquanto se sentava. — Eu vim para...

— Primeiro algumas perguntas — disse Holmes cruzando as mãos no colo. — Como sabia que o sr. Donaberry estava vindo me ver?

— Eu... uma amiga na Cidade do Cabo enviou-me uma carta, a mulher de um funcionário no escritório de Alfred — disse ela. — Posso tomar um pouco d'água?

Levantei-me rapidamente e fui até a jarra que a sra. Hudson deixara na mesa. Servi um copo d'água e entreguei-o a ela. Ela bebeu enquanto eu voltava a me sentar e olhou para Holmes, que parecia estudá-la cuidadosamente.

— Sr. Holmes — disse ela. — Eu era, até cinco meses atrás, a sra. Alfred Donaberry. Alfred é um homem decente. Ele me acolheu quando meus pais morreram num incêndio em Johannesburgo. Alfred é consideravelmente mais velho que eu. Eu lhe era extremamente grata e ele foi muito generoso comigo. E então, menos de um ano atrás, John Belknapp chegou à África do Sul para fazer negócio com meu marido.

— E que negócio era esse? — perguntou Holmes.

— O comércio de diamantes — disse ela. — Alfred acumulou uma fortuna negociando diamantes. Embora tentasse resistir, apaixonei-me por John Belknapp e ele por mim. Comportei-me como uma covarde, sr. Holmes. John queria confrontar Alfred, mas eu não queria nenhuma cena. Convenci-o de que devíamos simplesmente fugir e de que eu procuraria obter um divórcio alegando a violência e a infidelidade de Alfred.

— E ele era violento e infiel? — perguntou Holmes.

Ela balançou a cabeça:

— Não me orgulho do que fiz. Alfred não era violento nem infiel. Ele me amava, mas eu pensava nele menos como um marido do que como um tio querido.

— E, assim — disse Holmes —, a senhora conseguiu o divórcio.

— Sim, vim para Londres com John e consegui o divórcio, me casando com ele um dia depois que o divórcio foi aprovado pelo Tribunal. Pensei que Alfred iria ler o bilhete que eu tinha deixado para ele quando fugi com John e se resignar à realidade. Mas agora descubro...

— Entendo — disse Holmes. — E o que quer que eu faça?

— Que convença Alfred a não causar problemas, deixar a Inglaterra, voltar para a África do Sul, levar a vida adiante. Se ele confrontar John... John é um homem bom, mas é de certa forma, ocasionalmente e quando provocado, propenso a uma reação precipitada.

A mulher puxou um lenço da manga e deu batidinhas nos olhos.

— Ele pode ser violento? — perguntou Holmes.

— Só quando provocado, sr. Holmes. Alfred Donaberry é um homem decente, mas se ele confrontasse John...

Nesse momento a sra. Hudson bateu e entrou antes de ser solicitada a fazê-lo. Pôs biscoitos e geleia na mesa com três pratos, facas e um novo bule de chá. Olhou para a chorosa Elspeth Belknapp com comiseração e saiu.

— Próxima pergunta — disse Holmes, pegando uma faca e usando-a para cobrir um biscoito com que parecia ser geleia de groselha. — A senhora disse que seu ex-marido é um homem de considerável fortuna?

— Considerável — disse ela, aceitando a xícara de chá que lhe estendi.

— Descreva-o.

— Alfred? Ele tem 55 anos, aparência bastante agradável, embora eu tenha ouvido pessoas o descreverem como rústico. É avantajado, um pouco, mas como devo dizer isto... Alfred é um homem inculto, que venceu por si mesmo, talvez de maneiras um pouco rudes, mas um homem bom, gentil.

— Entendo — disse Holmes, um grande pedaço de biscoito com geleia na boca. — E ele tem parentes, mãe, irmã, irmão, filhos?

— Nenhum — disse ela.

— Nesse caso, se ele viesse a morrer, quem receberia sua herança?

— Herança?

— Em sua carta para mim, ele menciona que sua visita é em parte uma questão de dinheiro.

— Suponho que seria eu, a menos que ele tenha me retirado de seu testamento.

— E seu novo marido? É um homem de posses?

— John é um comerciante de pedras preciosas. Ele tem um cargo seguro e financeiramente confortável na London Prembroke Gems Limited. Se o senhor está sugerindo que John se casou comigo na esperança de obter o patrimônio de Alfred, eu lhe asseguro que está completamente enganado, sr. Holmes.

— Estou apenas tentando prever em que direção as preocupações do sr. Donaberry vão levá-lo quando nos encontrarmos. Posso lhe perguntar quanto está disposta a pagar por meus serviços de dissuadir o sr. Donaberry de levar a questão adiante?

— Eu pensei... Pagar-lhe? John e eu não somos ricos — disse ela —, mas pagarei o que desejar caso tenha sucesso em persuadir Alfred a voltar para a África do Sul. Não quero vê-lo humilhado ou ferido.

— Ferido? — perguntou Holmes.

— Emocionalmente — acrescentou ela rápido.

— Entendo — disse Holmes. — Submeterei seu caso a cuidadosa consideração. Caso decida aceitá-lo, como a encontrarei?

Elspeth Belknapp se levantou e tirou um cartão da pequena bolsa. Entregou-o a Holmes.

— O cartão comercial de seu marido — disse Holmes.

— Meu endereço residencial está no verso.

Ela me estendeu a mão. Apertei-a. Ela estava tremendo.

— Holmes não me apresentou — falei, lançando um olhar de censura ao meu amigo.

— O senhor é o dr. Watson — disse ela. — Li seus relatos das proezas de sr. Holmes e observei sua humildade e lealdade.

Foi minha vez de sorrir. Ela se virou para Holmes, que se levantara de sua cadeira. Ele lhe tomou a mão e segurou-a, os olhos em sua aliança de casamento.

— Um lindo diamante e engaste — disse ele.

— Sim — respondeu ela olhando para o anel. — É valioso demais para ser usado o tempo todo. Uma aliança simples teria me agradado igualmente, mas John insiste, e quando John toma uma decisão... Por favor, sr. Holmes, ajude-nos, ao John e a mim, e ao Alfred.

A chuva continuava caindo com força e o vento soprava com mais intensidade ainda quando ela partiu, fechando a porta suavemente ao sair.

— Mulher encantadora — falei.

— Sim — disse Holmes.

— O amor nem sempre é gentil ou razoável — observei.

— Você é um romântico inveterado, Watson — disse ele, aproximando-se da janela e abrindo as cortinas.

— Este não é um grande desafio — comentei.

— Veremos, Watson. Veremos. Ah, ela usa uma capa e carrega um guarda-chuva. Sensata.

Pude ouvir a porta da carruagem se fechar e escutei quando ela partiu, os cavalos se afastando lentamente, pisando forte.

Holmes permaneceu à janela sem falar. Verificava seu relógio ocasionalmente, mas manteve-se firme em sua vigília até que o som de outra carruagem ecoou em Baker Street.

— E este deve ser nosso ex-marido abandonado — disse Holmes voltando os olhos para mim. — Ah sim, a carruagem parou. Ele desceu. Nenhum guarda-chuva. Um homem grande. Vamos aproximar uma cadeira do fogo. Ele vai estar encharcado.

E de fato, quando a sra. Hudson anunciou e conduziu Alfred Donaberry até a sala, ele estava molhado, o cabelo fino colado ao couro cabeludo. Sua ex-mulher fora gentil ao descrevê-lo como rústico. Ele tinha a pele queimada de sol, uma fisionomia taciturna e era muito parecido com um *bull terrier*. Na mão esquerda carregava uma mala grande e um tanto surrada. Suas roupas, calças, camisa e paletó eram de boa qualidade, embora decididamente amarrotados. O próprio homem parecia muito desgrenhado, com a barba por fazer. Seu terno vincado era escuro, um pouco folgado.

— Por favor perdoe minha aparência. Vim direto da estação de trem para cá — disse ele pousando sua mala e estendendo a mão. — Donaberry. Alfred Donaberry.

Holmes apertou-a. Fiz o mesmo. Aperto firme. Rosto atormentado.

— Sou Sherlock Holmes e este é meu amigo e colega dr. Watson. Não quer se sentar perto do fogo?

— Obrigado, senhor — disse Donaberry dirigindo-se para a cadeira que eu movera para junto do calor da lareira.

— Acho que é melhor ir direto ao assunto — disse o homem estendendo as mãos para o fogo.

— Sua mulher o deixou — disse Holmes. — Uns três meses atrás. O senhor descobriu recentemente que ela está em Londres e veio ao encalço dela.

— Como o senhor...?

— O senhor não a encontrou aqui por poucos minutos.

— Como ela sabia que eu...? — perguntou Donaberry, perplexo.

— Deixemos isso de lado por enquanto — disse Holmes — e, por favor, vá ao coração de seu problema.

— Coração do problema. Irônica escolha de palavras, sr. Holmes — disse ele. — Não, não estou perseguindo Elspeth. Se ela não quer mais saber de um velho, posso compreender, embora meu coração esteja partido. Assim que li o bilhete que ela me deixou meses atrás, aceitei a realidade e tirei minha aliança de casamento.

Ele levantou a mão esquerda para mostrar uma clara faixa branca onde estivera uma aliança.

— Não tem a intenção de encontrá-la ou ao seu novo marido?

— Não, senhor — respondeu ele. — Não quero ter nada a ver com ele, o canalha que a roubou de mim e poluiu sua mente. Quero que os encontre e os detenha antes que eles consigam me assassinar até o mês que vem.

Olhei para Holmes, chocado, mas ele simplesmente colocou outro pedaço de biscoito com geleia na boca.

— Por que eles quereriam assassiná-lo, sr. Donaberry? — perguntei.

Ele olhou para mim:

— Levei meu testamento para ser alterado nos tribunais. Dentro de um mês, Elspeth não será mais minha herdeira.

— Por que um mês? — perguntei.

Donaberry se remexeu desconfortavelmente em sua cadeira e olhou para baixo antes de responder.

— Quando nos casamos, por causa de minha idade e da saúde por vezes frágil, temi pelo futuro de Elspeth caso eu morresse. Embora por lei ela devesse ser a herdeira, tenho parentes distantes na Cornualha que poderiam certamente reivindicar meu patrimônio ou alguma parte dele. Por isso, registrei especificamente em meu testamento que Elspeth deveria herdar tudo e que não deveria haver nenhuma revogação nem contestação de meu testamento e do meu desejo. Meu advogado agora me informa, e Elspeth bem sabe e certamente informou a seu novo marido, que será necessário mais um mês para executar a alteração do testamento, tal foi o cuidado com que ele foi formulado. Para os senhores verem, a palavra "esposa" nunca aparece no documento, somente o nome Elspeth Donaberry.

— Mas que o faz pensar — perguntei — que eles planejam matá-lo?

— Os dois atentados à minha vida que já foram cometidos na África do Sul — respondeu ele com um suspiro profundo. — Uma vez, quando eu estava em campo uns quinze dias atrás. Quando as condições meteorológicas permitem e o calor do sol é tolerável, passo grande parte do tempo nas planícies e montanhas, procurando depósitos de pedras preciosas. Foi num dia particularmente escaldante que atiraram em mim. Três tiros vindos das copas das árvores. Um tiro acertou uma pedra a poucos centímetros da minha cabeça. Tive sorte bastante para escapar com vida. Na segunda vez, foi uma tentativa de me empurrar de um píer sobre uma trinca de estacas afiadas. Somente pela graça de Deus caí entre as estacas.

— Tem outros inimigos além de Belknapp e sua mulher?

— Nenhum e, sr. Holmes, não culpe Elspeth necessariamente, mas aquele John Belknapp é osso duro de roer, com amigos de inclinação repulsiva e, embora possa tê-la convencido do contrário, sei por minhas fontes mais confiáveis que John Belknapp está passando por sérios problemas financeiros. Ele é um esbanjador, um especulador e um jogador. Penso que quer não apenas minha mulher, mas minha fortuna.

— E o senhor quer que eu o proteja?

— Quero que faça o que for necessário para impedir que Belknapp me mate ou mande me matarem. Ele é um verdadeiro demônio.

Aquilo me soou o tipo de caso que Holmes teria enviado direto para Lestrade e a Yard.

— O preço será duzentas libras, pagamento adiantado — disse Holmes.

Donaberry não hesitou. Levantou-se, pegou a carteira e começou a pôr as notas sobre a mesa, contando em voz alta enquanto o fazia.

— Obrigado — agradeceu Holmes. — O dr. Watson e eu faremos o possível para assegurar que não ocorra nenhum assassinato. Onde o senhor estará hospedado em Londres?

— Tenho um quarto reservado no hotel The Cadogan, na Sloane Street — disse ele.

The Cadogan era um pequeno hotel conhecido por ser a residência londrina de Lilly Langtree e, segundo se dizia, era o esconderijo ocasional do notável dramaturgo Oscar Wilde.

— O senhor não contou a ninguém? — indagou Holmes.

— Somente ao senhor e ao dr. Watson — respondeu Donaberry.

— Muito bem — disse Holmes. — Permaneça no seu quarto. Coma no hotel. Entraremos em contato com o senhor quando tivermos novidades. E, sr. Donaberry, não saia pela porta da frente nem tome o carro de aluguel que o espera. Pode estar sendo vigiado. O dr. Watson lhe mostrará como sair pela porta dos fundos. Há uma cerca baixa. Sugiro que a pule e se dirija para a rua mais adiante. A sra. Hudson vai lhe providenciar um guarda-chuva.

— Minha mala — disse ele.

— O dr. Watson e eu a devolveremos ao senhor no momento em que for seguro fazê-lo. Não consigo imaginar um homem do seu tamanho e idade pulando cercas com o peso dessa bagagem.

Donaberry pareceu pensar profundamente antes de decidir assentir com a cabeça numa relutante concordância.

— Então vá — disse Holmes. — Lembre-se: permaneça no hotel. No seu quarto tanto quanto possível, com a porta trancada. Faça todas as suas refeições no restaurante do hotel. A comida não é a melhor, mas é tolerável.

Donaberry concordou. Saí com ele da sala e o acompanhei até a porta dos fundos depois de ele recuperar seu casaco e a sra. Hudson lhe fornecer um guarda-chuva.

Quando voltei aos nossos aposentos, Holmes estava andando de um lado para outro, as mãos atrás das costas.

— Holmes, embora eu me compadeça da situação do sr. Donaberry, não vejo nada nela que possa prender a sua atenção ou precisar das suas habilidades.

— Desculpe, Watson, o que você disse? Eu estava perdido em pensamentos sobre essa curiosa situação. Há tantas perguntas.

— Não vejo nada de curioso nela — falei.

— Estamos lidando com um potencial assassinato aqui e uma mente criminosa que vale a pena enfrentar — respondeu ele. — E não temos tempo a perder. Vamos pegar o carro que está à espera do sr. Donaberry e fazer uma visita.

— A quem? — perguntei.

Em resposta, Holmes mostrou o cartão que Elspeth Belknapp lhe dera.

— A John Belknapp — disse. — É claro.

Na carruagem, ao som das batidas da chuva no teto e dos solavancos das rodas pelas pedras do calçamento, Holmes contou que examinara o conteúdo da bagagem de Alfred Donaberry quando eu saíra para levá-lo à porta dos fundos.

— A mala estava bem-arrumada, camisas e calças, artigos de toalete, roupas de baixo e meias, mais um par de sapatos duráveis.

— E o que descobriu a partir disso? — perguntei quando um relâmpago estourava no oeste.

— Que Alfred Donaberry arruma sua mala com cuidado e mantém suas roupas e calçados limpos — disse Holmes.

— Muito significativo — falei, procurando esconder meu tom de sarcasmo diante dessa descoberta.

— Talvez — disse Holmes, olhando pela janela.

Chegamos a uma rua lateral próxima a Portobello Road em vinte minutos. A chuva diminuíra consideravelmente e negociei com o cocheiro para que esperasse nossa volta. Considerando que iríamos agora pagar pela viagem de Donaberry e mais a nossa, o cocheiro, embrulhado numa capa impermeável, concordou prontamente. Holmes e eu andamos depressa até a entrada do prédio de escritórios de quatro andares que ostentava uma placa de bronze com a inscrição Pembroke Gems, Ltd., por Designação de Sua Majestade, 1721.

Apesar de sua história, o prédio era menos que medíocre. Estava definitivamente caindo aos pedaços. Batemos na pesada porta de madeira que carecia muito de uma pintura e fomos recebidos por um homem muito velho num terno que parecia justo demais mesmo para sua frágil constituição.

— Estamos aqui para falar com o sr. John Belknapp — disse Holmes.

— O sr. Belknapp está — disse o velho frágil —, mas... os senhores têm hora marcada?

— Diga-lhe que é o sr. Sherlock Holmes e que vim a propósito de um assunto referente a Alfred Donaberry.

— Sherlock Holmes, sobre Alfred Donaberry — repetiu o velho. — Por favor, esperem aqui.

O homem subiu lentamente a escura escada de madeira no pequeno e úmido saguão.

— Por que a urgência, Holmes?

— Talvez não haja nenhuma, Watson, mas prefiro errar por excesso de cautela numa situação como esta.

O frágil velho reapareceu em apenas poucos minutos e se virou para nos conduzir escada acima, após dizer:

— O sr. Belknapp pode vê-los agora.

No estreito patamar do segundo andar, com tábuas rangentes, fomos conduzidos a uma porta em que estava escrito *John Belknapp* com uma tinta preta que descascava.

O velho frágil bateu e uma voz gritou:

— Entrem.

Entramos e o velho fechou a porta atrás de nós ao sair.

Nossa primeira olhada em Belknapp provocou imediatamente em mim uma sensação de cautela. Ele era, como nos fora dito, um homem bonito de não mais de quarenta anos, razoavelmente bem-vestido num terno escuro e colete. Seu cabelo, que começava a mostrar sinais de distinto grisalho nas têmporas, estava escovado para trás. Ele estava de pé atrás de sua mesa num escritório que não mostrava grande distinção nem estilo. Mobília simples de madeira escura, várias cadeiras, armários e uma fotografia da rainha na parede. A vista de sua janela não era realmente uma vista, simplesmente uma parede de tijolos a não mais de dois metros de distância. O ambiente não exalava prosperidade.

Talvez percebendo minha reação, Belknapp disse, numa resposta impaciente:

— Meu escritório é modesto. Foi projetado para trabalho, não para entreter clientes. Para isso há um espaço de conferências no andar térreo.

Assenti com a cabeça.

— Espero que isto seja breve — disse ele.

— O dr. Watson e eu tomaremos apenas alguns minutos de seu tempo — retrucou Holmes. — Não temos necessidade de sentar.

— Bom — disse Belknapp. — Tenho de me encontrar com um cliente se conseguir encontrar um carro de aluguel nesta maldita chuva. Os senhores disseram que isto é a propósito de Alfred Donaberry?

— Sim — disse Holmes. — Talvez o senhor saiba por que viemos.

— Alfred Donaberry é um tolo, por isso suponho que os senhores estão numa missão tola. Ele não conseguiu segurar uma bela mulher, não lhe dava valor. Eu a salvei de uma vida potencialmente desperdiçada num país pouco civilizado e dilacerado por uma guerra iminente. Se ele estiver na Inglaterra ou os tiver encarregado de alguma maneira de convencer ou ameaçar a mim e à minha mulher, eu...

— O sr. Donaberry está de fato na Inglaterra.

— Dinheiro — disse Belknapp, como se chegando a uma súbita compreensão. — É uma questão de dinheiro.

— Em parte — disse Holmes. — Se o senhor responder apenas a uma pergunta, nós o deixaremos para ir encontrar seu cliente.

— Pergunte — disse Belknapp com clara irritação.

— Quanto diria que vale o seu negócio?

— Isso não é da sua conta — respondeu Belknapp, furioso.

— Errado — disse Holmes. — É precisamente da minha conta. O senhor deseja que o deixemos para poder ir atender seu cliente, responda simplesmente à pergunta.

— Meu negócio vale muito menos do que eu gostaria. A inevitável guerra com os bôeres já afetou a mineração e minhas fontes estão ameaçadas. Minhas economias e títulos pessoais minguaram. O que tem isso a ver com...?

— Vamos deixá-lo agora — disse Holmes. — Tenho uma sugestão antes.

— E qual poderia ser? — perguntou Belknapp com um sorriso de escárnio que deixava claro que era muito improvável que ele aceitasse qualquer sugestão feita por um representante de Alfred Donaberry.

— Fique longe do sr. Donaberry — disse Holmes. — Fique bem longe.

— Uma ameaça? O senhor me faz uma ameaça — disse Belknapp, começando a contornar sua mesa, punhos cerrados.

— Digamos que seja um aviso — disse Holmes, sem sair do lugar.

Belknapp estava agora diante de Holmes, o rosto vermelho de raiva. Dei um passo à frente para me pôr ao lado de meu amigo. Holmes estendeu uma das mãos para manter a distância.

— O senhor deveria aprender a controlar seu temperamento — disse Holmes. — De fato, eu diria que é imperativo que o faça.

Pensei que Belknapp estivesse certamente prestes a golpear Holmes, mas, antes que ele pudesse fazê-lo, Holmes ergueu sua mão direita em frente ao rosto do comerciante de pedras preciosas.

— Caso perdesse o controle — disse Holmes —, provavelmente o ferido seria o senhor. Gostaria de explicar um olho ou um lábio inchado e uma aparência desgrenhada para o cliente que espera?

Os punhos de Belknapp ainda estavam cerrados, mas ele hesitou.

— Bom dia para o senhor — disse Holmes, virando-se para a porta —, e lembre-se de meu aviso. Fique longe de Donaberry.

Segui Holmes porta afora e escada abaixo. A chuva parara e as ruas estavam molhadas sob um céu nublado que não mostrava nenhuma promessa de sol.

Quando nos pusemos novamente em movimento, olhei para Holmes, que estava sentado com a testa franzida.

— Não entendo como seu aviso vai dissuadir Belknapp de seu plano de liquidar Donaberry. Embora sua reputação o preceda, ele não parece do tipo que ficaria preocupado com as consequências de qualquer violência que sobreviesse a Donaberry.

— Receio que você esteja certo, Watson — disse Holmes com um suspiro. — Receio que você esteja certo.

Estávamos a não mais de cinco minutos de Baker Street quando Holmes disse de repente:

— Precisamos parar a carruagem.

— Por quê? — perguntei.

— Não há tempo para explicar — disse ele, dando uma batida na portinhola no teto. — Devemos ir ver Alfred Donaberry imediatamente. É uma questão de vida ou morte.

O cocheiro abriu a aba. Embora a chuva tivesse parado agora, um borrifo atingiu-me pela portinhola aberta. Holmes se levantou e falou com o cocheiro. Não ouvi claramente o que dizia, além da ordem e da declaração de que pagaria mais uma libra inteira se ele corresse como o vento.

Ele o fez. Holmes e eu fomos empurrados para trás e para a frente, segurando com força as correias da carruagem. O ruído do cavalo ofegante e das rodas contra as pedras irregulares do calçamento tornavam difícil entender Holmes, que parecia irritado consigo mesmo. Ouvi-o dizer:

— A audácia, Watson. Nem sequer esperar um dia. E me fazer de bobo.

— Pensa que Belknapp está a caminho do hotel The Cadogan? — perguntei.

— Estou convencido disso — respondeu Holmes. — Espero que não seja tarde demais.

Chegamos em tempo recorde sem dúvida. Holmes saltou da carruagem antes que o cavalo tivesse parado por completo.

— Espere — gritei para o cocheiro, seguindo Holmes, que passou pelo porteiro e entrou no saguão do hotel.

Como viemos a saber, tínhamos chegado tarde demais.

O saguão estava cheio de gente e dois policiais uniformizados tentavam manter as pessoas calmas. Holmes passou através da multidão sem se importar com quem poderia estar acotovelando para abrir caminho.

— O que aconteceu aqui? — perguntou ele a um policial de basto bigode.

— Nada com que precise se preocupar, senhor — disse o policial sem nos dar atenção.

— Este — eu disse — é Sherlock Holmes.

O policial se virou para nós e disse:

— Sim, realmente. Como chegaram aqui tão depressa? Sei que têm reputação de... mas isso aconteceu apenas cinco minutos atrás.

— Isso? — perguntou Holmes. — "Isso" o quê?

— Um homem levou um tiro num quarto no andar de cima. Quarto 116, acho. Temos um homem lá em cima com o atirador e estamos esperando alguém da Yard aparecer. Assim...

Holmes não esperou mais. Passou pelo policial que estava vigiando a escada comigo logo atrás. Subiu os degraus mais depressa que eu. Meu velho ferimento de guerra só permitia uma velocidade limitada, mas eu estava bem atrás dele quando fez a curva no primeiro patamar e se encaminhou para um jovem policial parado diante de uma porta, uma pistola na mão. A visão de um policial de Londres segurando uma arma foi algo inteiramente novo para mim.

— Onde está ele? — perguntou Holmes.

O policial olhou para ele, aturdido.

— O senhor é da Yard? — perguntou o jovem, esperançoso.

— Somos muito conhecidos na Yard — respondi. — Sou médico. Espero que um inspetor chegue logo depois de nós.

— Esta é a arma do crime? — perguntou Holmes.

— Sim, senhor — respondeu o jovem, passando-a para mim. — Ele a entregou sem uma palavra. Está simplesmente sentado lá agora, como pode ver.

Olhei através do vão da porta. Havia um homem deitado de barriga para cima no meio do assoalho, olhos abertos, uma mancha de sangue na camisa branca. Outro estava sentado na beirada de uma robusta poltrona, a cabeça entre as mãos.

O homem morto era John Belknapp. O homem na poltrona era Alfred Donaberry.

— Chegamos tarde demais — disse Holmes.

Ao som da voz de Holmes, Donaberry levantou o rosto. Seus olhos estavam vermelhos e lacrimosos. Sua boca estava aberta. Um ar de pálida confusão lhe cobria a face.

— Sr. Holmes — disse ele. — Ele chegou há alguns minutos. Tinha uma arma. Eu não... Ele não deu nenhum aviso. Atirou.

Donaberry apontou para a janela. Pude ver que ela estava quebrada.

— Agarrei-o e consegui pegar parcialmente a arma — continuou Donaberry. — Ele lutou. Pensei que tivesse atirado em mim, mas ele recuou e... e caiu como o senhor o vê agora. Meu Deus, sr. Holmes, eu matei um homem.

Holmes não disse nada enquanto eu me aproximava de Donaberry e pedia ao policial à porta que trouxesse um copo d'água. Se eu estivesse com minha maleta médica, onde havia vários sedativos, poderia ter lhe administrado algum, mas, sem isso, podia apenas socorrê-lo em sua dor, seu horror e confusão, o que fiz tão bem quanto o permitiu minha limitada capacidade.

Holmes agora se aproximara e se sentara numa cadeira de madeira perto de uma mesinha onde estavam pousados uma bacia e um jarro. Ele tinha feito uma ponte com seus dedos e apoiado as mãos em seus lábios franzidos.

Não sei quantos minutos se passaram enquanto eu tentava acalmar Donaberry, mas não pode ter sido muito tempo antes que

Elspeth Belknapp entrasse correndo no quarto. Seus olhos abarcaram o horror da cena e ela caiu chorando ao lado do marido morto.

— Eu... Elspeth, acredite em mim, foi um acidente — disse Donaberry. Ele chegou para...

— Nós sabemos por que ele veio — a voz do inspetor Lestrade veio da porta aberta.

Lestrade passou os olhos pelo quarto. Tirei a arma do bolso e entreguei-a para ele.

— A sra. Belknapp foi à Scotland Yard — disse Lestrade, olhando para Holmes, que não mostrou nenhum interesse pela chegada da viúva consternada. — Parece que o sr. Belknapp deixou um bilhete que a sra. Belknapp encontrou há não mais de uma hora. Ele lhe disse que iria procurar Alfred Donaberry e pôr fim à sua intromissão para sempre. O inspetor Owens me informou sobre o que aconteceu. Vamos precisar de uma declaração do sr. Donaberry.

— Posso ver o bilhete, inspetor? — perguntou Holmes.

Lestrade tirou a carta do bolso e entregou-a a Holmes, que a leu lentamente e a devolveu ao inspetor.

— A senhora diz que seu marido tinha um temperamento muito violento — disse Lestrade. — Ele tinha várias armas, proteção contra ladrões de pedras preciosas.

— Sim — dissc a viúva ajoclhada. — Pcdi-lhc muitas vczcs para manter as armas fora de nossa casa, mas ele insistia que elas eram essenciais.

— Temperamento violento, arma, bilhete, luta — disse Lestrade. — Eu diria que o sr. Donaberry tem muita sorte por estar vivo.

— Realmente — disse Holmes. — Mas esse perigo ainda não passou.

Elspeth Belknapp se virou para Holmes.

— Não alimento nenhum desejo de morte para Alfred — disse ela. — Já perdi o suficiente, sr. Holmes.

— Bem — disse Lestrade com um suspiro. — Isso praticamente resolve esta lamentável situação. Vamos precisar que nos dê um depoimento detalhado, sr. Donaberry, quando for capaz.

Donaberry assentiu com a cabeça.

— Um depoimento muito detalhado, de fato — disse Holmes. — Sr. Donaberry, concordaria que minha parte em nosso acordo foi cumprida, embora não da maneira como a discutimos?

— Quê? — perguntou o homem, desnorteado.

— O senhor me pagou duzentas libras para impedir que John Belknapp o matasse. O senhor não está morto. Ele está.

— O dinheiro é seu — disse Donaberry com um aceno de mão.

— Obrigado — disse Holmes. — Agora, com isso resolvido, vamos tratar do assassinato de John Belknapp, um assassinato que previ, mas sobre o qual não consegui agir com suficiente presteza para salvar sua vida. A audácia do assassino me pegou de surpresa, admito. Não deixarei uma coisa assim acontecer novamente.

— De que diabo você está falando, Holmes? — perguntou Lestrade.

Holmes se levantou de sua cadeira e, olhando de Elspeth Belknapp para Alfred Donaberry, disse:

— Estes dois conspiraram para cometer assassinato, o que é suficientemente ruim, mas o que me parece singularmente ultrajante é que eles quiseram me usar para ter sucesso em seus propósitos.

— Usá-lo? — perguntou Donaberry. — Sr. Holmes, ficou louco? Eu o procurei em busca de ajuda. Belknapp tentou me matar.

Holmes estava balançando a cabeça, negando, antes mesmo que Alfred Donaberry tivesse terminado.

— Você pode provar isso, Holmes? — perguntou Lestrade.

— Alguma vez no passado deixei de fazê-lo de modo a deixá-lo satisfeito?

— Não que eu me lembre — respondeu Lestrade.

— Bom, então me ouça — disse Holmes andando de um lado para outro. — Primeiro, achei uma estranha coincidência que a sra. Belknapp me visitasse apenas minutos antes de seu ex-marido. É notório que navios costumam estar atrasados e às vezes se adiantam. No entanto as duas visitas foram muito próximas.

— O que isso prova? — disse Lestrade.

— Nada — respondeu Holmes. — Aceitei isso como mera coincidência. Assim como aceitei as declarações da sra. Belknapp sobre a bondade básica de seu ex-esposo. Acredito agora que ela foi me ver com o único propósito de descrever seu ex-marido como um homem bondoso e decente, incapaz de machucar alguém, e seu marido, agora morto, como um homem de paixões potencialmente incontroláveis.

— Mas isso... — começou Lestrade.

Holmes levantou a mão e continuou:

— E depois o sr. Donaberry aqui chegou, desgrenhado, mala na mão, mostrando-nos o dedo de que supostamente removera a aliança de casamento três meses atrás.

— Supostamente? — perguntou Lestrade.

— O sr. Donaberry contou a Watson e a mim que trabalhava quase diariamente com as mãos no calor e no sol subtropical. Sua pele está, de fato, profundamente bronzeada. Em três meses seria de esperar que a marca da aliança, embora pudesse ter persistido um pouco, tivesse sido coberta pelos efeitos do sol. A faixa de pele onde sua aliança estivera está completamente branca. O anel foi removido há não mais que alguns dias.

— Isso é verdade — eu disse, olhando para a mão esquerda de Donaberry.

— Então, por que mentir? Perguntei a mim mesmo, e assim permiti a meu cliente em potencial continuar enquanto observava que suas roupas estavam extremamente amarrotadas e que ele estava num estado lamentável.

— Eu tinha vindo correndo do trem, não tinha trocado de roupa desde que chegara ao porto ontem — disse Donaberry.

— Mesmo assim — retrucou Holmes —, ao examinar o conteúdo de sua mala quando o dr. Watson o levou à porta dos fundos da casa da sra. Hudson, encontrei tudo bem passado e completamente limpo. O senhor poderia ter ao menos trocado de camisa e vestido calças limpas em sua viagem para um compromisso que significava vida ou morte para o senhor.

— Eu estava aflito — disse Donaberry.

— Sem dúvida — concordou Holmes. — Mas penso que queria dar a impressão de que ainda não tivera tempo de se registrar neste hotel.

— Não tive — disse Donaberry olhando para mim em busca de apoio.

— Eu sei — disse Holmes —, mas tampouco tinha saído correndo da estação de trem para me ver. Perguntei ao cocheiro onde ele o apanhara. O senhor o chamara em frente ao Strathmore Hotel, que fica a quase cinco quilômetros da estação.

— Tomei um carro de aluguel lá e discuti com o cocheiro, que estava se aproveitando de minha falta de familiaridade com Londres — afirmou Donaberry. — Saltei no Strathmore e fiz sinal para outro carro.

— É possível — disse Holmes —, mas não plausível. Minha suposição é que o senhor estava hospedado no Strathmore, provavelmente sob um nome falso.

— Mas por que diabos eu iria querer matar Belknapp? — perguntou Donaberry. — Eu não estava com ciúme.

— Com isso eu concordo — disse Holmes. — O senhor não estava. Não foi o ciúme que o levou ao assassinato. Foi simples cobiça.

— Cobiça? — perguntou Elspeth Belknapp se levantando.

— Sim — disse Holmes. — Embora os escritórios de John Belknapp estejam em mau estado, trata-se de uma firma antiga e respeitável, e ele declarou, para minha satisfação, que estava não apenas solvente, mas tinha um patrimônio de algum valor. Não será difícil determinar quão valioso esse patrimônio poderia ser.

— Não haverá nenhuma dificuldade — disse Lestrade.

— E, sr. Donaberry, não seria difícil determinar sua situação financeira — continuou Holmes. — O senhor nos diz que possui uma pequena fortuna que Belknapp cobiçava. Duvido que esse seja o caso.

— Podemos verificar isso também — disse Lestrade.

— Portanto, o senhor contava com algo que à primeira vista parecia remover a suspeita da sua pessoa e da sua ex-mulher. A sra. Belknapp, mesmo com os olhos rasos d'água, é uma jovem encantadora, ao passo que o senhor é, digamos, um homem de semblante não propriamente bonito. Belknapp, por outro lado, era sem dúvida mais jovem que o senhor e, mesmo enquanto jaz aí, morto, é um bonito cadáver.

— Isto é um absurdo — disse Elspeth Belknapp.

— Realmente é — disse Holmes —, mas será fácil para o inspetor Lestrade verificar. Um último ponto: como John Belknapp sabia que o senhor estava hospedado em The Cadogan?

— Ele deve ter me seguido do seu apartamento — disse Donaberry.

— Mas o senhor saiu pelos fundos — rebateu Holmes. — No entanto, mesmo se lhe dermos o benefício da dúvida, Watson e eu fomos imediatamente ao escritório de Belknapp depois que o senhor saiu. Provavelmente estávamos a caminho antes mesmo que o senhor encontrasse um carro de aluguel na chuva. E ele estava em seu escritório quando chegamos.

— Ele poderia ter mandado alguém... — disse Elspeth Belknapp, parando bruscamente ao se dar conta de que agora estava ativamente tentando proteger o homem que atirara em seu marido.

— Não — disse Holmes. — O sr. Donaberry marcou um encontro com seu falecido marido, provavelmente sem dizer seu verdadeiro nome. John Belknapp foi, supondo que encontraria um cliente em potencial. Quando ele entrou neste quarto, foi assassinado. Temos somente a palavra da sra. Belknapp de que seu marido tinha muitas armas e, mesmo que tivesse, não temos nenhuma prova de que trouxe uma arma consigo. E depois há o bilhete.

Holmes levantou o bilhete.

— Tive um momento ou dois para lançar os olhos nos papéis de Belknapp em sua mesa. Há sem dúvida uma semelhança. No entanto, creio que um exame cuidadoso mostrará que isto é, no máximo, uma falsificação razoável. Suspeito que a sra. Belknapp escreveu o bilhete ela própria. Isso é suficiente, inspetor?

— Creio que sim, sr. Holmes. É bastante fácil verificar tudo isso.

— Mas, Holmes — eu intervim, olhando para o incompatível acusado —, está nos dizendo que Donaberry e a sra. Belknapp ainda são amantes, que ele permitiu que sua mulher não apenas se casasse, mas mantivesse relações conjugais com outro homem?

— Eu sugeriria, Watson, que a faixa branca no dedo anular do sr. Donaberry resultou da remoção da aliança de seu casamento com a mãe de Elspeth Belknapp. Eu diria que ela nunca foi sua mulher, mas era e continua a ser sua filha.

Com isso, a mulher correu para os braços do pai que a abraçou numa clara admissão da derrota de ambos.

— Eles cometeram erros demais — disse Lestrade, fazendo um gesto para que o policial prendesse o par.

— Sim — disse Holmes. — Mas o maior deles foi pensar que podiam fazer Sherlock Holmes de bobo. Posso até perdoar um assassinato. É a arrogância dos assassinos que me parece intolerável.

Mas nosso herói não estava morto

MANLY WADE WELLMAN

Nascido em Kamundongo, na África Ocidental Portuguesa (hoje Angola), Manly Wade Wellman (1903-1986) e sua família se mudaram para Washington D.C. quando ele ainda era criança. Wellman trabalhou como repórter para dois jornais de Wichita, o *Beacon* e o *Eagle*, depois se mudou para o leste em 1934 para se tornar diretor assistente do Folklore Project da Works Progress Administration. Mudou-se para a Carolina do Norte em 1955 e lá permaneceu pelo resto da vida, tornando-se um especialista em *mountain music*, Guerra Civil e regiões e pessoas históricas do Velho Sul.

Escrevendo principalmente contos de terror nos anos 1920, nos anos 1930 Wellman começou a vender suas histórias para as principais revistas *pulp* do gênero: *Weird Tales*, *Wonder Stories* e *Astounding Stories*. Ele publicou três séries simultaneamente em *Weird Tales*: Silver John, também conhecido como John the Balladeer, o menestrel do interior com um violão de cordas de prata; John Thunstone, o playboy e aventureiro de Nova York que era também um detetive paranormal; e o juiz Keith Hilary Persuivant, um idoso detetive místico cujas histórias eram escritas sob o pseudônimo Gans T. Fields.

Wellman também escreveu muitos livros de não ficção, entre os quais *Dead and Gone: Classic Crimes of North Carolina* (1954), que ganhou o prêmio Edgar de melhor livro de crime factual. Ele também produziu catorze livros para crianças e escreveu para revistas em quadrinhos, produzindo o primeiro número do Captain Marvel para a Fawcett Publishers.

O conto da autoria de Wellman, "A Star for a Warrior", ganhou o prêmio de melhor história do ano da *Mistério Magazine de Ellery Queen* em 1946, derrotando William Faulkner, que escreveu uma furiosa carta de protesto. Outras honras importantes incluem prêmios pelo conjunto da obra da World Fantasy Writers (1980) e o prêmio de melhor coletânea pela World Fantasy por *Worse Things Waiting* (1975).

"Mas nosso herói não estava morto" foi publicado pela primeira vez no número de 9 de agosto de 1941 de *Argosy*. Em livro, foi publicado pela primeira vez em *The Misadventures of Sherlock Holmes*, organizado por Ellery Queen (Boston, Little, Brown, 1944) sob o título "The Man Who Was Not Dead".

MAS NOSSO HERÓI NÃO ESTAVA MORTO

Manly Wade Wellman

Do céu negro caía Boling rumo à terra negra. Não sabia nada da região em que estava caindo, exceto que ficava a oito quilômetros da costa de Sussex em direção ao interior e, segundo as melhores informações do dr. Goebbels, era esparsamente povoada.

O ar da noite zumbia nas cordas de seu paraquedas e ele parecia estar caindo a mais de três metros por segundo, mas pensar nisso era indigno de um leal agente da Inteligência Alemã. Embora o piloto acima não tivesse arriscado lançar-lhe uma luz, Boling poderia pousar sem muitos percalços... Ao mesmo tempo que se dizia isso, ele pousou. Bateu com força no chão, de quatro, e as dobras murchas do paraquedas se assentaram à sua volta.

Imediatamente ele se desvencilhou dos arneses, enrolou o velame e escondeu-o entre uma rocha e um arbusto. Levantando, avaliou o próprio estado. A perna esquerda de sua calça estava rasgada e o joelho esfolado — isso era tudo. Lembrou-se de que Guilherme, o Conquistador, também se estatelara ao pousar em Hastings, não longe dali. O presságio era bom. Boling inclinou-se e, como o duque Guilherme, agarrou um punhado de seixos.

— "Assim me apodero da terra!" — citou em voz alta, pois no fundo era teatral.

Seu nome não era realmente Boling, embora tivesse prosperado sob essa e outras alcunhas. E, ainda que usasse o uniforme de um soldado raso britânico, tampouco era britânico. Nascido em Chicago no fim de 1917, de pais desagradáveis, ele amadurecera para uma notável carreira de impostura e roubo. Havia se colocado a serviço do Terceiro Reich não por amor à causa ou sede de aventura, mas pelo alto valor do pagamento. Boling era prático, assim como talentoso. Havia aceitado de bom grado a presente difícil e perigosa missão, que muito bem poderia ser o início de sua fortuna.

Agora o alvorecer cinzento chegava e espiava sobre seu ombro. Boling viu que estava numa encosta forrada de capim, com uma maltratada estrada de cascalho abaixo dela. Logo do outro lado da estrada havia janelas iluminadas — uma casa com madrugadores. Ele caminhou em direção a essas luzes.

Em que direção ficava Eastbourne, era seu primeiro problema. Ele nunca vira a cidade; tinha somente o nome e o número de telefone de um certo Philip Davis, que, se fosse tratado por "tio", saberia que havia chegado a hora de reunir outros quinze.

Eles, por sua vez, iriam congregar camaradas da comunidade ao redor que estavam à espera, homens selecionados, duros, que anos atrás tinham se alojado e guardado armas nas imediações. Esses iriam se organizar e operar como um batalhão de infantaria de primeira ordem. Depois disso, a sequência já muito testada que havia ajudado a conquistar Noruega, Holanda, Bélgica, França: controle das comunicações, explosão de ferrovias e estradas, captura de aeródromos.

Reforços cairiam do céu de paraquedas, como ele, Boling, fizera. Ao cair da tarde isso estaria feito. À noite, Eastbourne estaria firmemente ocupada, com um corpo de invasão escolhido desembarcando de barcaças.

Ao atravessar a estrada em direção à casa, Boling considerava o assunto praticamente liquidado. Precisava apenas de uma palavra dos moradores para orientá-lo.

Ele encontrou a abertura na sebe de sarças e arbustos floridos que lhe chegava ao queixo e, na luz encorajadora, avançou cautelosamente pelo caminho demarcado. A casa, agora visível, era um chalé térreo de estuque branco, com um teto de telhas escuras. Chegando à soleira, Boling bateu a embaçada aldrava contra o sólido painel de carvalho.

Silêncio. Depois passos pesados e uma voz balbuciante. A porta foi aberta. Uma mulher de xale e touca, gorda e muito velha — mais de noventa, pareceu a Boling — enfiou a cabeça alegre e encarquilhada para fora.

— Bom dia — disse ela. — Sim, quem é? — Seus velhos olhos piscavam por trás de lentes pequenas e grossas como fundos de garrafa. — É um soldado, não é?

— Certa a senhora está — respondeu ele à sua maneira mais inglesa, sorrindo para seduzi-la. A velha tinha um sotaque londrino e parecia simples e bem-humorada. — Estou indo a pé para Eastbourne visitar meu tio — prosseguiu ele — e me perdi nas colinas no escuro. Pode me orientar?

Antes que a idosa pudesse responder, uma voz seca falou atrás dela:

— Peça ao rapaz para entrar, sra. Hudson.

A velha abriu mais a porta. Boling entrou numa daquelas salas de estar que tinham sobrevivido à própria era. À luz de uma lâmpada a óleo pendurada, pôde ver paredes forradas de papel azul com flores amarelas, acima de lambris pintados de cinza. Numa mesa de centro viam-se alguns livros velhos, guardados por um rechonchudo cão de louça. No fundo, perto do vão escuro de uma porta interior, ardia um fogo pequeno, mas animado, e de uma cadeira a seu lado ergueu-se o homem que havia falado.

— Se caminhou a noite toda, deve estar cansado — disse ele a Boling. — Pare e descanse. Vamos tomar chá. Não quer se juntar a nós?

— Obrigado, senhor — aceitou Boling cordialmente.

Este era mais um londrino, muito alto e magro como um mosquete. Não podia ser muitos anos mais moço que a mulher chamada sra. Hudson, mas ainda tinha vigor e presença.

Ele se mantinha muito ereto no mais surrado dos robes azuis. A luz da lâmpada revelava um longo nariz adunco e um queixo comprido e magro, com brilhantes olhos azuis sob uma cabeleira de lanugem de cardo. Boling pensou em um dr. Punch[5] envelhecido, digno e cortês. A mão direita parecia frouxamente cerrada dentro de um bolso do robe. A esquerda, magra e fina, segurava um velho e enegrecido cachimbo de urze de cabo curvo.

— Vejo — disse esse velho senhor, seus olhos estudando as insígnias de Boling — que o senhor é um fuzileiro, Northumberland.

— Sim, senhor, Quinto Regimento de Fuzileiros de Northumberland — respondeu Boling, que havia naturalmente escolhido para seu disfarce as insígnias de um regimento sediado longe de Sussex. — Como eu disse à sua boa governanta, estou indo para Eastbourne. Se puder me orientar ou permitir que eu use seu telefone.

— Lamento, não temos telefone — informou-lhe o outro.

A sra. Hudson arquejou e arregalou os olhos ao ouvir isso, mas os velhos olhos azuis apenas estremeceram numa mensagem para ela. Novamente o homem macilento falou:

— Há um telefone, porém, na casa logo atrás da nossa, a casa do policial Timmons.

Boling estava muito pouco inclinado a visitar um policial, especialmente um intrometido policial rural, então evitou comentar esta última sugestão. Em vez disso, agradeceu ao seu anfitrião pelo convite para tomar alguma coisa. A velha trouxe uma bandeja com pratos e uma chaleira fumegante e, um momento depois, outro homem idoso se juntou a eles.

Esse era gordo, com um bigode grisalho caído, olhos grandes cheios de inocência infantil e um paletó de *tweed*. Boling supôs que fosse um médico e sentiu muito orgulho de sua própria perspicácia quando ele foi apresentado como tal. Boling estava tão satisfeito consigo mesmo, de fato, que não prestou atenção no nome do médico.

---

5 Alusão ao fantoche de nariz adunco Punch, da dupla Punch e Judy, de um espetáculo teatral com bonecos tradicional na Grã-Bretanha desde o século XVII. (N.T.)

— Este jovem é do seu antigo regimento, creio — o homem magro informou ao gordo. — O Quinto Regimento de Fuzileiros de Northumberland.

— Oh, realmente? Certamente, certamente — ciciou o médico como um gafanhoto, o que levou Boling a classificá-lo como um simplório. — Certamente. Eu estive no velho Quinto, mas isso deve ter sido muito antes de seu tempo, meu rapaz. Eu servi na Guerra Afegã. — Deu esta última informação arregalando os grandes olhos orgulhosamente. Por um momento Boling temeu uma torrente de reminiscências, mas o homem com cara de Punch tinha acabado de reacender seu cachimbo de urze e agora chamava atenção para o chá que a sra. Hudson estava servindo.

Os três homens beberam com prazer. Boling permitiu-se um momento de irônica meditação sobre como tudo estava agradável, antes que, dali a pouco, bombas e baionetas engolissem esta e todas as outras casas na vizinhança de Eastbourne.

A sra. Hudson se aproximou de seu cotovelo com muffins torrados.

— Pobre rapaz — disse ela maternalmente —, rasgou as lindas calças.

Do outro lado do fogo astutos olhos azuis contemplavam através da fumaça de fumo forte.

— Oh, sim — disse a voz seca —, o senhor andou pelas colinas à noite, penso que o ouvi dizer quando chegou. E caiu?

— Sim, senhor — respondeu Boling, e mostrou seu joelho esfolado através do rasgo. — Nenhum grande ferimento, porém, a não ser para meu uniforme. O rei me dará um novo, não é?

— Eu diria que sim — concordou o médico, levantando seu bigode da xícara de chá. — Nada é bom demais para o velho regimento.

Isso levou à discussão do glorioso passado do Quinto Regimento de Fuzileiros de Northumberland e provável futuro triunfante. Boling fez as declarações mais cautelosas, temendo que o gorducho veterano encontrasse algo de que desconfiar; mas, para apoiar seu disfarce, passou a mão num rolo de documentos cuidadosamente falsificados — cadernetas de pagamento, designação de alojamento, passes através de linhas, e assim por diante. O homem magro de azul estudou-os com polido interesse.

— E agora — perguntou o médico —, como vai meu velho amigo major Amidon?

— Major Amidon? — repetiu Boling para ganhar tempo, lançando um olhar tão penetrante quanto ousou para seu interlocutor. Uma pergunta como essa certamente poderia ser uma armadilha, simples e perigosa, mais ainda porque sua pesquisa sobre o Quinto Regimento de Fuzileiros de Northumberland não incluía esse nome entre os oficiais.

Mas então ele avaliou mais uma vez o rosto gordo, suave, ingênuo. Boling, astuto e criminoso, sabia reconhecer um homem incapaz de mentir ou enganar quando via um. O médico não estava armando absolutamente nenhuma armadilha; de fato, suas palavras seguintes lhe ofereceram uma valiosa deixa.

— Sim, é claro — ele deve estar servindo como chefe de brigada agora. Alto, rosto vermelho, monóculo...

— Oh, major Amidon! — exclamou Boling, como se estivesse se lembrando. — Conheço-o somente de vista, naturalmente. Como diz, ele está servindo como chefe de batalhão; provavelmente ganhará uma promoção em breve. Ele está muito bem e é muito apreciado pelos homens.

O velho magro devolveu os documentos de Boling e perguntou cortesmente pelo seu tio em Eastbourne. Boling prontamente citou Philip Davis, que deveria estar se esforçando para granjear uma boa reputação para si mesmo. Ocorreu que ambos os interlocutores de Boling conheciam o sr. Davis ligeiramente — proprietário da Royal Oak, uma excelente taberna antiga. As tabernas, explicou o médico, não eram mais o que tinham sido nos anos 1880, mas a Royal Oak era um feliz remanescente daquela idade de ouro. E assim por diante.

Com alívio, Boling tomou sua última gota de chá, comeu sua última migalha de muffin. Seus olhos percorreram a sala, que ele já via como um quartel-general ideal. Até seu nervosismo momentâneo por causa do policial na casa de trás o abandonara. Ele refletiu que a proximidade de um oficial eliminaria mesmo qualquer intrometimento ou procura da parte do inimigo. Ele iria até Eastbourne, faria Davis colocar o plano em ação e voltaria para cá para esperar confortavelmente pelo momento propício em que, depois de transpostos os principais perigos da conquista, ele poderia dar um passo à frente...

Levantou-se lamentando realmente ter de cuidar de seus negócios.

— Eu agradeço muito a todos os senhores — disse ele. — E agora já está muito claro, eu realmente devo me pôr a caminho.

— Soldado Boling — disse o velho com o robe azul —, antes que o senhor se vá, tenho uma confissão a fazer.

— Confissão? — gaguejou o médico. A sra. Hudson arregalou os olhos de espanto.

— Exatamente. — Duas mãos finas e magras se ergueram e as pontas dos dedos se uniram. — Assim que o senhor chegou eu não podia saber ao certo quem era, o jeito que andam as coisas ultimamente...

— Certamente, certamente — interrompeu o médico. — Inimigos estrangeiros e tudo isso. O senhor compreende, rapaz.

— É claro — Boling abriu um sorriso cativante.

— E, assim — continuou seu anfitrião —, sou culpado de uma mentira. Mas agora que dei uma olhada no senhor, estou seguro de quem é. E deixe-me dizer-lhe que tenho um telefone, afinal de contas. O senhor está inteiramente livre para usá-lo. Passando por aquela porta.

Boling sentiu seu coração aquecer-se, tal era sua satisfação consigo mesmo. Ele sempre se considerara um príncipe dos impostores; essa admissão da parte do velho esquelético era extremamente agradável. Agradecendo muito, entrou num pequeno corredor escuro de cuja parede brotava o telefone. Levantou o fone e pediu o número que havia memorizado.

— Alô — disse, cumprimentando o homem que atendeu discretamente. — É o sr. Philip Davis?... Aqui é seu sobrinho, Amos

Boling. Chegarei à cidade em breve. Irei encontrá-lo e aos outros onde quer que diga... Qual é o nome de sua taberna?... The Royal Oak? Muito bem, nós nos encontraremos lá às nove horas.

— Já chega — disse a voz seca de seu anfitrião logo atrás de seu ombro. — Desligue, sr. Boling. Imediatamente.

Boling deu meia-volta, seu coração aos pulos com súbito horror. A figura macilenta recuou de maneira muito ágil e rápida para um homem tão idoso. A mão direita enfiou-se novamente no bolso do velho robe azul e tirou de lá uma pequena pistola de boca larga, que o homem segurava na altura da barriga de Boling.

— Eu lhe pedi para telefonar, sr. Boling, na esperança de que o senhor fosse de algum modo revelar seus cúmplices. Nós sabemos que eles estarão no Royal Oak às nove. Um grupo de policiais vai aparecer para se encarregar deles. Quanto ao senhor... Sra. Hudson, por favor atravesse o quintal dos fundos e peça ao policial Timmons para vir aqui imediatamente.

Boling fitou-o ferozmente. Sua mão direita moveu-se, furtivamente como uma serpente, em direção ao quadril.

— Nada disso — ladrou o médico do outro lado da sala de estar. Ele, também, estava de pé, abrindo uma gaveta na mesa de centro. Dela tirou um grande revólver de serviço, de modelo antiquado, mas excepcionalmente bem conservado. A mão gorducha empunhou a arma habilmente. — Levante os braços, senhor, e já.

Furioso, Boling obedeceu. O robe azul deslizou em direção a ele, a mão esquerda arrancou a automática do seu bolso de trás.

— Observei essa protuberância em seu uniforme, que sob outros aspectos está bem-arrumado — comentou o velho magro — e ponderei que pistolas de bolso não são regulamentares para soldados de infantaria. Foi uma das várias incoerências que o denunciaram como um agente inimigo. Quer se sentar na poltrona, sr. Boling? Vou explicar.

Não havia nada a fazer, sob a ameaça daquelas armas, a não ser sentar e ouvir.

— O aparecimento de um soldado britânico fazendo um grande esforço para disfarçar um sotaque americano me intrigou, mas não o condenou a princípio. No entanto, o joelho da sua calça (sempre olho primeiro para o joelho da calça de um estranho) estava tão violentamente rasgado que sugeria uma queda forte de algum lugar. O resto de seu equipamento estava desarrumado também. Mas suas botas (sempre olho para as botas em segundo lugar) estavam inocentes de desgaste ou mesmo de muito uso. Soube de imediato que sua história de caminhada a pé durante uma longa noite, com tropeções e tombos, era mentira.

Boling reuniu toda a sua segurança:

— Vejam bem — gritou asperamente. — Não me importo com um pouco de brincadeira ou coisa parecida, mas isto já foi longe demais. Sou um soldado e como tal um defensor do reino. Se me oferecem violência...

— Não haverá violência a menos que o senhor a atraia sobre si mesmo. Permita-me continuar. O senhor me inspirou ainda mais desconfiança quando, dizendo-se um soldado do Quinto Regimento dos Fuzileiros de Northumberland, ainda assim evidentemente incapaz de reconhecer o nome de meu velho amigo aqui. Ele também foi do Quinto e, na vida civil conquistou uma fama de que poucos fuzileiros podem se gabar. O mundo inteiro lê seus escritos...

— Por favor, por favor — murmurou o médico gentilmente.

— Não quero constrangê-lo, meu caro amigo — assegurou o magro anfitrião —, somente escarnecer desse triste impostor com sua própria incompetência. Depois disso, sr. Boling, sua ansiedade em mostrar suas credenciais a mim, que não pedira para vê-las nem tinha qualquer autoridade para examiná-las, sua conversa sobre serviço, claramente memorizada a partir de um livro e finalmente sua tagarelice sobre um major Amidon que não existe... Essas foram provas suficientes.

— Não existe? — quase gritou o médico. — O que quer dizer? Claro que o major Amidon existe. Ele e eu servimos juntos...

Então ele se interrompeu abruptamente e seus olhos se arregalaram absurdamente. Tossiu e abafou uma risadinha num embaraçado pedido de desculpa.

— Meu Deus, agora sei que estou senil — disse mais gentilmente. — Está certo, meu caro amigo, o major Amidon não existe mais. Ele se aposentou em 1910 e você mesmo me apontou a notícia de sua morte cinco anos atrás. É estranho como velhas lembranças persistem e nos enganam. Há uma boa questão psicológica aí em algum lugar

Sua voz foi se apagando e seu camarada retomou triunfantemente a acusação de Boling.

— Minha mente retornou ao problema de seu equipamento em desordem e suas botas bem cuidadas. Por raciocínio dedutivo considerei e eliminei uma possibilidade após outra. Foi ficando cada vez mais claro que o senhor tinha caído de certa altura, mas não tinha andado muito para chegar até lá. Teria viajado num automóvel? Mas esta é a única estrada por estas bandas, e uma estrada ruim, que vai terminar sem saída, três quilômetros adiante nas colinas. Estamos acordados há horas e teríamos ouvido um motor. Um cavalo, então? É possível, mesmo nestes tempos mecanizados, mas sua calça não mostra o menor sinal de que esteve montado numa sela. Bicicleta? Mas o senhor teria usado uma presilha no tornozelo perto da coroa dos pedais, e essa presilha teria marcado a bainha da sua calça. O que isso nos deixa?

— O quê? — perguntou o médico gordo, ansioso como uma criança ouvindo uma história.

— O que, de fato, senão um avião e um paraquedas? E o que significa um paraquedas nestes dias senão invasão alemã, que chegou à nossa humilde porta na pessoa do sr. Boling? — A cabeça branca se curvou, como um ator ao receber aplausos, depois virou-se para a porta da frente. — Ah, a sra. Hudson está de volta com o policial Timmons. Policial, temos um espião alemão para entregar aos seus cuidados.

Boling se levantou, quase disposto a desafiar as duas pistolas que o ameaçavam.

— O senhor é um demônio! — disse furioso a seu descobridor.

Os olhos azuis piscaram.

— De maneira alguma. Sou um velho que conservou o uso de seu cérebro, mesmo após longa e repousada ociosidade.

O robusto policial se aproximou de Boling, um par de algemas brilhantes nas mãos.

— Virá comigo tranquilamente? — perguntou de maneira formal, e Boling estendeu os punhos. Estava derrotado.

O velho médico deixou o revólver cair de volta na gaveta e caminhou pesadamente até seu amigo.

— Assombroso! — ele quase berrou. — Pensei que não iria mais me surpreender com você, mas... assombroso, é tudo que posso dizer!

Um braço numa manga azul se ergueu, a fina mão magra deu batidinhas afetuosas no ombro vestido de *tweed*. E antes mesmo que as palavras fossem pronunciadas, como tinham sido tantas vezes em anos passados, Boling soube de repente quem eram eles:

— Elementar, meu caro Watson — disse o velho sr. Sherlock Holmes.

A aventura do homem marcado

STUART PALMER

Após uma bem-sucedida carreira como romancista, Stuart Hunter Palmer (1905-1968) tornou-se um prolífico roteirista, escrevendo 37 roteiros, em sua maioria histórias sobre as aventuras de personagens famosos da ficção policial como o Lobo Solitário, Bulldog Drummond e o Falcão. Enquanto trabalhava numa ampla variedade de empregos, Palmer começou a escrever para revistas *pulp* sob seu próprio nome e como Theodore Orchards. Quando tinha apenas 26 anos, seu primeiro romance, *The Penguin Pool Murder* (1931), foi publicado. Ele apresentou a famosa personagem da série, Hildegarde Withers, uma solteirona que desvendava crimes frequentemente referida como a Miss Maple americana, embora seja muito mais engraçada que a heroína de Agatha Christie.

Uma versão para o cinema de *The Penguin Pool Murder* foi lançada no ano seguinte, estrelada por Edna May Oliver, com James Gleason como um rude policial da cidade de Nova York. O sucesso do livro levou Palmer a escrever treze outras aventuras da mordaz investigadora amadora, inclusive *Murder on the Blackboard* (1932), adaptado para o cinema em 1934 e lançado no Brasil com o título *Sherlock de saias*, com o mesmo elenco de protagonistas; *The Puzzle of the Pepper Tree*, filmado como *Murder on a Honeymoon* (1935, lançado no Brasil como *Crime na lua de mel*), novamente com Oliver e Gleason; *The Puzzle of the Silver Persian* (1934); *The Puzzle of the Red Stallion* (1936, publicado na Inglaterra como *The Puzzle of the Briar Pipe*), adaptado para o cinema como *Murder on a Bride*

Path (1936, lançado no Brasil como *O mistério da ferradura*), com Helen Broderick substituindo Olive, mas com Gleason ainda presente; e *The Puzzle of the Blue Banderilla* (1937), entre outros.

Palmer escreveu duas paródias de Sherlock Holmes enquanto trabalhava como instrutor de filmes educacionais e oficial de ligação entre o Exército e o esforço de guerra de Hollywood, numa posição avançada em Oklahoma durante a Segunda Guerra Mundial. Além da presente história, ele escreveu "The Adventure of the Remarkable Worm" (1944).

"A aventura de um homem marcado" foi publicado pela primeira vez no número de julho de 1944 da *Mistério Magazine de Ellery Queen*; foi compilada pela primeira vez num folheto intitulado *The Adventure of the Marked Man and One Other* (Boulder, Colorado, Aspen Press, 1973).

A AVENTURA DO HOMEM MARCADO

Stuart Palmer

Era uma tarde de vento forte no fim de abril de 1895 e eu acabara de retornar a nossos aposentos em Baker Street para encontrar Sherlock Holmes tal como o deixara ao meio-dia, estendido no sofá com os olhos semicerrados, a fumaça de fumo preto picado elevando-se até o teto.

Ocupado com meus próprios pensamentos, removi a desordem de instrumentos de laboratório químico que havia transbordado para a espreguiçadeira e me acomodei com um suspiro perturbado. Sem me dar conta, devo ter caído num devaneio melancólico. De repente a voz de Sherlock Holmes me trouxe de volta com um sobressalto.

— Então você decidiu, Watson — disse ele —, que nem mesmo essa diferença deveria ser um obstáculo real à sua felicidade futura?

— Exatamente — respondi. — Afinal, não podemos... — interrompi-me de repente. — Meu caro amigo! — exclamei. — Isso não condiz em nada com você!

— Vamos, vamos, Watson. Você conhece meus métodos.

— Eu não sabia — respondi friamente — que eles incluíam mandar seus espiões e bisbilhoteiros seguir as pegadas de um velho amigo simplesmente porque ele escolheu uma revigorante tarde de primavera para uma caminhada com certa dama.

— Mil desculpas! Eu não tinha me dado conta de que minha pequena demonstração de um exercício mental poderia lhe causar sofrimento — murmurou Holmes num tom depreciativo. Ele se sentou, sorrindo. — É claro, meu caro amigo, que eu deveria ter levado em conta a aberração mental temporária conhecida como estar apaixonado.

— Francamente, Holmes! — repliquei bruscamente. — Você deveria ser a última pessoa a falar de psicopatologia, um homem que é praticamente um caso ambulante de tendências maníaco-depressivas...

Ele inclinou a cabeça.

— *Touché*! Mas, Watson, sob um aspecto você me faz uma injustiça. Eu só tive conhecimento de seus planos de se encontrar com uma dama por causa dos cuidados excessivos de sua toalete antes de sair. A encantadora Emily, não era? Sempre me lembrarei da coragem dela no caso do assassinato de Gorgiano na pensão sob outros aspectos respeitável da sra. Warren. E, de fato, por que não um romance? Houve um intervalo bastante razoável desde o falecimento de sua esposa e a viúva Lucca é uma pessoa extremamente cativante.

— Isso ainda é irrelevante. Não vejo...

— Ninguém é tão cego, Watson, ninguém é tão cego — respondeu Holmes, enchendo seu cachimbo de madeira de cerejeira com fumo *navy-cut*, um sinal seguro de que estava num de seus estados de ânimo mais beligerantes. — É realmente muito simples, meu caro amigo. Não me foi difícil deduzir que seu encontro, numa tarde de ventania tão agradável como esta, foi no parque. Os resquícios de casca de amendoim em seu melhor colete falam muito claramente do fato de que você esteve se divertindo alimentando os macacos. E seu retorno tão prematuro, obviamente tendo deixado de convidar a dama para jantar, indica muito claramente que vocês tiveram algum tipo de desentendimento enquanto observavam as palhaçadas dos peludos primatas.

— Está certo até aí, Holmes, por enquanto. Mas por favor continue.

— Com prazer. Como um bom médico, você não pode deixar de ter certas convicções profundas com relação à verdade contida nas recentes e controversas publicações do sr. Charles Darwin. É extremamente provável que, no calor do romance, você tenha sido imprudente o bastante para iniciar uma discussão sobre as teorias de Darwin com a signora Lucca, que, como a maioria de suas conterrâneas, é sem dúvida profundamente religiosa. É claro que ela prefere a explicação do Jardim do Éden para o início da humanidade. Por isso sua primeira briga e sua volta apressada para casa, onde você se jogou numa poltrona e deixou seu cachimbo apagar enquanto esmiuçava toda a situação na sua mente.

— Isso é bastante simples, agora que você o explica — admiti a contragosto. — Mas como pôde conhecer a conclusão a que eu acabara de chegar?

— Elementar, Watson, extremamente elementar. Você retornou com seu normalmente plácido semblante contorcido num bico, o lábio inferior projetando-se de maneira muita irritada. Seu olhar se voltou para o consolo da lareira, onde se encontra um exemplar de *A origem das espécies*, e você pareceu ainda mais beligerante que antes. Mas depois, passado um momento, as chamas bruxuleantes da lareira capturaram seu olhar e não pude deixar de notar como esse símbolo doméstico o fez se lembrar da felicidade matrimonial de que você gozou outrora. Você imaginou a si mesmo e à encantadora italiana sentados diante de um fogo assim e sua expressão se suavizou. Um sorriso claramente tolo cruzou sua face, e eu soube que você tinha concluído que não seria permitido a nenhuma teoria se interpor entre você e a dama que planeja transformar na segunda sra. Watson. — Ele bateu o cachimbo de madeira de cerejeira na grade. — Pode negar que minhas deduções estão substancialmente corretas?

— É claro que não — respondi, um tanto encabulado. — Mas Holmes, num reino menos esclarecido que neste de nossa Vitória, você correria grave perigo de ser queimado como um bruxo.

— Um mago, por favor — corrigiu ele. — Mas chega de exercícios mentais. A menos que eu esteja enganado, o toque persistente da campainha pressagia um cliente. Nesse caso, trata-se de um caso sério, que pode absorver todas as minhas capacidades. Nada trivial levaria um inglês a sair durante a hora sagrada do chá da tarde.

Mal houve tempo para que Holmes girasse a lâmpada de leitura de modo que a luz incidisse sobre a cadeira vazia, ouviram-se passos rápidos na escada e uma batida impaciente na porta.

— Entre! — gritou Holmes.

O homem que entrou ainda era jovem, tendo aparentemente uns 38 anos, bem-arrumado e vestido com esmero, se não com elegância, com uma espécie de dignidade profissional em suas maneiras. Ele pôs seu chapéu-coco e sua robusta bengala de ratã sobre a mesa e em seguida se virou para nós, olhando indagativamente de um para outro. Pude ver que sua pele normalmente corada estava de uma palidez pouco saudável. Obviamente nosso visitante estava perto de um colapso.

— Meu nome é Allen Pendarvis — disse ele abruptamente, aceitando a cadeira que Holmes apontava. — Devo me desculpar por irromper aqui desta maneira.

— De maneira alguma — disse Holmes. — Por favor, sirva-se de fumo, que está ali no chinelo persa. Acaba de chegar da Cornualha, vejo.

— Sim, de Mousehole, perto de Penzance. Mas como...?

— Afora seu nome... "Pelo prefixo Tre-, Pol-, Pen- deves conhecer a gente da Cornualha",[6] o senhor está usando uma capa de chuva, e nuvens zangadas de tempestade encheram o céu do sudoeste na maior parte do dia. Vejo também que está com muita pressa, pois o Royal Cornishman parou em Paddington apenas alguns momentos atrás, e o senhor não perdeu tempo em chegar aqui.

---

6 Alusão a um antigo dístico popular registrado pela primeira vez em 1602: *"By the Tre, Pol and Pen / Shall ye know all Cornishmen."* (N.T.)

— Então Sherlock Holmes é o *senhor*! — concluiu Pendarvis. — Eu apelo ao senhor. Nenhum outro homem pode me oferecer a ajuda de que preciso.

— Não é fácil recusar ajuda e nem sempre fácil dá-la — respondeu Holmes. — Mas, por favor, continue. Este é o dr. Watson. Pode falar francamente em sua presença, pois ele foi meu colaborador em alguns de meus casos mais difíceis.

— Nenhum dos seus casos pode ser mais difícil que o meu! — exclamou Pendarvis. — Estou prestes a ser assassinado, sr. Holmes. E, no entanto, no entanto, não tenho nenhum inimigo no mundo! Nenhuma pessoa, viva ou morta, poderia ter uma razão para desejar me ver no caixão. Apesar disso, minha vida foi três vezes ameaçada e uma vez atacada nas duas últimas semanas!

— Muito interessante — disse Holmes calmamente. — E tem alguma ideia da identidade de seu inimigo?

— Absolutamente nenhuma. Vou começar pelo começo, sem esconder nada. Vejam, senhores, minha casa fica numa pequena aldeia de pescadores que não mudou nada em centenas de anos. De fato, o cais do porto de Mousehole, que fica logo em frente à minha janela, foi construído pelos fenícios no tempo de Uther Pendragon, o pai do rei Artur, quando eles vieram comerciar estanho da Cornualha...

— Penso que neste assunto devemos procurar alguém mais próximo de casa que os fenícios — disse Holmes, seco.

— É claro. Entenda, sr. Holmes, levo uma vida muito pacata. Uma pequena renda que me foi deixada por uma tia falecida me permite dedicar meu tempo ao passatempo da fotografia de aves. — Pendarvis sorriu com modesto orgulho. — Algumas das minhas fotografias de andorinhas-do-mar no ninho foram impressas em revistas de ornitologia. Outro dia mesmo...

— Tampouco suspeito das andorinhas-do-mar — interrompeu Holmes. — No entanto, alguém busca a sua vida... ou sua morte. A propósito, sr. Pendarvis, acaso sua esposa herda seu patrimônio na infeliz eventualidade de seu falecimento?

Pendarvis pareceu perplexo.

— Senhor? Mas nunca me casei. Vivo só com meu irmão Donal. Ele faz sucesso com as mulheres. Todas as missivas perfumadas no correio da manhã são endereçadas a ele.

— Ah — disse Holmes. — Nesse caso não precisamos aplicar a velha regra de *cherchez la femme*? Isso elimina muitas coisas. O senhor diz que seu irmão é seu herdeiro?

— Suponho que sim. Não há muito para herdar, de fato. A renda cessa com a minha morte, e quem quereria ficar com meus espécimes ornitológicos?

— Isso lança uma luz diferente sobre o caso, certamente. Mas deixemos de lado a questão de *cui bono*, pelo menos por enquanto. Qual foi o primeiro sinal de que alguém tramava contra a sua vida?

— A primeira ameaça foi na forma de um bilhete, grosseiramente escrito em papel pardo de açougue e enfiado debaixo da porta na quinta-feira da semana passada. Ele dizia: "Sr. Allen Pendarvis, você tem pouco tempo de vida."

— Está com o bilhete?

— Infelizmente, não. Eu o destruí, achando que era a obra de alguém que queria me pregar uma peça — suspirou Pendarvis. — Três dias depois veio o segundo.

— Que o senhor guardou e trouxe consigo?

Pendarvis sorriu com ironia.

— Isso teria sido impossível. Estava escrito a giz no muro do jardim, repetindo o primeiro aviso. E o terceiro foi marcado na lama do porto junto à janela de meu quarto de dormir, visível na manhã de sábado passado na maré baixa, mas rapidamente apagado. Ele dizia: "Pronto para morrer, sr. Allen Pendarvis?"

— Esses avisos foram, é claro, comunicados à polícia?

— É claro. Mas eles não os levaram a sério.

Holmes lançou-me um olhar, e assentiu com a cabeça.

— Compreendemos essa atitude oficial, não é, Watson?

— Então podem compreender também, sr. Sherlock Holmes, por que vim procurá-lo. Não estou acostumado a ser desdenhado por um subinspetor local! E assim, quando isso finalmente aconteceu ontem à noite… — Pendarvis estremeceu.

— Agora — interrompeu Holmes, enquanto aplicava a chama de um fósforo de cera a seu cachimbo de barro — estamos avançando. Que aconteceu exatamente?

— Era tarde — começou o ornitologista. — Quase meia-noite, de fato, quando fui acordado pelo toque insistente da campainha da porta. Minha governanta, pobre criatura, é um pouco surda, assim me levantei e atendi à porta eu mesmo. Imagine minha surpresa ao não encontrar ninguém ali. Lá fora tudo estava de uma escuridão infernal, a intensa e lúgubre quietude de uma aldeia da Cornualha numa hora daquelas. Fiquei ali por um momento, tiritando, segurando a minha vela e perscrutando a escuridão. E então uma bala passou silvando por mim, não acertando meu coração por uma estreita margem e apagando a vela em minha mão!

Holmes juntou suas mãos magras, sorrindo.

— Realmente! Um belo problema, hein, Watson? O que você acha disso?

— O sr. Pendarvis teve sorte por seu agressor ter má pontaria — respondi. — Ele deve ter oferecido um alvo muito claro, segurando uma luz no vão da porta.

— Realmente um alvo claro — concordou Holmes. — E por que, sr. Pendarvis, seu irmão não atendeu à porta?

— Donal estava em Penzance — respondeu Pendarvis. — Durante anos é seu invariável costume assistir às partidas de boxe da sexta-feira lá. Depois ele em geral se junta a alguns de seus camaradas no Capstan and Anchor.

— Retornando de madrugadinha? É claro, é claro. E agora, sr. Pendarvis, acredito que tenho tudo de que preciso. Volte para sua casa. O senhor terá notícias nossas em breve. — Holmes acenou uma mão lânguida em direção à porta. — Muito boa-noite para o senhor.

Pendarvis pegou seu chapéu e sua bengala, e parou à porta, indeciso.

— Devo confessar, sr. Holmes, que fui levado a esperar mais do senhor.

— Mais? — disse Holmes. — Oh, sim. Minha continha. Ela lhe será enviada pelo correio no primeiro dia do mês. Boa noite, senhor.

A porta se fechou sobre nosso cliente insatisfeito, e Holmes, que estivera reclinado no sofá no que parecera ser o auge do abatimento, levantou-se abruptamente e virou-se para mim:

— Bem, Watson, a solução parece decepcionantemente fácil, não é mesmo?

— Talvez seja — falei contrafeito. — Mas você está correndo sérios riscos, não está? Pode ter mandado aquele pobre homem para a sua morte.

— Para sua morte? Não, meu caro Watson. Dou-lhe minha palavra de que não. Com licença, preciso escrever um bilhete para nosso amigo Gregson da Yard. É extremamente importante que uma prisão seja feita de imediato.

— Uma prisão? Mas de quem?

— Quem mais se não o sr. Donal Pendarvis? Um telegrama para as autoridades de Penzance deve ser suficiente.

— O irmão? — exclamei. — Então você acredita que ele não estava realmente assistindo às lutas de boxe na hora da tentativa de assassinato de nosso cliente?

— Tenho certeza — disse Sherlock Holmes — de que ele estava envolvido em atividades completamente diferentes. — Esperei, mas ele preferiu não me fazer mais confidências. Pegou pena e papel, e não levantou os olhos novamente até que terminara seu bilhete e o enviara por mensageiro. — Isto — disse ele — deve resolver a situação por enquanto. — Depois do que tocou para chamar a sra. Hudson, solicitando um copioso jantar.

Meu amigo manteve seu silêncio incomunicativo durante a refeição e dedicou o resto da noite a seu violino. Foi só quando estávamos à mesa do desjejum na manhã seguinte que houve alguma referência ao caso do ornitologista da Cornualha.

A campainha da porta soou com força e Holmes se alegrou.

— Ah, finalmente! — exclamou. — Uma resposta de Gregson. Não, é o homem em pessoa, e apressado, também.

Os passos na escada chegaram à nossa porta, e num instante Tobias Gregson, alto, pálido, de cabelos louros como sempre, entrou.

Holmes sempre se referira a ele como o mais inteligente e esperto dos inspetores da Scotland Yard, mas Gregson estava num mau estado de ânimo no momento.

— Enganou-nos direitinho, sr. Holmes — começou ele. — Eu senti em meus ossos que não devia ter obedecido ao seu pedido incomum, mas lembrando a ajuda que nos deu no passado, segui sua sugestão. Mau negócio, sr. Holmes, mau negócio.

— É mesmo? — perguntou Holmes.

— Realmente. É esse homem, Donal Pendarvis, que o senhor queria preso.

— Nenhuma confissão?

— Certamente não. E além disso o sujeito está sem dúvida instaurando um processo agora mesmo, por detenção indevida.

Holmes quase deixou a xícara cair.

— Está querendo dizer que ele não está mais sob custódia?

— Quero dizer exatamente isso. Ele foi preso ontem à noite e mantido na cadeia de Penzance, mas fez um estardalhaço tal por causa disso que Owens, o subinspetor, foi obrigado a libertá-lo.

Sherlock Holmes ficou inteiramente de pé, jogando de lado seu guardanapo.

— Concordo, senhor. Foi um mau negócio. — Refletiu profundamente por um momento. — E o outro pedido que fiz? Eles localizaram um homem com aquelas características?

— Não, sr. Holmes. O subinspetor Owens morou em Penzance a vida inteira e jura que não existe por lá nenhuma pessoa assim.

— Impossível. Inteiramente impossível — disse Holmes. — Ele deve estar enganado!

Gregson se levantou.

— Todos nós temos nossos êxitos e nossos fracassos — disse ele em tom consolador. — Bom dia, sr. Holmes, bom dia, doutor.

Quando a porta se fechou atrás dele, Holmes se virou subitamente para mim:

— E por que, Watson, você ainda não está fazendo a mala? Prefere não me acompanhar à Cornualha?

— À Cornualha? Mas eu entendi...

— Você ouviu tudo e não entendeu nada. Eu terei de demonstrar para você e para o subinspetor no local. Mas chega disto. O jogo começou. É melhor você levar seu revólver de serviço e sua bengala resistente de freixo, pois pode haver alguma agitação antes que este probleminha seja resolvido. — Ele consultou seu relógio. — Temos apenas meia hora para pegar o trem das dez horas em Paddington.

Nós embarcamos nele com apenas um ou dois momentos de antecedência e, quando já estávamos indo na direção sudoeste pelos arredores de Londres, meu amigo iniciou uma dissertação sobre tendências hereditárias em grupos de impressões digitais, um assunto sobre o qual pretendia escrever uma monografia. Guardei minha impaciência para mim mesmo o quanto pude e finalmente o interrompi:

— Tenho apenas uma única pergunta, Holmes. Por que estamos indo para a Cornualha?

— As flores da primavera, Watson, estão no auge de sua estação. O perfume será agradável depois dos nevoeiros de Londres. Enquanto isso pretendo tirar um cochilo. Você poderia se ocupar considerando a natureza inusitada dos bilhetes de advertência recebidos pelo sr. Allen Pendarvis.

— Inusitada? Mas eles me pareceram bastante claros. Pretendiam claramente fazer o sr. Pendarvis saber que era um homem marcado.

— Brilhantemente formulado, Watson! — disse Sherlock Holmes, acomodando-se placidamente para dormir.

Só acordou depois que tínhamos deixado Plymouth para trás e a vastidão de Mount's Bay podia ser vista de nossas janelas. Ondas de rebentação vinham do mar, encapelando-se, e um vento tempestuoso soprava.

— Acredito que haverá mais chuva ao cair da noite — disse Holmes, satisfeito. — Uma excelente noite para o tipo de caçada em que esperamos nos envolver.

Mal tínhamos desembarcado em Penzance quando um homem corpulento num pesado sobretudo de *tweed* se aproximou. Ele devia ter uns 95 quilos de sólidos músculos e seu semblante era grave. Um jovem guarda com bochechas de maçã o seguia.

— Sr. Holmes? — disse o homem mais velho. — Sou o subinspetor Owens. Fomos avisados de que o senhor poderia estar chegando. E já não era sem tempo. Uma lamentável confusão, essa em que o senhor nos meteu.

— É mesmo? — disse Holmes friamente. — Aconteceu, então?

— Aconteceu — respondeu o subinspetor Owens seriamente. — Às duas horas da tarde. — O guarda inclinou a cabeça, confirmando, muito grave.

— Espero que não tenham removido o corpo — disse Holmes.

— O corpo? — Os dois policiais locais se entreolharam e o guarda deu uma gargalhada. — Eu estava me referindo — continuou Owens — ao processo por detenção indevida. Uma intimação foi entregue em meu escritório.

Meu companheiro hesitou por um momento.

— Se eu fosse o senhor, não perderia meu sono por causa do julgamento do caso. E agora, antes de irmos mais longe, o dr. Watson e eu acabamos de fazer uma longa viagem de trem e estamos precisando comer. Pode nos dizer onde fica o Capstan and Anchor, inspetor?

Owens franziu o cenho, depois se virou para seu assistente:

— Tredennis, você teria a bondade de mostrar o lugar a estes cavalheiros? — Voltou-se de novo para Holmes: — Vou esperá-lo na delegacia dentro de uma hora, senhor. Este assunto ainda não está resolvido de maneira satisfatória para mim.

— Nem para mim — disse Holmes, e partimos atrás do guarda.

Esse jovem robusto nos levou num passo rápido até a tabuleta do Capstan and Anchor.

— Me juntarei a você no bar, Watson — disse-me meu companheiro em voz baixa. Ele se demorou algum tempo à porta, depois se virou e foi ao meu encontro. — Exatamente como pensei. O guarda Tredennis assumiu seu posto num vão de porta do outro lado da rua. Não gozamos da confiança das autoridades locais.

Ele pediu um prato de rins com bacon, mas deixou-o esfriar enquanto tagarelava com a garçonete, uma jovem singularmente comum por tudo que me era dado ver. Mas Holmes voltou para a mesa sorrindo.

— Ela confessa conhecer o sr. Donal Pendarvis, chegando mesmo a dar uma risadinha quando seu nome foi mencionado. Mas diz que ele não tem frequentado a taberna nas últimas semanas. A propósito, Watson, suponha que eu lhe pedisse uma descrição de nosso antagonista. Que tipo de animal estamos caçando, a seu ver?

— O sr. Donal Pendarvis?

Holmes fechou a cara.

— Esse cavalheiro se parece com seu extraordinariamente insípido irmão, segundo os melhores relatos. Não, Watson, cave mais fundo que isso. Rememore a história do caso, as mensagens de advertência...

— Muito bem — falei. — O suposto assassino é um mau atirador com uma espingarda. É alguém que guarda rancor por muito tempo, mesmo um rancor imaginário, pois o sr. Allen Pendarvis não tem a menor ideia da identidade de seu agressor. É um homem de mentalidade primitiva, do contrário não teria se rebaixado à selvageria de torturar sua vítima com mensagens de advertência. É um recém-chegado à cidade, um estranho...

— Pare, Watson! — interrompeu Holmes, com um estranho sorriso. — Você raciocinou de maneira admirável. No entanto ouço o ruído da chuva novamente contra as vidraças e não devemos deixar nosso guarda esperando no vão da porta.

Uma enérgica caminhada colina acima, com a chuva em nosso rosto, levou-nos finalmente aos degraus da delegacia, mas lá descobri que o caminho estava bloqueado, pelo menos para mim. O subinspetor Owens, ao que parecia, desejava falar a sós com Holmes.

— E assim será — respondeu Holmes amavelmente para o troncudo guarda à porta. Ele se virou para mim: — Watson, preciso de sua ajuda. Você teria a bondade de ocupar a próxima hora, aproximadamente, com uma visita a um ou dois de seus colegas locais? Você poderia se apresentar como alguém em busca de um paciente casual cujo nome lhe escapou. Mas você tem, é claro, alguma razão importante para localizá-lo. Uma prescrição errada, imagino...

— Francamente, Holmes!

— Seja o mais vago que puder com relação à idade e aparência, Watson, mas especifique que o homem que você procura é um exímio atirador, conhece muito bem a localidade, é impecavelmente respeitável e, o mais importante de tudo, tem uma jovem e bela esposa.

— Mas Holmes! Você sugere que esta seja a descrição de nosso assassino? É o exato oposto do que imaginei.

— O reverso da moeda, Watson. Mas você deve me dar licença. Tenha a bondade de me encontrar aqui em, digamos, duas horas? Vá logo, não devo manter o subinspetor esperando.

Ele entrou e me virei para a rua varrida pela chuva, balançando a cabeça, incrédulo. Naquele momento, como eu desejava o calor e o conforto que gozaria junto de minha lareira, de qualquer lareira! Com dificuldade consegui pegar um fiacre e por um longo tempo chocalhei pelas ruas íngremes da antiga cidade de Penzance à procura da lâmpada vermelha junto à porta que indicaria a residência de um médico.

Meu coração não estava dedicado àquela tarefa e não foi surpresa para mim que, apesar da cortesia com que fui recebido por meus colegas médicos, eles tenham sido absolutamente incapazes de me ajudar. Owens, apesar de sua pomposidade, estava certo ao relatar que, entre todos os cidadãos de Penzance, nenhuma pessoa como a que Holmes procurava jamais existira. Ou se existia, não estava entre seus pacientes.

Voltei à delegacia para encontrar Holmes à minha espera.

— Arrá, Watson! — exclamou ele cordialmente. — Teve sorte? Muito pouca, suponho, do contrário não estaria com essa expressão abatida de cão que não encontrou a ave caída. Não tem importância. Se não pudermos ir até o nosso homem, ele virá a nós. Até certo ponto reconquistei a confiança do subinspetor, Watson. Veja, dei minha palavra de que amanhã, antes do meio-dia, o sr. Donal Pendarvis terá retirado sua ação por detenção indevida. Em troca teremos o apoio de um vigoroso policial para o trabalho desta noite.

Em alguns minutos apareceu na rua a figura de um homem uniformizado montado numa bicicleta. Vinha a ser nosso amigo Tredennis, que se desculpou pela demora. Essa deveria ter sido sua noite de folga e ele tivera de correr até sua casa e explicar a situação à sua cara metade.

— Maudie fica preocupada se não me apresento até as nove horas — disse ele, suas bochechas mais rosadas que nunca com o exercício da viagem. — Mas eu lhe disse que qualquer homem ficaria contente de se apresentar como voluntário para uma missão com o senhor Holmes, o célebre detetive vindo da Inglaterra.

— Vindo da *Inglaterra*? — perguntei admirado. — E onde estamos agora?

— Na Cornualha — disse Holmes, dando-me uma leve cotovelada. — Ah, Watson, vejo que manteve seu fiacre à espera. Dentro em breve estaremos montando nossa armadilha em algum lugar perto da casa do sr. Pendarvis.

— Fica a uns bons cinco quilômetros, senhor — disse o guarda Tredennis. — Isto é, pela estrada. Pela costa é bem menos, mas está chegando a maré cheia e não é um caminho fácil em qualquer estação.

— Iremos pela estrada — decidiu Holmes.

Logo estávamos avançando com estrépito por uma rua pavimentada com pedras que serpenteou pelo vale, passando por fileiras de casas de pescadores que assomavam, com o vento soprando sempre úmido e fresco contra nossas faces.

— Uma terra para fazer um homem valorizar sua lareira, hein, Watson?

Viajamos em silêncio por algum tempo, e então o guarda deteve o carro no alto de uma íngreme rua em declive que serpenteava em direção à costa. Havia um forte cheiro de arenque no lugar, misturado com o de alcatrão e algas marinhas. Observei que, enquanto descíamos a ladeira, Holmes lançava olhares penetrantes à direita e à esquerda e que em cada esquina subsequente fazia o maior esforço para se assegurar de que não estávamos sendo seguidos.

Francamente, eu não sabia qual presa esperávamos apanhar numa armadilha nesse canto castigado pela chuva de uma cidade litorânea esquecida, mas tinha certeza, pela maneira como Holmes se comportava, de que aquela era uma aventura grave e se aproximava de seu clímax. Sentia o peso tranquilizador do meu revólver no bolso do casaco e então, subitamente, o guarda agarrou meu braço.

— Aqui — sussurrou ele.

Entramos numa passagem estreita ao pé da rua, passamos pelo que pareceu ser na escuridão uma rede de cavalariças e estábulos e chegamos por fim a uma estreita porta na parede, que Holmes abriu com uma chave pendurada num bloco de madeira. Entramos juntos e fechamos a porta atrás de nós.

O lugar estava escuro como breu, mas senti que era uma casa vazia. As tábuas sob meus pés eram velhas e nuas, e minha mão estendida tocou uma parede de pedra úmida com limo. Então chegamos a uma janela vazia com uma veneziana quebrada, através da qual entrava, frio, o ar úmido da noite.

— Estamos no que era a Estalagem Grey Mouse — sussurrou o jovem guarda. — Ali adiante, sr. Holmes, fica a casa.

Olhamos para o outro lado de uma rua estreita e através das janelas abertas, sem cortinas, de uma biblioteca brilhantemente iluminada por duas lâmpadas a óleo. Pude ver uma linha de estantes, uma mesa e um consolo de lareira no fundo. Por muito tempo não houve mais nada para ver exceto a rua escura, a entrada mais escura ainda da casa e aquela única janela iluminada.

— Não há nenhuma outra entrada? — perguntou Holmes num sussurro.

— Nenhuma — disse o guarda. — A outra janela dá para o porto e, a esta hora, a maré está subindo.

— Bom — disse Holmes. — Se nosso homem vier, deve vir por aqui. E estaremos prontos para ele.

— Mais do que prontos — disse o jovem Tredennis com decisão. Ele hesitou. — Sr. Holmes, gostaria de saber se estaria disposto a dar um conselho a um jovem. Quais são, a seu ver, as oportunidades para um policial ambicioso em Londres? Pensei muitas vezes em tentar melhorar...

— Ouçam! — exclamou Holmes bruscamente. Havia um som agudo rangente, como o guincho de um portão enferrujado. Ele se repetiu e eu o reconheci como o grito de uma gaivota.

O silêncio insinuou-se novamente. De longe veio o latido de um cachorro, subitamente silenciado. Depois, no quarto do outro lado da rua, apareceu de repente um homem num robe cor de vinho que entrou na biblioteca, baixou as lâmpadas e apagou-as. Não podia ser ninguém senão nosso cliente, sr. Allen Pendarvis.

— Como de costume ele vai se deitar cedo — disse Holmes secamente.

Esperamos até que fosse possível contar até cem e depois uma luz apareceu no aposento. O homem voltou, carregando uma lâmpada — mas misteriosamente, nos poucos minutos que haviam transcorrido, ele mudara de roupa. O sr. Pendarvis agora usava um smoking com o colarinho e a gravata retorcidos. Ele foi até a estante, removeu um volume e do recesso tirou um frasquinho, que enfiou no bolso. Depois pôs o livro de volta e saiu do quarto.

— Um artista da troca instantânea de roupa! — exclamei.

Holmes, segurando meu braço, disse:

— Não, Watson. Esse é o irmão. Eles são muito parecidos a esta distância.

Esperamos em silêncio pelo que pareceu um tempo interminável. Mas nenhuma luz reapareceu. Finalmente Holmes se voltou para mim:

— Watson — disse ele — demos um tiro n'água mais uma vez. Eu teria jurado que o assassino iria atacar esta noite. Desagrada-me voltar...

— Minhas ordens, senhor, são de permanecer aqui até o nascer do sol — interveio o guarda. — Se quiser retornar à cidade, fique certo de que manterei meus olhos abertos.

— Tenho certeza disso — disse Holmes. — Vamos, Watson. A caça está muito desconfiada. Não temos mais nada a fazer aqui.

Ele me conduziu de volta pelo assoalho instável, através da porta, rumo às cavalariças e finalmente para a rua de novo. Mas, uma vez lá, em vez de se dirigir para o alto da ladeira onde nosso fiacre esperava, ele subitamente me puxou para a sombra de um beco. Eu teria falado, mas senti seus dedos ossudos sobre meus lábios.

— Shhh, Watson. Espere aqui e não tire os olhos daquela porta.

Esperamos pelo que pareceu uma eternidade. Olhei com toda a minha atenção para a porta da casa de Pendarvis. Mas não vi nada, nem mesmo quando Holmes agarrou o meu braço.

— Agora, Watson! — sussurrou ele, partindo naquela direção, comigo atrás, no seu encalço.

Quando chegamos mais perto, vi que um homem estava parado com o dedo na campainha de Pendarvis. Holmes e eu nos lançamos sobre ele, mas era um sujeito ágil e nós, apesar de toda a superioridade em força e número, fomos jogados de um lado para outro como cães atacando um urso. E então a porta se abriu de repente por dentro e todos nós caímos num saguão iluminado apenas por uma vela na mão do surpreso dono da casa.

Nosso prisioneiro parou de lutar de repente e Holmes e eu recuamos para ver que tínhamos conseguido dominar nada mais nada menos que o próprio oficial Tredennis. Ele segurava na mão direita um revólver extremamente profissional, que caiu no tapete com um baque surdo.

— Sr. Pendarvis — disse Holmes —, sr. Donal Pendarvis, permita-me apresentá-lo a seu assassino.

Ninguém falou nada. Mas o guarda de bochechas rosadas agora tinha um rosto da cor do lado de baixo de um linguado. Toda ideia de resistência desaparecera.

— É assombroso, sr. Holmes — murmurou o jovem. — Como pôde saber?

— Como eu podia não saber? — retrucou Holmes, arrumando as próprias roupas em desordem. — Estava bastante evidente que, como não havia nenhum cidadão em Penzance que possuísse habilidade como atirador, um conhecimento das marés e uma jovem esposa atraente, nosso homem devia ser um membro da profissão em que a pontaria certeira é encorajada. — Ele se virou para o homem que ainda segurava a vela, embora com dedos trêmulos. — Era também evidente que seu irmão, que ainda dorme profundamente no andar de cima, nunca foi o alvo de maneira alguma. De outro modo, o assassino dificilmente teria se dado ao trabalho de lhe enviar mensagens de advertência. Era a sua pessoa, sr. Donal Pendarvis, o alvo.

— Eu... eu não entendo — disse o homem com a vela, recuando.

Eu continuava agarrando com força o prisioneiro, que não resistia e observava Holmes enquanto ele tirava calmamente seu cachimbo de madeira de cerejeira do bolso e o acendia.

— Havia um excelente motivo para o guarda Tredennis assassiná-lo, senhor — disse Holmes para nosso ressabiado anfitrião. — Nenhum homem gosta de ter as flores de seu jardim arrancadas por um estranho. Sua morte teria iniciado uma investigação que levaria diretamente ao marido da dama que o senhor visita nas noites de sexta-feira...

— Isto é uma mentira maldosa! — gritou Tredennis, depois se rendeu.

— A menos — continuou Holmes tranquilamente — que ficasse óbvio para todo o mundo que Donal Pendarvis fora morto por acidente, que ele encontrara a morte nas mãos de um louco que tinha algum rancor inexplicável contra seu irmão Allen. É por isso que as mensagens de advertência enfatizavam tão desnecessariamente o nome de *Allen* Pendarvis. Foi por isso que o candidato a assassino tão cuidadosamente deixou de acertar sua suposta vítima e apagou a vela. Fiz o melhor que podia, sr. Pendarvis, para garantir a sua segurança mandando prendê-lo. Como esse subterfúgio fracassou, fui obrigado a lançar mão deste recurso extremo.

Tredennis se desvencilhou do meu domínio.

— Muito bem, acabe com isso! — exclamou ele. — Admito tudo isso, sr. Holmes, e deixarei a questão de bom grado a um júri de meus pares...

— Seria melhor o senhor deixá-la comigo, no momento — aconselhou Holmes. — Sr. Pendarvis, você não me conhece, mas eu salvei a sua vida. Posso lhe pedir um favor em troca?

Donal Pendarvis hesitou.

— Estou ouvindo — disse ele. — O senhor entende, eu não admito nada...

— É claro. Ouso sugerir que, em vez de permanecer aqui na casa de seu irmão e divertindo-se com casos perigosos, o senhor se dedique a áreas que oferecem maior oportunidade para o uso de seu tempo e de sua energia. Os campos de trigo do Canadá, talvez, ou a savana da África do Sul.

— E se eu recusar?

— A alternativa — disse Holmes — é um escândalo extremamente desagradável, envolvendo o nome de uma senhora. Seu processo por detenção indevida fornecerá oportunidades raras à imprensa sensacionalista, quando eles ficarem sabendo que tudo resultou de uma sincera tentativa de minha parte de salvar o seu pescoço de uma justa punição, não é?

O sr. Donal Pendarvis abaixou a vela e um lento sorriso se espalhou por seu bonito rosto.

— Dou-lhe a minha palavra, sr. Holmes, partirei no primeiro paquete.

Ele estendeu a mão e Holmes apertou-a. Em seguida mergulhamos de novo na noite, nosso prisioneiro entre nós. Subimos a rua calçada com pedras em silêncio, o jovem policial avançando como se estivesse indo para a forca.

Encontramos o fiacre ainda à nossa espera e partimos imediatamente para Penzance. Mas foi Holmes que pediu ao cocheiro que parasse quando chegamos aos arredores da cidade.

— Podemos deixá-lo em sua residência, guarda? — perguntou.

O jovem levantou o rosto, seus olhos assombrados.

— Não zombe de mim, sr. Holmes. O senhor me apanhou completamente e estou realmente pronto a...

Holmes quase o empurrou para fora do fiacre.

— Caia fora e não me amole, meu jovem amigo. Deve deixar a meu cargo contentar seu subinspetor com uma história que o doutor Watson e eu vamos inventar. De sua parte, deve tomar uma decisão quanto à sua tática para lidar com sua Maudie. Afinal, o problema imediato foi removido, mas, se deseja se transferir para algum posto com menos trabalho noturno, aqui está o meu cartão. Terei prazer em dizer uma palavra em seu favor aos poderes na Scotland Yard.

A um sinal de Holmes, o fiacre voltou a avançar, pondo fim aos incoerentes agradecimentos do jovem policial castigado.

— Sei muito bem o que está em sua mente — disse-me Holmes quando nos aproximávamos de nosso destino. — Mas você está errado. As finalidades da justiça serão mais bem servidas enviando seu jovem culpado de volta para sua Maudie do que à desgraça pública.

— Não adianta, Holmes — falei com firmeza. — Nada que você possa dizer mudará minha decisão. Assim que retornarmos a Londres, vou pedir a Emilia que se torne minha esposa.

Sherlock Holmes deixou sua mão cair em meu ombro, num gesto de camaradagem.

— Que seja. Case-se e fique com ela. Qualquer dia desses vou voltar para o campo e para a criação de abelhas. Veremos quem vai sofrer as ferroadas mais dolorosas.

AGRADECIMENTOS POR PERMISSÕES

Kingsley Amis: "The Darkwater Hall Mystery" de Kingsley Amis, copyright © 1978 por Kingsley Amis. Publicado originalmente em *Playboy* (maio de 1978), copyright © 2014 pelo Kingsley Amis Estate. Reproduzido com permissão de The Wyllie Agency LLC, em nome do Estate of Sir Kingsley Amis.

Poul Anderson: "The Martian Crown Jewels" de Poul Anderson, copyright © 1958 pelo Trigonier Trust. Publicado originalmente em *Ellery Queen's Mystery Magazine* (fevereiro de 1958). Reproduzido com permissão de Karen K. Anderson.

Sam Benady: "The Abandoned Brigantine" de Sam Benady, copyright © por Sam Benady. Publicado originalmente em *Sherlock Holmes in Gibraltar* (Gibraltar Books, 1990). Reproduzido com permissão do autor.

Anthony Boucher: "The Adventure of the Bogle-Wolf" de Anthony Boucher, copyright © 1949 por Anthony Boucher. Publicado originalmente em *Illustrious Client's Second Case-Book*, organizado por J. N. Williamson, publicado privadamente, 1949. Reproduzido com permissão de Curtis Brown, Ltd.

Anthony Burgess: "Murder to Music" de Anthony Burgess, copyright © 1989 por Anthony Burgess. Publicado originalmente em *The Devil's Mode*, de Anthony Burgess (Random House, 1989). Reproduzido com permissão de David Higham Associates Limited, Londres.

A. B. Cox: "Holmes and the Dasher" de A. B. Cox, copyright © 1925 por A. B. Cox. Publicado originalmente em *Jugged Journalism* (Herbert Jenkins, 1925). Reproduzido com permissão de The Society of Authors, Londres.

Bill Crider: "The Adventure of the Venonous Lizard" de Bill Crider, copyright © 1999 por Bill Crider. Publicado originalmente em *The New Adventures of Sherlock Holmes* (edição brochura revista), organizado por Martin H. Greenberg, Carol-Lynn Rössel Waugh e Jon L. Lellenberg (Carroll & Graf, 1999). Reproduzido com permissão do autor.

David Stuart Davies: "The Darlington Substitution Scandal" de David Stuart Davies, copyright © 1997 por David Stuart Davies. Publicado originalmente em *The Mammoth Book of New Sherlock Holmes Adventures*, organizado por Mike Ashley (Robinson, 1997). Reproduzido com permissão do autor.

Barry Day: "The Adventure of the Curious Canary" de Barry Day, copyright © 2002 por Barry Day. Publicado originalmente em *Murder, My Dear Watson*, organizado por Martin H. Greenberg, Jon Lellenberg e Daniel Stashower (Carroll & Graf, 2002). Reproduzido com permissão de Peters, Fraser & Dunlop (www.petersfraserdunlop.com) em nome de Barry Day.

August Derleth: "The Adventures of the Remarkable Worm" de August Derleth, copyright © 1952 por August Derleth. Publicado originalmente em *Three Problems for Solar Pons*, de August Derleth, publicado por Mycroft & Moran, 1952. Reproduzido com permissão de Arkham House Publishers.

Colin Dexter: "A Case of Mis-Identity" de Colin Dexter, copyright © 1989 por Colin Dexter. Publicado originalmente em *Winter's Crimes*, organizado por Hilary Hale (Macmillan, 1989). Reproduzido com permissão do autor.

Loren D. Estleman: "The Devil and Sherlock Holmes" de Loren D. Estleman, copyright © 2006 por Loren D. Estleman. Publicado originalmente em *Ghosts of Baker Street*, organizado por Martin H. Greenberg, Jon Lellenberg e Daniel Stashower (Carroll & Graf, 2006). Reproduzido com permissão do autor.

Lyndsay Faye: "The Case of Colonel Warburton's Madness" de Lyndsay Faye, copyright © 2009 por Lindsay Faye. Publicado originalmente em *Sherlock Holmes in America*, organizado por Martin H. Greenberg, Jon Lellenberg e Daniel Stashower (Skyhorse Publishing, 2009). Reproduzido com permissão da autora.

Robert L. Fish: "The Adventure of the Ascot Tie" de Robert L. Fish, copyright © 1960 pelo Mamie K. Fish Revocable Trust. Publicado originalmente em *Ellery Queen's Mystery Magazine* (fevereiro de 1960). Reproduzido com permissão de Cathy Burns, administradora do Mamie K. Fish Revocable Trust.

Neil Gaiman: "The Case of Death and Honey" de Neil Gaiman, copyright © 2011 por Neil Gaiman. Publicado originalmente em *A Study in Sherlock: Stories Inspired by the Holmes Canon Anthology*, organizado por Laurie R. King e Leslie S. Klinger (Bantam Books, 2011). Reproduzido com permissão de Writers House Inc.

Edward D. Hoch: "The Adventures of the Cipher in the Sand" de Edward D. Hoch, copyright © 1999 por Edward D. Hoch. Publicado originalmente pelo Mysterious Bookshop, 1999. Reproduzido com permissão de Patricia M. Hoch.

Dorothy B. Hughes: "Sherlock Holmes and the Muffin" de Dorothy B. Hughes, copyright © 1987 por Dorothy B. Hughes. Publicado originalmente em *The New Adventures of Sherlock Holmes*, organizado por Martin Harry Greenberg e Carol-Lynn Rossel Waugh (Carroll & Graf, 1987). Permissão concedida por Blanche C. Gregory Inc. em nome do Dorothy B. Hughes Trust.

Stuart M. Kaminsky: "The Man from Capetown" de Stuart M. Kaminsky, copyright © 2001 por Double Tiger Productions, Inc. Publicado originalmente em *Murder in Baker Street: New Tales of Sherlock Holmes*, organizado por Martin H. Greenberg, Jon L. Lellenberg e Daniel Stashower (Carrol & Graf, 2001). Reproduzido com permissão de Double Tiger Productions, Inc.

H. R. F. Keating: "A Trifling Affair" de H. R. F. Keating, copyright © 1980 por H. R. F. Keating. Publicado originalmente em

John Creasey's Crime Collections, organizado por Herbert Harris (Gollancz, 1980). Reproduzido com permissão de Sheila Keating.

Laurie R. King: "Mrs. Hudson's Case" de Laurie R. King, copyright © 1997 por Laurie R. King. Publicado originalmente em *Crime Through Time*, organizado por Miriam Grace Monfredo e Sharan Newman (Berkley, 1997). Reproduzido com permissão da autora.

Stephen King: "The Doctor's Case" de Stephen King, copyright © 1987 por Stephen King. Publicado originalmente em *The New Adventures of Sherlock Holmes*, organizado por Martin Harry Greenberg e Carol-Lynn Rössel Waugh (Carroll & Graf, 1987) e compilado em *Nightmares & Dreamscapes*, de Stephen King (Pocket Books, 2009). Usado com permissão. Todos os direitos reservados. Reproduzido com permissão de Hodder and Stoughton Limited.

Hugh Kingsmill: "The Ruby of Khitmandu" de Arth_r C_n_n D_yle e E. W. H_rn_ng, copyright © 1932 por Hugh Kingsmill. Publicado originalmente em *The Bookman*, abril de 1932. Reproduzido em *The Table of Truth*, publicado por Jarrolds, 1933. Reproduzido com permissão do Executor of the Estate of Hugh Kingsmill.

Leslie S. Klinger: "The Adventure of the Wooden Box" de Leslie S. Klinger, copyright © 1999 por Leslie S Klinger. Publicado originalmente pela Myterious Bookshop, 1999.

J. C. Masterman: "The Case of the Gifted Amateur" de J. C. Masterman, copyright © 1952 por J. C. Masterman. Publicado originalmente em *MacKill's Mystery Magazine* (dezembro de 1952). Reproduzido com permissão de Peters, Fraser & Dunlop (www.petersfraserdunlop.com) em nome do Estate of J. C. Masterman.

Kenneth Millar: "The South Sea Soup Co." de Kenneth Millar, copyright © 1931 por Kenneth Millar. Originalmente publicado em *The Grumbler*, 1931. Reproduzido com permisão de

Harold Ober Associates, em nome de Margaret Millar Charitable Remainder Trust.

Michael Moorcock: "The Adventure of the Dorset Street Lodger" de Michael Moorcock, copyright © 1993 por Michael e Linda Moorcock. Publicado originalmente em *The Adventure of the Dorset Street Lodger*, de Michael Moorcock, impresso privadamente para David Shapiro e Joe Piggott, 1993. Reproduzido com permissão da Howard Morhaim Literary Agency, Inc.

Christopher Morley: "Codeine (7 Per Cent)" de Christopher Morley, copyright © 1945 por Christopher Morley, copyright renovado © 1973 por John Christopher Woodruff. Publicado originalmente em *Ellery Queen's Mytery Magazine* (novembro de 1945). Reproduzido com permissão de John Christopher Woodruff, Executor of the Estate of Chrisopher Morley.

Stuart Palmer: "The Adventure of the Marked Man" de Stuart Palmer. Publicado originalmente em *Ellery Queen's Mystery Magazine* (julho de 1944). Copyright © 1944 por The American Mercury, Inc. para *Ellery Queen's Magazine*, copyright renovado. Reproduzido com permissão do Estate of Stuart Palmer e JABberwocky Literary Agency, Inc.

Anne Perry: "Hostage to Fortune" de Anne Perry, copyright © 1999 por Anne Perry. Publicado originalmente em *The New Adventures of Sherlock Holmes* (edição brochura revista), organizado por Martin H. Greenberg, Carol-Lynn Rössel Waugh e Joh L. Lellenberg (Carroll & Graf, 1999). Reproduzido com permissão de Donald Maass Literary Agency, em nome da autora.

Thomas Perry: "Startling Events in the Electrified City" de Thomas Perry, copyright © 2011 por Thomas Perry. Publicado originalmente em *A Study in Sherlock Holmes*, organizado por Laurie R. King e Leslie S. Klinger (Bantam Books, 2011). Reproduzido com permissão do autor.

Frederich Dorr Steele: "The Adventure of the Murdered Art Editor" de Frederic Dorr Steele, copyright © 1933 por Frederic

Dorr Steele. Publicado originalmente em *Spoofs*, organizado por Richard Butler Glaenzer (Robert M. McBride, 1933). Reproduzido com permissão de Peter R. Marsh, Sr.

Julian Symons: "Did Sherlock Holmes Meet Hercule...?" de Julian Symons, copyright © 1987 pelo Estate of Julian Symons. Pulicado originalmente em *The Illustrated London News*, abril de 1987. Reproduzido com permissão do Curtis Brown Group Ltd, Londres, em nome do Estate of Julian Symons.

Peter Tremayne: "The Specter of the Tullyfane Abbey" de Peter Tremayne, copyright © 2001 por Peter Tremayne. Originalmente publicado em *Villains Victorious*, organizado por Martin H. Greenberg e John Helfers (DAW Books, 2001). Usado com permissão de Brandt & Holchman Literary Agents, Inc. Todos os direitos reservados.

Manly Wade Wellman: "But Our Hero Was Not Dead" de Manly Wade Wellman, copyright © 1941 por Manly Wade Wellman. Publicado originalmente em *Argosy* (9 de agosto de 1941). Reproduzido com permissão de David Drake.

P. G. Wodehouse: "From a Dectetive's Notebook" de P. G. Wodehouse, copyright © 1959 por P. G. Wodehouse. Publicado originalmente em *Punch* (maio de 1959). Reproduzido com permissão do Estate of P. G. Wodehouse.

Direção editorial
Daniele Cajueiro

Editor responsável
Hugo Langone

Produção editorial
Adriana Torres
André Marinho

Preparação de texto
Ulisses Teixeira
Rafaella Lemos

Revisão
Rita Godoy
Raquel Correa

Capa
Victor Burton

Projeto gráfico de miolo e diagramação
Larissa Fernandez Carvalho

Este livro foi impresso em 2018
para a Nova Fronteira.